U0839886

中國鄉土小說名作大系

中篇小说系列（一九七七年至二〇一二年）

第二十七卷

辛田题

主编 郑电波

中原出版传媒集团
大地传媒
中原农民出版社

图书在版编目(CIP)数据

中国乡土小说名作大系. 第27卷 / 郑电波主编. —郑州：中原出版传媒集团，中原农民出版社，2014. 12
ISBN 978-7-5542-1001-7

Ⅰ. ①中… Ⅱ. ①郑… Ⅲ. ①中篇小说-小说集-中国-当代 Ⅳ. ①I247

中国版本图书馆 CIP 数据核字(2014)第278524号

中国乡土小说名作大系

出 版 人 刘宏伟
总 编 审 汪大凯

总 策 划 刘宏伟
策划编辑 郑电波
责任编辑 郑电波 高燕燕
责任校对 彤 冰
装帧设计 吴丹青
装帧制作 董 雪
封面题字 贾平凹
插　　图 董 钺

出版发行	中原出版传媒集团 中原农民出版社		
地　　址	河南省郑州市经五路66号	**邮 编**	450002
网　　址	http://www.zynm.com	**电 话**	0371-65751257
邮购热线	0371-65724566	**传 真**	0371-65751257
承印单位	河南省瑞光印务股份有限公司		
开　　本	787mm×1092mm	1/16	
印　　张	24		
字　　数	465千字		
版　　次	2014年12月第1版	**印 次**	2014年12月第1次印刷
书　　号	ISBN 978-7-5542-1001-7	**定 价**	98.00元

本书如有印装质量问题，由承印厂负责调换

《中国乡土小说名作大系》
编辑工作委员会

顾　　问　张　炜　贾平凹　李佩甫

编　　委　（以姓氏笔画为序）
王守国　田中禾　孙广举
刘思谦　刘　恪　何　弘
罗阿波　耿占春　原　非
魏世祥

纲目总审　张　炜

主　　编　郑电波

原始资料搜集查询

李秋海　胡家模　尚书娉　郭保林　孙　涛
黄小娜　安建国　谭静波　杨继红　朱光琼
高殿石　董志辉　吕金国　汪　筠　黄海舟
张廷双　任庆文　尚　钊　王进喜　黄昌之
张月华　王向阳　王　刚　才　让　赵文玺

凡 例

本大系全套共36卷，精选了1977年至2012年在中国国内公开发表、出版的乡土小说作品中的短、中篇名作。其中前6卷为短篇小说，后30卷(7卷—36卷)为中篇小说。其中包括荣获全国大奖的乡土短、中篇小说；被小说选刊选载且极具影响力的作品；在当时受到社会广泛关注、在读者记忆中留下深刻印象的优秀作品。

本套书的选编原则上是以发表、出版的时间顺序排列的，每卷从作品的品质考量前后有所微调，但大的格局不变。

上世纪整个80年代，是中篇乡土小说创作的黄金时段，名作灿若群星，该大系收录此时段的作品较多。短篇小说系列每卷分上、中、下三部分，而中篇小说系列不作界分。

每卷的字数大致相当。由于上世纪80年代及90年代初，一般中篇小说的篇幅比后来的较长，因此每卷的篇数较少，这也是全套各卷选篇数目不均的原因。

卷首语

三十多年来，中国农村发生了翻天覆地的变化，而中国农村题材小说的创作，正是对应了这段历史。它们是如此的丰富、瑰丽、饱满和激越，如此的斑驳陆离色彩纷呈。它们是心史，是一次不曾间歇的歌哭相随——过人的敏感，欣悦和忧郁，惊愕与绝望，大喜过望以及突如其来的沮丧，肤浅的赞许和陡峭的情感——这一切情愫一切境遇的全面记录和生动描摹。

张　炜

2013 年春

卷首语

中原农民出版社出版《中国乡土小说名作大系》，是当今文化界一个大事件。

中国现代文学过去多少年取得的成就主要是乡土小说。

现在我们国家的改革进入到了城乡一体化阶段，农民进城，小城镇的人到县上，县上的人到省城，省城的人到北京上海等大城市，中国社会已是迁徙的社会。我估计将来再过一两代人，乡土小说类型慢慢就要消退了，肯定不会再成为中国文学的主流了。但是，消亡我觉得是不可能的，因为大量的农村还在，更重要的是中国农村文明的思维还在，只要土地在，思维在，农耕的思维观念在，不管在哪儿，就是你在美国，到月球上去，你还是中国的，中国式的，写中国人的文学就不会消失 ，因此乡土小说也不会真的消失。

在中国，你想真正了解这个社会，获得一些更深层的东西，就去看一看乡土小说。乡土小说就好像馆藏一样，那里有丰富的宝藏。现在它已经不出现在街头了，就像庙堂或者说茶室一样，有闲时可以去坐一坐，静一静，慢慢品味它。

贾平凹

2014 年春

前 言

中国是一个乡土性很强的大国，诚如社会学家费孝通所说，中国是一个“乡土中国”。

乡土，几乎是每个中国人的精神家园。

在新时期文学中，乡土文学堪称最敏感的文化神经。新时期当代文化思潮的演进变化，许多是从乡土小说中透露出重要信息的。应该说，从中国乡土小说中可以读懂当代中国。

农民在我国的文学中，历来处于一个突出而显赫的地位。农民的社会地位不高，而文学地位不低。这是由中国作家的乡土情结、生活阅历、审美情趣及价值取向所决定的。在文学对民族文化心理的反思中，农民作为民族文化心理的主要载体，自然成为小说家关注和表现的对象，故乡土小说天然地在新时期小说中，有着举足轻重的地位。

改革开放的三十多年，这是一个伟大的时代，一个中国前所未有的大变革时代。农村生活的改变，农民心气的勃发，新一代农民在精神、意识、思想上的吐故纳新，新与旧在现实生活中的冲突与较量，以及对于腐败现实的理性批判，随后成为乡土小说在一个时期里反复吟唱的主旋律。作家成了这个时期乡村广大农民理想的抒发者和愿景诉求的代言人。农民在内心理想的感召下奋发向前，作家与之击鼓前行。

改革开放以来的文学，我们称之为新时期文学。新时期文学有三个相互联系的阶段：“伤痕文学”、“反思文学”和“改革文学”。许多作品系统地反映了农村农民生活命运的变化，社会的深层变革，抒写了自己的社会理想。有些作家把思想的锋芒指向乡土文化与农耕文明，以自己的眼光与理性来发现和表现乡土中国的浑重、复杂与嬗变。当然，也有不少作家在作品中多有对自身命运的描述和情感宣泻。

新时期文学初期，印象深、乡土味儿较浓的有何士光的短篇小说《乡场上》，高晓生的《陈奂生上城》《李顺大造屋》，张炜的《一潭清水》，贾平凹的《黑氏》，铁凝的《哦，香雪》，邵振国的《麦客》，张石山的《镢柄韩宝山》，王润滋的《内当家》，史铁生的《我的遥远的清平湾》，田中禾的《五月》，乔典运的《满票》等。中篇小说有郑义的《老井》，路遥的《人生》，张贤亮的《绿化树》，张一弓的《犯人李铜钟的故事》，叶蔚林的《在没航标的河流上》，莫言的《红高粱》，张炜的《秋天的愤怒》，映泉的《桃花湾的娘儿们》，王安忆的《小鲍庄》等等。

新时期文学的早期，是一个激动人心的时期，是一个重建希望的时代，人的内心如同枯木逢春，激情被时代精神所鼓舞并迅速地再度燃烧起来。人们在思想解放运动的昭示下又一次看到了未来的希望，并热情地期许这一切尽快变成现实。深怀理想主义文化信念的作家，无论用什么样的创作方法，骨子里都潜伏着浓重的浪漫主义基因，时代气氛使这浪漫潜滋暗长。那个时代的作家极少悲观，历经再多的苦难也不能告别乐观。作家几乎对未来用承诺的方式描绘着生活，读者的期待使写出好作品的作家一夜成名，自发阅读小说的人超过以往任何时代。人们最大的自由就是对美好的向往，人们在想象的话语中得到满足。

时间在飞驰，中国的变革在加深、加快。二十世纪九十年代引发的经济热潮、商业大潮席卷而来，文学受到很大冲击，一些作家纷纷下海弃文经商，文学创作受到了影响。然而乡土小说的创作，因与政治思潮、商品大潮都有一定程度的疏离，也由于作家的坚守，似乎并没有出现中断或萎缩的情形，无论是中、短篇小说还是长篇小说，都在坚守中有所拓展，且成就了乡土小说创作的特有景观，其作家创作形成了楚文化群落、吴越文化群落、齐鲁文化群落、燕赵文化群落、秦晋文化群落、中原文化群落、东北文化群落、巴蜀滇黔文化群落等，乡土小说内容丰富，五彩斑斓。

九十年代的乡土小说不再是单色的，而是多色的，很耐人寻味。如陈源斌的《万家诉讼》，李佩甫的《无边无际的早晨》，关仁山的《九月还乡》，余华的《活着》，迟子建的《雾月牛栏》，张宇的《乡村情感》，韩少功的《马桥人物》，杨争光的《公羊串门》，赵德发的《通腿儿》等等。

这一时期的长篇小说数量不太多，但质量很高，作家开始向家族、人生命运深处思考，审察人性、反思历史、反观传统，因此作品更显得有分量。长篇小说取得了重大成就。先有张炜的《古船》初现端倪，继有陈忠实的《白鹿原》，莫言的《丰乳肥臀》，阿来的《尘埃落定》的联袂冲刺，掀起长篇小说创作的第二个新高潮，是继八十年代古华的《芙蓉镇》，路遥的《平凡的世界》，贾平凹的《浮躁》之后第二个创作高峰。

新世纪阶段比之于前二十年文学文化领域，因面临着商业文化、传媒文化与信息科技的多重冲击，更由于人们价值观的变化，乡土小说读者的减少，作家浪漫情怀的式微，总体来说乡土小说创作出现了下滑和萎缩的趋势。然而，乡土小说并未到这部乐曲的尾声，不少乡土作家还在这片"土地"上耕耘，他们的笔墨自由而灵动，多元的叙事与多元化的观念已出现，令人感到振奋的是长篇小说的进一步繁荣，乡土长篇小说的创作出现了新的景观。贾平凹的《秦腔》，蒋子龙的《农民帝国》，孙慧芬的《歇马山庄》，铁凝的《笨花》，张炜的《你在高原》，刘震云的《一句顶一万句》，莫言的《蛙》等，其中有的作品的水平，已达到乡土长篇小说的新高。这是由于一些乡土小说作家一直在创作的深刻思考之中，他们甘于寂寞，其思考已抵达生活、社会、历史、人生甚至哲学的深处。

中国乡土小说可以说是新时期文学的精华与支撑，几乎所有的小说名篇都与"乡土"血脉相连，这不但有广泛的共识，也是不争的事实，它们占据了文学、文化、出版价值的制高点。

它是我们这个时代特有的文学形态，具有深厚的人文价值，就中国乡土小说而言，可以说达到了中国文学史上"前无古人"的思想和艺术高度，而且由于我们社会的深度变革，农耕文明的逐渐瓦解，这种形式的文学必将终结，因此可以说，它不仅是空前的，也是绝后的，它的辉煌如同唐诗宋词在中国文学史上的辉煌一样。

乡土小说植根于中华民族精神深处汲取营养，又表现并滋润着民族精神和意识，形成了新时期的文化景观。它不但被中国有识之士充分肯定和赞许，同时也被世界看重。"越是民族的，越是世界的"，莫言获诺贝尔文学奖，就是一个有力的证明。

多年来，从鲁迅到沈从文，中国作家无不有着共同的诺贝尔文学梦，可是直到去年，莫言才为中国作家实现了这个梦想。我认为，莫言获诺贝尔奖，不是他一个人的胜利，而是一大群中国乡土小说作家的胜利。这片热土，造就了这一批作家；这个时代的气候，滋润了这一批作家的成长。如张炜、贾平凹、陈忠实等一批作家，其文学创作的实绩和水平，也大都进入了这个层面。我们为中国乡土作家的成功而鼓掌，为中国乡土小说的辉煌而欢呼。

这是一套乡土小说的精选本，我们这套书重在推出改革开放35年（1977—2012）来中国乡土小说的精华部分，它们绝大部分是获奖名篇或被小说选刊选载、被评论家和广大读者所关注、极具影响力的作品。这些作品是时代的一面镜子，较深刻地反映了一个时期的社会现实。

本套书重时代感，所选作品的排序按照原作初次发表的时间先后顺延。选篇首重乡土气息、时代精神和文学价值，以作品品质为标杆（作家名气、地位作第二位考虑）以期展示35年中国农村变革、农民精神嬗变的文明进程，使内涵巨大的乡土小说所构成的文字画卷，具有以文学纪录时代史诗般的价值。

虽然过去也有一两家出版社出版过一些乡土小说选集版本，但大多是以作家为标杆选择篇目，规模小，不全面；而这套书以整个大改革时代为着眼点，登高望远，选篇宏观铺陈，将散失于长达35年间奇珍般的乡土小说，用一根乡土彩线串系在一起，这是对乡土小说的寻找与抢救，也是在打造我们中国人共同的心灵家园。

由于书的印张所限，有不少影响大、水平高的乡土小说未能选入，对此我们深感遗憾。我们希望这套书的出版，不但能让热爱乡土小说的读者喜欢，而且能让更多的农民兄弟读到。让农民了解农民，了解农村的变化，关心自身命运，关心社会变革，这是我们的初衷。

郑电波

2013年初春

目 录

年前年后

何 申

往年一进腊月，各乡镇早早地就老和尚收摊吹灯拔蜡放众人回家喝酒去了。今年不行，今年上下抓得都特早特紧：县里是一过元旦就把九五年的事都给安排了，该签字的签字，该定指标的定指标，该翻番的谁也不能含糊全得认下；各乡镇的头头一看县里拉出的这架势，谁也不敢把活儿推到年后去，都噌噌蹿回去紧招呼。七家乡乡长李德林愣忙到那种地步吧，他家离县招待所也就二里地，在县里开好几天会他竟然没回家住一宿。其实他也不是真忙到那份儿上，他曾经偷着回家一次，可没想到于小梅根本就没露面，那天晚上等到十一点半了，李德林心想别再是这娘们跟旁人相好去了吧，一个半路夫妻，这都是没鸡巴准的事，我别傻老婆等汉子了，回头一回招待所那帮乡镇长再掐咕我说我回家搂媳妇，其实我在这房子里挨一宿冻，我也太不合算了，于是锁上门就回招待所了，回去编瞎话说让人拉去喝酒去了。往后几天会下还就真忙了，主要是找县领导和一些部门的头头谈要上的项目，完后散会就蹽回七家乡安排部署，一直忙到腊月二十三过小年头一天，琢磨琢磨差不离了，才给大院里的干部放了假。放了假人家都走了，李德林还走不了，他惦着夏天让洪水冲了的那些受灾户，他又叫上秘书老陈坐车到各村转了一圈，看看临时借住的房子严实不严实，发下去的衣服被子到没到人家手，过年包饺子的肉和面都备下了没有。一看还真行，各村基本都给落到了实处，有些户灾民得的东西比他们原来自己家的还多还好，有一个老汉披着嘎巴新的绿棉大衣，他说多亏了受灾啊，要不受灾这辈子恐怕穿不上这好衣服。李德林说可别那么看，还是少受灾的好，各位都好好吃好好喝把身体养得棒棒的，来年想法子把损失补回来。有个村民说身体没问题，要是补孩子嘛，这一腊月就能种下一茬，来年旱涝保收还个个肥头大耳。这庄稼够呛，因为好多地都给冲走了，再着急也不能往石头上去种。李德林一听给老陈使个眼色，老陈心领神会跟村干就讲过年期间哪个村要是弄出规划外的肚子来，村干部们你们喝过二月二就拎着尿罐子到乡里报到，咱来个全封闭学习班，夜里不许上厕所的,把村干部都说乐了。李德林说:“别乐,这可是真格的,叫你们半年不许沾老婆边儿。”

村干部们说:“破老婆子没劲,能打麻将就行,再能喝酒。”

李德林说:“喝酒?喝尿吧!”

转完一遭老陈说,李乡长你也该回家去了,我也得走了,要不然咱俩都成规划外的了。李德林一想真是的,心中不由暗暗叫苦:他从县委办下到这七家乡当副乡长后来当乡长整三年了,原指望干个一二年就挪回去,不成想这七家乡太偏僻太穷没人愿意来,原来的党委书记调走了就把李德林一个人撂在这儿了。李德林心里明白,要想调回县城弄个好位置,一个重要的条件是当上乡镇一把手,所以就耐着性子等着当书记,偏偏这一阵子说要机构改革,人事都不动,结果愣瞅着一把手的位子就是得不着。还有不省心的就是李德林在个人家庭生活上是有喜有忧,喜的是按照这几年时兴的做法,各乡镇的头头都在县城盖房子,李德林也张罗起三大间,跨度都是六米半的,跟他原先住的县委家属院一间半简直是天上地下的差别。倒霉的是他先前的媳妇没那个命,才住上新房不到半个月,跟她们单位外出旅游出了车祸撞死了,这可把李德林坑够呛。幸亏他爱人打结婚就有毛病没孩子,这些年抱过俩都不合适又还给人家了,李德林料理完后事才得以轻手利脚继续在外边工作。后来朋友们又给撮合了一个,就是现在的于小梅。于小梅三十八,李德林四十四。于小梅是纺织厂的会计,是离婚的,娘家就在县城,人长得比李德林原来的媳妇强多了,但也看得出来是好打扮好交际的人,李德林一开始有点不同意,心想我找的是踏踏实实过日子的,找这么一位到时候把我再甩了咋办。朋友们说现在像于小梅这样光身一个人的女的不好找了,旁的起码给你带一个犊儿来,你当后爹光拉套也得不着好,不如同意了小梅。李德林一想真是那么个理儿就同意了。五月节时办的事,于小梅就住进了新房,但后来下面发水受灾,李德林也没度啥蜜月就回乡下忙活去了,偶尔来县开会办事在家住上一两宿,俩人上床看着也像夫妻,但彼此都有点生不愣的感觉,加上这次去县开会回家没见着于小梅的影儿,更使李德林心中不安,所以这一腊月忙里偷闲时李德林不由自主地就想那新房子和于小梅的事,还好一忙起来又忘个屁的了。

在老陈的催促下李德林点头说回家,老陈叫司机小黄把乡里唯一一辆破吉普车开来,又帮李德林装车。别看乡是穷乡,但到了过年的时候也断不了有人给头头送些东西,李德林还不赖呢,尽量不收礼,但牛羊肉蘑菇核桃还有烟酒都有一些,这都是明睁眼露的事,也没必要羞羞答答。李德林让老陈和小黄往车上装,又客客气气问你们用不,那二位说我们都有家里啥都不缺。装好了车都要开了,李德林跟老陈说:“我还是担心计划生育那事,那事家家是工厂人人是车间的,没人发动积极性都挺高的,过年一喝酒弄不好就麻烦了。”

老陈说:“这事防不胜防,咱也不能在旁边盯着,好在不是十天半月就生,回头有了再往下鼓捣呗。”

李德林叹口气说：“妈的，一个翻番，一个人口，弄得咱一年到头跟坐火炉子上过日子一样。”

老陈说：“过年了你就好好放松一下吧，别再想这些事了，想也那么鸡巴回事，不如不想。”

李德林说：“有时它自己就冒出来，非得让你想不可。”

小黄说：“把酒喝足了就不想了。”

老陈说：“这是个法儿。”

李德林说：“回去试试吧。”

车就开了。七家乡离县城一百多里地，都是山道挺不好走，这乡从地名看便可知当初肯定没几户人家，要不然也不能叫七家。现在虽然比七家人家多多了，但论乡镇企业论人均收入在全县还是个末拉子。本来这二年有点起色了，但夏天发了一场大水把人给冲苦了。虽然李德林在县里硬着头皮也说了什么任务不减指标不变时间不延该翻番准翻番，但他心里明白，九五年折腾一年能恢复到发水前的水平，就烧香磕头阿弥陀佛了。可这些话还不能说，说了人家县领导肯定不高兴，自己想往县里调也会受影响，所以只能瘦驴拉硬屎赖汉子拽硬弓强撑着，到什么时候说什么话，估计这么大个县不会就一个李德林这么干，山再高总有过去的路，河再深急了眼也能扑腾过去。

李德林心事重重坐在车里，隔一会抽根烟隔一会抽根烟还给小黄点着让他抽。小黄开车好几年了，对李德林家里的那点事全清楚。小黄说乡长您想啥呢，大腊月的咋不大高兴呢。李德林苦笑道小黄啊你想想我心里哪有高兴的事呀。小黄说您那是高标准严格要求自己，其实咱们七家乡在您领导下这二年都发生了翻天覆地的变化，其实您只要往开处一想就全想开了，其实您最主要的是要……他说着说着把话又咽回去了。李德林明白小黄说的是啥，小黄说的就是要养个小孩。李德林心想这小黄呀，说那么两句话哪来那些口头语“其实”个啥呀！还有什么天翻地覆，如今连司机都学会说奉承话了，这事最好别往下发展，回头开车净琢磨词儿，再琢磨到沟里去，真来个天翻地覆，那可就奉承大发劲了。

李德林在乡下这么多年了，说话根本不忌讳啥，就说：“小黄，乡长我不是跟你吹，这回打结婚我就没在家待，儿子都耽误半年了，住下一过年就行了。”

小黄见乡长这么跟自己说，很高兴：“那当然了，要不然咋是领导呢，干啥就得像啥，咱乡上下要都像您一样，还愁翻不了番，翻十个跟斗都宽绰绰的。”

李德林听得心里怪别扭的，暗说你是说生孩子翻番还是经济翻番呢？看来要想溜须拍马还得好好学习，弄不好就叫人心里膈应。李德林忙换了个话题，说过年咋过，和小黄又聊了一阵。后来路上的车和人多起来，有几个集市把路堵得水泄不通的，小黄顾不上说话了。李德林看着满地的过年物品和一张张咧着大嘴笑的脸，他的心情慢慢又好起来，毕竟这几年忙的就是为了老百姓都富裕起来，甭说产生了什么感情啊什么爱心呀，那都是时髦的词儿，说归齐就是看原先穷得叮当响的村民们变得富裕些了，心里就痛快。这里有啥缘由呢，李德林自己明白，自己从小也是在山沟子穷窝子长大的，小时候能喝碗糨粥就美得不知道太阳从哪边出来。可惜爹娘死得早，要是活到现在，看着你们儿子当乡长，吃肉比当初吃红薯还方便，你们该多扬眉吐气呀！李德林想着想着眼窝子有点发潮，他呼啦冒出个念头：来年清明我弄它半爿子猪肉埋爹娘坟里去让他们慢慢享受；忽然又一想不能埋还得烧，烧了故去的人才能得着吃着，可就怕烧不透烧不没，还是纸扎的啥东西燎了吧。后来他就想这事先放放吧，回家弄出个儿子来最要紧，那么着就可以把于小梅给拴住了。说来可气，于小梅他们那一大家子人本来并不很同意这门婚事，总觉得他们都是城里人，找我这么一个乡镇干部给他们减了色似的，幸亏那阵子小梅可能是离了婚没房子又不愿意回娘家去住或者还有旁的什么原因，没大挑这挑那就应了下来，但现在看来这婚姻的基础还是不牢，非得有个孩子之后才好。

吉普车跑了小半天，终于进了县城。李德林扭头瞅瞅，群山绵绵云蒸雾绕，他真想说一声老天爷啊，你当初造这个圆球时咋就弄出这些沟沟来呀，哪怕用腚一屁股都坐平呢，也少了那么多在深山老峪里的百姓。这可倒好，七家乡离着县城一百多里，这县还有个三家乡离着二百多里地，看来过去封建社会也太可恶了，硬把那儿户人家逼得跑那老远去生存，这给现代化建设增加了多大困难呀。往下没容李德林再想，车已经停在家门口。还真不赖，这回于小梅就一个人在家里待着，挺欢喜地迎出来帮着搬这抱那，完事小黄说快过年了我也得回家了，硬是连口水也没喝就往回奔。李德林进屋瞅瞅于小梅，于小梅粉头花脸地找茶倒水，一弯腰小屁股鼓鼓的，李德林隔着窗子看院门是插上了，伸手就抓于小梅，于小梅早有准备把杯放到一边，问："还是晚上吧！"

李德林说："晚上再说晚上的。"就拉她进里屋。于小梅说："等会儿，让我再看你两眼再干。"李德林笑道："咋啦？怕弄错啦？"于小梅说："嗯，现在都打假，回头来的是假老爷们我不就窝囊了。"李德林摸摸胡楂子，指着墙上的照片："对着看清楚啊，可能瘦点了，这阵子太累。"于小梅进了里屋，说："太累还忙着干这事？"李德林忙说："脑子累，这不累，这累就麻烦了。"过了一会儿把事办完了，于小梅说："看来还没违反三大纪律八项注意。"李德林笑道："你咋样？也一直闲着吧。"于小梅给了李德林一拳，说："你快成从威虎山上下来的人了，见面就是这点事，怪不得我爸瞧不上你。"

于小梅说完了也就觉出来这话说得有点不合适，但也没办法了。这时外面有人敲门，有个男的喊："小梅，大白天插门干啥？走啊，刘厂长让你赶紧去呢！"

于小梅整整头发，对李德林说："昨天一宿没睡觉，真没办法，厂里的事太多，你先歇会儿，我一会儿回来做饭。"穿上大衣她就走了，剩下李德林一个人躺在沙发上，心里这个来气哟，先骂一声于小梅他爸，这个老家伙，他还敢小瞧我！你不就是过去当过几天工商局长吗，也早退个鸡巴的了，还神气个蛋！咱们走着瞧，我要不叫你用夜壶盖上那只眼高看我一下子，我就不姓李！

李德林忽然想起刚才门外喊的啥刘厂长，他噌地站起来里屋外屋仔仔细细看了两遍，连土簸箕都看了，果然发现了几个烟头，再想找出点别的来却没找出来。他提着一个烟头看了看，是红塔山的，档次不低，也不像是扔了许多日子的。再把其他的烟头都捡起来看看，都是红塔山，看来是一个人抽的没错。李德林心想这可就有问题了，于小梅是不抽烟的，肯定是一个男的来这儿抽的，这可是啥来着……对！是可忍，孰不可忍！老子在外面带着老百姓苦干实干，你们在家也真打实凿地干啦？操他妈的……还不错，过了一会儿李德林又冷静下来，暗暗跟自己说别急别急心急吃不了热豆腐，万一是于小梅他爸或他哥来抽的，咱又能说啥？还是继续往下观察吧。不过，看来当务之急的事是啥这回是彻底弄清了，当务之急就是赶紧调回来，要不然费劲巴力地盖了房子给不忠于自己的娘们儿和她情人啥的使用，自己不成傻小子了嘛！

“旧历的年底毕竟最像年底……”

李德林走在县城街道上，不知怎么就想起鲁迅有一篇小说开头有这么一句话。他想这话真是不假，别看有元旦新年，那不叫年，那就是比星期天多歇一天事，在乡下呢，老百姓根本就不过。乡下老百姓一年就过三个节，端午节中秋节和春节，按老百姓的话说是五月五八月十五和过年，前两节都是在忙活的时候过，也就是吃顿像样的饭，就是这大年在闲时候过，可以不分黑白地尽情吃喝玩乐。李德林虽然在县城里工作过多年，但这两年毕竟是在七家乡的时间长，七家乡政府所在地就一条街，土啦咣叽的，车一过卷得对面看不清人，往各岔沟里一走空气是好了，但也见不到多少人。要那么说计划生育就不难了，不是，是说现在在地里根本看不见几个做庄稼活的，你也弄不清人家什么时候该耪的耪了该锄的锄了，还有就是年轻人往外去打工的多，到村里开会也净是老人妇女和孩子。县城这街上可好，到这个时候都是提兜子拎包买东西的人啦，而且年轻人都穿着贼时髦的衣服，美不滋滋地逛。今年腊月一个雪花也没掉，天蓝蓝的像块水冲后的大玻璃，白亮亮的日头在上面一悬，就耀得街上像通天大道一般，叫你心里啥烦事都没了似的那么舒服痛快。李德林深深吸了口气，冷不丝地一直钻到小肚子里，他自言自语道：

“唉，还是县城的年底毕竟最像年底呀……”

这话一出他心里就更痒痒了，他急急忙忙就奔县委去了，进县委大院就直奔组织部。组织部在新楼二楼，一楼是县委办公室，李德林就是从办公室走的，所以到这就跟回娘家一样熟。不过今天这楼内腥乎乎的跟鱼市的气味差不多了，看来是刚分了带鱼，而且这带鱼不怎么新鲜。办公室的秘书小丁正在楼道里捆鱼呢，小丁原先和李德林坐对面桌，抬头见是李德林，小丁忙站起来抬抬手："哎哟，你回来啦，这手也没法握。"李德林说："这带鱼味儿可有点不大对头。"小丁苦笑道："凑合吧，党委机关能分点鱼就不赖了，哪比得了您大乡长。"李德林想起这二年里小丁曾给自己打几次电话告诉上面的动态，就问："年货置办得咋样？"小丁晃晃脑袋说："别提了，我媳妇厂子一分钱不发，我这还是调资前的工资百分之六十，我还能置办啥年货……"李德林听得直想叹口气，后来一想我替旁人难受个屁，乡里不也是一年没发工资，一直到腊月十五东敛西凑的才能补上百分之八十。李德林问小丁："真是百分之六十？领导也这么些？"小丁说："数都是那么个数，可人家领导的含金量和咱不一样，我两块顶不上一块，人家一块能顶一百块。"李德林毕竟也是领导，就笑了："可不是像你说的，到街上买东西，都是认钱不认人。"小丁把带鱼捆好拎起来："完啦，官官相护了，我不说啦，说这些不好。你这是上哪儿？"李德林说："去组织部。"小丁朝四下瞅瞅，见楼道人来人往的，就拉李德林到了个没人的屋里，关上门说："重要消息，重要消息啊，机构改革，要免下去一批老的，机会难得，赶紧去找。"

李德林听了表面上挺镇静，但心里有点发毛，他说："咱不好意思找呀。"

小丁说："你不好意思，你就在下面待着吧，人家可早就动上了。"

李德林沉不住气了，忙问："你是说有的乡镇长已经盯上了？"

小丁说："那当然了，你还以为咋着。"

李德林说："小丁你回头上我家去，我带回点牛羊肉。"

小丁说："不，我可不是冲那，我是冲咱哥们的情谊。"

李德林说："是情谊没错。肉是肉。"

他推门就出去了，才走到楼梯处，就见前面有个胖子正往上走，一看就认出是三家乡的书记胡光玉。胡原来是县委书记的秘书，比李德林下去还早半年。胡光玉一扭头也看见了李德林，俩人就都乐了，互相问些见面常问的话，后来还是胡光玉说："找得咋样？快回来了吧？"

李德林不好意思地说："我，我是说别的事。"

胡光玉乐了："好样的。我可得回来了，再不回来我儿子就得进去了，媳妇也得离婚。"

李德林明白他说的是啥意思。调到基层去的干部他自己苦点累点都没啥，往往都是家里这边坚持不住了，特别是家里有上学的孩子，没人辅导功课不好还是小事，打架偷东西闹出惊动派出所公安局的麻烦来，那才叫人头疼呢。李德林怕胡光玉再问自己到组织部究竟干啥，自己撒谎的本事连两下子都够不上，再说就得露实底了。于是李德林忙没话找话说："你那小子给你闹啥祸了？"

胡光玉说："妈个巴子的，成天看那些破录像……"

李德林说："武打的吧？"

胡光玉小声说:“要是武打的还好呢,都是搞对象的。妈的,这么点小就想搞对象,今年说啥得让他当兵去。”

李德林连连点头:“对,当兵好,锻炼人。”

胡光玉脸上突然出来点笑意,问:“老兄,我那位新嫂夫人咋样?”

李德林脸上发烧,嘴上却不能软,说:“能咋样?都鸡巴一个样。”

胡光玉说:“不是我瞎说,像咱们这样在乡镇的,不提防着点够呛,你这媳妇长得又那么漂亮……”

李德林说:“妈的,谁愿意使谁使去,反正都是二茬货。”

胡光玉摇摇头说:“话是这么说呀……”

往下没等说,组织部一个副部长叫郝明力的推门从办公室出来。郝眼神不咋着高度近视,戴个瓶子底眼镜,走道盯着自己鼻子尖。别看他相貌不咋样,那也是县里四大能人之一,那顺口溜是这么说的——郝明力的眼,鲁宝江的喘,于小丽的屁股,刘大肚子的脸。郝明力的眼就是上面说的。鲁宝江是人大主任,是掌着全县实权的人,可惜就是喘,一年喘一回,从正月十五喘到腊月二十三,虽然如此不影响上班不影响做报告,而且凡是有他在的场合谁都不能抽烟,倒也带出不少不抽烟的干部。于小丽呢,是于小梅的二姐,酒厂女厂长,喝酒跟喝水一样,小时进过杂技团学蹬大缸,后来臀部就特发达,结婚那天一屁股坐塌过床板。后来因工作太忙顾不上家,她男人跟她生气,她一屁股把她男的撞门外硌折一根肋骨。至于刘大肚子可了不得了,跟李德林是小学同学,考试没及格过,可人家二百块钱起家,现在手里有一个大纺织厂和一个商场。二十年前因为脸上疙瘩太多连搞对象都费劲,现在可好,疙瘩上摞疙瘩了,他却看不上他媳妇了,听说打了离婚,给他媳妇十万块,谁叫人家有钱没处花去呢。话说回来,这郝明力可没钱,他之所以能列入四大能人,除了眼之外,更主要的是他的记忆力惊人,全县干部只要经过他的手的,就跟入了电脑一样,你的出生年月在哪儿任过啥职呀受过什么表扬得过什么处分是头婚还是二婚违反过计划生育没有等等他张口就能来。可惜就是眼神差点,走对面了也常认不出是谁,所以他一直当副部长,有两次要提他,上面领导来考察,见面他不跟人家说话,人家说他傲气,把好事都给耽误了。胡光玉可能和郝明力还沾点什么亲戚,所以胡光玉捅了李德林一下,意思是逗逗他先别跟他说话,结果他俩硬是和郝肩擦肩地走了过去郝都不知道,可是胡光玉一推郝的办公室门,郝就站住了,转过身问:“是哪位呀?”胡光玉笑道:“耳朵挺好使。”郝明力笑了:“不能都不好使。”

进了办公室李德林一脚就绊在一捆带鱼上,那鱼跟小丁的一样,胡光玉说这臭鱼咋放这儿呀。郝明力说哎呀我说屋里咋这么大鱼味儿呢,这是谁放在这儿的。胡光玉笑道:“这是人家给你送的礼。”郝明力说:“不会,我眼神不好,人家怕送了我也看不见,都不送了。”胡光玉说:“那就送钱,直接送到手里。”郝明力说:“更不会。我两次把一百块钱当十块的花了,大家伙都知道。”胡光玉问:“那我给你送点啥,你才能把我从三家乡调回来?”郝明力说:“送我个金山银山我都不要,我这有一个你的政绩的好报告就行。”胡光玉说:“我这几年考察都不错,咋不调?”郝明力说:“不错的多啦,那还得领导定。”胡光玉说:“那我们去找书记。”他这么一说郝明力才意识到这旁边还有一个人呢,忙说:“真对不起,我还以为就你一个人呢,失礼啦失礼啦,这位是……”李德林跟郝关系一般,不能像胡光玉那么随便,忙自报家门,郝明力连忙上前握手,说道:“你辛苦啦,才回来吧,听说七家乡落实县里会议落实得很扎实呀,怎么样,家里都挺好吧。真对不起,五月节时我去省里开会,要不非喝你的喜酒去了,你有啥事就说吧。”

李德林听得心里热乎乎的,原来人家连自己生活上的事都记得清清楚楚。李德林一感动就说了实话,他说我跟胡光玉的想法差不多,想问问县里对我的下一步有什么想法。

他这么一说,旁边的胡光玉就直眨眼,说德林,你不是不想调嘛。李德林扭头小声说:“那会儿不想,刚才让你一吓唬,就想了。”

郝明力回到自己的座位上,略思索一下说了几句套话,意思是领导上都想着你们呢,但目前能在各乡镇主持全面工作的人还不是很多,所以,你们身上的担子不是说放就能放下的。看来人家郝明力毕竟是做了多年组织工作的,说出话来在亲切的同时又有理有据,说得李德林心里挺服气的,也不好意思再强调个人的困难了,心想只要领导上想着自己,这事早晚能办成。不料胡光玉这家伙不吃这一套,胡说:“拉倒吧老郝,这话你留着会上说吧。头年就说这么重要那么重要不能调,那税务工商银行的不是都有人调上来了吗?”

李德林一想对呀,呼啦一下刚平整点的心情又翻过去了,跟着说:“还有烟草呢?这回机构改革不是要调整吗?”

郝明力倒也实在,估计这大年根子了,他也不愿意把下面的同志弄得不高兴,便说:“胡光玉你到哪儿哪儿乱。实话跟你俩说,机构就是不改革往上调干部也是必然的,但调谁我可做不了主,你俩要是很着急的话,就得和主要领导谈,到时候我给你们帮个腔。”

胡光玉说:“这还不赖,够意思。”他说完了就摸自己的兜,手没拔出来眼睛却瞅李德林。李德林也不傻,一下子就好像明白了是怎么回事,心里忽悠也就颤悠一阵。他不由自主地就给胡光玉使了个眼色,那意思是该上就上吧,随即也摸自己的口袋。为啥李德林一下子就想到胡光玉这是要给郝送红包之类的东西呢,因为乡镇头头在一起开会喝酒时说过送礼的事,说如今拉着大米拎着烟酒去领导家又受累又扎眼不说,人家也不缺这些东西,遇上那过日子还挺省的领导老伴,大米多了也舍不得给人,到夏天隔三岔五的就晒大米簸虫子,这也太给领导家添麻烦了。不是说上下团结奋斗跟一个人一样吗?跟一个人一样其实不现实,跟一家人一样倒差不多,或者就把领导当作咱乡镇的人,年终给他们一份奖金就是了,人家愿意买啥就买啥，哪怕他打麻将都输了呢，咱那份情谊也算走到了。李德林当时喝着酒也跟着说这法子不赖，但他没敢干，主要原因是七家乡没这个财力，包括自己在内，乡干部们也没这个承受力，一说乡里来个客人都没钱请人家吃饭，教师工资都不能按时发，你那边拿多少多少钱给领导送礼，传出去非翻了桨不可。但从胡光玉的举动看，人家可能就这么干了，胡光玉这家伙的口袋挺鼓的，没准都是红包吧。

可没想到胡光玉掏咕掏咕从口袋里掏出盒烟来。郝明力因坐得近忙说对不起忘了给你们拿烟了，转身拉开橱子，拽出一条红塔山来，李德林恍惚瞅着那橱里还有烟啥的，他自己的手在兜里也就松开了。他临出来时带了一百块钱，还都是十块一张的，刚才已经攥到手里，现在真庆幸胡光玉这家伙滑头没掏，要不自己这一百块钱也太丢人了，连一条红塔山烟钱都不够，还想请人家关照，也太不懂行情了。过了一会儿胡光玉要走，李德林也走，郝明力又一次嘱咐找找主要领导或者在主要领导面前说话占分量的人，比如人大主任鲁宝江。因为鲁是前任县委书记，又是现任书记的老领导，他说句话不能说是一言九鼎吧，在一些小事上也能一锤定音。

李德林出了门自然是往前走，胡光玉走了几步忽然说把打火机忘在屋里了说德林你先走吧，转身又回了郝的办公室。李德林自然不能再跟回去，但他眼睛却好像跟了回去，他足以想象得到这胡胖子进了屋之后就会把口袋里的红包掏出来送给郝明力。那个红包里不会是十元一张的票叠成一摞，而应该是百元一张的，有那么十来张就够可以的了……

“李大乡长想什么呢?”

迎面过来几位和李德林相识的秘书，都是县委办的，叮咣的正往楼里扛整箱的饮料，小丁也在其中，他们都顾不上跟李德林说啥，跟李德林打招呼是因为怕相互在楼道里撞上。小丁有意往后退退，小声问:“咋样?”

李德林说:“没戏。”

小丁说:“还是功夫没下到。”

李德林说:“我这种功夫不行。”

小丁说:“那就抓紧练。看这饮料，整车地往这儿造。”

李德林说:“我能造啥? 除了土豆子。”

小丁笑道:“那你就在下面弄土豆子吧。”扛着饮料进去了。

李德林再走出楼时，发现这会儿楼前停了不少的车，上上下下人来人往很热闹，天气又很暖和，很有些春天就要来到得感觉。李德林正琢磨是不是去找一下鲁宝江，大门口进来了县委书记的车，县委书记姓强，比李德林还小一岁呢。强书记一下车就看见了李德林，强说李德林你来得正是时候，农业局水利局林业局正召开联席会，研究九五年小流域治理，你们乡要想上赶紧去找他们，去晚了黄花菜可都凉了。李德林还能说啥，忙谢谢书记的关怀，就噌噌去找那些局。这种小流域治理，是国家扶贫工作中的一项内容，早先扶贫就是给钱给东西，都是带点救灾性质的，现在是给项目，比如这小流域治理就是改造山区的山水林田路，国家拨钱，你干了得了钱，完后也就长久受益。所以各乡镇都把这事很当回事，李德林和班子成员已经商量好了，开了春就正式跑这事，因为小流域治理一般都是夏末以后开始，有关材料也都在整理中，可刚才强书记说这事都动起来了，实在叫人想不到。

李德林知道小流域治理办公室在一家新建成的宾馆里办公，他赶到那一看傻眼了，敢情好几位乡镇党委书记和乡长都在那儿谈呢，随来的人有的正从车上往下搬东西。李德林有点着急了，进屋说："各位来得可够早的呀。"那些老兄老弟笑道："早下手为强，谁叫你回家搂起媳妇没完。"李德林道："你们早都搂过了吧，要不就快回家去搂，给我让个地方。"就凑上前跟人家谈七家乡小流域治理的想法。工作人员说我们只管谈项目的有关规划，至于你们的项目能上不能上，还得领导定。李德林说那就找领导，人家说领导不在这儿。李德林拉过一个乡长问你找的谁啥时找的，那乡长说找的是农业林业水利局长，已经在这儿蹲了四天了。李德林心中暗暗叫苦，直埋怨自己实在是太迟钝了太迟钝了！扭头出去连忙去各局找头头。可哪儿那么容易说找就找着，都年根了，头头们事多了去啦，慰问啦开座谈会啦看离退休老干部啦还有抓时间跟关系单位和重要人物喝酒打麻将啊，反正是忙得一塌糊涂。在机关找不着，李德林就往这几个局头头的家里去找。找了两家人没找着不说，心里还挺别扭，有的连大门都没开，说声不在家就拉倒了。李德林琢磨是不是社会治安不太好造成的，可也不至于连面都不露，也太不讲礼貌了。等到再到一家根本就没人应声，只有大狼狗汪汪叫，李德林就彻底灰心了，只好转身回自己家。吃晚饭时他就把这事跟于小梅说了。于小梅乐了说："你在乡下待傻了。"李德林最不爱听这话，便问："谁待傻了？"于小梅说："你傻了呗，现在有钱有权的人根本不串门，一是人家在打麻将，你进去影响人家。二是房里装修得太豪华，不愿意让外人看。"李德林问："那他们就谁都不见了？"于小梅说："当然见，不是都有电话了吗，一般都是先打电话通了信以后再定。"李德林听罢不由得点点头。忽然于小梅腰里嘟嘟嘟地响起来，小梅低头就瞅，瞅着说厂长又呼我了，然后就打电话，说起来没完。李德林坐在一旁看着，他这个电话装上了半年了，李德林没打过几次，看来于小梅的使用率是挺高的。李德林说："有你腰里那个机，再有电话，你和你们厂长快成一个人了吧。"于小梅放下电话，眨眨眼反问："你这是什么意思？吃醋啦？"李德林说："不不。我是说一个女的腰里有这么个东西，男的一呼这边就响，怪有意思的。"于小梅说："方便，好多人都有，将来你调回来也得有。"李德林说："我可不往人家女的肚子里呼。"于小梅不高兴了，一边穿衣服一边说："德性，就你这点小心眼，还想带着群众奔小康，回去还扛你的老锄头去吧。"李德林把半杯白酒一仰脖喝下去，说："没有老锄头，就没有白面馒头！妈的，你还别小瞧我！我问你，咱家哪儿那么多烟头？"于小梅急了："怎么着？来人打牌时抽的！告诉你，这大年根底下，你要想不好好过，就明讲，犯不上在这儿一点点斗气，我们厂最近正分房子，你要是不想过快说别耽误了我……"

于小梅砰地把门一摔出去了,剩下李德林一个人火冒三丈嗷嗷乱叫,正叫着呢小丁愣头愣脑地进来,说:"就你一个人在家呀,我还以为谁在这儿唱样板戏呢!"

李德林说:"妈个巴子的!敢跟老子叫板,老子不吃你那一套!"

小丁挠了挠脑袋,说:"是和你那位吧,我告诉你一个新闻,而且跟你有直接关系。"

李德林问:"跟我有啥关系?"

小丁说:"刘大肚子要跟你成连桥啦。"

李德林愣了好一阵子:"哪个刘大肚子?四大能人之一?我那小学同学?"

小丁说:"三尺六的裤腰,全县就他一个。"

李德林问:"小梅她有俩姐,哪个换了?"

小丁说:"能是哪个,能人碰能人,她二姐于小丽呗。才进腊月散的,可能过了年以后就结婚。"

李德林问:"我那个老丈人同意啦?"

小丁说:"没钱的换有钱的,还能不同意。你也得注意。"

李德林听了小丁的话还真有点发蔫,心想要真是这么着,可别自己这边再傻巴呵呵瞎吆喝,还是想好了再喊吧,如果散伙了冲自己这年龄再找一个是不成问题的,找大姑娘也能找着,问题是你还有多大能力再折腾一回。当几年乡长,要说酒啊烟啊是没少喝没少抽,吃饭也用不着花钱,可除了攒下那份工资,旁的大便宜也没得着过啥,唯一的便宜就是盖这房子时砖啊料啊弄得便宜点。像报纸上登的那些一下子就受贿多少多少万,那是不可能的事,就是有咱也不敢收。于小梅这女人虽说不那么守谱,可她毕竟是城里人,人家家里没人刮吃这头,原先那媳妇人倒是不错,可娘家在乡下,那儿还说是头一批奔小康的地方,你瞅瞅她家那些三姑二大爷来一趟城里,不是让你带着去看病就是托人打官司告状,你给他们啥东西都要,总也丢不了那个穷相,你这边一年到头能得到的也不过是腊月里的一摞煎饼烙糕啥的,有一年说杀猪了给送点血肠子来,黏糊糊的吃完拉屎全是黑的……

小丁不知李德林想啥,说:"德林,你别怕,要是走到那一步,我能给你再介绍一个,东关有个小寡妇,挺漂亮的,就是有俩孩子。不过没啥,只要你有钱……"

李德林站起来就去找牛羊肉,说:"中啦老弟,我也不是拍电影,一会儿换一个媳妇。"

小丁接过一坨牛肉挺高兴:"当乡长不赖,这肉多了也行。"

李德林说:"太多了也是不廉洁。"然后他自己拿了一大坨,又往身上装了几百块钱,就和小丁一起出了门。他要去人大主任鲁宝江那儿,他知道小丁也不知从哪论的管鲁宝江叫舅爷,让小丁跟着一块去,估计叫门啥的人家能开。

这时候天色已经黑黑一片了,月亮还没有出来,星星在寒风中抖动着。街上的灯火却是热热烈烈，新开业的商店和老铺子都抓紧一年中最好的销售时机，不分黑白地干，时不时地就见卖东西的人举着张大钞票在灯前照，看看是不是假的。路边卖拉面的一个个笑面土匪一般拉顾客，卖瓜子水果的个个让秤杆子撅上天，也没有人注意他放在哪个星星上，小孩子们已经在放炮，有消息说县城来年就跟大城市一样不让放炮了……李德林在这夜色和灯光中走着，浑身上下有些发热，他明白他现在是在感受着一种生活，而这种生活是一种极具生命力的生活，让世间一切正常的人都感到——活着，多美好……

小丁路过自己家时把自己的那份肉放下，然后就听他在院里跟他爱人说你加点小心别傻呵呵一个劲给人家“点炮”，后来他就跑出来陪李德林去鲁宝江家。鲁宝江住的是平房，论他的资格，县里多好的楼房他也能住得上，但人家不住，这就跟北京一样，大干部就住四合院，当然那种四合院和一般大杂院就不一样了。县里不比北京，但鲁宝江的大院也不简单：一圈红砖墙，里面有正房五间和三间厢房，挨着厢房还有两间小棚，院里有葡萄架石桌石凳，还有一口压水井和一个窖，其他像小花墙石子路也都该哪有哪就有。小丁一路走着就跟李德林讲鲁宝江院里屋里是啥样，李德林问你咋这么清楚，小丁说他家挖窖时找过我，搭小棚时我和的泥。李德林说你这么瘦干得了吗，小丁说人家那是瞧得起咱才叫咱去，再累也不能说累，结果怎么样，我媳妇从镇办厂一下子调到国营厂了。李德林笑道：“现在不是发不出工资吗?”小丁苦笑一声：“这不能怨我舅爷，当初没看准，没关系，过了年再调回去，那个镇办厂子现在红火了。”

俩人边说边走不知不觉就到了鲁宝江的家，小丁敲了敲里面就来人开了门，小丁管那人叫舅奶，李德林一看见过但没说过话，便自我介绍，小丁也跟着帮腔。人家那女人一看就是有身份的，很客气地点点头，然后小声说真对不起，强书记正和老鲁说事呢，这大冷的天，你们如果事不急的话，改日到单位找他吧。李德林一想自己再急也不敢在书记主任面前说急呀，就给小丁使个眼色说我们就不打扰了，小丁就拿起牛肉说这是李乡长的一点心意，他那舅奶略微客气一下就让小丁放到小棚里。这工夫李德林瞅瞅这静静的院子和挂着窗帘微微透出些亮光的屋子，真跟小丁说的一样，不知怎么他就感到有一股子惭愧，自己盖了那么三间秃尾巴新房就美得屁眼朝天，要是过到这架势上，兴许还经受不住呢。

出了大门走了几步李德林小声说：“还挺给我面子，收下啦。”小丁笑道：“收下也白填圈了，小棚里肉太多了。”李德林愣愣地就不往前走了，前面雪亮的车灯，嗖地擦身而过停在他俩刚离开的大门口，就听小丁那位舅奶笑着说：“来啦，快进屋，老鲁等着你呢。”一个男人笑道：“就是，缺我不行……”

小丁拽了一把李德林，李德林才慢慢地往回走，小丁说：“别不高兴，好事多磨，人家那是打麻将呢。”

李德林点点头。后来小丁先到家了，李德林就一个人往回走，走到一条比较静的街道上，他仔细听，就听见四下房里有些哗哗洗牌的声音，再听一会儿又听到哗啦啦的水声，一看是个小饭馆外有一位冲着墙根正尿呢，尿着尿着咣地又吐起来。李德林饭往上反赶紧往前走，这时凉风吹得他浑身上下有点发紧了，他找了个黑地方也想尿尿，还没等站稳就听黑处有人咳嗽，把他吓得尿都出来了，一看黑地里一对男女正搂着啃呢。李德林转身又走，终于找个地方把那壶热茶尿出去，然后打了个激灵，浑身都轻松了。他不禁自言自语："旧历的年底毕竟最像年底，县里的领导毕竟最像领导，城里的夜晚毕竟最像夜晚，妈的，全城就我一个傻瓜……"

憋气时说啥都行，但毕竟是乡长，咋也不至于在街上走一趟就把觉悟都走没了。转过来两三天李德林猛跑小流域项目，跑了一阵他发现这事吧也不都像有些人说的非得送多少才行，要那么着共产党的天下早完了。人家管项目的人也得看你能干得差不离才能给你，要不经他手批出去的项目放出去的钱到年底一验收任何效益没有，他也不好受。当然如果你对项目的落实规划做得好，让他听了放心，他就有意在你的名下打个勾，你再多少意思点，联络联络感情，你的事当然办成得就比旁人快些，这倒是实情。

李德林找着了一两个头头，又跟项目办具体办事的人疏通得有点门了，再往下就得领导拍板儿了，可这会儿人家领导都来无影去无踪了，连项目办的人也没几个能在班上静下心坐一会儿，一个个全是电话找 BP 机叫，买这个分那个。女同志还得忙扫房洗东西，人家就跟李德林说你这事过了年再说吧，李德林一想也是，都鸡巴这时候了算了吧，就回家了。到家一看于小梅也忙呢，穿件薄毛衣两大奶子嘟嘟颤，袖子挽挺高使洗衣机洗衣服呢。于小梅说："德林咱俩把话说开就得了，我都这岁数了也不想再干啥，就跟你一心过了，你别总疑心我，别看我跟他们喝酒打麻将啥的，到真格的时候我保证把住，身上这些东西所有权就归你一个人还不行吗！"李德林说："那是应该的事，要不然我这乡长还不如一头叫驴了，好叫驴还占八槽不让别的叫驴占便宜呢。"于小梅笑得咯咯的，说："好好，我嫁给你也算进驴圈了，这就过年了，见着我爸妈会说点话，给我做个脸。"李德林说："话咱会说，就怕人家瞧不起咱。"于小梅说："不会不会，有我呢。另外，我姐的事你可能也知道了吧，刘大肚子那人挺牛气，你别跟他置气。"李德林心里咯噔吓一下，刘厂长刘厂长就是刘大肚子呗，小梅不就是给他当会计吗，这回一下变成他小姨子了！李德林说："好家伙全县四大能人你家就占俩，一个屁股一个脸，他俩咋凑一块的呢？能不能吃饭时让他戴个面罩之类的东西？"于小梅说："去你的。人家疙瘩多，钱更多，你脸上光溜，口袋也光溜。"

按往常于小梅一揭这短处李德林肯定犯急，但这会儿心情还不错，他也就没往心上去，抽着烟跟小梅接着瞎逗。他说："现在有的顺口溜说得特准，'不管多大官，一人一件夹克衫，不管多大肚，一人一条健美裤'，就你姐那肚子屁股，也穿健美裤，

真能赶时髦。你说你们姐俩可真能，一个把肉长在后面，一个长在胸脯子上，净往值钱的地方长……”

于小梅拿着两个瓶子说：“去去去！打酱油醋去！不搭理你吧，你就生气，给你点脸吧，你就胡扯八扯，让我姐知道了还不撕你的嘴！”

李德林说：“到时候我不承认，我就说都是你晚上在床上说的。”

于小梅说：“好好，咱晚上见，就你四十五个熊样！”

李德林一听这话有点发怵。这地方男人都忌讳四十五，起因是说一个二婚男人再当新郎时说自己四十五，其实岁数比这大，结果头一宿就现了原形，那媳妇就起了疑惑，手掂着那堆不争气的物件说：这是四十五？这是四十五？这故事一传开来，男人自然而然就回避这个数。李德林过三年偏偏就是四十五，而且回来这两天他又发现个秘密，就是现在这女人吃得好身体又壮，可能又加上那些搞对象的电视剧啥的影响，到晚上一沾两口子那点事，不但不怵头，有时弄得你都挺难招架，像于小梅这块头这火力，俩李德林也不是个儿，所以人家于小梅在屋里把话说到点子上，李德林还真有点胆虚。他赶紧说去打酱油醋就打酱油醋，也没拿个兜子啥的，一手一个瓶子就上了街。找了家副食店进去一看打酱油醋还排队呢，没法也得排，排着就听前后的人说现在酱油有假的，都是用猪毛熬的，喝酒也得注意，净拿酒精兑的，另外就是走道得注意，交通队新发展了一批特爱往人和电线杆子上撞的司机，要是两天不撞点啥他们就失眠睡不着觉；最后有一个人说过小年那天修鞋的给各鞋厂发了不少感谢信，感谢有一种新出的棉鞋穿一个星期准掉底但鞋底不折，如果折了就得换新的，底掉了重新缝一遍线，使全体修鞋的收入提高了不少……等李德林把酱油醋打完了，他脑子里都装得满腾腾的了，他心说这城里哪来的这么多热闹事，烦不烦呀。出了副食店还没走几步，嗖地一辆黄面包车擦着李德林身子就窜过去，李德林左手的醋瓶子叭地就摔了，人家那车却跟没事似的倏地钻人群里不见了。李德林刚要骂两句，一看周围的人都瞅傻小子似的瞅自己乐，赶紧又进了副食店买了整瓶的，这时他才觉出刚才那些人的话不能都不信，看来这两年在乡下的时间长，有些事是不大了解行情了。

再走到街上他就格外加小心了，不是舍不得一瓶子醋钱，实在是怕让哪位愣爹给撞了，要是一下撞死也行，俩眼一闭不知道了，就怕你撞个半死不活的，特别是把男的撞得下肢瘫痪，简直是比掘他祖坟都难受。李德林和他乡里的人去看过一个挨撞的同志，回来大伙说可把人家那小媳妇坑啦，他那一撞甭说四十五呀，四百五都不如了。别多说，能坚持下来一年的女的就是好样的，能坚持十年的死后肯定成神仙。李德林心想要是于小梅恐怕也就能对付个俩仨月的，就冲这我可不能像在乡里走道除了自己撞电线杆没人敢撞自己那样子了。

过了街李德林就溜边走，路过一家饭店门前，他一眼就看见胡光玉正腆个肚子站在那儿等谁呢。李德林长了个心眼，忙悄悄躲进一条小胡同口瞅着，他想看看这胖子到底请谁。虽然说整个腊月天气不错，但毕竟是腊月，在大街上走得急还不显得多冷，在小胡同一站长了就不行，小胡同起小风，嗖嗖地往裤脚里钻。再看胡光玉那儿也等得够受，一会看看表一会朝左右望望，比当年盼八路军还着急呢。李德林这会更难受了，身上冷点还能对付，两只手攥着俩瓶子都冻得梆老硬，他心说胡胖子你咋鸡巴跟人定的点，把今天说成明天了吧。后来李德林一看不能再等下去了，因为他身后过来两个戴红箍的老头，四只老眼睛上下直打量李德林。李德林知道那是搞综合治理的，万万惹不得，他连忙跟二位笑了笑，可能他那冻木的脸硬笑起来怪不好看的，把那两个老头笑得有点发毛不敢上前，李德林趁机就逃之夭夭。到饭店门前一看那胡胖子还在那看表呢，李德林骂道："我说你在这等你爹哪！"胡光玉扭头一瞅是李德林，无可奈何地说："叫你说着了，比我爹还重要。"李德林骂了一句，心里的火也就消了大半，说："说真格的，请谁呀？"胡光玉倒也实在，说："还不是为了小流域项目，年前咋也得砸下来，要不过年喝酒都不踏实。"李德林说："他们不是说过了年再定吗？"胡光玉说："可别听那一套，项目和资金差不多都放出去了，年后吃屎都吃不着热的啦！"李德林一听腿都软了，心里说亏了于小梅让我出来打酱油醋，要不还在家打嘴架玩，年后让你哭都找不着地方。李德林说光玉啊，今天这饭也算我一份东家吧。胡光玉说那不合适人家会觉得咱心不诚你还是单来吧。李德林一琢磨也是，就赶紧回家，到家于小梅问咋去这长时间李德林两只手猫咬似的疼，被问急了，他说："我碰见个熟人，跟人家学点招数。"

于小梅说："啥招数？不当乡长当书记的招数？"

李德林点点头："没错，你真聪明。"

于小梅问："啥招？"

李德林伸出冻得鸡爪子似的两手："'两手抓，两手都要硬'，就这招！"

到了晚上李德林心情不好，躺在床上脸转过去朝墙，于小梅收拾完了上床拽他，问："怎么啦？四十五啦？"

李德林说："今天不行，今天心情不好，等明天项目争上了再说吧。"

于小梅说："还挺革命的。"

李德林说："哼，心里得有老百姓。"

于小梅说："我也是老百姓。"就拉了灯跟李德林亲热，李德林慢慢也就轻松了些，后来他就起身忙活起来，忙到半道不知怎么又想起小流域项目，便恨恨地一顿一顿地说："我日你个——项目！我日你个——小流域！"

时间不大于小梅就急了说："你快下去吧，你打山洞子呀！"

李德林抹把头上的汗，下地捅捅地炉子，看桌上有吃剩的猪头肉，抓了两块吃下去，又喝了口水，后来打了个喷嚏，然后钻被里睡觉。

准是那两块猪头肉吃坏了，半夜里李德林就肚子疼，连着跑院里拉了两泡稀，于小梅没法子下地给他找药，哆嗦着说谁叫你昨晚上没好造吗，回头非把我也冻感冒了。李德林吃了三粒氟哌酸又喝了些热水，才顶过去那股子难受劲。天亮了他起床后觉得两腿发软，于小梅说好汉架不住三泡稀，你好好在家歇着吧，要是有空去看看我爸我妈，真的假的问问过年有啥事需要你干。李德林苦笑道："嗯，再不去都忘了丈母娘长啥样了。"于小梅问："那我爸呢?"李德林说："你爸是领导，扫着一眼就忘不了。"于小梅笑了："看来还是爱认识当官的。"李德林说："嗯，记住了在大街上好躲开点。"于小梅上来给他一拳头："你咋就不得意我爸呢!"李德林说："你爸工商局长出身，看谁谁像小商贩似的，我怕他把我当秤杆子给撅了。"于小梅说："我咋又跟了你这么个乡镇干部，我算倒了霉啦。"李德林说："可别这么说，咱乡下人心直口快，您别见怪，一会我就去看你爸他老人家。"于小梅说："行啦行啦，别狗过门帘子，全靠嘴对付。"

吃了早饭李德林上街，找了家饭馆订下一桌。老板说都年根了你可别请神容易候神难，李德林把二百块钱撂到桌上说到晚上一个菜毛不动也付钱。然后他就去请人，他对自己说这回我背水一战了，说啥也得把小流域的项目争过来。说来也巧，才过街就觉得身后有辆吉普车开过来，李德林想起头天打酱油醋的情景赶忙跳便道上去了，可那车也跟着往路边开，李德林刚要说你这车咋鸡巴开的，那车停了，老陈从车里跳下来。李德林愣了，问："你咋来了?"老陈说："可别提啦，各村宰猪这两天喝坏了十好几个，有几个重的没法送县医院来了。"李德林笑道："挺好，挺好!"老陈说："胃出血还好?"李德林忙说："不是说胃出血好，是说你和小黄来得好，我正需用车呢。"就上车跟他俩说怎么怎么回事。你二位最好跟我跑一天，老陈小黄都说没问题你乡长这么干是为谁呀，走吧，你指哪儿咱就开哪儿去，保证把他们都拉来。

话说得容易，干起来就费劲了，现在甭说找那几个局的领导难，连项目办的几个具体办事人也找不着了，破吉普车嘟嘟嘟窜到中午，也没找着个正头香主。后来李德林发现小黄开的这车不好好走道了，直想跟树啊电线杆子啥的亲热，李德林问："这车咋啦?"小黄说："车没咋着，我俩不行啦，昨天一夜我俩没睡觉。"李德林看看老陈："你咋不早说呢。"老陈说："你也没问呀。"李德林让车开到自己家，等着于小梅回来做饭吃。正中午时于小梅回来了，一见老陈小黄二位油滋麻花的样子，就有点不高兴，到厨房叮里咣啷煮了一锅挂面，又说这两天太忙家里啥也没准备只好将就点吃吧。李德林脸上就有点挂不住了，老陈赶紧说太好了正想喝点热乎的，小黄也挺明白事，抄筷子抓碗就要吃，李德林挡也挡不住只好看他俩吃了，吃完了老陈说这车有毛病，我俩还是趁着天亮赶回去吧，李德林一想也是就送他俩上路，又嘱咐过年时别喝得太凶注意别着火。又说过初六就来接自己回乡里。老陈说那不行咋也得过了正月十五。李德林说你没看见我忍着嘛，要到正月十五我没准把这娘们就劈巴了。老陈又劝了劝，小黄把车发动着，排气管爆炸似的当当响着去了。

李德林一肚子火回到屋，小脸上全是杀气，于小梅做了这事也觉得理亏，躲一边不敢撩惹德林，后来以为没事了她说晚饭我好好炒几个菜，中午实在没时间。李德林一蹦多高："炒你妈个×！老子堂堂一乡之长，为民谋幸福，拉着稀满街跑，他们一宿没睡到咱家，你就煮挂面？你的心是什么长的？今天咱得说清楚！"

于小梅向后退两步硬撑着说："我，我就煮了挂面，你能把我咋着？不行咱就分开！"

李德林听着这话反倒坐下了。回家来这几天情景他都看明白了，马善受人骑，人善受人欺，咱这乡长在人家眼里根本就不是一盘菜，与其这么窝囊，还不如亮了咱的本色，大丈夫宁死阵前，不死人后，一个女人岂能凉了咱一肚子大曲和热血。李德林笑笑说："也罢，咱俩明说的好，散就散，东西各拿各的，想办手续明天就办，不愿意办年后也中。我李德林本来就不稀罕这小窝，咱身后有一乡好几万老百姓，甭说你这二婚的。咱带着奔了小康，老百姓高兴了，给我找个对象那不太容易啦！你别往下惹我，要是我手下的人知道你是这人品，给你一哄哄，先让你臭遍半拉县！"

这回是于小梅听完这些话有些发傻了。估计她是没想到平时回来热乎一宿就跑了的李德林还有这一顿话，这话可够人吃一阵子了，尤其够一个女人吃一阵子。这年头虽然离婚不算个啥，可在这小县城里你要离得太多了，人家也戳后脊梁骨，回家在老人面前也不是那么好交代……于小梅又瞅瞅这宽宽绰绰的房子，心里也就后悔了，说："德林，算啦，这事……这事……你抽根烟吧，我给你弄了条红塔山，厂里请客人时，我在饭馆开出来的。"

李德林还抽自己的烟，说："一条红塔山就想软化我？还不是正道来的，不抽。"

于小梅说："那咋办？要不咱……上床。"

李德林说："去你的吧，我一肚难事，哪有那心思。"

于小梅："那你让我咋着？"

李德林也让请客的事给逼急了，说："你有能耐，帮我请客人吃饭……"

于小梅听罢还就还了阳嘣劲，一拍大胸脯子说这点小事，包在我身上，到时候你就在饭馆子门前候着吧。李德林不信，于小梅说你别不信，我能把强书记请来，你说旁人能不来吗！李德林更不信了，后来于小梅说这事太好办了，咱未来的姐夫刘厂长刘经理一句话就全部齐了。李德林想想真是的，刘大肚子办的那个大纺织厂和商场，一年税收占全县小一半，县领导跟敬财神爷一样敬着他，他要是出面请谁那准是一请一个准儿。

李德林不愿意看于小梅的得意样，说："要是请刘大肚子出面，我去请也行，我俩同过学。"

于小梅笑道："同过学的多啦，你去恐怕够呛，一般乡镇长都进不去他办公室的门。"

李德林脸上发烧，说："我们这不就要成为连桥了吗?"

于小梅说："连桥那是冲着我们姐妹。你要是觉得自己行，我可走啦。"

李德林叹口气，说："那就有劳你跑一趟，晚上我在饭馆门前候着。"

于小梅说："把事办成了，你还跟我厉害不？过年到我家闹气不?"

李德林一想反正都到这份上了，就说："不厉害，不闹气，放心吧。"

于小梅抹了阵子脸出去了，剩下李德林一个人在屋里乱转悠，心里乱麻似的，不为别的，都说小姨子有半个屁股是姐夫的，看于小梅这股劲，还真没准儿的事，这回要是刘大肚子出面把事办成，我的身价肯定又往下降，剩下那半拉屁股没准儿也是人家的了……等转到后来李德林就想起夏天那场水来，那会儿一天一夜把全年的雨都倒下来了，水顺着山沟往下卷，什么房子地树人马猪羊，冲着啥没啥。也就是遇见现在这好时代，不光政府拿钱拿物，连北京天津还有香港的个人都给捐东西，那些衣服被子全是新的，人家那叫啥精神？全是白求恩精神！咱李德林能接着在那灾区安安稳稳当乡长，还不是托了党和政府还有那些好人的福！为了早点把灾区的经济搞上去，我个人还有啥舍不得，特别那于小梅，人家压根也不是咱的，将来是谁的也说不清，我何苦思想那么不解放，能利用这关系给老百姓办点事，多少年过后大家一说当年的李德林那可是个好干部，比白求恩还白求恩，那不就流芳千古了吗!

人要是遇事往开处想，啥事都能化解开，李德林在家歇了一阵子，自我感觉情绪平稳了，就洗脸换衣服去饭馆等着。这时节天短，县城西又有座大山，四点钟天就暗下来了，李德林估摸还得一会儿才能来人，就去离饭馆不远的医院看看老陈送来住院的人，一看都在那儿龇牙咧嘴地哼哼呢，李德林说你们还愁咱乡灾情不重咋着，夏天挨水冲，冬天用酒灌。那几位说这不是高兴嘛，就是有点高兴大发劲了。李德林又问问钱带够了没有，有俩动手术的估计就得在这过年了，李德林说到时我给你们送饺子来，那二位说多谢了切的是胃可能吃不了饺子。李德林说你俩不吃陪床的得吃，临走又说我说你们两句别往心里去，好好治病。那些人说让您这么一批评里面都不那么疼啦。李德林笑了说要那么着我训一顿开刀别用麻药了。大家都乐了。

再返回饭馆时，于小梅已经站在门口了，埋怨李德林说你咋才来！李德林说我早来了！朝屋里一看他也急了，敢情满满一桌子客人都到了，打头的正是强书记，往下是鲁宝江，其余是那几位他好几天找不着的局长，刘大肚子和于小丽坐在强书记左右，说说笑笑像多少年的老朋友一般。李德林进来后赶紧道歉，然后就倒酒上菜喝起来，李德林先跟众人喝仨名曰前进三，然后跟每人喝一盅叫打一圈，喝的过程就说了小流域项目等事，众人说好说好说。然后，人就听强书记鲁宝江刘大肚子说纺织厂要上新项目的事，这时候还就真看出来了，鲁宝江那是久经风雨的不倒翁，稳坐江山不动声色，刘大肚子财大气粗，眼珠子直瞅房顶，强书记端着个架子放不下，动不动就是形势很好，其余的人也都适当地插一两句话，于小丽的酒厂因为是赢利户，说话也挺气势，加上与刘大肚子的关系，更是锦上添花，连于小梅好像都跟着沾光，到末了只可怜了李德林，一会儿让服务员上餐巾纸一会儿去要啤酒，后来上的螃蟹有味了，强书记吃一口就放下了，刘大肚子直皱眉头，鲁宝江一闻那味就要喘，吓得李德林赶紧给端走，到外屋跟老板好一阵子交涉又换了个别的菜。总的来讲这饭吃得大家都挺高兴，临走时都跟李德林说感谢，刘大肚子还拍拍李德林的肩膀，说过年见。李德林搭了人家的交情，连忙谢刘大肚子。一边谢着一边想，妈的这人可没处说去，上学时候刘净留级成天挨老师骂，没承想现在成这样。最后于小梅帮李德林结账，才结完她腰上的那个机又叫了，于小梅看一眼说我得去厂里，李德林说刘不是刚走吧，于小梅说我也不知什么事可能要结账。李德林不好意思说啥，就一个人回家了，进家捅炉子添煤烧水，想想这一天忙成这个样子，觉得怪好笑的，后来他就觉出酒劲上来了，脑袋迷迷糊糊的，他拉过被盖在身上，就在要睡的前一瞬间，他忽然问自己：今天这桌饭是我请的吗？人家那些人领情吗……

三十那天晚上大家都在看电视。于小梅把炉子弄得挺旺，屋里热得穿件毛衣还冒汗，李德林抽烟喝茶嗑瓜子，看到高兴时说："要是天天这样嘛，那就比共产主义还共产主义了。"于小梅叮当剁馅和面准备包饺子，时不时进里屋瞅一会儿电视，瞅见那个"复印活人"的节目时，开始他俩还笑假赵忠祥长得有点面，后来见变出四个小孩，于小梅就不笑了，李德林明白她想啥，就说小梅啊，咱俩虽然是半路夫妻，但我心里可没往半路上想，腊月根这几天咱俩都忙得脚后跟打脑勺子，说点气话就当西北风吹过去拉倒吧，我想咱俩最好还是养个孩子，将来咱俩老了也有个人照顾。于小梅抽抽鼻子紧眨眨眼，点点头说："德林，你说这话让人心里热乎，其实我也想跟你过到老，要孩子我也不反对，问题是咱结婚这么长时间咋就没怀孕呢？"李德林说我原来的媳妇输卵管堵了，可能是她小时候吃得赖又干活累的，你是不是也堵了，你可能是肚子里油多，鸡要是太肥了就不下蛋。于小梅笑了说去你的，我原先那男的冬天下水坐了毛病，要不然我也不跟他离婚，在他坐毛病前我做过人工流产，我能有啥毛病？李德林说那咱俩年后得检查检查，看看原因到底在谁身上。于小梅说对，就是你没问题我也得让你戒仨月酒以后再要孩子，要不生个孩子都带酒味。李德林笑道瞧你说的，全国多少乡镇干部，哪个不喝酒？要是他们媳妇一块坐月子，那不成酿酒厂了吗！

俩人说得都挺高兴，看到十二点放了挂鞭，然后包饺子，包着包着李德林上下眼皮直打架，就去睡了。转天早上街上静静的，吃了饺子李德林说我得出去转转，于小梅说你有点眼色，人家要是玩着呢，你别傻坐着不走。李德林说我不傻，就先奔了鲁宝江家，他还想着郝明力的话，起码过几天求鲁帮助说句话好调回县城来。因为是大年初一吧，鲁宝江家的大门开着，很容易就进去了，不过客厅里只有鲁的老伴，人家挺客气地跟李德林互相拜了年，然后说老鲁去团拜啦，走了有一会啦。李德林心里一沉，说瞧我这时候赶的，只好满脸是笑地退出来。接着又走了几个头头家，都说去团拜了，李德林心里这个来气呀，心说你们三磕九拜啊，怎么没完没了啦。后来心情就不大愉快，就去于小梅她娘家。到那一看还行，老丈人和丈母娘都在家没人请他们去团拜，但正和儿子儿媳团团围着打麻将呢。见李德林来了，不管咋说还算是新姑爷子头一年拜年，大家都停下手跟他说了一阵子话，后来小丽她爸说德林也不是外人你待着我们接着玩啦，就重新开战。开战就开战呀，这老爷子一个劲磨叨说坏啦这会儿手气不好了，让李德林听得怪犯疑惑，好像自己一来把人家手气给弄坏了。坐了一会儿李德林说走，老丈母娘送出来嘱咐初二来，李德林明知道初二回娘家，嘴里却问："明天都回来打麻将咋着？"老丈母娘笑了："也打麻将也吃饭。"李德林问："你老输了赢了？"老丈母娘说："赢不了他们，一个个鬼着呢，一点也不让。"李德林嘿嘿笑笑走了，心里说还刺刀见红了呢，回头输急眼再捅起来。

到家不见于小梅，李德林抄起电话说我叫腰里叫唤，就呼她，一会儿小梅还真回电话了说我正跟我姐玩呢，你也找一拨人玩吧，晚上饭都是现成的。李德林叭地把电话撂下，真有心去小梅她姐家看看是不是和她姐玩，没准儿是和她姐夫玩呢！后来转念一想大过年的可别生气，生气了一年都不顺当，也就不想去小丽家了。但一个人在家也实在没劲，干脆也去打麻将，打不好还打不赖吗。李德林就给几个比较熟悉的朋友打电话，先问过年好，然后说过去打麻将。结果怎么着，人家说对不起都开了桌手儿也齐了，胡光玉在电话里还说你应该早定好，县委政府团拜会后就有组织有计划地"撤退"了。李德林听完心想今年爱国主义教育准好搞了，从大年初一开始就修我"长城"。他叹了口气，琢磨自己该干点啥，一眼瞥见厨房里还没煮的饺子，他就想起说过给住院和陪床的村民送饺子的事，忙点着煤气煮，煮好了用个小洋锅盛着往医院送。在医院门口遇见几个熟人，人家张口问咋啦，你媳妇住院了？李德林心里说你媳妇大过年的才住院呢，又怕饺子凉了便支吾两声跑了进去。那几个住院的村民原先以为李乡长可能就是说着玩呢，没承想真把饺子给端来了，都挺感动的，可庄稼人就是真感动了也不会说啥，擦把手拨过几个说那我们趁热就吃啦，嗯，还是羊肉馅的，要是蘸点腊八醋就更香了。李德林说美得你们吧，往后你们再往死里喝，把胃全割去喂狗，吃啥都不香了。村民们都咯咯笑，互相盯着谁也不占便宜多吃。正吃着进来一个人端着小摄像机，问是咋回事，然后就横竖照起来，照完了说是电视台的，对李乡长正月初一给群众送饺子这件事很受感动，请李乡长讲几句。李德林愣了一阵子，说："我可不知道你采访，要知道我就不送了。"那记者说："我来采访眼科看放鞭炮受伤的，正好碰上，您就说吧。"李德林想想说："没啥说的，咱当干部的得关心群众。"记者说好转身问那些村民，村民把饺子赶紧都咽下去，说李乡长可是好人呀别看他收钱时挺狠，到真格的时候关心人呢……李德林不爱听了问："我啥时收钱狠啦？""有一回副乡长把我家猪给赶走了。""那是我吗？"

“反正在你领导下。”李德林拎着空锅扭头走了，其余的村民送出来说：“乡长你别生气，他不会说话。你家饺子要是吃不了，我们去吃，别送了。”李德林笑说：“剩下的都给你们端来了，你们要想吃，就得自己去包。”李德林知道跟这些人没法生气，也就不生了。

还没到家呢，身后嗷嗷地开过一辆救火车，李德林想这是哪位呀不注意防火，后来就发现那救火车朝自己家那边去了，等到再走近了，有邻居对他喊：“老李，你家着火啦！”李德林脑袋嗡地一下差点炸了，甩了锅嗖嗖跑过去，见院里院外不少人，消防队员把厨房窗户打开，冒出一股黑烟。于小梅满头满脸全是黑的，喊李德林你跑哪去了你抽什么疯！打开煤气不关！李德林恍然大悟，但解释也没用了，忙看烧得咋样。还真幸运没把房子燎着，只把厨房的东西都烧个黑不溜秋。邻居们都说没事没事，今年的日子一定过得红火，缺啥少啥只管说话。等消防队和旁人都散去，于小梅说多亏我回来得早，你放着地炉子不用开煤气干啥。李德林不敢说实话，瞎编说我饿了煮饺子我使不好地炉子。于小梅四下看看问：“锅呢？您连锅都吃啦？还有那么多饺子？”李德林稀里糊涂又对付过去，赶紧收拾残局。到晚上李德林怕于小梅又问锅和饺子，就又说养孩子的事，于小梅说就你这打开煤气就忘的手，回头有了孩子你说不定哪天带出去就给丢了。李德林说孩子和煤气是两回事，你就养吧，你一下养四个，我就辞了乡长回家带孩子。于小梅说去你的，我还养八个呢，我成老母猪啦！这么一扯淡，俩人都挺乐呵，把着火的事就给扔到一边去了。

转天一早李德林特别主动说今天去丈母娘家不能晚了，吃饭时一定好好地给二位老人家敬几杯酒。于小梅挺高兴说你到那儿要注意，我哥我嫂子厂子不开支，我妹妹的单位什么都发，我妹夫做生意赔了，两口子正闹意见，刘大肚子和我姐正在高兴头上，我爸看啥都来气，就我妈还行，你说话要注意对各家的影响。李德林正系着领带，停下来有点紧张地说：“这么复杂？要不咱别去了。”于小梅说：“你头一年到我家，不去不行！不过，你别土里土气的一看就是个乡镇干部，也有点风度。”李德林说：“好好，我多笑少说话就是了。”于小梅说：“也别光笑，傻小子似的。”李德林心里说要是厨房不烧成这个黑驴样，我说啥也不去你家。

到了小梅家，一看局面果然严峻，小梅她爸头天可能是输多了点，看啥啥都不顺眼，直说中央电视台成心破坏计划生育国策，晚会变出那么多孩子来，这不是鼓励多生吗！小梅她哥两口子一年多没发工资了，开了个小铺不咋挣钱，张嘴没三句就说，完啰，今年要是不弄点假烟假酒卖，这一家人就得喝西北风了。小梅她妹在银行工作，一个劲臭显摆跟她妈说这几个月钱发得都糊涂了，东西更不用说了，光电热壶就发了四个，她爱人在一边吹这回要做笔大买卖，把俄罗斯和车臣开仗中打坏的坦克当废铁买回来，回来修理修理改成推土机，准能挣大钱。小梅她妹说你干脆把巴黎铁塔也买来算啦，俩人就呛呛起来。小丽和刘大肚子是开饭前十分钟到的，一进屋就说太忙了差点出不了门，然后就给孩子们压岁钱，新票子嘎嘎地点，很有派头。还好小梅大姐去外地婆家了，要不还得增加点情况。李德林和小梅也抓紧给孩子压岁钱，由于自己没孩子，给来给去最吃亏。吃饭时大家围着桌喝酒，都给老两口敬酒。李德林有点拘束，把赞扬领导的话全拿出来了，小梅她爸倒挺实在说我现在是平民百姓你别说那些跟我没关系的话。李德林说："那就祝您身体健康！永远健康！"小梅一把就把他拽坐下了，大家也就都乐了。小梅她爸说没事，林彪用的不见得就不能用，反正我这辈子也不可能再坐飞机了，你们有啥只管说。他这么一说，大家都放松了，又是敬酒又是打围还划拳打杠子。刘大肚子说别看人家都说我是企业家有多大能耐，其实我就是胆大，上学时我就敢逃学，不信你们看过去当班长啥的现在没一个能挣大钱的！小梅他哥说真是没错，这年头不能太老实了，我原来就当班长，后来一工作给个小组长工会委员啥的就把我拴住了。要啥也不是，没准早出去干了。小梅她妹夫喝多了说我倒是胆子不小往老师抽屉里放过蛤蟆，可我咋做啥赔啥呢？小梅她妹说你就赔吧，哪天把你自己也赔进去也省得我跟你操心啦。大家话都说了，小梅捅捅李德林那意思是你别傻姑爷干听着啦，也说说吧。李德林心想刚才犯过一个错误了，这回可别犯了，就说："刚才我说得太正经了点，这回说……"小梅她妹夫说："不正经的？"把大家都逗乐了。李德林说："不是，是说点轻松的。说有个退休干部开饭馆，写对子上联是'奋斗一生两手空空'，下联是'开个饭馆补充补充'，横批是'概不记账'。"小梅她爸笑了，发话说："每人说个笑话，好喝酒！"刘大肚子就说："镇长乡长下饭馆回家带回不少餐巾，媳妇舍不得扔就做了内衣，晚上一看上身的字是'红宝石请来品尝'，下身是'塞外酒家欢迎再来'。"说完看于小梅，小梅脸就红了。李德林忙反击说："那是你们厂长经理下饭馆带回去的。"于小丽说："是你们乡镇长。"李德林说："我说一个，厂长参加全厂大会睡着了，临结束时副厂长捅他请他讲话，厂长揉揉眼说，'那就上饭吧'。"这笑话挺有水平，一下子把全桌人都笑得弯腰捂肚子的，都夸李德林有两下子，这一来喝得痛快，一圈一圈一会儿就造下两瓶，都喝得有点多了。小梅她妹夫还想表现表现自己，强睁着眼说："有个小偷大白天搬邻居电视，被抓住了还不服，说不是让胆子再大一点吗？我的失误就是步子慢了一点。"刘大肚子舌头都短了，笑道："这是你吧？"小梅跟着说："你胆子可别再大了。"小梅妹夫历来喝多了爱闹事，扔下酒盅说："干啥干啥？看我赔钱了也别这么寒碜人呀！你不就是有俩臭钱吗……"刘大肚子把脖子一扭："你说啥，找不四至呀！"不四至就是不舒服的意思，刘大肚子肚子里酒多了也就现出了本相。小丽忙劝刘大肚子，刘不服；小梅她妹管她男的，他男的也要梆子骨，吵吵嚷嚷的。老爷子后来就摔了筷子，老婆子跑屋里说心脏不好受了，小梅他哥本来心里就不痛快，就势骂一顿。李德林一看大势不好，拉起小梅就回家，到家一摸满头是冷汗。小梅说起祸的根子就是你，说什么笑话！李德林说谁叫你捅我的？再者说谁叫你跟刘大肚子一起气你妹夫的，你俩到底是怎么回事？这一问可问坏了，于小梅拉着李德林就要去刘大肚子那儿说个清楚，李德林嘴里不服输，腿下可不动地方，末了气得于小梅摔门走了。李德林叹口气说，这鸡巴年过的！吓人呼啦的。正不知干啥呢，小梅她妹妹找上门来，问凭啥合伙欺侮我男人。李德林忙请她坐又解释这事跟自己没关系，说着说着就发现这小姨子长得比小梅要好，跟她说话心里挺舒服的，转念一想我媳妇跟她姐夫挺猫腻，我就不兴跟我小姨子亲热点，于是就忙着沏茶倒水的，可不知怎么心里往那儿一想手都不好使了乱哆嗦，话也跟不上了，人家小梅她妹客气两句抬屁股就走了。李德林送到门口，暗问自己你那胆呢？后来又回答自己，压根咱就没那贼胆，这几年忙得天昏地暗的，连那贼心都没起过。回屋抽烟喝茶看电视，思量思量自己一晃都四十大几了，从山沟子里一点点走出来，就跟蚂蚁出洞去觅食，转来转去也就是在方寸之间，寻得一块比自己身子还大的食物，匆匆搬回去供众蚁享受，倒也是很高兴的事，至于人嘛，也不见得是进了京到了省去当大官才算荣耀，能给旁人特别是老百姓多做点事，也是光耀前者后荫来人的积德的事……突然李德林就想起要孩子的事，忙站起身在挂历正月初十上打了个勾，他算计正月十五一过就必须回去了，至于跟老陈说初六后回去，那是气话，回去伙房饭馆部没生火，净得到旁人家吃去，麻烦人家是小事，那通喝法受不了，头年大夫说自己有点脂肪肝，弄不好就得喝成酒精肝了。

过年都是两顿饭，吃后晌饭前小丽来了，说上午大家都喝多了，晚上老爷子让大家还去，咱们都少喝点就是了。李德林说我害怕，于小丽说你害啥怕，应该是我害怕。然后就说："德林你也说说小梅，她跟老刘那么腻乎，外人怎么看！"李德林一听就急了："我还正要说呢，应该是你说说你妹妹和你男的，我这还一肚子火呢！"于小丽说："我怎么好说，我俩也没登记，小梅的脾气你也知道，弄不好就得跟我干架。"李德林说："那可得啦，咱俩都成受害者啦。"于小丽笑了："你要不管，他俩成了，干脆我就跟你过了。"李德林连连摆手："别别别，我哪敢霸占您呀……"说完他自己都乐了，万一有那一天，还说不上谁霸占谁呢。于小丽也笑了，压得沙发弹簧嘎吱嘎吱直响，站起来说跟你闹着玩呢，瞧把你吓的，就先去了。李德林这回又冒了一脑袋凉汗，暗道如今城里女人可真开放啥都敢说，真的假的叫咱这乡镇干部也分不清了，往后要是调回来看来还得好好学习学习。

再吃饭情况就好多了，都像个人似的说点得体的话，觉得没把握的话也就搁肚子里不说了。后来老爷子说你们大家得互相拉扯一把，刘大肚子就表示可以拿出点钱来而且不要利息借给亲戚们，但到时候必须还上。小梅哥嫂表示愿意借。小梅妹夫说一旦和在俄罗斯当倒爷的哥儿们买来废坦克，如果人手不够，还想请各位都跟着参加一下经营活动。李德林一看大家都这么热心肠了，也表示将来提拔到县里来，有什么需要自己办的大家都说话。他刚说完又热闹了，差不多所有人都说你李德林当那个破官没劲，挣不了一壶醋钱还整天操心受累，不如早点办个公司啥的。李德林说不行我在这条路上都奔了二十多年了，不能半道而废。小梅她爸说对，咱这一家子可分成几条战线，有奔官的有奔钱的还有奔坦克的，形成一个多元化的局面，就能适应发展变化的形势。大伙一听全服了，说老爷子哟，敢情您在家也没闲着，都研究起战略问题了。老爷子说要不也是闲着，发挥点余热吧。

这顿饭吃得皆大欢喜，接着打麻将，刘大肚子痛痛快快输给老爷子一千块，老爷子转身拉着李德林就问："老婆子，小丽的喜事是不是抓紧办了……"李德林赶紧把丈母娘让到前面说话。小梅的牌总不顺，动不动就给人点炮，李德林在一旁扒眼跟着着急，后来小梅她妹指着电视喊："看呀，我姐夫给人家送饺子吃呢！"大伙一看可不是嘛，本县新闻正播在病房里李德林跟村民有说有笑地吃饺子呢，当然是人家吃他说话。于小梅一看就喊："我说我们家饺子和锅都没了呢！"

又在几个熟人家喝了几顿，李德林喝得胃里火辣辣的，还凑热闹玩了两宿麻将，输了四十多块钱。大家说你爱民如子这回组织上准重用你了，你得请吃一顿。李德林说对不起我家着火了，等我调回来头一件事就是请各位喝茅台。话题往这里一说就又勾起了心事，正月初六他就去找刘大肚子，不料刘去深圳谈生意了，据说得十天半个月的才能回来，想找小丽留个话给刘，小丽去北京办事了。李德林一跺脚直接去找鲁宝江，鲁宝江正犯喘，也不便再跟人家张口。正发愁呢，又在街上碰见胡光玉，胡光玉兴高采烈说你怎么样了，我可快调回来了，强书记跟郝明力发话了，你还不快去直接找强书记。李德林就去了，没说几句强书记就说你已经在考虑之列，当务之急是把你乡里的工作抓好，还有什么想法可以跟组织部去谈。李德林吃了个定心丸一样去找郝明力，郝明力说李德林你给群众送饺子的事干得不错，强书记在常委会上提了两回。李德林心里这个乐哟，说我乡里的工作安排得差不多了，送饺子那是应该的，本来还想炖点肉送去呢，我和群众处得很好……郝明力说既然处得很好你就在下面多待一阵嘛，估计乡党委书记的职务很快就能给你。李德林说我现在不是想当书记，我实在是想调回来，我家里有困难。郝明力想想说："你一直没小孩，是不是你爱人怀孕了？"李德林心想咱就顺竿爬吧，就说："是啊，再有一个月就快生了。"郝明力乐了："那也不够月份呀。"李德林挠挠脑袋："可能还有俩仨月，我也闹不清。"郝明力又说现在如果非要回来可没有什么好位子，体委副主任文明办副主任还有个文化局副局长但得兼评剧团团长，李德林说不行打死我也不能去当团长，你看看还有哪儿，有没有局长就要退了，我去三二年能顶上的地方，郝明力说这倒有不过得好好谋划一下，你先回乡下抓工作吧。

这回从组织部出来，李德林脚步格外轻快，在楼外碰见小丁，小丁要去妇幼保健医院了解点数字和情况。李德林告诉他调动有门，小丁也很高兴。不知怎么又说起回来得养个孩子的事，李德林心里就一动，暗想这些年都说我原来的媳妇有毛病，到了小梅这还是人家有毛病？不如我偷偷先查查，好有个思想准备。他把这想法一露，小丁说正好啊我认识这儿的人还能给你保密。李德林就跟小丁进了医院，找了个熟悉的大夫，人家说首先得化验点那东西，李德林钻个小屋里把任务落实了，然后就找个没人的地方等着。过了一阵那大夫跟李德林说你可能从来就没检查过吧，你的精子没有几个活的，即使是怀上了也得流产。李德林冷水浇头一般，连小丁都没找就出了医院。一边走一边想人家说得真对，死去的那位刚结婚那几年就是一个劲的流，结果就认定是人家的毛病，现在小梅连流都不流，看来自己派出的那点兵将都惊动不了人家。

硬着头皮到家，发现桌上有个条，是小梅写的，说有紧急任务出门了，过十五就回来。李德林看罢心头轻松一点，心想躲过一站是一站，我别让她拉到医院露脸，我得抓紧办事然后找个乡医吃点偏方啥的。于是他就去小流域项目办，人家说得把报告啥的全报上来，李德林琢磨不是一个人办的事，就打电话把老陈几个人都叫来了。正好小梅也不在家，这一帮人吃住就都在李德林家里，连着忙了两三天，就到正月十四了。县里这时闹花会花灯，白天扭秧歌踩高跷晚上灯光灿烂的，李德林也顾不上看啥，盯着那些办事的人不放松，该请吃饭请吃饭该意思的意思，结果人家就表示正月下旬去实地考察，一旦山水林田路的规划跟实际差不离，就能批准立项，全年七家乡就能得着一百多万。李德林美得差点蹦高，老陈说我们先回去安排部署一下，到时候您陪着他们去就是了。

正月十五这天是李德林一个人在家过的，吃了晚饭他站在自己的小院望着那个圆圆的黄月亮发了好一阵子愣，他想这么一个大东西就在天上悬着掉不下来也飞不远去，看来这都是事先安排好的事，就好比自己命里大概注定就得在乡下滚些年后再上来。月亮没人给她充电添柴就自觉自愿地给人间照亮增景，白天的太阳就更不用说了。自己好歹拿着工资还断不了白吃白喝白抽，往后调县里看来得格外注意廉洁了，要不然就对不起从小就照看自己的日月星辰了。回到屋里电话响了，是小梅打来的，说业务太忙回不去，可能还得在外十来天。李德林也不傻，不动声色地问："你在哪儿，衣服带够了没有？"小梅说我在南边，这边挺暖和。突然小梅小声说德林告诉你个喜事，咱不用去检查了，我好像是怀上了，你高兴吗？李德林一下子就明白了怎么回事，这时他要不是想起刚才看到的月亮和想到的太阳，他非把电话机砸了不可。他叹了口气说："不高兴，咱别养个酒精孩子。"小梅说："我也是这个意思，回去先做了。"李德林说没啥事我歇着了，另外你告诉刘大肚子，如果真有的是钱就把那张脸皮换一换，换个再厚一点的。那边于小梅肯定是吃惊了，啥话也没说。

转过天一早老陈就打来电话，说一冬天旱得厉害，就怕山上栽树的规划不好向人家交代，李德林说到时候再想办法吧。他骑车子又去找项目办的人确定去七家乡的时间，人家说最起码还得等十天，李德林说正月十五也过去了，年也就算过完了还是早点去吧人家说再商量商量。正说着呢电话找来，是郝明力叫李德林去，李德林强按着怦怦跳的心往县委大院走，在大门口碰见胡光玉，胡光玉说我回来了上体委当副主任，不管咋的先回来再说。李德林想着自己回来能上哪儿呢，匆匆找见郝明力,郝明力开门见山说县委刚开过会,让你去三家乡接胡光玉当书记,希望你做出成绩来,至于什么时候回县里来,组织会考虑的。李德林坐在沙发上愣了一阵没说话。郝明力说:“上面电视台要采访你送饺子的事,你做点准备,下午他们就到。关键要讲透送饺子的思想感情,弄好了能上焦点访谈,中央正重视农业。”

李德林心里说要是有人让自己去打麻将就送不上饺子了,转念一想也别糟践自己,腊月里不就是说要送吗……后来他就问郝明力什么时候下文,郝说你把七家乡的事再安排一下回来就下。李德林说等我把小流域治理项目落实了再下文,郝说可以但要抓紧。然后李德林就到办公室打电话让老陈快来,争取把项目办的人请去。放下电话他又去项目办,走到街上就听到处唱“天不下雨天不刮风天上有太阳”这歌,抬头看看真是没雨没风有太阳。李德林想这事也怪了,那年唱“一把火”就着大火,头年春天唱妹妹坐船头,夏天就发水,现在又唱这个,弄得天挺旱!操他娘的,回头我编一个“风调雨顺风调雨顺快快奔小康……”他哼哼着就过了大街。

(选自《人民文学》1995 年第 6 期)

何 申

1951 年出生,天津市人。1976 年毕业于河北大学中文系。1984 年后历任承德地区文化局局长、承德日报社社长、河北省作家协会副主席。1981 年开始发表作品,1994 年加入中国作家协会。著有长篇小说《梨花湾的女人》《多彩的乡村》,中篇小说集《七品县令和办公室主任》《年前年后》《信访办主任》等。中篇小说《年前年后》获《人民文学》优秀作品特别奖、《小说选刊》优秀作品奖和首届鲁迅文学奖。作品还获《小说月报》《中篇小说选刊》《北京文学》等优秀作品奖。曾获 1993 年度庄重文文学奖。

太极地

关仁山

今年春脖儿短，立春过去没几天就暖和起来。春日里雨水多得屋檐吊线线，一直到邱满子家的泥窑重新点火，天景儿才晴得豁亮了。但是村巷里和海滩上仍弥漫着一层白气。

邱满子躺在床上睡回笼觉的样子，让胖丫好一阵窃笑。她倚在门口最先看见的是邱满子浑圆健壮的脖子，红红地睡出细汗，胖丫的胖脸上就红红地泛起了好看的霞色。胖丫亲昵地喊一声，日头照腚啦，起呀！邱满子翻翻身，又不动了。胖丫走过去，粉团似的脸蛋贴近他，拿手揪住邱满子的耳朵，就彻底将他拽醒了。邱满子揉揉干涩的眼窝，便看见胖丫围着红溜溜的头巾朝他笑。她的衣扣没系全，两只鼓绷绷的奶子顶住了他的胸脯，就像两只狮子狗活脱脱往外拱。邱满子朝她圆滚滚的屁股拧一把，这傻样的，又想哥哥啦？胖丫噘起嘴巴说，俺想人家人家不想俺，见了镇上的洋妹子就迈不动步！邱满子不喜欢胖丫野里野气的模样，便岔开话头说，你咋知道俺回家啦？胖丫坐下来拿手指漫不经心地捋着头发，俺爹说你家点窑火，你能不来么？你个喂不亲的狼，回来也不去看看俺，官不大，僚不小！邱满子就越发没了谈话的兴致。他们是由父母嘴头定了亲的。邱满子由泥窑工摇身一变成了乡政府的招聘干部，虽说乡报道员不算啥官位，但整日在乡政府晃来晃去大小也算个人物。特别是他撰写的关于乡里引进外资的报道在市委党报发表后，引起不小的反响，邱满子觉得自己行了，这原是一双烧窑的手，能把雪莲湾这么大的一个村镇大事小情诉诸笔端，就知足了。起初他觉得胖丫还行，尽管她走路时能将地面夯得微微颤动，敢跟爷们家在海滩上摔跤，但心眼还是蛮好的。他知道胖丫从心底里喜欢自己。邱满子写稿时戴的那副金丝眼镜就是她织网挣钱给他买的。现在邱满子写稿时一直戴着这副眼镜，可他对胖丫的感情却渐渐地淡了。但立马将胖丫甩了，邱满子又没这个勇气，胖丫的父亲邱洪生是村支书，邱满子被乡里招聘是邱洪生一手推出去的。而且邱满子与邱支书确实关系不错，爷俩到一块有说有笑，喝上两壶酒就没大没小抱成一团摔跤。他怕别人骂他忘恩负义，心里左右为难寻不来个万全之策，羊屙屎似的拖着，日子就像昏迷过去了一样。胖丫眼里有了喜欢的人影，话就没完没了，她又说，俺爹叫俺捎口信呢。邱满子问，啥事？他老又馋酒了吧？胖丫瞪他一眼，哼，他馋酒也不会求你！邱满子笑说，他拉俺喝酒可以动公款，懂吗？胖丫恼了，骂他，少你妈装大尾巴狼，没良心的，你照照镜子哪儿像吃笔墨饭的官人？邱满子见她气，心里就格外快活，趴在炕沿笑得像吃奶。

邱满子说，俺要去海边泥窑啦。

俺也跟你去！胖丫说，俺爹过会儿也去。

邱满子问，你骑车子来了么？

胖丫说，没有，你驮着俺。

俺驮不动，贼沉的。

那俺驮你！胖丫说着，生出许多甜蜜。

邱满子穿好衣服，洗了脸，背着手大模大样地走到门口，推出自行车递给胖丫。胖丫接过车抬腿骑上去，邱满子就毫不客气地坐到后架上。胖丫感到他的身子很轻，像团棉花。出了村巷路颠起来，邱满子发现海滩一片驳杂，泥路上的蛤蜊皮子铺出一派气势浑然的灰青。雨后的潮气慢慢淡了，他能看见老河口东侧太极地上父亲的泥窑了。泥窑像座土堡挺在那里，有点像日本鬼子的炮楼。

邱满子让胖丫在离泥窑不远的太极地停下来，愣神儿似的望着太极地吸烟。邱满子知道邱家祖上并不是烧窑的，父亲跟他说过，邱家老祖是从山东枣庄那边挪过来的。到了雪莲湾后曾有一支在朝廷做大官，官至直隶副总督，门庭显赫。那官人回家祭祖发现太极地上的祖坟离海太近而且几近破旧，就在西河铺跑马圈了一片良田重修茔地。迁坟关系着一族人的命运，所以声势浩大。开墓穴时挖出一条浅地河，是在棺木底下，抬出棺材之后，坟窟窿里就冒黑水。黑水恣肆横流跑得满滩都是，太极地的黑泥也就与别处不同了。没过几年，邱家就败了。邱家先人请来风水先生踏勘，说这老坟地是头等风水宝地必定代代出官的。族人后悔着又想将坟地迁回来，风水先生说没用了，唯一有个破法就是在浅地河喷口处建一座泥窑，将邪气镇住。泥窑建起来，邱家便成了泥匠世家，烧泥壶、泥碗、泥盘子卖，谋了生路也有了名声，可就是代代不出官了。到了邱满子这辈儿，父亲请风水先生看了，说又该出官了，便卖泥壶供邱满子上到高中毕业，没考上大学，父亲的心劲就灰了，泥窑也懒得烧，弄条破船在海上捕鱼。邱满子读书读懒了身子，还是近视眼，跟父亲的橹柄摇不到一块儿去。父亲气懵了说，不争气的东西去烧窑吧！邱满子说烧窑就烧窑。其实邱满子烧窑也是废人，整日抱着几本小说坐在窑口翻得哗哗乱响，泥壶烧散了都懒得管。父亲想给邱满子说个媳妇，有人管兴许会好起来，就托邻居三婶将胖丫保了媒。日子烦得无望，孤独的邱满子不太情愿地接受了胖丫。胖丫还没过门儿，就将瘫痪多年的邱满子娘伺候得十分周到。老娘弥留之际还嘱咐邱满子不准欺负胖丫。邱满子满口答应着：娘放心，出不了大格儿的。他知道，娘没迈过四十五岁的坎儿就撒手走了，完全是由于生他时难产落下的病根儿。“文化大革命”开始那年，烧窑的父亲和爷爷都去围海造田，阴雨天里泥窑顶口没盖东西，雨水一泡就会塌的，怀着邱满子将近临产的娘冒雨去给泥窑苫塑料，刚到太极地就不行了，跌在泥水里血水就涌了一地。邱满子命硬，生在祖坟太极地附近，不知是凶是吉。太极地是神秘莫测的地方。表面看来它是渤海湾沙岸与泥岸的衔接处，那衔接线却是柔和而弯曲的，明眼人都能看出这是黑白分明的太极图形。渐渐地，村人就叫这地方太极地。邱满子望着他的太极地，太极地在他眼里就像一面镜子，镜子里自己的面孔奇特无比。看久了，这方土地竟显得陌生了。

泥窑那头吆喝着祭窑神了，邱满子才醒过神儿来。他与胖丫脚跟脚来到泥窑前，看着父亲和雇来的河南窑工往泥坡搬泥。泥是墨绿色的，升腾着泥腥气。太极地与海亲吻的地方的泥都是墨绿色的。父亲在两天前就用毛驴将这种泥驮回窑地。邱满子不愿爹再烧窑了，一个整日跟臭泥打交道的家族会有啥出息呢？父亲教训他说好生做你乡里的事，遇事掂得出轻重，熬个一官半职的爹才高兴，烧窑的事你甭管！其实父亲也知道烧窑越发没大赚头了，但也不会亏本。让父亲上心的是泥窑能镇住邪气，以福佑邱满子官场顺溜出人头地。

三根香火已经燃到梗子上了，窑火还没正式点着。邱满子看着着急，就弯腰往灶口里鼓风，灶膛里的炭火一明一灭，疏疏地冒着黑烟。他说，这些天雨水不断，木头太湿。父亲说你懂个毬，要的就是焐着黑烟冲冲邪气。父亲将那张被海水撞皱的脸探进灶口吸进一口烟来细咂细品，鼓鼓嘴巴才吐到空中去。

老亲家又出啥花招儿呢？弄得乌烟瘴气的，跟鬼子进庄放信号似的。村支书邱洪生笑悠悠地走过来。胖丫凑上去说，爹，大伯说这是驱邪呢！

哪来那么多邪？邱支书笑着吸烟。邱满子朝邱支书一点头算是打了招呼。

邱支书说，满子呵，俺有事找你。

邱满子跟着邱支书走到窑根儿下。窑口喷出的黑烟弄得人昏昏沉沉。邱满子说你老有啥事啊？

邱支书说，评小康村的事！

咱村没引进外资，自然评不上。邱满子说。

都他妈土政策，县里瞎定！

邱满子说，你看乡里范书记蹲点儿的刘庄有的指标没咱村完成得好，可人家萝卜虽小长在了辈儿上，有了跟德商合资的仪器厂，知名度就上来了。范书记带村干部去海外溜达两回啦！

邱支书不服，呸！都是你给他们胡吹的。

那还不是范书记叫写的。邱满子嘟囔着。

邱支书日日冒冒地说，咱村还是何乡长蹲点儿的地方呢，你就不该写篇文章吹吹。俺可听说过些天乡里组织各村支书去国外考察，没外资的村子不让去！你说这不是又逼人搞形式主义么！孩子，你也写写咱村吧！

胖丫凑过来听动静。邱满子为难地挠头皮，咱不能写假报道，出了事咋办？

邱支书说，这年头哪有那么多真的，有多少假合资你知道么？登记领照然后把外资打进来，验完资美元又抽回去啦！干赚个优惠条件，再坐上一辆特批好车！够精吧？

邱满子想想也有理儿，没再反驳。

你在乡里见多识广，也给咱村领个外商来。真的假的都行，只要宣传出去，假的也真啦！然后咱就是小康村，你叔俺也可以出国转转啦！邱支书笑了，他不放声笑，只在嗓子眼里憋着打哽儿。

你得承认，咱村在乡里是后进村。邱满子说。

那俺也不服欺世盗名的先进村。范书记大权独揽，何乡长走背时，弄得咱村跟着吃瘪子。邱支书说着，当下就黑封了脸，邱支书说，你见多识广，给咱想想变小康的招子。

邱满子为难了，引外资不是吹糖人儿！

胖丫拿两瓣圆屁股顶顶邱满子，瞧你那窝囊样儿，让你弄就弄，啥不是人弄出来的？邱支书瞪了胖丫一眼说，瞎戗戗啥？没你的事儿。

邱满子擤着鼻子站在泥窑下的土坡上，他身后的太极地显出少有的空旷与浩瀚。浓烟在他眼前盘盘绕绕，慢慢散淡了。泥窑口传来窑工吧唧吧唧甩泥的声音。邱满子望着太极地，感觉有种说不清的东西在他眼里缓慢而惊诧地流动着。他像是得了某种暗示，说，三叔，俺有个想法。邱支书急着问，啥路子，快说说看。邱满子说，俺在报纸上见过国外泥岸的海滩开泥疗，有这说法，三叔出国就有借口啦！邱支书笑了，哦操，就咱那臭泥谁来？邱满子也笑，你先弄个假外资，当上小康村，出国转转再说嘛！邱支书笑烂了脸，使劲拍拍邱满子的肩膀说，到底是文化人，脑瓜骨活！就这样，随便拉个外商给他们看看！胖丫说爹能出国啦给俺带个金耳环吧！邱支书没理她，邱满子的新招术使他乐不可支。邱支书说，回头俺跟何乡长说说，让你回村帮助抓小康村建设，弄出点眉目再回乡里。邱满子正有些神情恍惚，觉得自己刚才说了梦话，便说，乡长让来俺就来。他看见邱支书把一颗脑袋伸过来，亮脑门上的青筋勃勃地跳动着。

邱支书说，中午俺请你涮羊肉。

邱满子说，你别客气。俺得回乡里。

莫急，咱得谋划谋划呢。

咱村里集体又空，免了吧。

没啥钱，也不能没了喝酒钱呢！

邱支书眼巴眼盼得意地笑着。

邱满子吃饱喝足回到乡政府大院,已经是下午四点多钟了。县里要来人检查计划生育,乡政府礼堂布置展览,邱满子没进宿舍就让范书记打发去小礼堂刷糨糊。雪莲湾乡是沿海地区,经济发达,计划生育却老拖后腿,县里每年开春儿都要突击检查,邱满子自然得跟踪报道。他每天就住在乡政府大院,晚上接电话。值班的头头聚在一起打麻将,散了伙,才叫上邱满子陪他们喝酒啃烧鸡。早上起来他还要打水扫地,这些邱满子都不怕,让他头疼的是乡政府人际关系的错综复杂。范书记和何乡长两人明和暗不和,弄得底下人左右为难。范书记土生土长,根基很厚,五十多岁了说话办事依然十分果断,用他的话说,俺当一天书记就得说一天算。何乡长才不到四十岁,是部队转业来的,做事务实为人严谨。邱支书跟何乡长好,邱满子知道他能留在乡政府是邱支书和何乡长使的劲儿,而邱满子还没走进这个大院就已将范书记得罪了。乡政府招聘干部报名的人很多,末了筛选了九位候选人。邱满子就在其中。最后定人那天乡政府领导请这九个人吃饭,邱满子戴上了胖丫为他买的眼镜,戴上眼镜的邱满子显得格外神气,频频向领导敬酒。他本来不胜酒力,吃几口就晕,不知怎地敬了一圈酒竟把最主要的范书记落下了。范书记瘦小老相,他还以为是守门老头。范书记偏偏很当回事儿,觉得邱满子傲气。后来邱支书找何乡长,又频频往范书记家送海货,邱满子才被勉强收留。邱支书劝范书记说,满子那孩子眼睛不好使。范书记说他戴着眼镜呢,要是没眼镜俺也不怪他。邱满子听了这话,除了看书写稿就不再戴眼镜了,邱满子不愿别人说他目中无人,走官道忌讳这些。

邱满子帮着妇女主任布置完展室,天就快黑了。何乡长叫邱满子到他办公室去一趟。邱满子从宿舍探头没看见范书记,才放心落胆地去了。何乡长见了邱满子直截了当地说,刚才你们村邱支书来了电话,要求你回村帮助工作。我想不能叫帮助工作,你就代我去蹲点儿,把你们村变小康!邱满子笑笑说,俺能干啥呢?何乡长说,你们村其实底子不弱,就是企业没规模,缺少外资。你就配合村委会抓抓外向型经济往外奔吧!邱满子支吾说,俺刚熬到乡里,怎好又回去?何乡长摇摇手说,你在村里干出点名堂来,乡领导会重用你的!你要知道,你们村对我很重要!邱满子只得答应下来。他懂乡长的心思,乡镇干部走马灯似的换来换去,有点政绩才有盼头。将他推出来,搞好了,何乡长自然有功劳,弄不好,也是他邱满子的无能。当领导都会这一手,邱满子认了,他甚至料定这一切都是何乡长与邱支书暗地谋划好的,情知拗不过,唯有顺坡下驴往前走了。

晚上范书记和何乡长回家了,乡团支书小郑召集几位乡政府的年轻人在宿舍聚会喝酒,为邱满子送行。老虎不在猴子称王,一伙年轻人搅得乡政府大院像鬼子进庄。喝得红头涨脸的邱满子对小郑说,老弟,你帮俺个忙!小郑晃着半瓶子邱阳老窖,说,你他妈将酒喝了,干啥都成!邱满子满嘴喷着酒气说,你大包大揽的,知道是啥事哟？小郑说你们村那点屁事呗！邱满子说，帮俺找个关系，引个外商来！你外头不是有同学么？小郑说那得碰着机会。邱满子说不能拖，半月就得出结果！小郑说领个外商来好办，不准成不成！邱满子说，成不成，只要来个外商就没你事儿啦！小郑笑了，那现成！我同学在县接待办公室，说这几天就来个日本客商考察县针织厂。邱满子嘿嘿笑着说，拉那日本客商来俺村转转！不过，没有别国的商人么？小郑拍拍他说，还挑哪，就这还没影呢！邱满子说，俺没啥，俺村不是在抗日时有个惨案么？邱支书又是抗日英雄的后代。小郑说这会儿没人记这个仇啦！邱满子说，俺村就他妈怪，还有几家老头儿抵制日货呢！小郑说没法说明白，这年头是他妈一本糊涂账！谁让咱穷呢！邱满子说日商就日商，日他娘一下子，有个说头就行！他的兴奋全写在了润了酒晕的脸上。小郑说弄成了得给我提成！邱满子说可得快点，又该评小康村啦！小郑明白了什么，你小子帮你老岳父唱戏呢？邱满子举起酒杯，不提那个，喝酒！几个小伙子跟着哄，喝！跟胖丫结婚别忘了请我们喝喜酒！邱满子听了这话心里便浸出一股怪味。

邱满子回到村里就感觉到自己真得好好干一场了。村里落后，他在外面混世也不光彩。而且他的处境也很不妙，范书记把他看成何乡长的人，而何乡长的蹲点村要是工作上不去，他就又把何乡长得罪了。两边不是人，恐怕还得泥里翻跟斗继续烧窑了。邱满子与邱支书核计半天，首先成立了海光工商联公司，又将村委会班子调整了一番。邱支书发现邱满子还真有一套，而且就要成为自家的姑爷，对邱满子就更加信任，也从手中分出些权力给他。邱满子的心思就野了。

日本商人说来就来。日商小林先生起初对农村不感兴趣，后来小郑的同学劝说道，只是转转，而且有可能开泥疗，小林先生就答应下来，由村里派人去接。这活儿自然落在了邱满子的身上。

邱满子陪小林先生在村里考察时觉得天空罩着巨大的长脚草蜘蛛网。何乡长也赶来了，邱支书忙忙颠颠乐得不行，乡团支书小郑像看大戏似的觉得好笑，唯有邱满子变得冷静，暗地里提醒小郑千万别跟何乡长把话说漏了。小林先生是假洋鬼子，本是北京人，中国名儿叫王勇，后来去了日本成了日商代理。那日邱满子跟邱支书说来日商，邱支书满脸的不高兴。邱满子又说其实是中国人他的脸才算晴了。邱满子晓得邱支书的爹邱老爷子一直抵制日货，骂小日本鬼子骂得狠着呢。说起来那是1943年的往事。驻扎在雪莲湾的日军都知道这块地埝出美女，一个杀气腾腾的黄昏，清乡的日本鬼子就奔着花姑娘来了。村里有模样的女人脸上抹了黑，纷纷登船去海上躲避。当时的邱支书手执红缨枪是抗日小民兵，站在太极地邱满子家的土窑上点火放烟报消息。邱支书的姐姐邱美容没有来得及跑，被三个日本鬼子堵在了墙角。邱美容穿着紧身粗布花袄，后边瞅去极美，她走投无路猛一回头，三个日本鬼子当下就吓瘫在地上。不几日，日伪军回来报仇，将邱美容吊在树上示众，活活折腾死了这位抗日女英雄。这还不算完，日本鬼子将没能逃掉的五十多位村里的老少，赶到了神秘莫测的太极地，一把火活活烧死。尽管这件惨案是由邱美容引起的，村人依然敬佩这个家族。抗战胜利后，人们在太极地上立了一块碑石。随着日月流逝，人们对这些淡了。邱满子知道这一层，当着邱支书就骂几句日本人。骂归骂，日商小林先生来到太极地视察泥疗场地时，依然由邱满子为他打伞遮雨。小林先生望着太极地久久不语。太极地的样子很模糊，潮声和鸥鸟的叫声也轻微地梦一般地模糊着。何乡长十分认真地向小林先生介绍这里的投资环境和优惠政策。小林先生依旧没有表情。邱满子有些沉不住气了，问道，你看这块地搞泥疗好吧？邱支书跟着说，这里水电设施齐全，周围的芦荡打雁也能吸引旅游者。小林先生还是没话，做高深的思考状。邱满子心里骂了一句狗日的玩深沉呢。小林先生嗅到一股很浓郁的泥腥气了，那是霉潮的气息在早春的季节里幽幽行走。好开阔啊，好地方。小林先生终于拿日文嘟囔了一句，然后掏出手帕擤擤鼻孔。邱满子没有听懂，故意附和说，何乡长，小林先生对这地方十分满意。何乡长与邱支书对望一眼笑起来。太极地的泥滩由于雨水浸泡软得很，何乡长说别走啦，于是就不走了。小林先生心中正巴不得呢。小林先生调头时，邱满子怅怅打量着他的背影，嗅到他身上腻人的香水味，目光是失望的，心里也来气。你个骗吃骗喝的假洋鬼子，不就有几个臭钱么，别以为别人都是傻蛋，俺不忍心揭穿你就是了。小林先生扭头望见邱满子家冒烟的泥窑，抬手指了指。邱支书马上明白了，就带一行人朝泥窑跟前走。邱支书边走边说，这是邱满子家的泥窑，有年头了，他家烧的泥壶泥盘子在这一带很有名呢。邱满子见小林先生眼没亮，心里骂这家伙八成耳朵里塞驴毛了。邱支书又介绍了一番，他看出小林先生对泥疗兴趣不大，兴许歪打正着从泥窑上成了呢。小林先生抬脚甩着泥巴在泥窑前站定了。雨小多了，几只鹞鹰在泥窑顶上鹤立着。邱满子将泥窑旁边草铺里刚出窑的泥壶拎出来给小林先生看。小林先生接过来，仔细端详，终于说了一句，很好，这是什么物质烧成的呢？邱满子踢了踢堆在窑前的绿泥说，就拿它烧成的。小林先生竖起眼睛，来兴趣了。他弯腰抓了一团绿泥，放在鼻前嗅了嗅，一张冰冷的小白脸有了笑模样。他将那团泥悄悄裹在手帕里装起来，然后拿手指弹弹精致的泥壶，发出悦耳的空音儿。没人理会小林先生，邱满子瞅着升到空中的黑烟，喉结上下滑动着。不远处传来毛驴咴咴的叫声，邱满子扭脸看见父亲牵着毛驴驮泥回来了。两个盛满绿泥的麻袋搭在驴背上，如两块模糊的白膏药贴在苍灰的空中。父亲佝着水蛇腰引着毛驴走，脚下的稀泥被踏得喷喷直响。邱满子望着父亲心腔一热，鼻子就酸了。

小林先生又来兴致了。邱满子帮父亲卸完泥袋，小林先生就说坐驴去深泥滩看看一定是有味道的。邱满子沉着脸，心里骂这杂种拿俺们穷人寻开心呢。邱支书拿手指捅捅他后腰，小声说，忍着点，人家这阵是爷，巴结都来不及呢。邱满子满脸强撑起笑来说，小林先生想骑驴走一趟么？小林点头笑着，笑得温和，嘴角和眼角都弯着。邱满子将毛驴牵过来，换上父亲穿过的水靴将小林先生扶上驴去。毛驴很老实，小林先生骑上毛驴欢喜地望海。父亲说俺带客人去吧。邱满子没理父亲。看看苍灰的天，又看看空旷的太极地，吆喝一声驴，就摇摇摆摆朝深滩里走了。小林先生嘴里打着口哨，邱满子扭头看一眼站在泥窑下的众人，人们神情很木讷。邱满子觉得心里有什么东西揪着难受。忍吧，三十六拜都拜了，不就差这一哆嗦了么？他想。

麻麻细雨洒了一天。

冬天偎在家里歇着，进了四五月就出门走动，雪莲湾人的习惯。乡政府组织的去东南亚和美国的考察参观团四月底就出发。邱支书和邱满子将村里与日商合资开发泥疗的意向书报到乡里，何乡长主张算上他们，范书记说意向不是合同书，等落实了才能算有了合资。邱支书和邱满子白忙活一场，眼巴巴看着人家去海外风光潇洒。邱满子倒并没有怎样的难过，他为此撰写了一篇报道发在市委党报，赚了三十五元的稿费呢。市委有个领导还夸奖他们有思路，深化农村改革就要解放思想。这话由何乡长传过来，邱支书和邱满子又痛痛快快地喝了一回酒。醉迷呵眼的邱满子问邱支书，你出国第一件想干的是啥？邱支书喷着酒气说，别鸡巴提出国啦，听着就闹心！邱满子笑说，俺是打比方，说嘛。咱爷俩又不是外人！邱支书酒后吐了真言，支吾说，俺出国他妈第一件事就是想桑拿浴一回，听说那玩意舒坦哩！逮着洋妞再来回真的，咱也他妈没白活……邱满子笑得一嘴的饭都喷出来。第二天邱支书醒了酒忆起了昨夜的酒话，迭了声朝邱满子解释说，昨晚三叔喝多了喝多了，你三叔操持出国考察完全是想解放思想发展经济嘛！邱满子昨晚觉得三叔挺可爱，这么一解释他倒有些看对不起，便正了脸说三叔昨晚也是这么说的。

蛇有蛇道鼠有鼠路。就在乡里出国考察团走后的第十天，邱满子从县里回来为邱支书圆了出国梦。县里有家个体公司专门组织出国参观团，收费标准高一些。邱满子一说，邱支书就打熬不住了，皱着眉头笑说，咱去，这机会不能放过去！邱满子说，村里有这笔花销么？邱支书一梗脖子说，咱网厂提留一笔钱！那样子好像不出国明天不活了。邱满子说，你做主吧，俺该做的都做了。邱支书说，这叫啥话？你也去，村主任老毕也去！然后他高壮的身子就快活地哆嗦起来，邱满子犯着犹豫还是跟着笑了。

说走就走，出国机票转到手里才用了七天。临行前，邱支书悄悄找到算命先生卜了一卦，看看这次乘飞机有啥闪失没有。算命先生折腾了一阵子说是大顺。邱支书、邱满子和毕主任的东南亚几国之行果然挺顺的，开了眼界又交了许多朋友，邱支书想干的事也干成了，钱大把耗去，回来反正都能报销的。但干这些事时邱支书全是背着邱满子的。毕竟他是他家未来的姑爷，不能把孩子带坏了。其实邱支书干了什么邱满子心里明镜儿似的，就连和村里的老相好齐家寡妇那点勾当他也全知晓。人嘛，谁家锅底没点黑呢。邱满子看得开。

邱满子回来只为胖丫买了条香港街头处理的真丝纱巾。胖丫喜欢得不行，抱住邱满子的脖子又是亲又是啃。与胖丫结婚的事他从没认真想过。如果他提了干或是转了非，那胖丫就彻底没戏了。

第二天上午邱支书召集村委会，让邱满子给支委们传达海外参观考察经验，特别是要讲一讲新加坡东海岸旅游区泥疗情况。邱满子回来后就写了一份汇报材料，准备向乡政府汇报。现在他一开口先说自己原本不愿出这次国。邱支书和毕主任连忙打断他说，你这笔杆子不去，俺们回来说个啥？邱满子笑笑说，俺是乡里工作组，理应将机会让给其他支委。好在路子蹚开了，日后大伙轮着转转，解放解放思想，收获不少啊！然后他就很世故地笑了，支委们跟着笑。邱支书愣了愣，心里骂这小子得便宜卖乖呢。他知道支委和群众对他们这次公款出国意见纷纷，邱满子当众卖好儿，日后的不是全落他身上了。想想邱满子与女儿胖丫的关系，邱支书又没气了，同时感叹这小子官道上准有前途。邱满子见邱支书脸色不好，就补了几句，本来这次活动安排了半个月，邱支书急着回来引外资上企业，当然也为节省开支，俺们就提前四天回来了。邱支书脸一热心里就顺畅了。邱满子圆着场说完就进入正题，总结参观学习经验。这个材料是邱满子从《半月谈》里抄来的，十几天海外观光，除了吃就是玩儿的哪有空闲想这些。邱满子的一席话和汇报材料使支委们服了气，但对邱支书依然有股暗劲儿。有个支委问邱支书说，你说外国哪儿好？邱支书兴致很浓地说，就是城市和农村分不出来，咱社会主义新农村也要城市化嘛！不过，俺没看出资本主义有啥不好来！邱满子打断邱支书的话头说，你别放毒啊，得长咱自己的志气。邱支书就赶忙把话拿了回来。散会时大伙鼓掌，各拍各的心事。

几天来邱满子跟着县民政局领导在村里搞“五户一保”的试点。闲下来的时候，他心里有种不祥的预感。果然给他料着了，乡政府出国考察团一回来，村里就有人将邱支书出国挥霍公款的事告到范书记那里，而且牵扯到了请日商的内幕。范书记当天晚上就召开乡党委会研究处理这个问题。会上何乡长说，小康村可以出国考察，谁也没掏自己腰包，落后村更该出去走走，不见外面世界咋引来外资呢？我们应该审查一下乡党委的土政策合不合理。范书记说，他们的出国渠道不正常。更主要的是假引外资，找借口出国旅游，欺骗领导，不处理是说不过去的。何乡长又说，上次小林先生来我也去了，怎能说做假呢？范书记真正的心劲儿本是对何乡长来的，出国考察期间他们两人就因谁住套间闹了意见，便说，何乡长护着自己的点儿，心情可以理解嘛，不过，你听小郑说说吧。团支书小郑脸腾地红了，支吾着说了引资的情况，把邱满子也装了进去。何乡长马上意识到小郑要抱范书记这条粗腿了。以前小郑在范书记与何乡长之间游荡，这回还是被范书记拉过去了。小郑说话时目光躲躲闪闪不敢看何乡长。何乡长怔住，心里埋怨邱满子太冒失没头脑。下次乡里换届，副乡长的候选人就只有邱满子和小郑，派邱满子回去抓小康村建设，就是给他捞资本的机会，没想到这小子不争气倒惹了一身麻烦。

由于何乡长顶着，对邱满子和邱支书的处理决定最终没有形成。但看势头，邱满子在乡政府怕是留不住了。第二天早上，何乡长骑车去村里找到邱满子和邱支书狠狠地训了一顿。邱满子脸白了，身架发软。邱支书呆愣着，眼前像盯着一样怪物。愣一会儿又不服气地嚷嚷，俺们没啥错！何乡长心口上窝着火说，你还犟啥？屈了你了？多想想满子吧。邱支书就蔫下来，忙将不是往自己身上揽了些。他要保邱满子，不能把孩子的政治前途白白断送了。邱满子觉得小郑落井下石太不够哥们儿了，一兜火气冲头，狠狠地骂了两句。邱支书堵噎他说，骂街管屁用，沉住气！何乡长说，老范是冲我来的，只要满子主动找他谈谈心认个错儿，留在乡里还是有希望的。他也需要吹鼓手哇！邱满子倔倔地一抖手，俺才不找他呢！邱支书瞪他一眼说，你听何乡长把话说完。何乡长说，满子，你把责任往我和邱支书身上推，关键时骂我们几句也无妨，老范认这手儿。留着青山在，不怕没柴烧！邱满子顿觉有火球样的东西堵在喉口，眼睛忽地湿了，抓住何乡长的手说，您的心意俺领了，可俺不能当势利小人！大不了俺他妈回家烧窑！邱支书说，你又犯牛脾气，到范书记那儿随便编点啥都行，总能把荒唐事圆泛了。听话，啊！邱满子没说话，眼神儿似乎没个着落。尽管乡政府大院遍地都是坑，稍不留心就掉进去，他还是不愿离开。想着父亲的嘱咐，熬个一官半职才对得起祖宗，祖先的眼睛盯着你呢！这时的邱满子脑袋就轰轰地响了，哇地暴叫一声，风一样刮出去，到村委会值班室给小郑挂了电话，没鼻子没脸地给了他几句。小郑那边连说你听我解释，他兀自将电话挂了。

邱满子没精打采地朝自家宅院走，许多人的脸都像灯盏一样晃晃悠悠地悬在眼前。他鞋也没脱，就躺在坑上跷腿望着天棚走神儿。他全然不知自己失误在哪里，他只想这样躺着不动，永远面对着自家的房顶。几只鸟在房顶觅食，周围一片寂静。他一会儿想找范书记，一会儿又不想去，就这样折腾到掌灯时分。父亲从泥窑回来的时候，跟来了乡党委办公室孙主任。孙主任告诉邱满子说范书记要找他谈话。他领孙主任在老河口海鲜酒家吃了饭，就一同去了乡政府。邱满子知道范书记主动找他事情就不妙了，他想有啥算啥吧，总不能丢了人格。走进范书记的宿舍，见范书记正在灯下喝酒。一包油光光的猪蹄和一盘五香花生米。范书记见邱满子进来，眼皮没抬，依旧拿着猪蹄啃得津津有味，鼻音囔囔地说，小邱来啦，坐吧。邱满子坐在范书记对面，有些怯场。范书记拽下毛巾正要擦手，门开了，食堂老师傅端来一盘面条鱼炒鸡蛋。邱满子知道范书记支使下人不当回事儿，比何乡长能摆谱儿呢。范书记语气平和地说，小邱哇，你写的出国学习材料我看过啦，挺有水平嘛！其实，乡里这个考察团应该带上你，开了眼界才有好文章，下笔才有神哩！邱满子用怯懦恍惚的眼神看着范书记，不知如何答话。范书记又说道，小邱哇，你和小郑都年轻，大有前途，我们都老啦！今天叫你来，是因为我这人爱才，不愿看你犯错误！其实呢，你这小伙子是个实干家，就是没让邱老邪和何乡长他们用好！范书记一向管邱支书叫邱老邪。范书记又说，何乡长也不知咋想的，邱老邪是你岳父，爷儿俩揽在一起干工作能好么？引资那件事，我知道是何乡长搞的！他眼看着自己的试点变不成小康村，心里急呀！可咋急也不能弄虚作假，我们党这方面教训还少吗？邱满子没想到范书记一天到晚傻吃酣睡的样子拢人倒是有一套。他不敢听下去了，袖口里捏指头的把戏他不会做。范书记说，小邱哇，何乡长对你不错我知道，但是干工作不能感情用事。明天，县委组织部考察班子要搞个座谈，单独找到你的时候，你就把引外资的事说说，你最有说服力，最有发言权嘛！邱满子心跳加速，壮着胆争执说，引资是俺干的，与何乡长无关！范书记不高兴地说，你还护着他！邱满子说这是真的。范书记沉脸阴眉地说，你真年轻，遇事掂不出轻重！邱满子本想按何乡长的点拨给何乡长添几句违心话。这一刻他却将这个念头掐灭了。他痛苦地站起身，范书记抬起脸说，小邱哇，回去好好想想！然后又腾出双手啃猪蹄，吃离了眼，啧啧咂咂如同伤风擤鼻子。

邱满子轻轻走进自己宿舍坐着。小郑宿舍里打牌的说笑声顺窗子溜进来。春日的夜风面条鱼似的在他脸上拂来拂去。疲惫无奈的春夜，万物都悄悄地生存。邱满子趴在自己写报道的办公桌上轻轻地哭了。但他马上就坐直身子，在镜子里盯住自己的脸说，没出息，省几滴猫尿吧！不就是为了想当那连芝麻也够不上的小官嘛，赔小心，讨好人，还有一点志气吗？然后站起身，将几本书装进书包，推上车子走出乡政府大院。拐出道口他停住了，扭头朝乡政府大院好一阵张望，眼泪就下来了。再进这院恐怕是最后一次取行李了。

邱满子骑着自行车摇来晃去的，不知不觉竟骑到太极地上来了。泥岗子多了些，地势竟有些苍茫沙丘的气象。他在暗夜里看见土堡模样的泥窑，心腔就热了。顺着泥窑的浓烟往上瞅，天像是在斑驳脱落。往下看，看见马灯挑在窑口，光亮晕化了似的溶去，父亲正坐在窑口吸烟。邱满子朝父亲走去。老人终于没能镇住邪气，世间事常常不可诠释，就像这片奇妙的太极地。邱满子望着父亲的背影，默默地站着。毛驴的长嘶将这对父子的沉默又拖延了很久。邱满子望着脏兮兮辱眼的窑口说，爹，明儿俺也来烧窑吧！父亲泥塑木雕般地不动，两只枯手机械地往灶口添树枝。邱满子又说，爹，该回家歇啦！父亲还是没有说话。邱满子蹲在父亲身后，又说了句，爹，俺咋办哩？爹还是没说话。父亲的背影将他的意志逼住。他默默地站起身，仄仄歪歪地朝太极地的深处走去。生他养他的太极地会告诉他什么吗？倒春寒的夜气无声地流动，太极地在黛蓝色的夜里宽余地睡着。天光愈暗，太极地的黑白线愈加明晰。那熟悉的看不清的白气又升起来了，清虚超拔又欲念横溢。邱满子抓起一把黑泥揉搓着，仿佛听到一种浮出地表的声音，呼唤"孩子，孩子"的声音。他感动了，眼中的泪盈盈欲滴。这一刻他忽地有了主意。

他的目光刀一样朝远处砍去。

杂种，这世界谁都能混碗饭吃！他想。

父亲的窑火正旺，他朝村庄走去。

一时不知该怎么收场的危机，被邱满子的几句话搪塞过去了。他到了乡政府，组织部领导找他考察何乡长，邱满子说，为了表现自己能耐，帮助本村脱贫奔小康，就和朋友想办法搞了个引资的事情。他的话中没一句牵扯到何乡长，范书记在旁听了，一脸不高兴。

邱支书挨了个处分仍旧掌管全村事务。邱满子说咱爷俩不能就这么栽喽，不干出点名堂来真正对不住何乡长啦！邱支书咬咬牙说，俺挖地三尺也要将写匿名信的家伙揪出来！邱满子摇摇头说，小家子气，这场戏唱过就过了。你赚了出国赚了舒坦，还不够么？当务之急是干出点名堂来，变后进村为先进村，兴许能为何乡长扳回一局！日后群众心里服气就没人背后捅刀子。邱支书想想也对，就问，你说咋干？邱满子说，还是引外资，上企业！邱支书咧咧嘴说，你别跟俺三吹六哨的，站着说话不腰疼！邱满子急得红了眼，这回得动真格儿的，俺想解铃还须系铃人，哪跌倒哪爬起来！俺去北京找那个小林先生！即便他那儿没戏，也让他帮咱介绍几个外商！邱满子扭头看黑坦坦的海滩，疯狂地放纵着想象。父亲说过春末夏初的季节干事十有八成，邱满子的心劲儿恰好与这季节合拍。

春末一个多雾的早晨，邱满子背上两套父亲精心烧制的泥壶，搭乘一辆个体中巴去了北京。他按照小林先生名片的地址找到了亚运村 A 座公寓，一打听才知道小林先生因房租涨价刚搬走了。邱满子心凉半截儿，无精打采地在北京街头逛荡。走累了他就坐在立交桥边摆弄小林先生的名片。看见上面的呼机号，他眼一亮，忙跑进电话亭。很快就呼到小林先生了。小林先生刚从日本回来，说开泥疗的事那头大老板没通过。邱满子不甘心，赶着说，别的就没合作了么？小林先生在电话里忽地想到了什么，忙说，老实说我对你们村很感兴趣，我拿来你那里太极地上一块泥，当时觉得很像深海矿物泥，就想带回来化验，可事情杂乱就耽误了。邱满子不知道深海矿物泥有啥用，但还是问，你是不是说，如果俺们太极地是这种泥就有合作可能啦？小林先生说，如果是这样，就太有可能啦！这种泥俗称黑金，是金贵的美容珍品！邱满子想象着黑泥涂在脸上会有多恶心，一边迭声催小林先生抓紧化验。小林先生说还怕是找不到了呢。邱满子说明早咱通电话，没有俺回家再取一块来。小林先生有些感动了，说晚上请他吃饭。邱满子满口谢绝，街上小摊儿吃了饭，就钻进末流小旅店睡了一夜。第二天小林先生说那块泥果然找不到了。邱满子二话没说放下电话就上火车赶回了雪莲湾，带上泥二进京都。化验结果出来，果然是深海矿物泥。连专家都惊奇，太极地不是深海之泥为何含深海矿物质呢？邱满子开心地笑了，又觉得这一笑没笑好，嘴角有种拉不开扯不动的感觉。小林先生也欢喜不尽，忙向日本总部大老板田夫雄成汇报，化验材料也电传过去。总部当下拍板投资开发雪莲湾太极地矿物泥。小林先生与邱满子核计了一下，又找专家评估，设备投资是不大的，一条净化处理线和一艘小型挖泥船就行。小林先生却没跟邱满子兜底儿，把投资困难说得挺大，为的是最后签协议时占大股。邱满子不懂企业不懂股份，他的任务就是变尽法子使劲儿将外商拉进村。村里有了外资就会奔小康，奔了小康他便有了政绩，有了政绩就能升官。道理就这么简单，邱满子想。

日本人办事效率之高是邱满子和邱支书始料不及的。第一次考察谈判人员就来了六个，二位地道日本人，四位北京分公司的中方雇员。管企业的马副县长来了，范书记和何乡长也都来陪着。县里乡里头头们说几句官话表示支持，陪吃陪喝，谈判桌上的实质问题就全落在邱满子和邱支书身上。邱满子怕日后落埋怨，也想溜边走。他说，三叔，俺是乡里派的工作组，把鬼子引进庄就由你们对付啦！邱支书说，你小子打一枪就撤，俺可收拾不了日本人！俺一见日本人就来气！邱满子板了脸说，告诉你，小不忍则乱大谋，气走了日商，俺再也不管村里的事啦！邱支书心里没底拉着邱满子找何乡长。何乡长只是笑，邱满子当着副县长的面儿说了说有人攻击假引资，夸了几句何乡长，弄得范书记脸色不好。马副县长表态说，我就讨厌那些光说不干背后挑刺的领导！这次由泥疗引起的矿物泥合资企业是很有前途的！不仅仅是吸引了外资，更重要的是为全县提供了宝贵经验，深化农村改革就应挖掘本地资源优势！回头向全县推广嘛！说完拍拍何乡长肩膀，也拍拍邱满子的肩膀。邱满子心理平衡了一些。总算替何乡长挽回了面子。

下午谈判，邱满子想躲却没能躲开，代表村里跟日商周旋。小林先生将股份分成压得很低，三七分成占股，日方七中方三。村里出厂地出资源出水电设施，日方出设备包销售。工人从当地招聘，双方出管理人员，日方暂时派小林先生代管，中方由邱支书任总经理。企业定名为蓝渤美容品有限公司，合同有效期八年。签了协议书，一行人由何乡长、邱支书和邱满子陪着住进县城外宾楼，吃喝一顿，又去歌厅卡拉OK一把。邱满子不会唱歌也不会跳舞，傻呆呆地坐着喝饮料。邱支书却搂着小姐在舞池里瞎蹭。邱满子心里埋怨邱支书瘦驴屙硬屎强挺着。何乡长凑过来对他说，小邱去学着跳吧，日后考察干部也算一个优越条件呢。邱满子的心松活了，另一曲开始时何乡长给他拉过一位陪舞小姐，他就怯怯地下到舞池里去了。他闻到了舞女身上的香气，很暗的灯影里他竟能看见她脸上有密密的小雀斑。小姐问邱满子是干啥的。邱满子说你看俺像干啥的？俺像书生？小姐摇头。邱满子又说，俺像老板？小姐还是摇头。舞曲尽了时小姐笑着说，你像干部！邱满子哆嗦了一下，心里十分得意。他走到洗手间，对着镜子审视自己的形象，竟也多了几分自信。

日子美好如初。

日商将一套韩国淘汰下来的旧机器运到太极地时，太极地上土建工程几乎完工了。邱支书就着在太极地旁边空地放电影的空当，将与日商合资的事情跟村民们讲了。村人觉着拿泥美容就荒唐可笑，别说三七分成，就是一九分成也是白捡的，不就是泥么？雪莲湾太极地最不缺的就是泥了。村民鼓掌赞许村委会干部的眼光和魄力。邱支书气气派派地在人群里穿行，从众人的眼光里搜刮着久久渴望的东西，招摇得很。不久前他的处分撤销了，春风得意，夜里往齐家寡妇那里也去得勤了。邱满子没有讲话，但他从村人的冷漠里感到某种潜伏的骚动。他觉得这世界说乱就会乱，人都变得不像原来的人了。

邱满子的预感很快就应验了。开工前的第一场风波是由太极地惨案的石碑引起的。小小纪念碑本来几乎被村人遗忘了，那天小林先生视察工地看见那石碑，也没细瞅，就下令将把它挪到了老河口的河堤上。消息也不知是怎么传开的，村里的几位惨案亲属就气呼呼地找邱支书。邱支书是抗日女英雄的弟弟，自然要站在这边说话，他觉着日商财大气粗忘乎所以，简直是拿他不当回事儿。他找到小林先生质问，为什么要把石碑搬走？小林先生解释说，石碑那块地要建车库。邱支书涨成一张猴腚脸说，车库挪地方也不能挪石碑！小林先生问为什么？邱支书说，因为你是日商！小林又懵着问，日商怎么了？邱支书说，那是一块什么碑，你狗日的知道不？他拽着小林先生就去河堤上看碑。小林先生蹲下身细瞅一会儿，说，我当时不知道。邱支书说，群众有意见呢，对企业也不利，快挪回去吧！小林先生瞅瞅石碑又望望太极地，悚悚地生出惧怕来，他想自己不能软，这些农民胆子大得能操天，第一次较量就软了，日后他们会得寸进尺。小林先生硬硬地说，既然搬了就不能再搬回去！宁可关了也不能让步！邱支书火了，三说两说就与小林先生大吵起来。在工地上刷油漆的胖丫瞧见了，急急将工棚里下棋的邱满子叫来。邱满子心里急得很，飞快地跑去老河口。黄昏的老河口被雾搅得模糊了，像裹了层厚厚的老帆布。邱满子先听到的是邱支书的吼叫声，这声音像是在他脑壳上扎了一道铁箍。他问清了底细，心里就来气，劝劝小林先生，然后将邱支书拉到河坡的泥坝后面说，三叔，你又发扬抗日传统了吧？日商怎么说得罪就得罪呢？你因一块石碑将外资搅黄了，俺就再也不管啦！邱支书嘟囔说，他妈的假洋鬼子狗眼看人低，俺不说啥，老百姓也看不过眼哪！邱满子说，你老简直蠢到家啦！搞经济可不是斗气儿！挪石碑，不是毁石碑，说明咱们没有忘记抗战气概，没有忘记民族气节，不要只是狭隘的形式主义。邱支书不服气，搞合资得相互尊重，俺就情愿做奴才么？邱满子摆摆手，咱不争论，你静下心来想想，想通了给小林先生把话拿回来，忍一忍，不丢人哩！邱支书闷闷地不再言语。可那边的胖丫又双手叉腰地跟小林先生闹了起来。胖丫急三火四地将邱满子拉来是想给父亲请帮手的，没承想邱满子倒将父亲熊了一顿。她不敢跟邱满子闹，满肚的怨气只好往小林身上泄了。她扭着屁股，一蹿一蹿地蹦起来，唾沫星子飞溅，引了工地上许多人围观。小林先生脸色寡白，气得浑身抖抖的。邱满子听见吵闹忙赶过来，看着眼前泼妇样的胖丫，心一下凉了。这就是自己未来的妻子么？六月，该诅咒的六月黄昏，叫人说什么呢？他喝住胖丫，默默呆愣了一会儿，然后，邱满子当着众人说，胖丫，你过来。胖丫看邱满子眼神斜斜的，透出很怪的亮光，心里发虚，悻悻地挪过来。邱满子很平静地站在胖丫身边说，你骂小林先生不对，人家是客，去道个歉！他这时看见，胖丫的头发被风吹成老鸹窝了。

胖丫扭身说，俺不去！

去！邱满子恶狠狠地说。

胖丫害怕了，慢慢挪着身子，挪几步，看看邱满子，又往小林先生跟前挪几步，再看看脸色阴沉的父亲。邱支书软了，示意她过去。冷静下来的邱支书也觉得小林先生是很重要的。胖丫挪过去，讷讷道，小林先生，俺对不住啦！说完就哭着摇摆着跑了。

邱满子说，小林先生，日后咱是一锅水里舀瓢子，免不了磕碰，大度点，往前看吧！

小林先生尴尬地笑笑说，没什么。

邱满子很沉地叹了口气。

在太极地沙地与泥地交接的地方，几只受惊的海鸟湿漉漉地腾空而起，落在电线杆上噪叫。邱满子注视着太极地，背向着父亲的泥窑。父亲这会儿无法看到他的脸，只能看到他修长的背影。窑火熊熊，暖着冷秋天气。一晃就是秋天，秋日太极地的颜色变得格外深重。邱满子眼里的太极地已经完全没了去日的模样，高大的厂房和泥龙般的生产线就像一张恼怒的人脸。他站在那里几乎闻不到一丝昔日打鼻子的鲜气。矿物泥销路之好是村人没有料到的，有了效益，邱满子才让邱支书将情况报上去，后进村眨眼之间就小康了。小康村挂匾那天村里着实热闹了一场。邱满子又写了一篇报道，在报纸电台轰了出去。县里和外地来参观取经的人很多。问到他们有何经验，邱满子说主要是开发新的资源优势。邱支书不以为然，他说主要是眼睛向外，多出国走走。参观的人如获至宝，回去就张罗着出国考察。邱满子瞪邱支书一眼说，又出幺蛾子，害人不浅呢！邱支书拖着很重的鼻音说，等矿物泥厂年初分红，咱他妈再去美国转转！邱满子见邱支书又抓拿不住自己了，提醒他说，还提出国呢？差点把你撸喽！邱支书嘿嘿笑道，你小子细想想，没有出国这引子，咱能搞合资矿物泥么？咱能摇身变小康么？邱满子沉下心想想一步一步的折腾，鼻子就酸了，他说，咱这是一脚踢屁上啦！三叔，水能载舟也能覆舟，还是夹着尾巴做人吧！邱支书龇着一对马牙说，你小子少教训俺！没多久，俺就是你老丈人啦！咋样，快跟胖丫结婚吧！邱满子不置可否地看着邱支书。现在他想甩掉胖丫的心思愈发强烈，可想想该回乡政府了，又怕影响不好。

这天闲下来的时候，邱满子默默地来到父亲的泥窑。父亲也在五次三番地催他与胖丫结婚，他就是不应承。他孤零零地站到天黑，父亲喊他回家他也没表情，末了说俺心里乱，就替你看窑吧！父亲叹一声，仄仄歪歪地牵驴走了。天黑得纯粹了，邱满子就钻进泥铺子里看书，沾了开发矿物泥的光，这里也有了电灯。

落霜的秋日分外地长，日头很迟缓地磨蹭出来，而后像灯笼似的悬着。邱满子就在一个秋日接到了回乡政府的通知。走前他去了太极地的矿物泥厂，见了邱支书，也见了小林先生。小林先生设宴为邱满子饯行，邱支书作陪。邱满子急着回去，因为他得知范书记有病住了院，得买些东西探望一下。又想着邱支书与小林先生自从石碑事件之后闹僵了，给他们打打和儿对以后合作有利。权衡一下子他还是留下来了。酒桌上邱满子没让邱支书多喝，怕他舌头贱好话说臭了，邱满子与小林先生却喝得醉迷呵眼。小林先生握着邱满子的手说，我们是冲你才来这儿合资的！邱满子连说，别冲俺冲邱支书！邱支书哼一声，心里骂你他妈冲钱来的！想想签了八年合同，邱支书心里就发寒，这八年抗战的日子委实不好过。他每时每刻都想将日本人赶走，独吞矿物泥厂这块肥肉，反正小康村已经当上了。邱满子猜出邱支书心里想啥，知道他红眼病犯了，与村里人一样烧红了眼。日本人拿太极地的泥大把大把地换钱，村里分得的太少。没出三个月村人就嚷嚷着重新划分股份，狗日的日本人的钱也赚得太容易了！风声溜进了邱满子耳朵里，他跟邱支书说，不管群众咋闹，你得把根留住。邱支书那双眼睛却眨动得让人不可捉摸。喝完酒，邱满子一手抓住邱支书的手，一手拉着小林先生的手激动地说，精诚合作，精诚合作啊！说完就红头涨脸地骑车去了乡政府。

刚过晌午的乡政府大院空荡荡的，地上只印着稀稀落落的树影。邱满子好久没进这个大院了，今天推车走着，心里踏实又美气，仿佛是这里的主人。他心情特别好，哼哼唧唧唱起来。小郑刚好正在晾晒棉被，看见邱满子就打招呼说，回来啦！这一阵子邱满子在乡里挺红，而小郑没什么长进，小郑从心底里不快活，但表面上对邱满子还是套近乎。小郑笑笑说，满子，过来杀一盘！邱满子也笑说，好哇，多日不见好吧？小郑拿巴掌拍打着棉被说，人走时运马走膘，你小子真有福气！邱满子说，俺一天到晚傻吃憨睡的，福从何来哟？小郑抱着被凑过来说，其实呀，你与日商合资，最早是我牵的线，也不给我提成！邱满子脸子一下子阴住，说，谁让你顶不住一片天呢！自找的！小郑仍旧笑嘻嘻地说，八成都让邱老邪吃回扣了吧？分你多少？邱满子的脸说变就变，你少嚷嚷这个，俺可没得啥提成！小郑说，得了就得了，没人跟你借！谁不知引资幕后的勾当多着呢！邱满子啪一声支好车子说，你他妈再胡咧咧，跟你没完！小郑抱着被扭头就走，一边说别生气，逗你呢！就钻进宿舍里去了。邱满子气得青了脸，腿关节走风嗖嗖地疼，后来进屋一想，跟小郑生气不值得，便斜靠在被垛上眯眼睡着了。眯了一会儿，却被门外女人的说笑声惊醒，探头挑开窗帘往外看，是小郑含情脉脉送走一位姑娘。姑娘长相一般，可皮肤挺白的，一看就知是城里人。姑娘钻进一辆桑塔纳轿车走了，小郑扭身回来，脸上掩饰不住的喜悦。邱满子觉得所有的姑娘都比胖丫好，唯独这个姑娘不咋样。小郑的对象在他眼里怎么会好呢？邱满子转回身，开始拾掇屋子，桌上落满尘土而且还弥散着一股怪味。正忙乎着，邱满子脑子轰地一震。他想起了范书记，就扔下抹布急忙跑去办公室问清了住院地点和房号，关上门，推车去了乡政府对门的小卖部，买了罐头、麦乳精和杂七杂八的水果，满满的一大包放在自行车上，径直就去了乡医院。范书记得的是肺结核，会传染的，乡里领导和各企业经理厂长们来时都把东西放外屋。范书记的老婆就在外屋值班。范书记很自觉，轻易不放人进来，邱满子来了却破了例。范书记刚输完液眯眼静躺，听见邱满子的声音就说，让小邱进屋来。邱满子轻轻进了病房，亲热地喊了声范书记好些么？范书记耷蒙着眼皮笑笑说，小邱来啦，我真高兴啊！范书记老伴说，老范爱才，总念叨你写得好，是咱乡里的秀才。邱满子说，范书记有啥事只管吩咐。范书记问他，村里矿物泥厂怎么样？邱满子说效益挺好。范书记说，我接到村里有人写来的反映信，说矿物泥厂股份分配不合理，告你和邱支书出卖集体利益！邱满子一颗心被揪得紧紧的，沉吟一会儿说，范书记，说实在的，现在看来俺村得的是少啦，有些亏。可当初并没人说亏，谁知道这臭泥能卖钱呢？弄成了，谁都想吃一嘴，那样工作就没法干啦！范书记呵呵地笑了，瞧你，又沉不住气啦！乡党委会给你们撑腰的！邱满子心里丢不开，嘟囔道，范书记俺担心村里要出事！村民对日商情绪很大呢！范书记说，我们搞改革，不能像孩子一样翻小肠。整个国家都在摸索，何况我们？我心里有数，你的工作是很有成绩的，还要在基层好好锻炼。邱满子听范书记的口气还要把他打发到哪个村里，就急着说，范书记，俺想在乡政府锻炼！跟老百姓直接打交道真难，左不是右不是，烦死啦！范书记截断他的话说，不能这样讲，老百姓是水，我们是鱼，鱼儿离不开水！这种说法好像过时了，但我们乡政府也要转变职能，多为下边提供服务！邱满子听了这话心里凉了半截，估计自己回乡政府工作又要黄了。范书记接着又说，小邱哇，好好干吧，日后是你们年轻人的天下，我们老啦！这次换届乡党委将重点举荐你呀！邱满子陡然一喜，范书记此话如果当真，他邱满子不是前途无量了吗？

之后的日子里，邱满子的心被喜悦涨得满满的。想着自己要当副乡长了，就要由招聘干部转为正式国家干部，变农业户口为非农业农口，一生中有啥事还比这事重要呢？

选举结果出来，邱满子瞠目结舌。政绩平庸的小郑很神秘地杀了出来，当选为副乡长，邱满子落选了。邱满子当下就傻了，浑身软软的像要分裂成一堆垃圾。他躲进宿舍狠狠地哭了一场。他猜想准是范书记跟他玩袖口里捏指头的把戏呢。这老家伙毒哇！邱满子晚上没有吃饭，泥塑木雕般地呆坐着。选举结束后范书记找他谈过心，说的啥话他全记不得了。何乡长十分失望和气愤，劝他想开些，可邱满子弄不明白小郑在乡里的群众基础有这么好么？好多人来劝他，越劝邱满子越觉得委屈。邱支书来乡政府看他。劝他说，这年头的事千万别较真儿，你知道小郑是啥来头么？小郑对象的舅舅是县组织部孙部长，懂么？选举是做了工作的，俺也是代表，还不懂这些？咱认命吧，认命吧！邱满子啥都明白了，一句话也没说，觉得脸上烫烫的，一摸才知有泪水在流。邱支书又说，要不就回村里干吧，俺退位，你当支书吧！邱满子还是没说话。

这时，邱满子的父亲跪在泥窑旁正一遍一遍地诅咒上苍：老天爷，你有眼么？你眼瞎了么？你不晓得俺儿处世的艰难么？窑火渐渐委顿下去了。父亲望着窑火委实断不透哪里来的邪气。

邱满子又回到了村里，官场，多么奇妙的官场呀！他似乎对社会、对人生有了一点清醒的认识。

太极地的太极图案被矿物泥厂涂改得面目全非。邱满子注意到太极地上所有的房屋看上去都是歪斜的，所有的人都像影子一样。从他在这里出生到现在像一个梦，从操持矿物泥厂到今天也像一场梦。这些梦是由许多人共同完成的。邱满子走在太极地上，感到了人世的奇妙。入冬时何乡长终没斗过范书记被调走了，邱满子几次要去日商公司，都被何乡长劝住了。何乡长说别因为我走你就走，我走后你兴许会有出头之日。邱满子和邱支书在为何乡长饯行的酒桌上都喝多了，三人一起又哭又笑到深夜。

腊月底，正是忙年的关口，村里出事了。矿物泥厂被迫停产，传到邱满子耳朵里时事情已到了十分严重的地步。起初事情并不大，并且牵扯到了胖丫。跟胖丫十分要好的蓉蓉在包装车间做工。蓉蓉是好打扮的新媳妇，在城里纹了眼线修了眼眉，但脸上皮肤粗糙，想弄点包装好的矿物泥回家做美容。下班后没人了，她偷偷装了几袋，又让胖丫帮她多装些。她们出车间门的时候，被日方经理助理大岛启和发现了。大岛是地道的日本人，抓管理比假洋鬼子小林先生要严格。好多小工受不了走了，留下来的对大岛恨得不行。大岛先生从胖丫和蓉蓉身上翻出了矿物泥，说每人要罚款一百元。蓉蓉吓得哆嗦，胖丫却满不在乎。她原先对小林先生还窝着一股气没撒，这次又撞上了大岛，当下就闹起来。胖丫骂街不解气，知道大岛听不懂，就拿出雪莲湾泼妇打架常用的招数，勾起头牤牛一样朝大岛身上撞去，同时伸出手抓挠大岛的脸。大岛躲不及就与胖丫抱在一起。蓉蓉怕胖丫吃亏，就上去拽大岛。大岛无意中一抡胳膊，就将蓉蓉碰倒在地，脑袋撞上了铁门的一角，顿时血流一地。日本商人殴打中国女工！传到村里乡里和县里的话就是这样的。蓉蓉的本家和婆家是村里大户，而且蓉蓉的老太爷是被日本鬼子烧死在太极地里的。两个家族就炸了，没去找邱支书，忽忽涌涌几十口子人气势汹汹去矿物泥厂找大岛算账。小林先生见势态不妙，赶快将大岛转移，然后就找邱支书商量对策。邱支书早就盼着出点事儿呢，当面糊弄几句小林，背地里还为两家人出主意。他知道自己人早已掌握了生产矿物泥的技术和销路，日本人滚蛋才好呢。两家人受了邱支书的支使，堵在厂门口静坐，要求交出大岛。小林先生怕停产，忙去医院看望了蓉蓉，又连夜与蓉蓉的父亲谈判，开口就问要多少钱？蓉蓉的父亲喝一声不要你们日本人的臭钱！小林先生没辙了，只好去派出所报了案，请求公断。乡派出所的人一来，就被邱支书叫去大喝了一顿，而且当事人胖丫按照父亲旨意一口咬定大岛打人。事情就僵住了。村里许多对日本人有气的也跟着瞎起哄，将矿物泥厂搅得像抗日战场。邱支书在村里放出口风说，日本人见好就收吧，卷铺盖滚吧！小林先生在县城还有针织厂，跟主抓工业的副县长混得很熟，眼看着不行了，就将此事捅到县里。县里领导很重视，认为这关系今后全县的声誉，马副县长、外经办主任当即来到乡政府。何乡长走后乡长还空着缺儿，处理此事的重任就落在了范书记身上了。前两天范书记曾派主抓乡镇企业的副乡长小郑前去处理。小郑到了村里哼哈不动，两说三说就给顶了回来。没办法，只有范书记亲自出马去平息这场风波。但范书记的权力加上政治思想工作在机关大院畅行无阻，面对着老百姓则手足无措了。劝说不灵，抓走这几十口人又没道理。马副县长来到静坐的老百姓中间苦口婆心地讲干了唾沫也无济于事。范书记没了面子，没鼻子没脸地训斥邱支书，你这村支书是干啥吃的？你不想干说话！邱支书眼瞅着祸及自身了，忙去说和。却不知闹到这份上他也失控了，连自己闺女胖丫都不听使唤。到底是范书记有统抓全盘的能力，在最关键时刻忽地想到了在党校学习的邱满子。范书记对小郑副乡长说，快去城里把邱满子接来，这小子兴许有办法！小郑心里充满妒意地说，他一个乡报道员有啥办法！范书记急赤白脸地说，梗涩啥？叫你去就去！

邱满子听小郑副乡长前前后后一说，呆愣了很久不说话。他知道早晚会有这一天的，蓉蓉的事只是一个导火索罢了。邱支书这个抗日英雄的兄弟不生是非就不是他了，邱满子想。

邱满子回到村里天都黑了。冬日年根儿的村夜很燥，冻酥了的太极地在邱满子脚下脆脆地响着。矿物泥厂没了机器声，只有扭头时他才能看见父亲的泥窑，在暗夜里像一件古董。走到厂区的那头，邱满子远远地就瞧见小林先生孤独地站在那里凝望太极地。他猜想太极地在小林先生眼里肯定是神秘而可怕的，小林先生此刻肯定没有那天骑毛驴逛景儿的感觉了。邱满子没去惊动小林先生，扭转身款款朝厂房走去。到了办公楼前边，邱满子看见许多人来回走动。小郑跑过来急着说，下了车你去哪儿啦？马副县长和范书记等急啦！邱满子没理睬他，直接去了办公室。楼道穿堂里，邱满子看见两个家族的几十口人拥挤着坐着。邱支书率先截住邱满子说，满子，这回你胳膊肘可别往外扭啦，坚持最后一下，日本人就滚啦，咱就不用八年抗战啦！咱村就彻底富喽——邱满子没好气地说，你头脑蠢得可笑，当初都有合同的，况且上级会不管么？赶紧撤兵，恢复生产！邱支书脸沉下来说，你个汉奸，有本事你整，俺是没招儿！邱满子哼一声，去办公室单独与范书记谈了一会儿，出来就问邱支书胖丫在哪儿。邱支书说胖丫在医院伺候蓉蓉呢。谁也猜不透邱满子要干什么，只见他钻进汽车去了乡医院。在病房里邱满子安慰了蓉蓉几句，就把胖丫叫到外面。胖丫好久没见邱满子，娇模娇样劲儿又上来了，刚往他肩头一依，就被邱满子狠狠地抓住。邱满子表情平静地盯着胖丫，盯得胖丫心里发毛。他于平静中镇住了女人。他问，你如实跟俺说，大岛先生打蓉蓉了吗？你他妈跟俺撒谎，从今往后就地分手！胖丫支支吾吾说，没有打是碰倒的。爹说这回可不能轻饶了日本人！

邱满子说，跟俺走！叫蓉蓉也去！

去哪儿？胖丫问。

到矿物泥厂！

俺不去。

妈个蛋的，打死你！

邱满子拽着胖丫回到病房。

邱满子对蓉蓉说，外面的事你知道么？蓉蓉委屈地哭了，俺知道，俺不愿意他们闹，这样一来，俺日后出去咋见人？邱满子央告说，你知道么，县里乡里领导都惊动啦！这不算啥，你想村里好不容易有个合资企业，停产一天损失多大？假如合资破裂，村里人收入受影响，大家不责怪你们才见鬼呢。因为是你们偷了人家东西。蓉蓉喃喃说，满子哥，你说咋办哩！邱满子说，最好是你和胖丫跟俺去厂里，说出真情，劝家里人回去！

邱满子将蓉蓉和胖丫带到厂办公室楼道里，让两人一个一个地说。还没说完话，静坐的族人就泄了劲，蔫头耷脑成拨儿地往外走。

邱支书脸上难看地变着颜色。

范书记紧紧抓住邱满子的手说，小邱真行啊。

邱满子说去叫小林先生吧，这还不算完！

小林先生笑得十分好看，拉着邱满子的手激动地说，我猜想就得请你出山啦！邱满子还是那句话，咱是一锅水里舀瓢子，免不了磕碰，大度点，往前看吧！刚才你一人在太极地上发愁了吧？小林先生十分潇洒地脱下皮大衣说，愁啥？其实我才没往心里去呢！我站在那儿在设计，如何扩大生产，到时你家那泥窑恐怕就得拆喽！小林先生很有风度地朗笑起来，得意自己的话说得正是时候。

邱满子没笑，暗骂，唯利是图的杂种！

第二年开春儿，邱满子被提拔为副乡长。这时节，父亲的泥窑被拆掉了。

太极地完全丢了模样，令邱满子惶惶不安。

邱满子一回回拷问自己：

你想看怎样的太极地呢？

（选自《人民文学》1995 年第 2 期）

关仁山

满族。1963 年 2 月生于河北唐山丰南县。1990 年加入中国作家协会。现为河北省作家协会主席，省作协创作室主任。

1984 年开始发表文学作品。著有中短篇小说集《大雪无乡》《关仁山小说选》《野秧子》《红旱船》《破产》《九月还乡》，长篇小说《福镇》《魔幻处女海》《胭脂稻传奇》《天高地厚》《风暴潮》《权力交锋》《白纸门》《麦河》，长篇纪实作品《小镇太阳神》《感天动地》等。《关仁山小说选》、长篇小说《天高地厚》分获第五届和第八届全国少数民族文学创作骏马奖，长篇报告文学《感天动地》获第五届鲁迅文学奖。

村办厂

韦晓光

一

刚开春，山里树上的杈杈桠桠还垂着些鲜亮的冰棍儿，乡里的吴干部就到天头岗村，落实村里奔小康的事。

天头岗村连接乡里的唯一的一条道儿，是条蛇样盘绕着的机耕路，眼下却让冰冻封得严严实实。吴干部只好步行到天头岗，鼠牙样的冰冻被他的双脚踩得“嚓嚓”响，很有些听头。

乡干部老吴是长期联系天头岗村的。在承包责任制前就蹲在这个村，一年三百六十五天，有二百天吃住在天头岗，和村民打成一片。村里大小事，老吴都过问，就连村民家里猪发病了，老吴都亲自钻进猪窝帮助查病打针，搞得鼻子、眉毛分不清，一身都是猪粪粪，他都不在乎。因而，天头岗村人对老吴很有感情，村里男女老少每逢见到老吴都吴干部吴干部地叫，很热乎。村人都说吴干部这样的干部打着灯笼没处找。吴干部在村里不但能和事，而且能让村人乐。吴干部长得肥肥胖胖，像个弥勒佛。每逢开村民大会，吴干部腆着个圆滚滚的大肚子，穿着件四个袋的中山装，把个茶杯盖放在胸脯前，直挺挺地隆起两个女人的大奶奶，把双手团在背后，一脸严肃地大摇大摆地往台前走一圈，乐得村民们前仰后合，直拍手，让村民乐上一阵，才开会。落实承包责任制后，吴干部很少来天头岗，一年中只是催粮催款、计划生育来上那么几趟。到后来，村里人连吴干部的影迹都见不着。村人问吴干部死到哪儿去了。老甘支书脸黑黑地回答说:“吴干部流产去了!”村人见村支书脸黑黑地说这样的话，总是有什么不好的事，就不敢再刨根寻底了。其实，吴干部不是流产，是乡里分流搞企业去了。这几年吴干部去搞企业，倒腾来倒腾去，办了几家企业，非但没把钱赚来，反而给乡政府添上几笔不大不小的贷款。于是，乡里的头头又把吴干部抽回来，到天头岗村落实奔小康的事。

吴干部踩着冻得鼠牙样的机耕路，裹着一身的热气，不觉到了天头岗村的村口。吴干部记得，往日这开春的日子，村里男女老少都下田上山铲草，挖山地，热热闹闹，很有点大干快上的味道。可眼下，却少了这景致，吴干部走进村道，人影也见不着，连声吴干部都没人叫。倒是几头窝在村民家门前的狗，怯生生地向他吠叫了几声。吴干部心里不觉喟叹："都变死了！"

这样感叹着，吴干部双脚跨进了村支书——老甘的家。老甘是个老支书，吴干部也记不清他什么时候开始当支书，反正吴干部打在该村住村，老甘就是支书了。老甘没多少文化，连个文件也念不完整，可他却有他的方法，把一个村领导得顺顺当当，是全乡班子最团结的村。乡里年年评先进支部，少不了天头岗支部的份儿。因此，老甘都快六十了，开始缺牙歪嘴，可这支书还得请他当。

吴干部进得老甘支书的厅堂，看得眼都花了。厅堂里人头攒动，开着七八桌麻将，稀里哗啦的麻将声此起彼伏，孩崽们桌上桌下爬来爬去，煞是热闹。吴干部走近，大家都很生分样，只顾稀里哗啦搓麻将，倒是老甘支书的婆娘眼尖些，摊下麻将叫："吴干部，稀客稀客。"

捂着个火笼在一旁观阵的老甘支书，听婆娘这一叫，忙把个火笼夹在胯下，脸有些不大自然地说："罕见罕见，吴干部！"老甘支书急速地对着七八桌麻将使了个眼色，大伙悄没声息地退了去。

吴干部说："老甘你家里开赌场了?!"

老甘支书忙解释，说："村里电影也没人来放，电视白雪花花，这春日春头的，我怕村人闲着犯事，就开了这麻将。"吴干部笑笑说："那你是丰富群众文化生活啰！"

老甘支书说："吴干部说得好！"

说着，老甘支书的婆娘给吴干部沏上杯滚烫的热茶水。吴干部接过来，双手捂捂茶杯抿了口茶，把抿在嘴里的茶叶根吐在地上，说："老甘，我这次回来村里，是落实奔小康的事，说透点就是村里办个厂。"

老甘支书一听要村里办厂，心里就有些说不出的火。村里在搞承包责任制时，不但把山田分光，就连村里的大会堂、仓库也分了个光，说是越分得光越改革。可这样一来，把村里弄苦了。本来，村里每年山上砍木头卖卖，付付干部的误工工资外，还有点钱接待接待客人。可如今，村里欠了一身的债，每年卖木头的款还不够付利息。因此，老甘说："村里办厂是唱洋戏！"

吴干部说："上头天天在说无工不富，不办厂怎么奔小康?"

老甘支书说："村里就过温饱生活，不奔小康了！"

吴干部说："你村里不奔小康可以，但不能拖后腿。"

老甘支书说："村里碍着谁了，要奔小康谁高兴就谁去奔。"

吴干部有些意思地看了眼老甘，说："老甘你从前对这些事都很积极、很自觉的！"

"我前头就是太积极、太自觉才让村里背了一身的债！"老甘支书涨着蚯蚓样的脖子筋，回答了句话，这话像鱼刺样有点鲠人，好在吴干部是个和善的干部，不计较这些，反倒面露笑容，说："改革开放搞事业，总要交点学费嘛！"老甘支书说："交学费，我这全村的家财还不够交学费！"说着，老甘支书把个火笼有些重地放在脚底下。吴干部说："人家外头交了上亿的学费都没学会唉，你这村还不值人家牛大腿一根毛！"

"可这根毛就把村子弄苦了。"老甘支书的脖子筋又涨起来说，随后他指着厅堂的板壁给吴干部看。吴干部一看才发现厅堂上挂满了五花八门的村里得来的锦旗奖状。原来，村里的会堂、仓库分光了，大家就把村里领来的锦旗、奖状挂在老甘支书的厅堂里。

吴干部顺着说："老甘，你这当一把手的也太老实，村里的贷款又不是欠私人的，欠国家的怕啥？人家外头是钱赚来是自己的，亏了亏国家的！"

老甘支书脸黑黑地说："当干部的总还得讲点信用！"

听了这话，吴干部又笑起来，说："老甘，我看全乡的干部就你没被污染了，还这样讲党性原则。"

吴干部这一说，老甘支书心里就顺畅起来，说："吃了这几十年党的饭，总不能临老离谱子！"

吴干部说："老甘，你还一点没变！"

说话间，老甘支书的婆娘，将满满一碗点心端在吴干部的面前，说："吴干部，填肚子。"

吴干部一看堆得小山样的一碗点心，有大块肉、大块豆腐和鸡蛋，换作以前吴干部吃他几碗没问题，可如今，吴干部肚里货也多了，看到这点心都有点怕，老甘支书的婆娘见吴干部在犯疑，拿起筷子往碗里戳，把肉、豆腐、鸡蛋弄得稀碎的，弄碎吴干部是非吃下肚不可。吴干部推不了，硬着头皮吃，老甘支书还一个劲地说："吴干部把那肉吃了！不要剩。"吴干部死命咽了几口，实在难下肚，就又拾起话题说办厂的事，说："老甘，这次办厂和往前不一样，上头有扶贫款。"

老甘支书一听村里办厂有扶贫款，心就有些动起来，说："村里办厂的事，我也得讲点民主，晚上开个村干部会，大家合计合计？"

吴干部一听老甘支书脑子有些转过弯来，说："对，应该集思广益，听听大家的意见。"

老甘支书便叫婆娘去叫村长德贵通知全村党员干部晚上开会。吴干部记得村里每回开会，老甘支书都是叫村长去通知。

终于，吴干部把那碗点心硬生生咽下肚，连连打了几个饱嗝，便到几个村民家里转转，碰到的不是在搓麻将，就是打牌九。几个老党员还向他反映，村里连山上的木头都快砍光了，要没活路了。听了这些群众反映，更增强了吴干部在村里办厂的信心和决心。

村干部会放在老甘支书家的厅堂里开。天一落黑，断断续续有些人来，最早到的是村会计先明，在昏暗的灯光下看吴干部，总觉得和以前不一样，看了老半天，才发现吴干部以前四个袋的中山装换成了大西装，便说："吴干部还是穿四个袋得体，来得好看。"老甘支书说："你懂个屁，人家吴干部现在改革开放了，还穿四个袋?"吴干部说："你老甘支书讲话也深奥起来了。"村会计一听老甘支书这么说，见桌子上有几张纸头，顺手抓起张白纸，想卷个烟儿抽。老甘支书见了，眼有点出火地说："会计，这纸可不是香纸，让你乱烧的!"听了这话，村会计慌措措地把这张白纸放了回去。这时，村会计才想起老甘支书为了向乡文书讨几张白纸，拌过嘴。老甘支书每回到乡里开会，总要为村里带回些白纸，给村里记账、开会记录用用，也好为村里省几个钱。那日老甘支书又向文书讨白纸，讨多了文书烦起来，说："人穷要穷得有骨气，靠这样讨饭富得起来?"说完，把一叠白纸摔到地上。老甘支书一看是文书给他脸色看，说："这白纸是乡里的，又不是你私人的!"接着，就你一言，他一句争了起来。最后是张乡长出来把文书批评了几句，才把老甘支书的气平下来。换一个人，是死也不要这几张白纸了，可老甘支书说："既然我已说出口，就要!"这次老甘支书带回白纸，就少了往日那种得意的神情，对全村干部说："这白纸是用气换来的!"

吴干部不知其中缘故，倒叫会计多拿几张去，会计一迭连声说："我有了，我有了!"自己找了角落，不声不响落了座。接着，又来了几个七老八十的老党员，老甘支书的婆娘，摊开桌上的洋花碗，开始冲茶水，边冲边抱怨说："开会开会，一年误工费拿不到不说，还要我贴茶水。"老甘支书感到这话失面子，说："你不泡我泡!"婆娘说："你有气不要往我身上倒。"吴干部一看这场面不对头，说："这茶还是我泡。"接下来，又等了些时间，村长德贵最后一个到。老甘支书有些不高兴地说："以后开会不要让其他干部等我们主要干部!"村长德贵忙解释，说："我又去通知第二遍。"老甘支书看也不看一眼德贵，说："今天请大家来开个会是干部大会，主要是听吴干部传达乡里奔小康、办厂的事。请吴干部先说说。"吴干部接过老甘支书的话，说了一大通奔小康的重要意义，并说全乡要提前到九七年奔小康，为了便于记忆，大家只要记住香港回归祖国的日子，大家就要过上小康生活。但小康要落到实处，落到实处就是村里要办厂。吴干部说着，有些村干部党员呼呼地打起了鼾，村会计逮着老甘支书的脸色不大好看，就悄悄地把一个个打鼾的村干部推醒。这时吴干部的话也讲得差不多，说："大家围绕村里办厂的事，议一议。"

过了老半天，没个人开口，大家的眼神投在老甘支书的身上。老甘支书涨起蚯蚓样的脖子筋，说："奔小康是大事，村办厂也不是小事，大伙放开说说。"

老甘支书开了口，村长德贵就好说话："村里经济这样困难，是要找门路，要不穷死了!"村会计插言说："乡信用社前几日又来催还贷款了。"吴干部很不满地看了眼村会计说："这又不是讨论还款的事，是讨论村办厂。"

会场里没了声响。过了一歇，有几个党员干部说："村办厂可以，但不能办一个败一个，弄得村子一团糟。"

吴干部见大家论来论去，都是反对村办厂，心里就火起来，说："我看大家还是死脑筋，过几日，全村党员干部都到外头开开眼界。"

大家一听说要到外头参观考察，来了兴致，直叫："是该到外头取经了。"可老甘支书却一副愁眉苦脸相，说："村里是再也拿不出钱交学费。"

吴干部爽快答应："先用上头来的扶贫款。"

落实了出去的资金问题，老甘支书又提出："德贵带人出去，我这把年纪是不出门了。"

在里间的老甘婆娘听了，探出头来，说："你还不去，也该出去给我提几件新衣裳！"

村党员干部也附和说："甘支书不去，我们也不去！"

吴干部也说："老甘一起出去走走了！"

二

吴干部要带天头岗的头头脑脑开眼界的地方，是个叫洋州的地区所在地，说是那里的乡镇企业发达得很，有经可取。

天头岗村要去的连同吴干部在内，有二十多个。吴干部干脆包了辆中巴车。嘟嘟开到村口，又是嘟嘟按了一阵喇叭，村里的干部便一个个山鬼样冒出来，钻进了中巴车。该去的都到了，只剩先明还不见影子。村长德贵埋怨说："先明做事就是磨蹭，拖山拖水的。"老甘支书坐在车头，一声不吭。

又是嘟嘟按了一阵喇叭，先明才赶到。村长德贵说："你这么拖拉，让大家死等。"先明说："放牛草就放迟了。"

老甘支书不高兴地说："你不会把婆娘侍弄了再来。"

"哗"地满车人都笑出声，可老甘支书却没笑，只说："开车！"

村干们都是头一遭到洋州这么大的地方，大家的脸上露出抑制不住的兴奋和好奇。一路上说说笑笑，下午四点多便到了洋州。

中巴车无头苍蝇样撞了几家旅馆，都说客满，最后，总算找到一家可落脚。先明是会计，老甘支书便叫他去登记。这家旅馆在洋州并不起眼，可登记的大厅却也一溜铺着鲜红的地毯。先明去登记，一脚踩上地毯，就急速地跳出红地毯，忙把脚下的解放鞋脱了夹在胳肢窝下，光脚板踩着地毯去登记。登记的服务员见了先明的举动，被弄得忍俊不禁，哧哧地笑。先明以为服务员是态度好，就一个劲地向服务员说："谢谢。"先明登好记，大家就进大厅，吴干部眼尖些，见先明光着脚板踩地毯，说："先明这次让你出尽霉头了。"先明回不过神来，一个劲地向大家分房间的钥匙。大家到了房间，吴干部又说："先明你真是个乡巴佬。"先明说："我咋了？"吴干部说:“你看你,那地毯是任人踩的,你脱鞋做啥?”忽地先明脸红红的。村干们就取笑先明不老到,这点常识都不懂。村长德贵还补充说:“亏你还当会计。”大家都笑话他,先明只是不服气地一个劲往房间的红地毯吐痰水。德贵忙端来个痰盂,说:“先明,这痰倒是要吐在痰盂里的。”

说了这些,吴干部便把二十多号人集中起来,到附近一家餐馆吃了顿便饭。吃罢饭,老甘支书交代说:“总结先明光脚走红地毯的教训,夜里出动不要单个儿。”

回到旅馆,先明给光脚踩红地毯的事弄得不高兴,一个人闷闷地上床了。德贵嗜看武打的录像片,他每每到乡里、县上开会,夜里都要自个到录像室看一二部片子。这日夜,德贵头件事就是想去过过录像片的瘾。他本想独个儿去,可怕人生地不熟,一个人让人宰了。于是,德贵便约了几个村干部一道去看录像片。

几个人转了半条街,找到一家录像厅。一看每人要五块钱,几个村干部缩头缩脑地退到后面不肯摸口袋,个别村干部推说说:“录像没看头。还是稳稳困一觉好。”德贵一眼看透了他们的心思,说:“今日破个例,这票回村里报销。”于是,大家便进去看录像。没看多时,几个眼都看绿了。这里的录像厅演的不是武打片,而都是黄片。

两部片子看下来,德贵和几个村干部看得气都喘不过来。

几个回到旅馆房间,吴干部、老甘支书等已是鼾声此起彼伏了。几个连口气也未歇,便贼样钻进被窝。德贵团在被窝里,片子的镜头老在眼前晃来动去,抹也抹不去,到后半夜总算迷迷糊糊地睡去。却让一个甜甜美美的梦弄醒过来。德贵便感到裤裆里紧紧的想撒尿。可住的房间没卫生间,他蹑手蹑脚地走出房间,找个黑暗的地方,对着楼下的过道撒起了尿。可他半泡尿未撒完,楼下便叫“有贼!有贼!”慌得德贵把半泡尿忍在肚里就窜回到房间。

原来,这家旅馆的锅炉工要交接班,德贵撒尿时,正好路过过道。锅炉工头上被撒了几滴尿,就冲到楼上,找到德贵的房间,非要德贵给他撒一泡尿尿回去不可。这事弄得全旅馆的人都出来看热闹。最后,吴干部、老甘支书出面向这家旅馆的头儿好说歹说,德贵向锅炉工赔了一百元损失费,才算把事情平息下来。

德贵撒尿出了事,先明幸灾乐祸地说:“村长,这是城市,哪像在村里随地都好撒尿?”德贵不服气地说:“我哪像你光脚踩地毯。”一旁的吴干部听了,有些火地说:“地道的乡巴佬!”接着又补了句:“换旅馆。”

吴干部看在这旅馆连出了两次洋相,实在没脸面住下去,便带着大伙趁早去换个住处。把大家安排停当,吴干部便去联系参观的地方。这次出来,没人打前站,到底到什么地方参观,直到现在还没着落。吴干部揣着张介绍信,找到一个叫丽东村的单位。这村的头头一看是张乡里介绍信,便说没空儿接待。吴干部死乞白赖地磨了半日,丽东村的头头总算答应同意给看看。

吴干部赶回旅馆,把二十号人水牛样牵到丽东村。村里头头就叫个老头带他们看了几栋造得有些洋气的居民住房。个别村干部以为老头是村里的支书，就支书支书地叫，老头连连摆手，说："我是守门的。"弄了半日，连这个村的村干部的影子都见不着，一些村干部又耐不住拉吴干部的衣角问："咋这里的干部也不出来见个面？"吴干部说："这种村的干部稀罕得很，连村民见村支书比当年见毛主席还难。"这一说，村干部便没了话。可一旁的老甘支书听了这句话，心里就定下谱："回村死也办个厂。"

守门的老头还算热情，又带他们到了投资一千多万元的村办公大楼转了一圈。老甘支书边看边感叹说："比比真没人做。"吴干部接过话，说："这叫不看不知道，一看吓一跳。"

转完了大楼，就算参观完毕。大家回到旅馆，吴干部的意思是既然出来取经，总得再看个把地方，村干部们就反对，说："这样让人当水牛牵，没意思，还不如去看几个风景点。"吴干部一听大家都有这意思，就顺了大伙的意，一连几日，把洋州能看的几个地方，都看了个遍。乐得村干部都说："没枉来这一趟。"还说："吴干部是人民的好干部，比焦裕禄还焦裕禄。"

本来再想转个把地方，先明一结账，说："钱差不多了。连回去的汽油费都紧得很。"为了省几个钱买汽油，吴干部又决定换个档次低的旅馆去住，第二日打道回府。这日夜，因为是第二日要早起回村，老甘支书看了会儿电视便用热水洗了脚，准备上床。

"笃笃"有人敲门，老甘支书开门一看，门外立着个十七八岁的姑娘，描眉画眼，满脸粉嘟嘟的，老甘支书以为是演戏的戏子，说："戏不看。"随手想把门带上，那姑娘却闪了进来，晃了晃手上的钥匙，说："打洞打洞。"老甘支书听得莫名其妙，只好对姑娘说："我带你找吴干部。"

老甘支书把这姑娘带到吴干部的房间，吴干部正穿着个短裤衩从卫生间里出来。老甘支书说："吴干部，这姑娘叫打洞。"吴干部以为听错了话，说："什么？"老甘支书又重复了一句："这姑娘叫打洞。"等吴干部明白过来，吴干部便急忙躲进卫生间，把门堵上，直叫："老甘你叫她出去。"没等老甘支书开口，那姑娘见这情景，就气咻咻地去了。

过了一阵，吴干部见外面没什么动静，才脸青青地出来，说："老甘，你吃错药了，这种玩笑都开。"老甘支书还摸不着头脑。吴干部说："打洞啥意思知道不？就是嫖。这姑娘是婊子。"可这时，没等吴干部对老甘支书说透意思，那姑娘却带着六七个青年冲进房间里来。吴干部见这几个青年胳膊、手上都刺着青龙，知道惹事了。果然，那姑娘乘势对着老甘支书骂："你这老东西，竟敢耍到老娘头上来。"边骂边还想给老甘支书吃巴掌，吴干部拦了拦，那六七个青年呼地伸手过来，把吴干部推到一边去，并说："是要来硬的还是来软的？"吴干部说："有话好说，有话好说。"那姑娘说："那好，赔偿损失费三百元，就放你们一马。"一旁愣着的老甘支书一听，忙从口袋里摸出三百元递了过去。那姑娘拿过钱，在老甘支书的头上拍拍，说："老东西，今日便宜你一回。"说完，一伙就一阵风卷了去。老甘支书哭丧着脸说："吴干部，我摸也没摸一把，就赔了三百元。"吴干部说："你还说，听见了非剥了皮不可。"弄得没魂没魄的吴干部、老甘支书忙把大家叫起，连夜开着中巴逃出洋州。这举动，弄得其他干部莫名其妙。一直到了乡里的地界，吴干部才开口说："昨夜住的是黑店，不连夜逃出来，大家性命难保。"

听完，大家连拍胸脯，说："命大，命大。"

老甘支书回到家后，吃罢饭，早早上床，就把"打洞"的意思讲给了婆娘听。婆娘听了，很生气，说："你们参观就打洞？"

老甘支书说："有这个胆，也出不起钱，哪里敢。"

婆娘说："这还差不多，如果打洞，这辈子我就不让你沾到身子。"

说着，老甘支书抱紧婆娘，好好乐了一回。

三

惊蛰一过，天气放暖，山上的树芽儿毛茸茸地抽出来，吴干部便带着两个外地老板到老甘支书家商议办厂的事。

吴干部带来的两个老板，瘦些高些那个姓孙；矮些胖些那个姓裘。他们仨一到老甘支书家，老甘支书就叫婆娘把村长德贵和先明会计唤来。德贵和先明会计一到，吴干部又把孙老板和裘老板向大家介绍了一遍。

村长德贵说："吴干部真能，这么几天，就帮村里引进能人办厂。"

村会计也说："吴干部神通广大。"

吴干部说："二位大老板是洋州人。"

村长德贵一听是洋州人，说："前些日子，我们在旅馆里差点让人剥了裤子。"

孙老板说："洋州是乱得很，有些还是地痞和妓女内外勾结斩外地客。"

裘老板接过话，说："有我们在，你们就没事了，地痞我们混得都是哥儿们。"

先明插言说："那时，我们又不认识。"

孙老板说："是这样。"

老甘支书没说话，他的心被裘老板一头的卷毛引过去。老甘支书头眼看到裘老板，就感到有说不出的不舒服，他仔细观察了一阵，不舒服就不舒服在裘老板的一头卷毛上。老甘支书恍过一个念头：不如理光头来得舒服。

吴干部说："老甘支书你说说！"这话打断了老甘支书的念头，老甘支书回过神来，说："老板先说说。"裘老板叫孙老板说。孙老板从纸袋里摸出几面漆得油光的算盘，摆在桌上。村会计先明伸过手指拨了几个珠子，说："这珠子沉实，好打。"老甘支书看得有点不舒服，说："别弄算盘，听老板说。"村会计把手缩了回来。

孙老板把投资办厂的要求说了出来，村里开办算盘厂总投资三十万元，除带资十万，村里须贷款二十万。一年收回投资，第二年村里就可干收二十万元……孙老板介绍办厂的要求，双手配合着动作，戴在他手指上几个铜钿般大的金戒指，显得特别耀眼，先明的眼珠子就被金戒指引得闪来闪去。

孙老板介绍完了投资办算盘厂的情况，吴干部接过话，说："这次，我带老板来办算盘厂，可以说是因地制宜，就地取材。做算盘主要是木头，木头村里有的是，光一年的柴火烧了零头，就可以做几年算盘。"德贵说："做算盘好，前几日，我儿子读书要算盘都没处买！"裘老板淡淡一笑，说："算盘紧俏得很。"说着这句话，村会计先明手又痒痒地想去摸算盘珠子，一看老甘支书的眼神，腾出的手又收了回来。

几个说了这些，老甘支书不紧不慢地伸出手，抓起面算盘，抖得"噼噼啪啪"，说："算盘厂办就办吧。"

这一说，吴干部悬着的心，才落了下来。吴干部知底，村办厂没老甘支书定准，是咋也办不成的。老甘支书又说："扶贫贷款有着落没？"吴干部说："我已做好联系，用村里的山林抵押。"

定下办厂的事，就要议厂长的人选。因为牵涉到人头关系，吴干部就叫孙、裘两老板到村里转转。他们几个便接着商议厂长的人选。按吴干部的想法，厂长最好是请外地老板当，村里派个副厂长。可老甘支书不同意，说："村里出大头，这厂长就得村人当。要不，村里就成了殖民地。"吴干部看拗不过，便也同意厂长让村人当。可村人谁来当厂长？老甘支书说："先莫急，大家先物色物色，推选推选再定。"说完，大家便鸟样散伙。

厂长谁当？吴干部想来想去，村里几个干部比来比去，横挑竖挑，矮子里挑高个，只能让村长德贵当。吴干部正寻思着厂长人选的事，村长德贵来叫吴干部去吃中饭。村长单叫吴干部，没叫老甘支书。因此，孙老板和裘老板就留在老甘支书家吃。

村长叫吴干部吃中饭有意图，村长德贵想当厂长。德贵向吴干部反映，他虽是老甘支书一手培养，可老甘支书总不放手，捏巴捏巴着干，时间长了，总不是滋味。德贵还说，村里搞得这样死穷，和老甘支书捏巴捏巴和稀泥有关系。他想当厂长把村里的经济搞上去，好让村人早日奔小康。吴干部一听，正中心意，说："我正想让你当厂长。"德贵有些担心说："老甘支书会作梗。"吴干部说："你别放风声，我先同老甘支书通个气。"

吴干部从村长德贵家用完了中饭，回到老甘支书家，老甘支书正在与孙、裘老板对杯。他们仨一见吴干部，就要他再来几杯，吴干部推不了，就咕嘟嘟干了几杯下肚才落座。老甘支书自顾自啃猪蹄。吴干部知道，老甘支书顶嗜猪蹄儿，他啃猪蹄特别，先把猪蹄白生生放锅里煮得半生半熟，撸上来，外加一小洋花碗酱油，就抓起猪蹄。啃一口,蘸一回酱油,吃得津津有味。吴干部仔细一看,现在老甘支书啃猪蹄,比以前讲究了些,酱油里放了些大蒜和麻花油。老甘支书东拉西扯地啃着猪蹄,吴干部看着,很有些担心,生怕老甘支书啃来啃去把嘴巴子上几颗焦黄的牙齿啃下来,便说:“老甘,你啃猪蹄,也应该换种吃法了。”老甘支书嘴巴子让猪蹄筋扯住,老半天才答出话说:“就这好吃,啃着嚼着有味。”说着孙、裘老板都有点忍不住,哧哧地放肚里笑。

吃着,大家正在劲上,不想老甘支书家的一头大肥猪,晃悠悠地拱进来,一脚踩在了裘老板的脚板上,“啊”地裘老板叫出了声。老甘支书喊:“把猪拉出去!”老甘支书的婆娘呼呼把猪唤了去。

孙老板和裘老板被大肥猪弄得吃不下去,推说:“吃饱了吃饱了。”离座,又转悠去了。

吴干部便和老甘支书通气,商议厂长的人选,说:“厂长谁当合适?”老甘支书说:“你看看!”把话投了回来。吴干部说:“难拣!”老甘支书答:“山头木偶山头牵!总有人!”吴干部想了想,说:“村长德贵咋样?”老甘支书又拿起猪蹄,啃着。支吾着,说:“德贵得看看!”吴干部心里嘀咕,果然:老甘支书要作梗。吴干部盘算着如何说通老甘支书,说:“德贵可是你一手培养的啊!”老甘支书一听这话,反倒脸沉下来,说:“提到培养我心里就气。”吴干部问:“气啥?”老甘支书说:“我瞎了眼,培养了个离心离德的阴谋家。”吴干部有些吃惊样,说:“德贵敢跟你离心离德?”老甘支书横着脸说:“我都快要被他推翻了。”于是,他趁着酒意,就把烂事一股脑儿倒了出来。第一件,是去年村里分救济衣救济款,村长德贵从乡里领来,不同他通个气,就自个儿做主,一件件一笔笔分到户里去。第二件,是猪蹄的事,德贵以前每逢过年,都得提几个猪蹄到他家,去年以来,他非但自己不提,还在背后叫人也别送猪蹄。这话是村会计先明亲口反映的,人证物证俱在。第三件,是今天吃中饭,以前德贵哪儿会只请你一个,他根本就没把支书放在眼里。临了,老甘支书还补了句:“全靠没让他成了气候!”

吴干部听老甘支书说了这几件没头没脑的事,心里被挖弄得哭笑不得,可他表面上却和着,说:“德贵不行,谁行?”老甘支书没马上答,用手指拾掇完了牙齿上的猪蹄筋说:“我看村会计先明是棵苗子。”吴干部说:“先明糯米团一个,能管住厂?”老甘支书说:“先明嫩是嫩点,我在背后可以指点指点,出不了事!”

老甘这般说,吴干部说不出话语来。他心里明白,倘若让先明当这厂长,这厂非倒灶不可,不但村里遭殃,就连自己也是吃不到羊肉还会弄来一身羊膻味。如何让德贵当厂长,吴干部不愧是老基层,立马来了主意,便说:“老甘,你我都别专断,讲点民主,开个村党员干部大会,让大伙选厂长!”

“中!”老甘支书没半点犹豫地回答。

这时,孙、裘两位老板转悠回来。孙老板晃着手里的戒指,喜滋滋地说:“这里木头资源特丰富，前几年不开发太可惜！”

吴干部笑笑，说：“前几年开发了就轮不到你孙老板来开发了！”

裘老板杀出一句话，说：“这村子太落后了，连个漂亮姑娘都见不到！”

这话说得老甘支书很不舒服，像口里呛进了只苍蝇，便脸沉沉地说：“这回村里一膛血杀在办厂上，你们可不能踩蒲瓜。”

孙老板一看不对味，向老甘支书赔着笑脸，说：“我们一定让村里赚钱！”

说着这些，吴干部想：村里选厂长的事，不能让孙、裘两位老板知道。不要厂还未办，就给人留下个村班子不团结的印象，把刚刚引来的“鸟”吓跑了。于是，他同老甘支书通了个气，叫俩老板先回去准备准备，过几日就来村里。

送走了外地老板，接下来的事便是选厂长。选厂长，同样放在老甘支书的厅堂。全村的党员干部到得特别齐，不像平常那样稀拉，个个都像是到人家那里吃孩儿满月酒那么积极。

吴干部一看这场面，就感到有些不对头，说：“大家都是党员干部，要讲党性原则，要按照四化标准和全村今后经济发展的大局来选厂长。既不能马虎，也不能有私心。”说完，看了看老甘支书。老甘支书说：“按吴干部说的去选，定准。”

村里选举有些别致，桌上摆着两个米斗，中间撒着把米，左边的米斗代表村长德贵，右边的代表村会计先明。选举开始，当事人村长和村会计就到里间，好让大家放下面子选。

吴干部先拾起米粒，可他没投下，捏在手心里先看大家选。一看眼都有些花了；大家都把米粒往代表村会计的米斗里投。村长德贵的米斗没半粒米，吴干部举起手，有些抖地把米投在了村会计的米斗里。

这个结果是吴干部料想不到和不愿看到的，可它却成了铁的事实，摆在了面前。厅堂里气氛闷闷的。吴干部心里骂：“操，老甘你还来这一手！”

老甘支书用手翻过两个米斗，说：“根据民意，这厂长就会计先明当！”

吴干部只见村长德贵脸青青，双眼狠狠地盯着米斗，心里也很不是滋味。

老甘却对着德贵，很大度地说：“德贵，你我日后都要帮着先明当好厂长！”顿了顿，又说：“村里谁拆台，我就跟谁过不去！”

“嚯”地，村长德贵拔腿就走了，留下在场的人一脸的尴尬。吴干部追出来，追了一段村道，才一把揪住怒得牛气的村长德贵。吴干部露出和事佬的样子，说：“德贵德贵，你太沉不住气了！”德贵又是脸青青，说不出话。吴干部又劝，说：“想开些，老甘支书也到年龄了，你就让他几分，有啥不可！”德贵脸对着天，说：“你不要以为培养了我当村长，就可以把我当孙子，我不是你家的狗！我是人！”说完，软塌塌地蹲下来，双手捧住脸，指缝间像是渗出了泪水。

吴干部劝了些时间，才把德贵劝回家。

吴干部重新回到老甘支书的厅堂，村干部党员还在候着。老甘支书有点火地对吴干部说："你看看，村长德贵这个德性！"村会计先明插嘴说："村长今日就是四人帮的做法！"接着，又有些村党员干部直后悔，说："当初瞎眼选了他当村长。"

吴干部心里被搅得乱乱的，也火起来，说："别婆婆妈妈了，先把厂办起来再说。"

大家一看弥勒佛也发火了，也不再说什么，散去。

四

村长德贵跟老甘支书斗气，老甘支书也跟村长德贵斗气。一斗气，老甘支书就铁定了心，要把厂办个样儿给村长看看。

村办厂确也不易，为贷款，就费了些神。

吴干部说二十万元贷款他已疏通好关系，实际上只疏通了一半。起初，乡信用社白主任是答应了。不巧，县信用社一个副主任到乡信用社检查工作，这主任在落实承包制时，到天头岗村分过田。一看这村子要贷二十万元款办厂，便说这村死穷，连女人都穷得买不起裤衩穿。只能贷十万元，这还是看在他在村子里蹲过点，有些感情的分上。临走，他还吩咐乡信用社白主任，最多只能贷十万，再也不能开口子了。

乡信用社白主任把这事告诉吴干部，吴干部先是一惊，愣怔之后便镇定下来，以为是白主任要意思，说："贷款的事，我知道，村里到时会感谢的。"白主任连连摆手，说："你错了错了，是上头总社领导的意思，不是我的意思！"吴干部说："那我就叫村里到上头去意思。"白主任说："你听错我的意思了。"便把总社副主任到这里检查工作的事说出来。吴干部听完，感到问题棘手，说："白主任，有没有补救的法子?"白主任说："这回是没工作好做了！"

这事，搅得吴干部猴急。无奈，他只得到天头岗村一趟，把这事先露个底再说。到村时，老甘支书和村会计先明正在岗坪上晒日头，一见吴干部，会计先明开口说："吴干部，老甘支书正同我议着落实办厂场地的事。"

吴干部很气地说："贷款只落实了一半！"

老甘支书问："讲得好好的，怎又变卦了?"

吴干部问："你们可记得，落实责任制时县上有个蹲在村里的副主任?"

先明说："记得，这副主任很喜欢吃糯团，还在我家做过糯团吃。"

吴干部说："对，就是这位好吃糯团的副主任，把贷款划了一半。"接下来，吴干部把前后经过原原本本地学了一遍。

先明听了，说："知道这样没良心，我是断断不会做糯团给他吃的。"

吴干部说："糯团吃了就吃了，先不说这些，看看这款子如何落实。"

先明说着，把双眼投在老甘支书的脸上。老甘支书问：“你没法子了?”吴干部说：“我吃奶的力气都使上了。”

停了一歇，老甘支书说：“那我到乡里看看。”

于是，老甘支书带上村会计先明和吴干部一起，到乡里去。一路上，吴干部总猜不透老甘支书到底使啥法子弄贷款。

到了乡里，老甘支书直抵张乡长家。乡书记到地委党校进修一年去了，乡里就乡长当家。虽是临近中午，可张乡长还在床上迷糊着打呼。老甘支书弄起张乡长。张乡长迷糊着眼说：“他娘的，抓了一夜的赌，刚合上眼，又让你老甘搅弄了。”说完，随口把口浓痰吐了出来。吴干部知底，张乡长昨夜是没合过眼，可没抓赌，是和村上的地痞子搓麻将。

先明忙说：“乡长难当。”

老甘支书去掏张乡长的口袋，摸烟抽。张乡长掏出烟，说：“老甘，你进贡点差不多，还向我揩油。”说完，撒了圈烟。老甘支书接过烟，吹了吹，说：“我这当支书的是在为你乡长卖命!”

先明插言：“甘支书快六十的人还在赔老命办厂。”这话一出，老甘脸色不大好看，先明忙把话止住。

一提办厂，张乡长顺着问：“厂办得啥样子啦?”

老甘支书答：“快流产了!”

张乡长笑着说：“老甘，这几年你都变幽默了。”

老甘支书说：“全靠你们的影响。”

“真的，厂办得怎样了?”张乡长放下脸问。

吴干部说：“我们就为这事找你。”

老甘支书火气十足地说：“他娘个头，这几年到处都变死了。”

张乡长说：“老甘你别火，说说。”老甘支书说：“反正我讲不清爽，你听吴干部说。”

于是，吴干部又从头至尾把贷款的事说了一遍。

张乡长听了，说：“老甘，你面子比乡里还大，贷了十万，乡里我去连一毛都贷不来。”

吴干部听了，知是张乡长在迷糊老甘支书，他明明知道，前几日乡里还向信用社贷了三十万元，到县城购置商品房，为乡头头安窝。

老甘支书是一棵老姜，没有被张乡长糊弄住，说：“张乡长，这笔款子乡里不解决，过几日乡里开人代会选乡长，我们村就弃权了。”

老甘支书这一说，事情就发生了戏剧性的变化。张乡长说：“老甘，你也太急，我还未把话说完。”老甘支书说：“你说。”张乡长说：“我当乡长，对村办厂哪会不支持。”老甘支书说：“支持就把这贷款解决了。”张乡长说：“老甘，你不是逼得我要跳楼啊!”老甘支书笑着,露出一口焦黄的牙齿,说:“跳楼了我当你的乡长。”张乡长说:“你这样,我就不跳楼了,贷款我给白主任打个电话看。”说完随手操起摆在桌上的电话。

先明仄着耳朵细听,老甘支书放松地坐在木沙发上,合着眼,吴干部脸上绽着和善的笑,弥勒样。

这时,张乡长与乡信用社白主任接通了电话。先是说了几句饭吃了没有之类的打哈哈,张乡长才转上了正题,说:“天头岗村这贷款,是关系到全乡九七年能不能奔小康的问题,你要贷给他!”

“这贷款不贷不是我的意见,上头说不能贷。”白主任在电话里说。

张乡长说:“你就没变通的法子了?”

“好变通,还要你张乡长出面!”

张乡长沉下脸,说:“这款不贷,你那信用大楼也是盖不上去的!”

张乡长盘算好,这款不贷,就在乡信用社大楼的征地上卡它。电话里掺了一下声音,又接上。

“张乡长,你别急。这款我同上面通个气,一定贷。”

张乡长脸上放出笑,说:“白主任,够朋友!”便撂下电话。

在座的吴干部、老甘支书和村会计先明都松了口气。老甘支书说:“我早就知道张乡长有法。”吴干部说:“白主任就要张乡长收拾。”先明也附言说:“倒是乡长面子大。”又弄得老甘支书脸不大好看。

张乡长说:“今日这款不贷,你老甘要把我生吞活剥了。”说完,张乡长一看已到了吃中午饭的时间,便拉几个到餐馆撮一顿。乡长也知道老甘支书嗜猪蹄,便点了一大盘猪蹄让他啃。

几个吃着、喝着,张乡长便有些酒意,说:“我出面,乡信用社不敢不贷款。它那大楼还非得求我出面征地不可。不过,这次为天头岗村贷款,我可卖尽面子。”

老甘支书啃着猪蹄说:“全村人民记着。”

先明说:“喝水不忘掘井人。”

吴干部说:“张乡长就是体谅基层。”

吃了些时间,几个便各自忙各自去了。

村会计先明回到村子,逢人便把老甘支书弄贷款的事说上一遍,直听得村民都感叹,说“老甘支书有路”,“生姜还是老的辣”之类的话,有些话传到村长德贵的耳朵里,德贵说:“贷款算什么本事!有本事给村子赚十万来!”

果然,没过几天,另外十万元也贷下来。村里落实了贷款,做算盘的孙、裘两老板,便带着七八个技术人员,外加些机器,到天头岗村,吴干部也跟着来。

他们是中午到,吃罢中午饭,老甘支书就把全村的干部叫来。从村干部的神色可以看出,对裘老板的一头卷发很看不惯,而对孙老板手背上两个铜钿般大的戒指，却生出许多惊奇。

老甘当着全村干部的面，给孙、裘两位老板立规矩：第一条是厂长由村会计先明当，要服从他的统一领导，孙、裘两位老板当副厂长。第二条是要尽力办好厂，好让村里早日奔小康。第三条是在本村办厂要有做人的规矩，不能找妇女寻姑娘。老甘支书讲到这一条，村干部哧哧地笑。老甘支书咳嗽了几声后，说："我就讲这几条，吴干部你看？"

吴干部说："这几条讲得好，村办厂是不要让苍蝇带进来。"说完，问孙老板有话要说否。

孙老板说了几句我们出门在外靠朋友，在村里就要靠在座的村干部，我和裘老板既要为自己赚到钱，更要为村里赚到钱之类的话。接着老甘支书宣布村干部散去，留下吴干部、村会计先明、老甘支书和孙、裘老板商量落实场地的事。吴干部的意见：要把门口的田畈开进去，才像办厂的样。孙老板说："目前要把资金花在刀刃上，找个旧场地先用用。"老甘支书认为孙老板说得在理，说："厂就办在祠堂里。"

村里有个大祠堂，只是破旧些，除了每年正月，请戏班子演上一二台戏，其他的月份都闲着没用，正好用来当厂房。

落实了办厂场地，吴干部指出："来的老板和六七个师傅吃饭怎么解决？"孙老板和裘老板的意思，他们自己开伙。老甘支书反对："万事开头难，这阵子不能分散他们的精力，村子里派饭。"

村里派饭，就是全村各户轮着做饭，张三吃了吃李四，以此循环往复。定下吃派饭，先明就到各户去落实。孙、裘两位老板便把祠堂打开，搬弄机器去了。孙老板带来的人，干活很卖力。村里吃派饭，特别是早餐，要八点多才能开饭，吃完到干活就半日过去了，孙老板见这样下去干不了活，就每日早早起来先干一阵子，到了农户来叫才去吃饭。饭一吃，就接着干，每日干到半夜里，天天如此。老甘支书把这些都看在眼里，对先明说："人家外地人干事就像样，哪像村人懒惰，办事拖泥带水的！"先明说："我都被他们搞得吃不消。"老甘支书说："吃不消才好！"

没几日，破旧的祠堂，被孙老板他们侍弄得像模像样地成了个厂。一天，日近中午，老甘支书又转悠到祠堂去。自从外地老板进到村，老甘支书每日都要来祠堂转上几趟。连婆娘都笑他，魂都被厂勾去了。这日，裘老板一见老甘支书进来，就很火地把手中的扳钳往地上一摔，说："不干了！"老甘支书以为是干吃力了，说："日日干到半夜，是该歇歇了！"裘老板吃一惊，说："是肚子不干了！"在一旁的孙老板见这样下去会弄僵了，马上给老甘支书递过支"阿诗玛"，并把他叫到祠堂外，说："今日早晨没人来叫吃派饭，大家都是饿肚皮干活。"老甘支书一听没人来叫吃派饭，说："这事我得查个水落石出！"带着一身的火气去找先明。因为，派饭是先明一手落实的。老甘支书到先明家，他的婆娘水凤才纽扣儿一扣一扣地从内屋出来，脸蛋子上还有席子印。老甘支书一看便知道先明还未起床，火得话都说不出来，全仗先明的婆娘水凤是个善察言观色、能说会道的妇人，看了老甘支书这神气，说："甘支书，先明昨日夜陪外地老师傅干到天亮，这才刚刚合上眼。"躺在床上的先明，一听老甘支书来了，忽地起来，慌手慌脚，把裤子反穿了个儿，再翻过来，裤裆口还大开着就出来。

"老……甘"先明结巴得话未说出。

"你挺尸，孙老板他们在饿肚皮。"老甘支书说。

"我昨日派好的饭，今日早是轮到烂棍家。"先明说。

"那咋没饭吃?"老甘支书板着脸问。

"我去看。"说完，先明赶到烂棍家。

没过多少工夫，先明脸青青地回来，说："烂棍说中央国务院三令五申禁止向农民搞摊派，村里派饭是违反中央精神，他才不做这派饭!"

水凤说："甘支书，你想到没，烂棍是村长德贵的本家，肯定是村长做他的后台，没当厂长气没地方出，就撒到这上面。"

先明说："烂棍把上头的精神说得滚瓜烂熟，没村长教唆，是讲不出这样有水平的话。"

水凤说："头几日，我看到村长老是到烂棍家，肯定在搞鬼!"

老甘支书听了这些话，脖子筋又蚯蚓样蠕动，牙缝里挤出句话："你带几个干部把烂棍家的锅给端了。"

这话一出，水凤给先明使眼色，意即这种端锅得罪人的事别去，而先明一看老甘支书板着脸，想了想，转过身去了。

老甘支书在厅室上转着双手，说："管不了这事，我这支书就不当了!"

过了一歇，烂棍婆娘就哭啼啼地叫来："老甘支书这锅不能端。"先明和几个村干部尾随着来，村人有个说法，端了锅要倒运气，惹来祸。

"今日这锅非端不可!"老甘支书铁青着脸说。

烂棍婆娘抹了把泪说："这事不关烂棍，是我到娘家去了，没人做饭!"

老甘支书看了眼烂棍婆娘，问："那你说怎样处理?"

"我认罚。"烂棍婆娘答。

"那好，你家轮三天的饭。"老甘支书说。

烂棍婆娘千恩万谢去了。解决了派饭的事，老甘支书心静下来，对先明说，当厂长不能只抓派饭这种鸡毛毛的事，要把技术业务掌握起来，派饭叫别人搞去。先明也说是这样，派饭再另外找个人。议来议去，先明说，派饭也不是一般人派得下去的。先明就提议，老甘支书的婆娘派饭合适。老甘支书支吾了些时间，同意下来。

自此，老甘支书的婆娘作为厂里的职工身份去派饭，先明把心思扑在厂里的事上。

没几日，算盘厂就开始向村民收做算盘的木料。

先明候在祠堂的门口，腿上放着面旧算盘，耳朵上夹着支圆珠笔，手里拿着本账本，在收村民送来的木料。村民背着木头，一拨一拨来，搞得先明满头是汗。

村长德贵的大儿子也背了捆木头来，让先明收，先明想了想，没说什么，收了下来。先明正记账，不想村长德贵火气冲冲地来，当着先明的面，“啪啪”扇了儿子两个巴掌，说：“绝种！你敢背着我卖木头。”说完，转过身，对着先明的面，说：“这木头我要背回去当棺材板烧。背回去！”

吃了两巴掌的儿子，还木愣着，村长又扇了一巴掌，才背起木头走。村长尾随着儿子，“绝种绝种”地骂去，把个先明呛得翻白眼。

五

算盘的样品终于做出来了，大大小小有十多面，摆在了老甘支书的面前。

老甘支书操起面算盘，抖得“噼噼啪啪”响，一脸的喜，说：“这东西……”

“能赚大钱！”孙老板不失时机地给老甘支书递过去支烟。

“算盘销路好得很。”裘老板说。

先明走到桌前，放出胆，用手拨拉了几下算盘珠子说：“我当会计，还从未打过这么沉实的算盘。”

老甘支书点起孙老板递来的烟，说：“得安排人做去！”说着话，徐徐吐出口烟。

先明接过话，说：“我和孙老板、裘老板就是为厂里的人员安排，和你讨个主意。”

其实，先明说的人员安排，其他人员的安排都没问题，就是先明想把婆娘水凤安排到厂里当出纳，好多得份工资。可他自己提出来，又吃不准老甘支书有啥想法，于是，他花了点心机，和孙老板私下做好工作，叫外地老板向老甘支书提出，好让他有个退步。这时，先明说完话，给孙老板使了个眼色，孙老板便心领神会地说：“甘支书，厂里其他人员你看，名单在这儿。”接着又说：“只是出纳这个位置重要，要找个妥当点的人。”

老甘支书拿过来，眯了几眼，说：“先明你念来听听。”

先明把村里安排的人员念了一遍。听了，老甘支书说：“其他没意见，只是前回烂棍家多派了几日饭，恐怕得安排一个进厂做做。”

先明答：“烂棍婆娘太老了，叫他女儿小彩来做倒可以。”

老甘支书说：“那就小彩。”

孙老板和裘老板没说什么，表示同意。

定下烂棍的女儿小彩到厂里做工，剩下先明婆娘当出纳的事，先明见老甘支书没吭声，心里有点急，一个劲给孙老板递眼色。

孙老板这才开口说："甘支书，厂里的出纳，先明家里的当，是否合适？"

老甘支书支吾了一会儿，说："先明的婆娘当不是不可以，只是一个当厂长，一个当出纳，都是一家子，村人要说闲话。"

裘老板说："是这样。"

这一说，把先明搞得心里直捣鼓，眼傻得没主意。水凤有话给先明：当厂长连个婆娘都塞不进去做工，你就不要当厂长。倒是孙老板灵机一动，说："水凤当出纳不合适，是否当仓库保管员？"

老甘支书一听，爽快地拍板下来，说："水凤当仓库保管员。"出纳让其他人当去了。

村办厂，定下人员，就正式上马，没日没夜地干起来，机器的轰鸣声，把个小山村震得天翻地覆。

先明和孙老板很忙，恨不得头当脚。可裘老板却不一样，只管验收和跑外销。在厂里时就显得空闲。闲了，感到无聊，他便带来台带图像的卡拉 OK，空下来，就唱上几段，裘老板嗓门又大又破，老甘支书的婆娘和先明的婆娘水凤听了他唱卡拉 OK 都说是水牛在叫。可裘老板不在乎，照样水牛叫。卡拉 OK 毕竟有魅力，老甘支书的婆娘和水凤，起初是说裘老板在牛叫，可到后来，也被弄得心痒痒，想去 OKOK。正巧，裘老板感到一个人独唱，唱久了也感到乏味，他见了这两个婆娘的心思，就拉她俩来试着唱，一唱，就歇不下手。

老甘支书的婆娘跟裘老板做质量验收员，水凤当仓库保管员，二人都坐办公室，没下车间。一日中，没多少活儿好忙，于是，她俩一有空，就用裘老板的卡拉 OK，唱《洪湖水浪打浪》。水凤年轻时，在村里戏台上唱过《红灯记》中的李铁梅选段，有点唱的基础，唱卡拉 OK 时，总能跟上调。老甘支书的婆娘，毕竟年龄大了，年轻时只唱过山歌，因此，她只能跟着水凤哼《洪湖水浪打浪》。白天，裘老板的卡拉 OK 几乎是让她俩全包了。可到夜里，她俩却要忙活家里的事，不来唱。裘老板就叫烂棍的女儿小彩来唱，小彩以前到城里餐馆端过盘子，空时也学唱过卡拉 OK。小彩一唱就唱《小芳》。唱完了，再与裘老板唱《纤夫的爱》。小彩唱得甜甜的，村人听了，都说小彩不该在算盘厂做工，该去文工团唱歌，裘老板听了，笑笑说："不唱了！"关了卡拉 OK，搞得听歌的村民们很失望。

算盘一批批地做出来，又由裘老板一批批地送出去。裘老板搞外销是单个跑，跑了些时间，起了贪心，吃回扣，这事被精明的孙老板逮住。裘老板露了馅，没事样，倒要串通孙老板一起合吃。孙老板说："做这种事缺德。"自此，孙老板对裘老板多了一只眼。算盘厂款子也一笔笔地带回来，把村人乐得眉开眼笑。

一些村干部和村民，见村办厂赚来了钱，窝到老甘支书家，要求发算盘厂的红包。老甘支书听了，说："到年终一次性发大红包！"村干部就说："到手的麻雀会飞去的。”老甘支书脸一横，说：“我当支书怎会飞了？”村干部们一看这样说老甘支书脸色不好，又说：“老甘支书这厂是你一手操办起来，当然赚来的钱不会少了。我们意思是现在发个红包，让村民尝点甜头，给那些反对办厂的人打一个响亮的巴掌。”这一次，老甘支书心就被说动起来，说：“我得合计合计。”村干部一听他这话，便知道发红包的事八九不离十了，乐颠颠散去。

发红包，老甘支书先找先明通气，先明在老甘支书手下是个软泥人，老甘支书一开口，先明便说：“甘支书你说了算。”还对老甘支书说：“账上已有七万元。”与先明通好了气，心里有了底，老甘支书才找孙老板。孙老板一听要发红包，不敢直接反对，就委婉地说：“这点钱要采购原料，是否可以到年终一次结账。”老甘支书说：“群众有这个要求！”孙老板支支吾吾地说不出话来。老甘支书开导说：“发红包还可以进一步把村民积极性调动起来，让厂办得更红火。”孙老板听老甘支书的口气，这红包是非发不可了，便说：“要发也只能发两万元！”老甘支书同意，说：“就这个数。”

老甘支书去了后，到夜里，孙老板将村里要向村民发红包的事说给裘老板听。裘老板一听，跳起来，说：“这鸡还未长毛，就拔毛！天下哪有这种事。”说了，裘老板还一个劲儿地要找老甘支书说去。孙老板死命拦住。他知道裘老板的脾性，没说上两句，弄不好就要把事搞僵，便用“强龙压不住地头蛇”之类的话劝他，好说歹说终于把裘老板的火气压下来。

定下要发红包，如何把红包发得有意思些？老甘支书冥思苦想了几天。婆娘见他老是眉头打结，说：“你丢魂了。”老甘支书说：“与你婆娘无关。”婆娘说：“你说。”老甘支书就把发红包的事说了。婆娘说：“那你不去请个戏班子，让村人乐乐，再把红包发了。”老甘支书听了，认为这点子好，说：“看不出蹲了几天厂，脑子活络了。”婆娘不服气，说：“你没发现我的价值嘛！”

说了这些，老甘支书背着双手，转悠到厂里，找先明去请戏班子。先明同孙老板、裘老板通了气，放下活儿就到外地去请戏班子。

先明找戏班子，先到县城找。他记得以前县里有个越剧团，一问，才知道越剧团已散伙，人员都去办舞厅、摆馄饨摊去了。他又到邻近几个县城，遇到的情况大多类似，剧团名存实亡。先明还不死心，又到了个县城，正巧碰上一个中外合资歌舞团在演出。先明花了二十元，进去看，穿的都是三点式，先明看完了，脑子里尽留的是女人的光胳膊光大腿，抹也抹不去。越回味越感到婆娘水风土了些。不过，先明花了二十元，看了这场戏，他心里清楚，这种光胳膊光大腿的戏班子请去，老甘支书断断不欢喜。

无奈，先明只好又去找，找了几个地方都落空。最后，先明有些灰头丧气打道回府，路过一个村子，正碰上一个戏班子在收摊子。先明与戏头一谈，便以包吃包住三千元一场，把戏班子带回了村子。

先明向老甘支书叫苦，把找戏班子的前前后后经过，学了一遍。说到看歌舞晚会，先明说得隐晦、含蓄，只是说偷偷进去看了几眼，露得不入眼，就不敢再看下去。老甘支书听了，反倒说："你可请来，让村民开开洋荤嘛！"这一说，先明直后悔当时自己胆小，没决定下来。说实在的，他倒真想再看看那种歌舞戏，比这戏班子里三层外三层包着，有看头得多。说着这些，先明还未把气顺过来，老甘支书又说："你还得要跑乡里一趟，把吴干部请来看戏。"先明说："我刚从外面回来，厂里可能还有点事。"老甘支书说："别人去请，没这大面子，弄不好吴干部就不来。"这样说了，先明只好马不停蹄地去了。

村里发红包的戏，放在办厂的祠堂里演。起初，孙老板反对，说是人多了，会把厂里的机器弄坏了。可村里几个干部找来找去没地方演，唯独祠堂里有个老戏台，只好放在这里演，为了保护机器派几个基干民兵把守。

戏班子进来，可把个小山村闹开了。以前村里穷，连连几年没这样请过戏班子。村民感到分外的新鲜，加之邻近几个村的人，一听天头岗村请了戏班子唱戏不算，还要发红包，更感觉新奇。

天一落黑，戏班子的闹台锣鼓还未开锣，四面八方拥来的人就把个祠堂鼓塞得像个大气球。早已吃罢晚饭，就狗儿样候在祠堂门口的老甘支书，见了这场面，喜滋滋地对旁边陪着的几个村干部说："叫班子把闹台锣鼓敲起来！"

"咚咚呛，咚咚呛……"戏班子闹台锣鼓一起，被人塞得水泄不通的祠堂，像黄蜂在闹桶。

天已绝黑，老甘支书还伸着脖儿，等着先明和乡里的吴干部。快要开台了，还没见个影儿。闹台锣鼓敲了三巡，有个村干部来说："戏班子说要开台了！"老甘支书说："吴干部没来，不能开台，叫他接着敲。"村干部又进去，老甘支书自言自语说："先明办事就磨蹭，到要开台了，还是不见个影子。"正怨着，先明和吴干部就来了。

老甘支书迎上前去，说："吴干部，真难请。"吴干部抱怨说："从村里回去后被抓去搞计划生育，出去参观，忙得不可开交。"先明插言说："吴干部刚从县城开发展乡镇企业研讨会回来，没歇脚就来了。"吴干部说："忙得连家属都有意见。"老甘支书说："你这戏看了，就回去抱婆娘。"说着这些话，先明对着挤在门口的人说："吴干部来了。"村人见吴干部来了，都自动让出条路，祠堂里空着几个座位，专留着给吴干部和老甘支书几个的。几个头头脑脑落座，戏台的闹台锣鼓更加火猛起来。

闹台锣鼓戛然而止，老甘支书就请吴干部上戏台讲话，吴干部腆着个肚子，说："村民们，今天我很高兴地说几句话，我就说村办厂。村里办算盘厂是为了让全村人奔小康。"台下有些村民叽叽喳喳问："啥叫奔小康？"吴干部说："小康生活，形象地说，就是村民人人手里有票子，坐在家里看电视，闲来没事打电话，出门坐的是小车子。"台下又是一片唏嘘，说："做梦啰做梦啰！"吴干部说："不是做梦，村里算盘厂办好了，就可以实现。今天大家不是活生生看到了，正是办了厂，村里请了戏班子，发红包。因此，全村村民一定要同心同德、齐心协力办好算盘厂，早日奔小康。”吴干部说完，走到台下位置上，他要老甘支书也说几句。老甘支书想想，没上台，就立在原位上，说：“大家铆劲儿看戏，看完了给红包。”没说完，就一片鼓掌声。戏班子就开始演戏，戏是出老戏：《秦香莲和陈世美》，可村民都抻脖，铆劲儿看。开演前，裘老板就说：“这种老掉牙的戏，没看头。”开始演出后，裘老板嘴里叼着香烟，在台前站站转转，并说：“这种戏还看，太落后了。”他见他的看法引不起共鸣，就找到烂棍的女儿小彩，到他的房间，一起唱《纤夫的爱》去了。

紧坐在老甘支书旁边的吴干部，戏没开演多长时间，呼呼打起了鼾。老甘支书却看得入迷，涎水都滴去。先明一旁一个劲儿地给老甘支书递烟，揣摸着老甘支书的表情，他生怕这戏班子戏演得不合老甘支书的心意。

戏演着，临近包大人铡陈世美，台上王朝马汉张龙赵虎“喔喔”地吼起来，吴干部才迷糊地睁开眼，说：“咋戏还没完。”老甘支书说：“包大人铡陈世美了。”吴干部才打起精神看了几眼戏。戏也就结束了。老甘支书喜滋滋地说：“这戏很有教育意义。”吴干部笑笑，没说什么。一旁的先明听了这话，悬在心上的一块石头总算落了地，老甘支书满意这戏。

接着，吴干部、老甘支书和孙老板，一起上戏台发红包，村民便在戏台前排起长龙，一个个接红包，这阵势就像城里人排队买带鱼。

红包发到最后，多出一个，先明一查账，说：“村长德贵没来要！”老甘支书有点气地对吴干部说：“你看德贵多小气。”吴干部说：“这红包公分了，给大家买包烟抽。”

村民散尽，祠堂里空荡荡的，孙老板下去一看，就叫：“他妈的，机器都踩坏了！”大家一看，整个祠堂就像日本人扫荡过似的，一片狼藉，孙老板心疼得眼珠子要弹出来，说：“这机器还咋修！”

几个村干部看着踩得不像样的机器，心里也有些不是滋味。

六

裘老板在修理让看戏的村民踩得散架的机器，修修，火气上来，就摔扳钳出气。出了气，又修。孙老板一声不吭，脸青青的，只埋头铆足劲儿修。没日没夜搞了一个星期，算盘厂才恢复元气，开始生产。裘老板气还未消，对着轰鸣转动着的机器，说：“下回再这样弄，老子打道回府！”

裘老板正恨恨地想踩一脚机器，不想，乡里的张乡长、吴干部、乡信用社白主任、老甘支书、先明和几个干部簇拥着进来，裘老板把脚收了回来。

老甘支书说：“乡长，你太官僚了，今日才到厂里来指导。”

张乡长说:“现在都说要简政放权,好让你们放手大胆去干。”又说,“你看,放手了,你们不就几个月把厂搞上去了。”

他们说着这些,厂里做着活计的人,都被引了过来,惊奇地看着。裘老板骂了一声:“看猴子戏啊。”这时,孙老板过来,先明把张乡长介绍给了孙老板。孙老板便带着到厂办公室,孙老板把大大小小几十面算盘摆到桌子上,张乡长瞥了一眼,很内行地问:“这木头经过深度开发,增加附加值多少?”先明支支吾吾地答不上来,孙老板说:“这算盘,已是把木头从头吃到脚了!”张乡长说:“你讲来听听,怎么个吃法?”孙老板说:“树尾车算盘珠,下段全部做档! 我们算了一下,一株木头经过深度加工,增加附加值500%。”张乡长说:“对,这样开发,等于十块钱,变成五十块钱,很有开发前途。”孙老板有点受宠若惊。张乡长又转过话题问:“算盘销往哪些市场?”孙老板说:“主要是国内市场。”张乡长说:“光国内市场不行,要有高起点,瞄准国际市场,要办成一个地道的创汇企业!”张乡长和孙老板的这些话,直把老甘支书、先明与几个村干部,弄得鸭听雷样,不知所措。孙老板说:“要出口,关键是手头没资金。”张乡长笑笑拍着乡信用社白主任的肩膀,说:“我把财神爷给请来了。”老甘支书及几个村干部直叹道:“乡长想得真周到。”张乡长点头说:“领导就是服务嘛。”张乡长转上了正题,说:“我有一个设想,想以这个村为龙头,技术、销路、配件由龙头厂提供,带动全乡其他村办起算盘厂,通过滚雪球,组建算盘企业集团。”话一出,四座皆惊。老甘支书及村干部只晓得林彪反革命集团,哪晓得算盘也能搞集团,如坠云里雾里。孙老板毕竟见过世面,说:“可现在组建企业集团,条件还不成熟。”张乡长反对说:“先把牌子打出去,现在是牌子也能卖钱,知道不?”孙老板没话。吴干部对老甘支书说:“老甘,你真要成为个富翁书记了。衣裳角抖死人!”老甘支书一脸的喜色。张乡长说:“组建企业集团,名称都给想好了,我看就叫远东算盘集团发展公司。”顿了顿,张乡长说:“到时,我出面请个县上的头头给牌子题字。”说完,一看表,便说:“中午到了。”

于是,大家便簇拥着到老甘支书家吃中午饭。走在曲里拐弯的村道上,张乡长一副愁眉苦脸相,还在寻思着组建企业集团的事,转过几个村道,张乡长想出了主意,说:“老甘,我看要把全乡各村的村干部集中到村里开个现场会,推广村办厂的经验。”老甘支书一听这话,面露难色,说:“开现场会是个好事,是否放在明年开?”张乡长说:“不行,过几日就开。”老甘支书说:“前几日村里刚请过戏班子,厂里没钱了。”张乡长说:“老甘,这就是你的思想不解放了。知道不,你村里办厂的经验,既是宝贵的精神财富,又是宝贵的物质财富。推广出去,以一带十,以十带百,那效益你说有多可观。你老甘的贡献可大了。”老甘支书说:“又开现场会,怕村民有看法。”张乡长说:“老甘,我们这种地方是太落后了。人家经济发达地区的吃喝观念就是不一样。人家群众是见领导喝得脸红彤彤的,就高兴,倘若脸白白的,群众就说没戏了。你看看。”老甘支书听了,就摊牌,说:“乡长,实话实说,不是村里干部群众不同意，是孙、裘两位老板不同意。前几日请戏班子，他俩就很反对。”张乡长放重口气，说：“你就说我张乡长定的。”听了这话，老甘支书想了想，叫先明去说，好让自己有个退步。先明去说，张乡长一帮人就到了老甘支书家。一进老甘支书家，满眼是算盘珠，窗帘、门帘、坐垫等都是用算盘珠子串缀起来的。张乡长用眼睃巡了一圈，说：“这算盘珠装饰起来挺漂亮嘛。”话未说完，先明匆匆上来，说是孙老板裘老板一听这事，不仅不同意，裘老板还砸了个玻璃杯。张乡长听了，就火，说：“老甘，你去就说张乡长说定了要开！问他们这办厂的贷款是谁出面的。”

无奈，老甘支书只好亲自出马，去找孙老板商量，孙老板脸青青的不说话，裘老板气鼓鼓地说：“这鸟地方没法干，干脆回去。”老甘支书忍着气，耐着性子开导说：“张乡长出面，这点面子恐怕要给他。要不，日后厂里贷款的路子就会断。”又补了句，“张乡长说现场会开了，再增加十万贷款。”裘老板说：“这贷款可要还得起。”孙老板一看这样下去，要闹翻脸，就说：“管他，开就开。”

老甘支书把话传回去，张乡长脸色才透出些血色，交代说：“现场会过三日就开，吴干部留下搞总负责。一定要把现场会开得隆重、热烈。”

张乡长交代完这些事，吃了中午饭，便一溜烟回乡里去了。

开现场会，要准备的工作很多。吴干部与老甘支书、先明几个一掰指头，光吃饭全乡党员干部合拢来，近三百号人，至少要开三十桌。村里不像城里有餐馆、大酒店什么的。这三十桌的桌凳碗盏筷都得挨家挨户去借出来。先明没当厂长前，村里每逢婚丧宴请都是他管的局，桌凳碗盏一概由他借。开现场会还要举行欢迎、开幕、闭幕等仪式，吴干部就去组织小学生的锣鼓欢迎队。老甘支书去发动村里的妇女清理茅坑和村道。几个人议到发纪念品，都说要节省点，每人发面算盘做纪念算了。

分了工，几人分头去干。先明把一篓的碗盏往学堂里搬。村里唯独学堂场面大些，才能摆下十桌。吴干部胸前挂着个“嘟嘟”，一、二、一地把小学生集中起来操练欢迎仪式。老甘支书也提着个畚箕，亲自带领妇女清扫茅坑。

开现场会，使天头岗村沉浸在一片节日的气氛中，转眼就到了开现场会的日子。

一早，村口路道上的野草还挂着露珠，吴干部便带着全村的小学生，立着队，候着。已是春夏交替的季节，山村却还是寒意刺人，学生仔们被冻得挂着蚯蚓样的鼻涕。半日，到了山坳里托起一轮圆滚滚的红日，才有些村的党员干部来，到一伙，吴干部指挥着学生们敲一阵锣鼓，敲敲歇歇。到了日中午，人才陆陆续续到齐。

现场会在祠堂里开。张乡长、吴干部、老甘支书、孙老板等一溜坐在戏台上，张乡长叫吴干部点人头，吴干部点了一圈，到得差不多了。张乡长便站起来宣布：“大力发展村办企业暨天岗村远东算盘企业集团成立现场会现在开始！第一项，实行挂牌仪式。”

霎时，祠堂里锣鼓声、鞭炮声大作，戏台上两位礼仪小姐款款抬出一块扎着红绸的木牌子，张乡长和老甘支书便上去，揭开牌子上的红绸，牌子上歪歪扭扭写着“远东算盘企业集团”字样。过了一歇，锣鼓声、鞭炮声戛然而止，张乡长解释说：“这牌子是县长的题字！”台下一片唏嘘声。张乡长又解释说：“县长是书法协会顾问。”这一说，台下三百多号人就拥到台前。有的说：“远东两个字写得最有力。”有的说：“书法这东西真看不来。”有的笑笑，说：“这叫外行看热闹，内行看门道。”老甘支书听着这些，也仔仔细细地把牌子看了遍，直感那字是鸭掌子爬出来的。

看了一阵，台下许多村干部就直喊：“吃中午饭了。”许多村干部都知道现场会要撮一顿，因此，早间饿着肚皮来，留着日中午派用场。张乡长一听大家都说饿肚皮了，宣布：“中午吃了再听介绍经验。”

哄地三百多号人就潮水般涌到学堂吃中午饭，顿时，碗碟声、开酒瓶声、碰杯声……此起彼伏，好不热闹。

张乡长说：“大家酒要喝，但更要紧的是要回去把厂办起来。”

随即，就你一杯，我一杯，热火朝天地干了起来。

老甘支书这桌，都是些村主要头头——村支书或村委会主任。日常在乡里开会都凑到一起，很相熟，相互干了几杯下肚后，开始敬老甘支书。邻村一位村支书，端起杯，说：“老甘你是眼睛一眨，老鸭变凤凰。干！”干完了，又一位村支书接过来，说：“想不到你老甘以前乡里开会，摔个铅角子要找半日的人，如今这样大方，有气魄。干！”

干了几杯，老甘支书没多大酒量，就有点醉醺醺，说：“你们这批鬼，往日都嫌我村穷，我敬你们酒都不吃！今日，我要多喝几杯。”“咕嘟”又干了一杯下肚，重重把个杯顿在桌上。

“老甘，人富了就痛快，连喝酒的水平都提高了。”一个村头头说。全桌人响应说：“财大气粗，来，再敬几杯。”又给老甘支书斟满了酒，他说：“本来要跟你们干个底朝天，可……下午还要介绍经验。”

老甘支书酒泼来泼去，把杯子里的酒干了下去。其他干部立马站起来，说老甘喝酒赖皮，把酒倒了半杯，说着就把老甘支书的头按倒在桌上，他像水牛喝水样把溅在桌上的酒吮了个光。

喝着，大家就有了许多酒意，有了酒意，相互间就随便起来。一个村干部问：“老甘支书吃是排场了，只是会开了到底给点啥名件当纪念品？”其他干部附和说：“对，吃得好还得发得好，那现场会才开得有意思。”老甘支书答：“慌啥，早准备好了。每人带面算盘回去。”听了这话，大家扑哧笑出来，说：“老甘亏你拿得出手。”有的讲得更白：“老甘你妈，还这样小气。”还直叫：“太没气魄了。”老甘支书说：“你们说有气魄，发啥东西好？”这一问，倒把大家僵住了，这山村真没啥东西好发。

桌上闹着，桌下六七条大黄狗绕来绕去争啃骨头，一村干部一看，灵机一动，说："发的货色有了。"大家问："发啥？"村干部说："就发狗肉。"大家一看满堂桌下都是狗，说："纪念品还是发狗肉好。"有几个村干部还向老甘支书补充说："现在吃狗肉还是时候，迟了太热就不敢吃了。"老甘支书被缠得逼上了路，表态说："发就发，一人一条狗腿吧。"大家直呼老甘支书爽快、大方。于是，老甘支书找来先明去落实杀狗的事。先明脑子里一算计，三百来号人，一人一腿，要三百多只腿，有些为难地说："这放哪里开支？"老甘支书说："开支了再说。"先明看看老甘的神色，没说什么就去组织人员杀狗去了。

大家酒足饭饱后，张乡长又招呼大家到祠堂开会。下午开会的主要议程是听老甘支书介绍创办算盘厂的经验。老甘支书介绍经验，不时被村里杀狗的此起彼伏声打断，村干部的心思却被这声音引了过去，注意力很不集中。日头偏西的时候，老甘支书终于介绍完了经验。会场只剩下稀稀拉拉的一些人。人都偷偷溜出去看杀狗去了。张乡长一看，就叫吴干部把溜出去的人叫回来。村干们被叫回来后，张乡长对这次现场会作了小结，要求："各村干部回去后迅速把现场会精神贯彻到全体村民，并付诸行动，每个村办起一至两个算盘厂，以尽早脱贫致富奔小康。"提了要求后，张乡长说："现场会到此结束。"于是，大家就哄地散去。先明已把狗肉一腿一腿分好摆在祠堂门口。来开会的人喜滋滋地一人一腿拎去，并说："纪念品发得真有意思。"把个村道淋得鲜红，都是狗血。

送走了人，先明在老甘支书面前叫苦，说："腰都累折了。"老甘支书说："那到我家喝杯茶，歇歇气。"到了老甘支书家，老甘支书叫婆娘沏茶，不想婆娘脸肿肿的嘴歪到耳朵边。原来，中午饭大家吃散后，留下许多残菜剩饭，先明的婆娘水凤手脚快些，就把残菜剩饭全端到家里去了。等到老甘支书的婆娘赶来，只有些肉骨头之类的东西，村里的妇女也很不服气地向支书婆娘学嘴，说："先明婆娘丈夫当厂长就稀罕了，根本不把支书放在眼里，换作以前她哪敢把这么多东西端回去。"听了这话，老甘支书的婆娘就装满了一肚子气回来。老甘支书见婆娘屁股扭扭到灶间去，就说："先明你自己沏茶，等我酒醒了再收拾她。"先明一听这茶断断不能喝，喝了就要喝出问题，便说："口不渴，改日再喝。"就起身回家去。

先明刚抬脚回家，不想孙老板、裘老板脸铁青青地来，先明一看愣怔了一下，本想溜之大吉，但又怕溜了老甘支书要说话，只好硬着头皮留着。

裘老板火气十足地在老甘支书的厅堂里稀里哗啦地嚷："这鬼地方没结果，账算了回去。"顿了顿，又嚷："这次上了他妈的吴干部的当，来了这个鸟地方。"裘老板嚷着。孙老板脸青了白了，很痛苦样，牙缝里挤出句话："不干了。"

老甘支书看了这阵势，酒醒了一大半，说："咋又变卦了。"

裘老板又嚷了一通，老甘支书才明白，孙、裘两位老板发这么大的火，是冲着开现场会每人发一腿狗肉，两老板匡算了一下，厂里要付两万多元。老甘支书闷闷地说："这狗肉账……"

裘老板说："今日就得算。"

老甘支书瞥了眼裘老板，没说什么。

孙老板说："账算过，就走。"态度很坚决样。

这阵势，把坐在角落里的先明看得目瞪口呆，心里直捣皮鼓，一点儿也插不进言。

场面很难堪。

老甘支书心里明白，总不能现场会的热气还未散尽，算盘厂就散伙，不但乡里交不了账，就是这脸也没处搁。心里嘀咕着这些，突然心生一计，笑笑说："这狗肉不要厂里村里一分钱。"孙、裘两位老板一脸的疑问。老甘支书说："县里乡里搞小康村建设，打狗是头件事，这狗杀是自杀，就权当村民为奔小康做贡献。"孙、裘两位老板想不到老甘支书来这一手，搞得一脸的尴尬，十分的没趣。

此言一出，先明心里直叹老甘支书有办法。

其实，孙、裘两位老板，在发这通火前，串好气，今日要给点颜色让村里看看，叫他们知道，不要把算盘厂当儿戏。其实孙、裘两位老板也是狗脚夹篱笆，是拔也拔不出——全部投资在厂里。倘若真的一走了之，也是赔了夫人又折兵。

老甘支书说："厂里的事就你们几个做主，我也少插手，你们放胆干去。"

因发狗肉而引起的小风波，终于平息了过去。

七

先明从老甘支书家出来，心里又腾生起对老甘支书的赞叹："真有办法，真有法子。"便到了自家里，只见婆娘水凤忙着侍弄着一大桶一大桶的菜，足足有十几大木盆，先明瞄了一圈，便知是开现场会留下的残菜剩饭。水凤一见先明，便撩起根猪头的牙齿根，给先明嚼。先明塞进嘴里嚼，便问："你把现场会留下的全端来了？"水凤说："全靠我手脚快，要不你有屁个牙齿根嚼。"说完，一脸的得意。

先明却腾地心里一惊，把嚼在嘴里的牙齿根呸呸吐在地上，说："你闯祸了。"

"屁个祸。"水凤头也不抬，顾自侍弄着残菜剩饭。

先明一把拖起水凤，说："老甘支书的婆娘可拿到这剩菜剩饭？"

水凤说："谁叫她迟到了。"

先明说："你看是吧。老甘支书婆娘生气了，连杯茶都不泡给我吃。"

水凤说："谁稀罕那杯茶，我倒桶饭你吃。"把先明的手甩了，顾自又去侍弄。

先明却犯邪了，水凤这事让老甘支书的婆娘吃了亏，她就会向老甘支书吹床头风。这无异把老甘支书得罪了。先明被这事搞得没魂没魄，水凤却笑话他，说："堂堂男子汉，没点主心骨，还当屁个厂长。"先明气起来，就想去把摆在桌上那十几大桶，端去饲猪去。水凤双手叉腰说："你敢动动，就修了你！"先明见水凤从未这般火过，又软下来。水凤说："你这个没心没骨的，难怪一辈子让人当狗使，夹着尾巴做人。"先明回敬她，说："前回，你也不是为甘支书婆娘搓面毛。"老甘支书婆娘有个习惯，每年到春天，都要用麻丝搓一回脸上的面毛，因为一年一次，机会难得，每逢这辰光，村里的妇女都争着要给她搓面毛。水凤听了说："那不都是为了你争当这算盘厂厂长，要不然我也不会去搓面毛。不是我给她搓了面毛，你还有厂长当？"这一说，先明没了话。一直到上床，先明都被水凤弄回来的这些残羹剩饭，弄得左不是右不是，不知如何在老甘支书面前把这事顺过去。直到天麻麻亮，先明还睁着眼看天花板。这时，房外便有个村民来，说是老甘支书叫先明去一趟。先明嗖地从床上跳下地，边套衣裳边埋怨，说："你看看，都是你，老甘支书来叫了。"婆娘水凤还睡得迷迷糊糊没听清。先明提高了嗓门，说："你犯的事，还得让我受罪。"水凤听清了，从床上扑下地，操起只鞋向先明扇来，先明头一歪，偏了过去。水凤还不解恨，说："谁叫你窝囊，活该！"先明见理不出头，便重重地带了门，到灶屋挑了桶好些的菜，拎着到老甘支书家赔不是去了。

老甘支书婆娘正在猪栏里饲猪，眼光一触到先明，便收回去，把饲猪桶弄得噼噼啪啪响，搞得先明手中拎着的木桶铅一样沉，没滋没味地进了厅堂，老甘支书正微合着双眼，听见先明的脚步声，说："你来了。"

先明说："来了。"

老甘支书说："你坐。"

先明说："这菜。"

老甘支书说："喂猪去。"

先明便把铅一样重的木桶放到地上，手放得很不自在。老甘支书说："找你讲个事。"先明找条木凳坐下。老甘支书说："昨日孙老板、裘老板那样子你看到了？"先明说："外地人就这样子，难弄得很。我是有苦说不出。"老甘支书说："难弄倒不怕，只是厂里的生产、技术、销路什么的都掌握在他们手里，弄不好厂就要塌下来。"先明说："是这样。昨日要不是你甘支书把关，厂就塌了。"

说着，老甘支书有点激动起来，脖子上的青筋又蚯蚓样爬动着。重重地吐出口浓痰，问："你跟他俩处了这些时间，可摸到了脾性？"先明便把孙老板、裘老板的脾性分析给老甘支书听。听完，老甘支书也就想出了点子，交代先明去做工作。

先明从老甘支书家出来，悬在心上的一块石头才算落下了地，老甘支书没为残羹剩菜的事生他的气，而还是同先前一样相信他，让他去做重要工作。先明望着山坳里爬出的红彤彤的朝阳，心里欢欢畅畅，口里吹了阵呼哨，脑子里便寻思着如何按老甘支书的点子去做。

做工作，先明都挑在夜里。夜阑人静，工作起来方便。先明从孙老板身上先下手。这日，狗牙样的月亮挂上山头，先明把孙老板叫到家里。水凤已摆上几样下酒菜。孙老板看见先明叫他喝酒总有意思，便问："就喝酒？"

先明给孙老板斟了酒，便说："吃。"孙老板就干，干了几杯酒下肚，孙老板耐不住问："今日光喝酒?!"先明说："你知道不，裘老板想独吞这厂!"孙老板有些吃惊，说："有这事？"先明说："你相信不？"孙老板说："谅他也不敢。"先明笑，说："好马让人骑，好人让人欺。你孙老板蒙在鼓里啰。"孙老板说："你说。"先明没说，又给孙老板斟上杯酒，说："你干了这杯，我说。"孙老板顺势喝下。先明说："裘老板已偷偷到老甘支书那里，想包这厂，把你一脚踹了。"孙老板听了，脸青起来，说："他妈的裘老板这样缺德。"先明又进言："裘老板说你干涉他同小彩姑娘的事，心里恨透了你。"孙老板一听，便想起前段时间，曾说过裘老板，话是说重了些，想不到好心得不到好报，裘老板反倒背后杀一刀，孙老板操起桌上的一杯酒，倒下肚，说："我倒要看他裘老板把姑娘肚子玩大起来。"孙老板火气上来，便把裘老板在别的地方搞姑娘让人赶了的事都倒了出来。并说："我这次不想同他来，他却硬要来，就让他来了。"先明接过话，说："孙老板你是引狼入室。"孙老板说："我是前世瞎了眼。"先明见机又交代说："孙老板，这事你心里有数。"孙老板点点头。先明说："我向你透个底，老甘支书叫我传话给你，等过段时间，让你当厂长，我当副厂长，这厂才会办得好。"孙老板听村里这般信任他，说："裘老板有举动，我会通气给你们。"先明说："到时我们一起来收拾他。"

讲了这些，两人相互又敬了些酒，孙老板便回祠堂里去了。先明关了门，喜滋滋地上床想和婆娘水凤亲热，水凤却不理睬，把身转了过去，先明用手去扳，水凤忽地抬手说："让人当狗使了，还开心。"这话戳得先明没了兴致。先明恨恨地在床上翻来翻去，把床板搞得山响。

"笃笃"……一阵敲门声，接着送来一句话："有情况。"一听是孙老板的声音，先明立马下床开了门，只见孙老板一脸的神秘，说："裘老板有情况。"

"到老甘支书家去说。"先明带上门，便和孙老板到老甘支书家，他俩慌兮兮把老甘支书弄起床。老甘支书听了孙老板的叙述，对先明说："你去把村支委、村委两套班子叫来，就说要开紧急会。"

没多少工夫，村里的头脑都拢到老甘支书家。大家一脸的疑惑，不知深更半夜了还有啥急事。老甘支书看人到齐了，便叫孙老板去睡，避一避。

孙老板去了些时间，老甘支书便说："村委干部到祠堂把守各个出口，支部党员跟我进去。"这一说，有些干部弄不懂老甘支书葫芦里卖的是什么药，便问："守啥？"老甘支书说："去干了就知道。"随后，老甘支书交代先明带上手电筒，全村干部便开到祠堂去，路上有些干部磕磕绊绊发出些脚步声，老甘支书喝道："狗脚放轻声。"于是，大家便鬼鬼祟祟去，到了祠堂，村委干部一溜散去，把个祠堂围得严严实实。老甘支书看做得差不多，便对全体党员说："捉奸!"党员们一听捉奸，便来了精神，耳朵竖了起来。有些干部还争着要去破门。老甘支书说："别争，支委以上干部破门，其他党员守窗子。”分工停当，全村党员蹑手蹑脚进祠堂，又鬼鬼祟祟直抵裘老板的住处。

先明冲在最前头，一脚蹬门，那门堵得死牢，没点松动，房间里一阵响动，几个支委看不过门，便一齐“砰砰”蹬去，最后老甘支书又补了一脚，门才打开。先明立即亮了电筒，只见烂棍的女儿小彩赤条条蜷缩在床角里，一个支委眼明手快，把乱堆床头的衣服抢在了手里，老甘支书瞪了一阵眼，说：“让她穿上。”抢着堆衣服的那名支委有点不舍得地丢了几件衣服过去。小彩乱套了衣服，奶子还露了半个，老甘支书补上一句：“扣上。”

“裘老板逃了。”先明叫，屋里的党员才醒过来一般，立即去把祠堂各个角落搜了个遍，却没见半点裘老板的踪迹，党员干部们个个面面相觑，垂头丧气，都把目光投到老甘支书身上。老甘支书说：“到房间再看看。”

砰地，大家又拢到裘老板的房间，先明眼快些，扑到床底下，亮了下电筒，叫：“婊子儿，在床底下。”先明一叫，几个党员就七手八脚把裘老板从床底下拖了出来。平日趾高气扬的裘老板，眼下却软塌塌像条丧家犬。有几个干部手脚痒痒想动手给裘老板吃拳头，老甘支书说：“莫动。”随后又说：“去把烂棍叫来。”

一党员便去叫烂棍，这时孙老板进来，很气样，裘老板垂着头，房间里闷得没点声响，连针掉地也能发出响声。

“婊子儿，婊子儿！”烂棍和婆娘边骂边冲进来。烂棍二话没说，“噼噼啪啪”就给裘老板吃了两巴掌。“婊子儿，贼老板！”烂棍婆娘一把泪一把鼻涕地骂，越骂越伤心，就冲上去把裘老板的脸抓得稀烂。

裘老板纹丝不动，任抓任打。老甘支书有些看不下去，说：“烂棍你养女不教，坏了村风，把女儿领去，好好教养。”烂棍和婆娘一听老甘支书这般说，便慌兮兮把小彩拉回去，一路“婊子囡，婊子囡”骂去。

剩下的事，就是如何处理裘老板。党员和村干部义愤地摩拳擦掌，都很想动手。有的说：“村里几十年没出过这种丢脸事，要剥了裘老板这婊子儿的皮。”有的说：“反正他有钱，罚他一万、二万。”有的建议：“先绑了裘老板，游了村，再来处理他。”这般说着话，老甘支书没听入耳，说：“大家都去睡，明日再说。”

于是，大家就鸟样散去。一夜无话。

第二日绝早，先明满脸惊慌地到老甘支书家，老甘支书还未起床，听到慌笃笃的敲门声，披衣下床，眼迷迷地开门，先明喘着气说：“裘老板逃了。”

老甘支书听了，没点反应，像是意料之中的事，说：“逃了就逃了。”说完，吱呀把门关了，顾自上床去。先明被弄得懵懵懂懂，心里直骂：“裘老板婊子儿，没剥了他的皮，便宜了他。”一路骂着回去。

八

村里打发了裘老板，算盘厂厂长还是先明当，孙老板照旧当副厂长。又过了些时间，孙老板见老甘支书没点儿让他当厂长的意思，耐不住向老甘支书摸底，老甘支书给他一句话："急性子吃不了热粥，这厂长迟早让你当，再等等。"

无奈，孙老板耐心等待着。期间，厂里却弄出件意想不到的事。

老甘支书的婆娘对先明婆娘水凤那日把现场会的残羹剩菜端了个光，一直气恨在心里，伺机给点颜色给水凤。起初，两个婆娘相互不弄眼，谁也不睬谁。过了段时间，又觉不过瘾，发展到两个碰到面就"呸呸"地往地上吐痰星。这样相持了些时间，谁也出不了气。水凤私下里留意着。一日，老甘支书的婆娘总算让先明的婆娘水凤逮住了，当老甘支书婆娘偷偷地把一大包算盘珠子塞到肚兜里带回去穿沙发垫子时，候在祠堂门口的先明婆娘水凤就大喊大叫起来："有贼！有人偷厂里的东西。"引得全厂的人都过来看热闹。这时，老甘支书婆娘死赖，先明婆娘不甘示弱，就在众目睽睽之下抓了几把老甘支书婆娘，"哗"地算盘子散了一地。老甘支书婆娘当众让先明婆娘给丢了丑，也咬牙上前抓先明婆娘的头发，相互撕巴撕巴地抓。老甘支书婆娘力气大些，没几下就把先明婆娘小鸡样压在地上。围观的人，见是龙虎争斗，都不敢拦手，有人脑子灵清些，就去叫先明。老甘支书婆娘还不解恨，脱下脚上鞋，"啪啪"地往先明婆娘的嘴巴子上扇了几鞋，才歇手，并说："烂婆娘，臭×！你烂，再让你吃鞋子。"

这时，先明被人找来，见了这场面，慌得丢了魂儿，只是没魂没魄地一个劲儿向老甘支书婆娘赔不是，半拉半推地把老甘支书婆娘送回家。

等到先明从老甘支书家回到自家屋子，婆娘水凤已是把家里能敲的家什都敲了个净光，满地都是碎碎片片。婆娘一见先明来，就嚷着用头撞来要和先明拼命，并一连串地骂嫁了先明这个王八蛋，才受这窝囊气，老甘支书的婆娘是先明的大老婆，才这样护着她，她连小老婆都不如云云。

骂饱了话，婆娘还不解气，气鼓鼓回娘家去了。

先明看着满地的碎碎片片，心里先是骂老甘支书的婆娘，从头至尾骂了个遍，可还不解恨，骂着又咒起了老甘支书。

这时，老甘支书派了个村民来叫先明到老甘支书家吃夜饭，来的村民见先明一身的火气，应不出声，把叫吃饭的事传达完，就走。

先明本想死也不去，可左想右想，不去吃饭，对老甘支书的疙瘩越搅越大，弄不好这厂长就没得当。一想到这份儿上，先明抬脚到老甘支书家吃饭去了。

老甘支书家的堂屋上一锅的菜，被风炉上的炭火弄得热气腾腾。老甘支书一

脸没事样候着先明。先明一进屋，老甘支书给先明递过双筷，说：“婆娘们头发长、见识短，别睬她。”先明说：“我婆娘我已教训过她，可她生气抖着回娘家去了。”老甘支书脸上漾出笑，说：“过几日等她气生完了，你接她回家。”先明很气地说：“臭婆娘闲着生是非，这回我断断不接了。”老甘支书说：“这就是你的不是了，水凤总归是你婆娘。”先明说：“这回的事，弄得你老甘支书都不好。”老甘支书说：“先明这就是你多心了。这回事怨我家婆娘，怨不得水凤。”这一说先明耳一热，说：“我婆娘下回再七七八八，就休了她！”老甘支书说：“休了，你先明那东西往哪儿接？”先明说：“我这党的人，还经不住这点考验。”他俩说着，对了这些话，气氛缓了过来，就开始吃饭。老甘支书照旧啃猪蹄，啃着，又问：“你婆娘把家里的家什砸光了？”先明答：“砸光就砸光。”老甘支书说：“过些时间叫厂里补上。”先明说：“算了。”老甘支书说：“不能算，这得叫厂里赔钱，是厂里发生的事。”

吃罢了夜饭，先明又和老甘支书说了些厂里的事，便回家上床。婆娘不在，显得空落落，可先明想着老甘支书还叫他吃饭，又这般信任他，就安安稳稳地合上眼睡了去。

又过了些日子，算盘厂的人事发生了变动，搞得先明措手不及。老甘支书没透一点口风，突然召集全村干部开会，说是按照形势的发展，按社会主义市场经济的要求，要给企业松绑放权，算盘厂的厂长让孙老板当，先明当副厂长。虽没把先明全免，可老甘支书其中意图，先明也看得明明白白。这事一宣布，先明像是当头敲了一闷棍，哑巴吃黄连，有苦叫不出。先明自知不是老甘支书的对手，只能忍气吞声，夹尾巴做人。先明一当副厂长，村人就在背后笑话他，说先明是拍马屁不成，还让马狠狠地踢了一脚。话传到先明耳朵里，气得他一头恨不得撞在自家的柱子上。

这辰光，村长德贵便露脸，找先明说话。先明一见村长德贵，木木讷讷，有些慌兮，心里忖度德贵是来笑话他。可德贵很诚恳，为先明抱不平，说：“先明这厂长你当好，别人当就得塌台，老甘支书这人就是心胸窄，容不得人。”先明对德贵不放心，说：“当不当厂长，一个样。”德贵说：“我早就猜到，老甘支书先弄了我，再弄你。”先明睁大眼，问：“你咋猜到？”德贵嘿嘿笑，说：“死卵，你还看不出老甘支书武大郎开店，你先明比他能，到不好使时，就韭菜样割了。”先明听了，自言自语说：“我咋比老甘支书能？”德贵说：“你能算，能当厂长。老甘支书能当吗？”先明听了这话，怔怔地看着德贵。德贵见机又说：“其实，老甘支书霸着不但你我遭殃，连全村子都跟着当倒霉蛋。”先明眼球弹着看德贵。德贵继续说：“为了全村人的利益，得搞掉老甘这狗东西。”听着，先明吓得忽地从凳子上弹起来，说：“你胆敢！”德贵说：“咋不敢？”一副不在乎样。先明沉思了一阵，说：“这种缺德事我不干。”德贵说：“难怪你捏巴捏巴让人捏着干。”先明说：“你当村长不也是让老甘捏巴捏巴？”德贵脸一黑，说：“现在他哪敢把我捏巴？我倒要捏巴他。”先明说：“你咋个捏法？”德贵想开口，先明立马探出头往门外看了眼，见没人，才放心地说：“你说。”于是，德贵便把捏巴老甘支书的事端了出来。先明听完了，说："敢这样捏巴？"德贵说："一不做，二不休。"先明支支吾吾地说："这和林彪、'四人帮'做法一个样。"德贵反对说："这是为全村的利益着想，豁出去了。"先明说："我得想想。"德贵说："这事只你知道，想通了回个话。想不通就吞在肚里了。"德贵去了。先明躺上床，翻来覆去，踢了一夜的被，脑子里一出现老甘支书的脸，那念头就消失得无影无踪。

第二日，先明没提夜里的事，拎着两只老母鸡，去叫婆娘水凤回家。水凤的娘家离村只有三四里山路，先明翻过几个岙岗，到了一片有些开阔的盆地，就是丈母娘的村。先明心想水凤的气该消了，便抱着老母鸡放胆走进丈母娘的家。不料，水凤的娘劈头盖脸把先明骂了一顿，说："先明你吃里爬外，婆娘让人欺侮得吃了鞋了，还不出来打。"骂着，丈母娘还觉得不服气，提起先明拎来的两只鸡，说："我没福气吃。"顺手摔出了门外。两只老母鸡惊慌得咯咯窜去。先明的两个舅子，见母亲这般说，也动了手，要给先明吃拳头。先明一看阵势不妙，转身就逃，逃得慌了些，没魂没魄的，把只鞋也弄丢在丈母的村子里，一口气逃到村外，一摸脚才知道。

先明灰头灰脸地走在回家的路上，一直没露脸的婆娘水凤却追来，丢给他一句话："你不当那厂长，不让老甘支书当狗使，我才会回家。"说完，水凤扭扭屁股又去了。回村的路上，先明念叨着婆娘的话，不觉到了村祠堂的算盘厂，见老甘支书狗样蹲在门口的石阶上，先明走过去，老甘支书看也不看地问："你咋不到厂里？"先明一听这话，火上加油，说："这厂我不蹲了。"老甘支书露出眼珠子，有些惊奇说："你说不蹲就不蹲，这厂是锣鼓，任你乱敲？"先明说："我不蹲就不蹲。"老甘支书从石阶上蹿起来，手指指着先明说："你心黑，良心挂背脊，你娘个先明。"先明见老甘支书发怒，眼也不敢看，麻麻木木地转身就把个背影留给老甘支书看。老甘支书看着先明的背影，脸上露出一丝不经意的笑，心里说："你还嫩呢！"

这一刻，先明终于定下了心，和村长德贵合手，弄掉老甘支书。先明眼巴巴候着天黑，便钻到村长德贵家，送给德贵一句话："明日就进县城。"

第二日，先明为了不显眼，就起早上路，到乡里搭了辆中巴车到县城，找在县林业派出所工作的表哥去了。这都是他和村长德贵事先策划好的。

县城的街道变宽了，楼层也笋样越长越高，街道上满眼是花花绿绿的人，景色煞是好看。可先明没心思看，下了车直接去找县林业派出所。先明找到地点，探头进去，一看一堆人围着在打扑克儿，有几个脸上挂满了纸条儿，像是做道场的道士。先明见人忙着，想让他们牌打得放手了再去问表哥。过了一会儿，打完一副牌，却又是贴纸条、洗牌、打牌总是不歇手。先明看等不了打牌歇手的时候。就放胆上前去，先明刚想开口问，正在打着牌的表哥却认出了先明，便牌一摊，说："我表弟来了，不打了。"说着，表哥的牌又让另一个干警捡起来，继续革命下去。表哥边把脸上的纸撕了边走出门外，先明一看表哥脸上的纸条贴得最多。先明说："表哥你这纸条贴起来，我咋认得出来。"表哥说："今日摸的全是臭牌，全靠你来找，否则挂得还要多。”到了门外，表哥用手擦着脸上的糨糊垢，边问：“你找我有事？”先明神秘地把表哥拉到一个僻静处，便按照和村长德贵事先商量好的话反映给表哥，说是村里借口开放搞活，办算盘厂用了上千方木头，没有一方木头计划，严重违反森林法。眼下还想扩大规模，破坏还要更加严重。表哥听了，说：“你说的是真的？”先明说：“有半句假话，天打雷劈。”表哥说：“案件有典型意义。所里正想抓这样的典型，刹刹破坏山林风。”先明又有些不放心地问：“你们真的来处理？”表哥说：“对这种案件上头重视得很。你知道不？西方国家老攻击中国不重视生态环境，你村里破坏山林就是破坏生态环境，让老外知道捅出去，村里的头头非杀头不可。”先明一听要杀头，有些慌张地说：“你们查查把算盘厂关了算了，杀头就免了。”表哥说：“等查了再定性。”先明见达到目的，便说要走了，表哥客气地留他吃饭，先明借口田里活忙要赶回去。可他没走出几步，又回转头找表哥，表哥正在弄里撒了泡尿拉了裤裆出来。先明交代表哥，“你到村里，不要当我是你的表弟。否则村人要给你表弟戳脊梁骨。”表哥一脸的笑，说：“我这老查案了，这点还没数，你放心去。”

九

那日，先明回到村里和村长德贵暗地里又碰了回头，说：“这下有戏了！”村长德贵说：“看他老甘兔子尾巴有多长。”他俩乐乐地在德贵家喝了一夜的酒。

可十天半月过去，没点动静，村长德贵耐不住催先明再去趟县城，说是时下办案也要送东西。先明不高兴地说：“表兄弟不讲这东西。”德贵说：“现在是认钱不认人了。”先明说：“他敢这样我不认这表哥，当他死了。”

再过了十多天，果然，先明的表哥领着四五个穿警服的，开着辆警车“呜呜”地到天头岗村。他们到村后，没找老甘支书，而是分几伙到厂里、户里调查取证，网撒得很大样。先明一听村人说有公安来村里，心中很有数地上山砍柴火去了，一副事不关己样。

林业派出所的干警调查取证了半日多，在算盘厂的祠堂里碰了面后，便叫孙老板去把老甘支书叫来。这日，林业派出所进村后，老甘支书就生了回很大的气。往日，县上、乡上来的干部到村，都是找老甘支书，而派出所来村后不打个招呼，就擅自大动干戈，太不把老甘放在眼里。老甘支书心里想：“我屁也不理睬。”因而，派出所几个干警到村后连中午饭也没人敢出面招待，只好自己掏腰包，在小商店买了些饼干之类当中餐吃。孙老板来叫老甘支书，老甘支书生气地躺在床上，说：“你说我病了。”孙老板说：“不见面恐怕不好。”老甘支书说：“日他娘的，他们敢动我一根毫毛。”无奈孙老板回到祠堂里只好回话，说：“甘支书病了起不来。”几个干警一听，中午饭不招待吃饼干不说，到这时还不露面，很有些义愤填膺，不管三七二十一，让老甘吃铐子。倒是先明的表哥冷静些，说："先不要打草惊蛇，到时再来收拾。"孙老板看了这阵势，要留他们吃了再走，几个干警说："气都吃饱了，还吃？"呜呜地开着警车走了。

孙老板丢了魂儿似的到老甘支书家，慌得半日才说清话，老甘支书听了，说："慌个屁！"接着又说："我到乡里走一趟。"

去乡里的路上，老甘支书一路盘算着如何对付这件事，可直到乡政府还没理出个头绪来。只好先找张乡长。可一问，才知张乡长已到县上停职交代去了，说是他挪用公款到县上购买商品房，为个人"筑窝"，让人告倒了。吴干部提起来当代乡长，主持乡里工作。一听这事，老甘支书的心就放宽了，吴干部老相熟了好说话。张乡长毕竟隔层皮。老甘支书满乡找吴干部，问了四个乡干部，才弄清吴干部吴代乡长陪县上计划生育检查组到村里去了。无奈老甘支书只好干等，等着没事，就蹲在乡政府的院子里看蚂蚁牵龙，直看得蚂蚁都散伙到洞里去，吴干部才从村里回来。吴干部一见老甘支书，说："我正想找你，算盘厂办得怎样了？"老甘支书便把林业派出所来查木头的事说了一遍。吴干部听完，说："咋乡里一点都不知道。"老甘支书说："这帮贼一进村，就去调查什么。"吴干部说："那他查好了。"老甘支书说："他们还要来收拾我。"吴干部一听，问题有些严重起来，说："老甘你先回村里去，过几日我到县上摸一下情况再说。"老甘支书说："他们这是冲着你我来的。"吴干部心里咯噔了一下，弄不好真的要把自己扯进去，便说："发展工业没罪，你放心好了。"老甘支书本还想说什么，这时文书来叫吴干部吃饭，吴干部说："老甘你先回村，过几日我到村里来看看。"老甘支书听吴干部在打发他走，只好饿着咕咕叫的肚皮回到村里来，心里直骂："吴干部一当乡长也就变了，连顿饭也不肯留吃。"其实，吴干部这时根本没心思想到留老甘支书吃饭，他的心已被算盘厂的事扯了去。他心里明白，这厂是他一手操弄起来的，用木头计划没批过是事实，认真起来也要拔出萝卜带出泥，也要把他和稀泥，弄不好这代乡长的位置屁股未坐暖，就要像张乡长那样去停职交代去了。想到这一层，吴干部的心思就用到如何把自己从办算盘厂的事里脱出来，哪里还有心思留老甘吃饭。

老甘支书一边骂着吴干部不是人，一边走回村，不想在半路上和乡信用社白主任打了个照面。白主任脸上挤出了尴尴尬尬的笑，像避瘟疫似的就岔开了。老甘支书本想和他说几句话都说不上。老甘支书心里想："莫非今日的人，都神经病了。"

可老甘支书一回到村里的祠堂门前，就被那场面惊住了。只见祠堂大门已贴着两张白封条（老甘支书一看就明白是白主任封的条），祠堂门口黑压压挤满了村民，领头的烂棍叫嚷着要砸祠堂门，要把厂里的东西分了。村民被烂棍鼓动起来，拿着厂里收木头的白条，要孙老板兑现。那阵势孙老板都要被村民争吃了。老甘支书回过神来，走上去，喝了一声，说："厂谁敢抢？"人群静了一下，烂棍看了几眼老甘支书，说："给村干部吃冤枉，不如大家吃一口。"老甘支书说："烂棍你逞能啊？"烂棍头一摇，说："我今日就逞给你看。"说完，跳过去抓起块石头，"咣当"把祠堂大门砸了。这一砸，村民便哄地拥了进去，祠堂门外只孤零零地站着霜打了茄子似的老甘支书和孙老板。

没一会儿，一些村民便把木头、算盘、算盘珠一捆、一篓地抢了回去。可迟些进去的村民什么都没捞到，很不心甘，烂棍教唆说："把机器拆了打小铁。"这一点拨，村民便"叮叮当当"开始砸机器，孙老板一看，机器是他的命根子啊！他冲上去死命抱住机器，嘴里嚷着："你们要砸砸我。"烂棍跳上来，一把拖开孙老板，说："都是你这个婊子儿，害得我女儿身败名裂。"骂着，烂棍不解恨，就给狗样躺在地上的孙老板狠狠地吃了几脚，直到孙老板的脸抽搐得发不出声才歇了手。

这时，先明的婆娘水凤也来拆了一些机器去，当着老甘支书的面，还狠狠地"呸"了几口痰水。虾样弓在祠堂门口的老甘支书，连看一眼先明婆娘的力气都没有了。老甘支书像只斗败的公鸡，可怜巴巴的，有些让人寒心。

这日夜，孙老板带着一身伤，说是去治伤就再也没到村子里来。

村办算盘厂，这般作弄了一场，最后被村民瓜分一光。村里也就什么事都没发生过似的，反倒平静了。只是老甘支书自此也就失去了往日的威严，日渐苍老了。不久，乡里来了个文件，把老甘支书的支书免了去，乡里派了干部当支书。老甘自己倒没啥想不通，只是婆娘骂了几天街。

又是到了村里树儿的枝枝丫丫挂冰棍的时候，吴干部（这时已正式当上乡长）领着几个外地老板来到天头岗村办厂。这次还是办算盘厂，但换了个方法——实行租赁经营。用村人的话说："就是清水包。村里一年干拿几万元。"村里干部和村民说："这方法好。"村里又开始办厂。

这次，吴干部私下里去看了老甘，透给老甘一个秘密，说本来按县林业派出所的意思是要抓他去坐牢，后来是吴干部去疏通，村办厂都让人抢光了，还抓人去坐牢，太讲不过去。这样，县林业派出所也就歇手了。最后，吴干部拍着老甘的肩膀说："你老甘是因祸得福啰。"老甘不服气，说："你当乡长才是福。"

（选自《清明》1995 年第 6 期）

韦晓光

1961 年出生，浙江丽水人。1976 年初中毕业后，先后在工厂、文化馆、越剧团、报道组工作，1985 年考入杭州大学法律系攻读法律专业，1987 年毕业后任过宣传干部，镇、乡党委副书记，办公室主任，丽水地区文联副主席。主要作品《摘贫帽》《村办厂》《事犹未了》《告村长》《乡长老田》等。

李老倌的圣诞节

范　稳

一

离庆祝那个遥远而古老的耶稣诞生的节日还有半个多月的时候，李老倌辉煌地离开了自己的家乡燕子洞村。说辉煌那是一点也没有夸张，李老倌走的那天，燕子洞村的上级部门安溪办事处的刘主任，安溪办事处的上级部门交王乡的程副乡长，都专程前来为李老倌送行。程副乡长还叫了一辆手扶式拖拉机，从安溪将李老倌"专机"接出来，安溪办事处到交王乡只有一条乡间毛路，非手扶式这一类的车辆莫能走（当然，燕子洞村到安溪没有车可走的路，这就只得烦李老倌翻两座大山，走四个小时的山路了。不过这段路有燕子洞村新任村长、李老倌的远房侄子李石明陪同）。手扶式拖拉机在乡间凹凸不平的羊肠小道上突突突地上下跳跃、左右摇摆，李老倌、刘主任、程副乡长一行像乘坐在惊涛骇浪中的一叶扁舟之上，但几个人无所顾忌地谈笑风生、互相传烟（当然是副乡长、主任、村长给李老倌递烟喽），还不时地同路上步行到交王镇赶街的乡党打招呼。深山里少新闻，乡党们早在前几日就知道乡上的干部要派车来接李老倌出山，说是到省城去找他的儿子要钱，给乡里修路，为燕子洞村修蓄水池。李老倌的儿子如今不得了，人家当教授了呢。走路去赶街的乡党们看见李老倌坐在乡长的"专机"上，抽着乡长传给的带把儿的烟，威风八面。今年杀年猪，头一个怕是要请人家李老倌，乡党们纷纷说。去年联合国卫生组织那个叫什么布朗的大胡子来做考察，也是程副乡长叫手扶式送进接出的，你看人家李老倌，跟外国人一样受领导重视了，经常看点报纸啥的、懂得点官方用语的人又说。

在交王镇街上，程副乡长在馆子里设宴请李老倌吃狗肉，喝苞谷酒。李老倌除了语无伦次地"乡长……乡长请……"之类声情并茂的话外再找不到话可说。来陪吃的人很多，都是李老倌平常听说过的大人物，你比方乡党委赵书记，乡武装部张部长，乡派出所高所长，乡科委王主任，还有乡里的……长，李老倌后来对他的见过大世面的两个儿子说，一大桌人，都是乡里不得了的领导，人家抬举我，说是来为我送行,我李老倌前世的福修得好喔,燕子洞村哪个有我这福分啊。那场面,我回去要款三天三夜的——在省城喝过几桶墨水、从来不把官放在眼里的两个儿子对此的反应是鼻子哼了一声。

那场狗肉宴吃了足三个小时,以至误了到县上去的班车,醉醺醺的程副乡长大手一挥,没关系喽,李老倌,你……你就在乡里多住一天喽。李老倌就平生第一次住进了乡政府招待所,雪白的床单,雪白的被盖,有电灯,还有一台黑白电视机,当然还有自来水。就像你们家的一样,一拧上面那个把把水就哗哗淌。联合国那个洋人来也是住那里哟,真是叫人受不起啊。李老倌后来又对儿子们说起这些激动人心的事。那时他的二儿子正在赶做圣诞礼物,为古老的耶稣基督表达自己的祝福,好像鼻子也哼了一声。

二

燕子洞村目前有被誉为“中国第一奇村”之可能,一帮专家学者正在加紧对这个村庄进行研究、考察。联合国那个叫布朗的大胡子来过,北京和省里的几个专家也来过,挎着相机咔嚓乱按的记者们也来过,搞得燕子洞村从未有过的热闹。原来他们居住了近两百多年的家园、他们的村庄居然让山外少见多怪的人那么感兴趣。因为他们住在一个大山洞里,一个村庄,五六十户人家,两百多号人,全部以洞为家,全村的房屋只有墙没有瓦,洞顶就是天然的一块“大瓦”。历史的时钟已走到20世纪90年代了,竟还有人住在洞里。专家们把他们称作“现代穴居人”,说他们具有重要的人文历史方面的研究价值,以后路修通了还可以开发成旅游点,供外人来参观考察,也可为贫瘠的山区赚点钱。这么大的事,多年来当地政府的官员们居然给忽略了。

两百多年前,也就是清乾隆年间,李家的先人因躲避战乱和人祸,从江西临江府几经辗转,历时几代人的流亡和迁徙,才找到这个偏僻的山洞定居下来,一住就是二百多年,从来就不觉得有啥稀罕和不方便的,从来也不想独树一帜,以引起外人的瞩目或好奇。那些带着一大堆好奇和疑惑的专家学者们,翻山越岭来到燕子洞村,手里拿着拟定的提问提纲,问一些让燕子洞村人感到五岁娃儿都能回答的问题。诸如:你们知道中华人民共和国是什么时候成立的吗?知道“文化大革命”吗?你知道我们现在的总书记是谁吗?知道四项基本原则吗?你们知道外面的楼房有多高吗?燕子洞村人笑答,政府同志,你莫说那么多啦,我们燕子洞村还不是跟你们的村庄一样的嘛。李老倌家有两个大学生,都在省城喔。我外甥还在部队上当副连长,肩膀上扛两颗金豆豆喔。莫说那些,我们都认得,你说楼房,楼房有我这洞好?冬暖夏凉,又不受日晒雨淋的。解放哪个又不认得,我们李家还出了个游击队长，只不过命不好，都解放了还给土匪打死了。莫说四项基本原则了，帝国主义想来和平演变我们燕子洞村，我们都认得。你这个政府同志怕是平常学习得不好，我看你好多事都没有我认得呢！

实际上这群所谓的“现代穴居人”并非那些专家学者所想象的那么封闭、保守、不知世事。早在解放初燕子洞就作为政府的一个行政村，样样事也不落后于别的村寨。土改时划成分，燕子洞里也划出了十几个地主和富农；接下来合作社、人民公社，燕子洞村也没落下，作为安溪人民公社的一个生产队和大家一样搞生产，干社会主义；大炼钢铁那阵子燕子洞村可红火了一时，人们发现洞里有大量的硝土，铲下来加以焙炼可以造炸药，那年月洞里洞外炉火熊熊，热闹非凡。洞壁和顶上倒悬的钟乳石被烟火熏得黢黑。硝土倒是炼了许多，锦旗也挣回不少，但洞四周方圆十几里的树木几乎给砍得精光，炼硝要火啊，火总得用柴烧啊。

多年以后燕子洞人尝到了砍伐森林之苦。本来燕子洞村一带就属于石灰岩地貌，石头多泥土少，再把山上的树一砍，雨水一来，泥沙俱下，雨水一过，就只剩下光秃秃的石头，寸草不长了。没有树保不住土，也蓄不住水，多年来燕子洞村人吃够了缺水之苦，洞里原来有几口泉水，但随着人口逐年增多，也干枯了。人们在洞外挖井蓄天上的雨水。雨季来了，雨水汇集到井里，一寸一寸地往上涨，村人的心就一分一分地涨着喜悦和希望；雨季一过，旱季来临，井里的水不再生长，就像地里的庄稼已经成熟，井水随着人、畜、地的使用逐日递减，直至彻底干枯。燕子洞村一带的人把这种取水方式叫作“栽水”。尽管这不是一个规范的汉语词汇，但它确实非常贴切，这里的水不是地下渗出来的，也不是引来的，它是人们挖地凿坑，像种庄稼、栽树木一样，“栽”出来的。当然，“栽”出来的水也很有限，根本不可能维持村人一年之用，燕子洞村人每年都要断水三两个月，遇上干旱年份，断水期就更长了。断水时燕子洞村人就得翻山越岭去找邻近村寨的人借水，借一挑水少则也要走半天的山路，挑水的人自己得带上干粮水壶。有的人家为了在向人借水时不至于过分难堪，就把自家的姑娘嫁出去了，儿子送上门做上门女婿了。

乡里早就想解决燕子洞村人的用水问题，联合国那个大胡子来考察过后这个事显得日益迫切起来，再穷也不能让外国人看我们的可怜不是，再怎么勒紧裤带也得把燕子洞村的用水问题解决了。但是乡里这两年哪里有钱，和两个浙江人办一个伞厂，自己砸进去十几万不说，还被这狗日的浙江人骗走了几万，如今这伞厂不开工还好，越开工越赔，浙江人也早他妈的不见了踪影。乡里找技师来看过了，要在燕子洞村外修一个蓄水量为一千立方米的大蓄水池，彻底解决燕子洞村常年的缺水之患，大概要花五六万块钱，当然村人自己出的劳工钱不算，算是尽义务。乡上说这叫前人栽水，后人享福。但是水泥、炸药、请来指导的技师等总得要钱吧。五六万看起来不算个大数目，可这几个月乡政府里从乡长书记到下面的一般干部，都没有发过工资了，更别说乡里的那些老师、医生、护林员等吃国家俸禄的人等。狗日的挨千刀塞炮眼的浙江人！有本事骗那些有钱的广东人去呀，乡党们时常替政府的干部们骂。

就是骂得卵子翻天，你也骂不出一分钱来。乡里叫燕子洞村自己想办法，想来想去，李老倌给村长讲有回儿子来信说，他教的学生中有一个是县农行行长的儿子，县农行行长到省城时还来拜访过他，能否通过这个关系让县农行贷点款？村长和几个老人一合计，觉得这个办法好。看看我们燕子洞村，哪家的香案上不是供着“天地君亲师”？先生让学生回去给家长下指示，家长哪有不听一言半句之理？一个县银行的行长，大笔一挥，五六万块钱不就解决了！

事情报到乡里，乡里的干部们更高瞻远瞩，说既然要钱就不妨口张得更大一点，不要光看到你们村要修水池，你们村的公路呢？外国人都来看过了，省上、北京的专家记者也来过了，人家见的世面那么大，啥旅游名胜没见过，都还说你们那儿可以开发成旅游点，没有路，哪个吃多了跑来你这石旮旯地旅游？还有乡上的工厂呢？再投一些钱也就转产搞别的啦。去给你儿子说，要五六十万、一两百万也成，钱多不咬手。

事情就这么越造越大，李老倌一下红遍乡里，成了县农行行长儿子的先生他爹老倌。这样特殊的身份使他义无反顾地挑起了救民于为难之时的重任，风光红火地在乡政府各级领导班子的送行下，别了故乡的穷山恶水，踏上去省城找儿子、找钱的光辉旅程。随李老倌一同赴省城的有他长年不离身的水烟筒，一只老火腿，一麻袋花生、板栗、核桃、松子等山货。

一路上李老倌想遍了见到儿子后的若干种可能性。长年与恶劣的生存环境抗争使他从来就不是傻呵呵的乐天派，人生一命，生来是贱种，石旮旯地里刨食吃，老天爷嘴角边讨水喝，从来就没有天上掉下的苞谷饭，路边拾到的狗头金。事情要是真如程副乡长说的那么顺利，那就回来再吃乡干部们的狗肉，喝他们的苞谷酒；要是走了一趟一分钱也没给乡里找到，回后杀年猪时就全村第一个杀，遍请村中所有能走动的人，吃、喝，一根骨头也不留。当着全村人的面谢罪，说我李老倌白养了一个儿子，今后没儿子了，大家也莫再说李老倌家有多风光了。

但带着全乡人民殷切重托的李老倌万没有想到，他进省城赶上了一个与他、与石旮旯地的几万乡民八竿子打不着的圣诞节。这个耶稣基督诞生的节日，让他领略了儿子们和他们的学生、朋友们带给他的另一番人间风光。

三

周五下午，照例的政治学习时间，九一级三班班主任李银和正在组织学生们学文件，他在讲台上念得嗓子有些发哑，胃也有点隐痛，背脊处有点潮，出虚汗了。本来他可以找一个班干部来念，但他又怕被点来念文件的学生不高兴。他知道他们都比自己忙。要过圣诞节了么，校园里早就笼罩在一股节日气氛中。此刻不用他抬头扫视下面，课堂里肯定不下十个学生在赶做他们的圣诞礼物。他们也都比自己更有主动权。如果下学期李银和要想在他的弟子们中开一门选修课的话，还得由他们说了算。要是没有二十个以上的学生选他的课，系里就会让李银和继续干他的班主任。那么，李老师每节课五元的讲课补助就和他拜拜了。

窗外刮着呼呼的寒风，一股不知从何而来的寒流前几日就侵袭了这座城市，学生们早就在欢呼，要下雪了，圣诞老爷爷要带着他的礼物来啦！

系里的一个教工带着一股寒气推门进来，走到李银和身边，贴着他的耳朵说：

“李老师，有个老头儿找你。说是你父亲。”

李银和一怔。我爹？从天上掉下来的？尽管他很快镇静下来，但背脊处更潮湿了。他喊了个班干部上来代他读“文选”，随教工出了教室。

李银和看见一老倌怀抱个烟筒蹲在教室外的墙根下，正呼噜噜地吸得欢。他旁边有两只大麻袋，一只油腻腻一只脏兮兮。李银和把他端详半天，才说：“爸爸，你来了。”

李老倌抬起头，也把儿子端详半天，说：“你是叫我？”

李银和眼睛往教工那里斜了一下，说：“何时到的，爸爸？”

李老倌道：“狗鸡巴日的，你这儿好难找。”

李银和在他父亲的脏话还没有收口时脸就红了。那教工看出了李老师的难堪，忙说：“李老师，我先走。快带你父亲去宿舍吧，外面冷。”

寒风仍在刮着，父亲仍蹲在地上。不时有学生从这里走过，好奇地看着李老师和一个缩成一团的老头儿对峙。李银和看到父亲外面的蓝中山装已套不住自己多年前穿的那件破棉袄，那棉袄探头探脑、不知羞耻地往外挤，好似要看看它从前的主人现在就职的这所高等学府。李银和心里有些泛酸，就说：“你起来吧，我们走。”

李老倌面有不悦地说：“你喊我我才起来。狗日的。”

李银和急得快掉出眼泪了：“我不是叫过你了吗？”

李老倌说：“要喊我爹，才算数。”

李银和发现教室窗台上已有学生在张望，心里直发虚。他咬咬牙，才喊道：

“是啦是啦。爹，我们走嘛。别挡在这儿影响学生们上课。”

这句话吓住了李老倌，他站起身来，很响亮地拍拍屁股上的灰，说道：

“这还差不多，你狗日的在城里尽学些啥？老子从来都是听儿子叫爹。”

李银和伸手去拿地上的那只麻袋，这之前他权衡了一下，还是拿那只脏兮兮的好一些。但他一提麻袋，哟，很重很重。

李老倌说：“你莫弄脏了手。做先生的，在学堂里扛只麻袋，不好看的。”

李银和没有坚持，看着六十七岁的父亲把两只不知有多重的麻袋用一根麻绳系在一起，一弯腰，就一前一后地上了肩。李银和紧张地向四周张望，那感觉就像他们父子俩刚拿走两麻袋不属于他们的东西。

“爹，几时到的?”

“天刚亮那阵。”

“你……怎么才来?”

“难找么。狗日的城里人，问个路都不高兴，装着听不懂你的话。要是到我们燕子洞来，哪个不给问路的人一碗水喝，话投机了还给他喝酒呢。”

“下车后没坐公共汽车?”

“没。那么平坦的路，坐啥车。”

这时李银和想起家乡难走的山路，咬着牙看着同他们擦肩而过的学生们。

“斗娃子呢?”李老倌问。

“他住在……城西……”李银和一想到自己这个已成了诗人的兄弟，心里就烦。

“听说他把政府的工作辞了。”

“唔。”

“那他吃啥? 喝啥?”

“他……好像……在一家广告公司干。”

“你给我叫他来，老子要揍他。不知好歹的东西。”

他们路过一个宣传栏，两个学生已画好了一个圣诞老爷爷的画像，那个外国的笑容可掬的老头儿，雪白飘逸的胡子，红红的脸颊，戴一顶红帽子，穿着大红色的棉大衣，背上背一个大白布口袋，里面一定是带给这所校园里的学生们的圣诞礼物了。李银和不由得又看看父亲身上一前一后两只肮脏的大麻袋，内心深处深深地叹了口气。

(父亲不是圣诞老人，他脸色菜黄，下巴那儿只有一小撮山羊胡子；父亲没有大红色的具有异国情调的红棉袄红帽子；父亲的背上背的也不是圣诞礼物；父亲和圣诞老人唯一相似之处就是：他们都是从很遥远的地方来的老人，他们都带着赤诚的爱心，他们都想把这爱心献给他们所疼爱的人。)

“你这学堂好哇，清爽。那么多树，那些平地上要是种上苞谷就好，可惜只种些草。”李老倌好像不知道肩上两只麻袋的重量似的，兴致蛮好地指点着他儿子的校园。

“爹，你说话小声点，这是学校。”

“是喽，山里人，说话声音是大点儿。我认得的。”

四

李老倌从走进儿子的家中时就有许多崭新的发现。儿子带他来到一幢楼前，进了一个单元，儿子住一楼，李老倌见他刚要掏钥匙开门，一个年龄和他相仿的女子开门出来了，她对儿子笑笑，好奇地看着李老倌，说了声“回来了”就走了。李老倌开初还以为她是儿子的媳妇，再眨眼一细看，不是。儿媳白雅他还是见过一面的，那是在儿子刚结婚那年，儿子把新媳妇带回过燕子洞村。那回可把这个城里来的小姐苦够了，李老倌至今还为此感到不安。

进了屋，李银和叫他爹把两只口袋放进厨房里，来到客厅，李老倌就问：

“你媳妇呢？”

“还在上课。”白雅也在这所学校教书，只是和李银和不在一个系。

“刚才那女子是哪个？”

“和我们住一屋的曹老师。爹，左手边那间房是她的，以后你莫往那边看。右手边这间屋才是我们的。这客厅里的东西，哦，我得给你说说，喏，这收音机是她的，这两只沙发也是她的，还有这张桌子，这条凳子，这个小书柜，都是她的。以后你莫动这些东西；还有厨房，也是两家共用的，白色那个电饭煲是她的……”

李老倌给弄糊涂了，都说城里人关门就是一家，各是各的东西，老死不相往来，不像燕子洞村，进洞了就不分彼此。但村里的规矩却是讲得很分明的，表兄妹都不能住一屋。这城里人，男女间非亲非故的，怎么就进同一个门洞了，外人见了岂不笑话？

李老倌站在客厅中央，不晓得坐哪里才不坐到人家的凳子上，他问：

“你们……她……那个女老师，没有房子？”

李银和说：“有啊，这套房子就有她一半。我给你说过嘛，学校住房紧张，我们是两家合住。爹，你坐啊，坐这儿来，这是我们家的沙发。”

李老倌小心地坐下，心里老不是滋味，都说城里人生活得好，屁好！自己的家里，还搁着人家的东西，用啥都不方便，两口子吵嘴也怕人家听见。这邻居也挨得太近了点。李老倌走到门边把自己刚才搁下的烟筒拿来，蹲在沙发前，在烟嘴上埋上烟丝就抽起来。

李银和说：“爹，你怕是要少抽点烟。”

李老倌说：“做啥！你也来一口，我认得城里人抽带把儿的洋烟，不抽这个。”

李银和说：“我戒了，不抽。爹，以后在这间屋子里你不要抽烟。”

“为啥？”

“曹老师是女的，闻不得烟味，这屋子人家也有一半。”

"那我到你房里抽,可得?"

"这个……白雅……也……怕……这……"

"哼!老子抽一辈子烟了,哪个说过我?你妈都没管过。"

李银和也用不太高兴的口吻道:"爹,这是在城里,是在我家,也是在人家家里。"

不中用的东西!怕老婆的货色!李老倌差点就没有骂出来,但一想到毕竟不是在燕子洞村,自己的威风好像早随今天早晨刚一踏上这座城市的地皮,就已无踪无影了。狗日的破规矩蛮多的城里人!

"对喽,你看我昏头昏脑的,差点把大事忘了。"李老倌终于想起了此番到省城的重大历史使命。"我们县农行行长的儿子,你可还是他的先生?"

"还是,怎么啦?"

李老倌就拖三拉四地把燕子洞村的蓄水池啦,乡里那个没法开工的工厂啦,狗日的骗人的两个浙江人啦,程副乡长等干部请他吃狗肉喝苞谷酒啦,零零碎碎地讲了一通,最后还是儿子问:

"爹,你老人家究竟想说啥?"

李老倌小眼一瞪:"老子是说,程副乡长说,你去给那个行长的儿子打声招呼,让他给他爹打招呼,给我们贷点款。五六万,五六十万,一两百万,都不咬手。这是程副乡长说的。"

李银和微微叹口气,李老倌心里有些发凉,他起身到厨房提来那两个麻袋,说道:

"和娃子,莫以为我们山里人不醒事,我认得城里人办事兴送东西的。喏,这里面是火腿,这是花生核桃,你们兄弟各自留一些,剩下的都给行长的儿子,让他扛回去给他爹,求他发个善心。村里要有个蓄水池,你老爹也不用跑大老远的路去挑水了,明年要是还仿今年这种旱天,村里还要多死几个人!"

李银和看见他爹越说气越粗,气一粗就往客厅的地板上倒口袋里的东西,他忙拦住他道:

"爹,你干啥?莫把地弄脏了。我认得你的事就行了嘛,明天我就找黄明去说这事。"

但是一麻袋的花生板栗啥的还是哗啦啦地倒在了光洁照人的地板砖上。李老倌还喜滋滋地说:

"你看看,我今年刚晒出来的,新鲜啊,哪个看见不爱喔。你说的那个姓黄的,可就是行长的儿子?"

这时门开了,一个女人愣愣地站在门口,李银和也愣住了,慌忙往口袋里塞那些山里的特产,口里说:

"白雅,我爹来了。"

李老倌也站起身来，看着自己的儿媳，口张了张，竟没说出话来。他被儿媳冷冷的目光震住了。白雅只说了句：

“我知道了，学生们告诉我的。你，坐呀。”

李老倌仍不敢坐，白雅卸下肩上的挎包，又转身脱掉大衣，挂在衣架上，背对着他们，不冷不热但透着一股威风地说：

“快把屋子收拾出来，等会儿曹老师回来了。”

李银和忙说：“是啦。嘿嘿，我爹带了些山货给我们。刚才……我们在看呢。”

“做饭没？”白雅问。

“我这就做。”李银和道。又稀里哗啦地把地上的东西往口袋里塞。

“轻点！没见搞得到处是灰。”白雅又说。

李老倌这时就差没甩手走人了。但一想到儿子，想到程副乡长的重托，忍了又忍，一忍心里就一阵吃紧，轰轰隆隆一通乱咳，震得客厅里书柜上的玻璃都在晃动。最后从喉咙深处憋出一口恶痰来，重重地吐在了地上。

“请不要随地吐痰。”白雅说。

那痰里有一小半血块，谁也没有看见。李老倌在儿子一脸的不高兴中顺手拉过地上的麻袋，把它擦了。

五

刚在诗坛崭露头角的青年诗人西马打算在今年的圣诞节晚上搞一个化装舞会，这对他跻身诗人沙龙有着极其重要的意义。西马的诗目前颇受省城的诗坛旗手流矢的赏识，流矢在一篇文章中赞誉西马的组诗《洞穴》：“通过非凡的想象力，将史前生活与前卫精神有机地联系在一起，创造出了一个现代人文思想与原始自然力量相凝聚的想象中的世界，而这个世界正是我们当代人所不能体验却在艰辛寻找的家园。”流矢周围经常聚集一帮前卫诗人和艺术家，靠近流矢也就意味着已站在先锋的位置上。有个周末，西马随流矢一伙参加一位朋友的生日 PARTY，一位哥们儿问今年的圣诞节在哪里过，流矢环顾四周，对着西马说，怕是要西马出面来招呼一下了。你年轻，搞这样的事对你有好处。西马立即想到了圣诞节晚上受他邀请而来的名流雅士，想到了咖啡，美酒，轻快的舞曲，谈诗论道……这是流矢在众人面前对他的栽培。西马当时就勇敢地说，没问题。我给哥们儿来一个化装舞会，怎样？

随着圣诞节的日益临近，西马才感觉到了要在他目前的生存条件下办一个圣诞舞会是何其之难。

西马现在没有工作，有机会就去一家广告公司打打工，写点广告词搞点创意什么的，再就是为一些小报编编版、写点花边稿件之类的。这没有什么，西马心中有诗，生活中有一帮写诗的朋友就足够了。现实并非只对诗人不公，西马因其在诗坛的名声鹊起还交了一个女友。爱情对诗人来说，比对其他人更为重要。西马的女友苏小娟不幸也是一个诗人，只不过没有西马那么多的才气，因此跟着西马一起归顺于流矢的旗下。但苏小娟有钱，有很好的职业，是地道的城市人，且她老爸还是个副厅长。尽管目前西马对于苏小娟的爱仅在他断炊时才特别地浓烈，但对恋爱的双方来说，也够了。作为一个思想意识超前的诗人，怎么能同街头巷尾的小市民们的爱情相提并论呢？

办舞会有两个难题让西马颇觉苦恼：钱和地方。流矢曾对他说，要是你在钱上有困难，咱们就成立一个工会，你来当主席收钱，参加者每人收五十。我们要搞就把它搞得高档一点。西马说，没事没事，我一手操办就是了，别搞得那么庸俗。流矢也不再多说。现在西马按流矢的标准一测算，要是有十个人来参加圣诞舞会，那就得花五百块，二十个人就得花一千块。西马感到钱真不是个东西。

在哪儿开这个圣诞舞会也让人烦恼。西马现在在郊区租一间农民的房子住，这里鱼龙混杂，住着大量游荡于这座城市边缘生活的人们，外地来做生意的，蹬三轮的，打工的，私奔的或来此租房媾和的，离婚了被老婆或丈夫赶出家门的，形迹可疑的男人们和心神不定的女人们，全是西马现在的邻居。显然，在这种地方开圣诞舞会是对诗人西马的莫大讽刺，是对圣诞节的亵渎。

这一阵西马没有心情写诗了，心思全用在找钱和找地方上了。后来女友苏小娟说钱我可以帮你出，地点我却爱莫能助了。万般无奈下西马想到苏小娟的老爸。就问她圣诞那天能否在她老爸的客厅里开舞会，那个客厅不是有三十多平方米吗？苏小娟说，你别提啦，我不是没想到过。我那死脑筋的老爸说圣诞节是资产阶级的玩意儿，我刚一提就给我吼回来了。咱们别去惹他老人家。

这天早上西马睡到十点钟也没有起来，眼望着天花板脑袋里神思飞驰。即将来临的辉煌圣诞节就像他的末日，越来越令他沮丧。圣诞节将给人们带来什么？它是我们的节日吗？去年的西马没有过圣诞节，那时他还在沙龙之外，没有人邀请他也没有人要他组织圣诞节，只听一些朋友说在哪儿哪儿过圣诞节怎么怎么好玩、风光。这么说来今年虽然圣诞节给他出了难题，但他西马毕竟还是没虚度岁月，他进步了，有人请他出面组织圣诞舞会了。只是代价是他妈大了一点。

这时他听见屋外有人在问房东：“李银斗是住在这里吗？”

房东说：“这儿没这个人。”

那人又说：“师傅，去年我来时，李银斗就是住那间屋子，他搬走了？”

房东说：“那屋里没有姓李的，只住了个姓……啥西的。”

屋里的西马一翻身跳下床来，喊道：“是谁找我西马？”

西马拉开门时，看到哥哥李银和带着一个农村的老倌站在门外，那老倌抢上前来，劈头就是一耳光，重重地打在西马睡眼惺忪的脸上，生疼生疼。

老倌吼道："你说你姓哪样？"

哥哥李银和说："老二，还不快喊爹。"

昨天晚上为了把自己的老爹安排在哪儿睡可难倒了李银和，李老倌自己也没有想到到了儿子的家了，竟还找不到一个睡处。两室一厅的居室，住着两家人，中间的客厅虽说是共用，但谁也不敢轻易侵蚀这个"公共"场所。曹老师家前两年请个保姆带孩子，曾向李银和提出让保姆在客厅里放一张小床，但白雅拿脸色给曹老师看，说一个女孩子家，睡在客厅，我们李老师晚上起夜到厕所不方便，等等。后来曹老师只好让保姆睡楼前的煤棚，自己每月多给保姆加十块钱，说是"住房补贴"。这事李银和始终觉得欠着曹老师一笔人情，因此，这回老爹来了，他是断乎不敢向曹老师家提出让父亲在客厅里睡几天的。

吃完晚饭，李银和还在为把老爹安排在哪儿发愁，李老倌却急着要去见黄明，说要把火腿给他扛去。李银和说你慌啥，等明天我先给他说了再去，哪儿有老师扛只火腿去见学生的。李老倌说，莫等了，你今晚跟他把事说了就是了，明天，我该回燕子洞了。李银和忙说，爹，你老人家好不容易来一趟，多待几天再走。李老倌没好气地说，我哪儿还敢多待，抬眼一看，全是阴天，出门人，要看天色喔。快给我把事办了，莫耽误我赶路。李银和说，那你不想见老二了？李老倌道，不见。你说给他，他不回学堂去好好当他的教书先生，我就没有他这个儿。李银和说，他怎么回去，工作都辞了。李老倌骂道，这个狗杂种，我叫你好好管教着他点儿，你这当哥哥的，是咋个管的嘛！李银和说，爹，你莫说了，我自己的事都没有管好呢。人家老二现在也不得了得很，爹，你的老二现在是个诗人了，有名气的人了。我还在晚报上看到过一篇表扬他的诗的文章呢。李老倌大为惊讶，你说啥？老二上省里的报纸了？可是真的？他做啥成绩得政府上报表扬？李银和说，写诗。李老倌又问，啥叫诗？李银和想了想说，就是我们山里人唱的山歌，城里人称作诗。李老倌一击掌，好嘛，这狗日的二娃子，能写山歌了，我带几支回去给燕子洞的女娃儿唱。李银和想再给老爹解释一下，但怕越解释越糊涂。说实话，连他自己也不清楚老二有多大个能耐，老二的诗他也看不懂呢。李老倌还在为老二的成就兴奋，说，那就多待几天。你明天去找行长的儿子也成，莫影响了人家念书，我认得你们都兴上夜学的。明天我就抽空去看看老二，让他唱给我听他的那些山歌。我还是要捶打着他点儿，要不他的尾巴又上天了。

父子俩在客厅里聊着闲话，李老倌不觉又把烟筒抱过来呼噜噜地吸起来，客厅里顿时烟雾腾腾，一股劣质烟草的辛辣味从客厅向旁边的两间屋子弥漫开来。曹老师那边"砰"地把门关了，在卧室里看电视的白雅也走出来，对李银和说："银和，还不快去给你爸找住的！"说完也转身进屋把门关了，也是"砰"的一声，其响声一点也不比曹家弱。

李老倌诧异地问："我……今晚，不能睡这儿？"

李银和说："爹……我们恐怕得到外面去找睡的地方。"

李老倌道："我睡这屋，不成？"

李银和说："不成。这屋是两家共用的，你睡这儿不方便。"

李老倌说："没啥不方便。我睡你这软凳子就成。"

李银和搓着手说："爹……你看，她们要是晚上上厕所的话，要过这客厅，你……"

李老倌仍坚持道："我不挡着她们的。你看，我睡那边上，可得？"

李银和只得说："爹，这是城里，不是你的燕子洞村，城里人讲究的……"

李老倌终于无话可说，嘴里咕噜了一句："狗日的城里……在燕子洞村，有客人来，主人睡灶门口，客人睡新被窝。"

本来李银和想让老爹住学校的招待所的，但在他进屋拿钱时白雅说，你知道学校的招待所多少钱一晚上吗？六十块。人家地上都铺地毯换彩电了，你怕是要把这月剩下的工资都带去了。李老倌在客厅里一听就不愿去住了，非要李银和找一个不花钱的住处。

后来李老倌还是睡在楼前的煤棚里，曹老师家的小保姆走后那张小床还在。李银和翻出自己上大学时盖的被子、被盖，不好意思地对爹说："薄了点。"

李老倌道："成啦。我能吸水烟就成。"

李银和环顾冷风飕飕刮进来的煤橱，想想自己一个男儿大丈夫的，老爹来了，竟不能为他老人家找一块安身之处，故乡燕子洞村那样的穷山恶水，也从没有听说过让客人睡柴棚之事，况且还是自己的爹！心里不由得一阵泛酸。

李老倌忽然看见了儿子眼里有泪光，就问："咋啦，和娃子？"

李银和忙掩饰道："没啥，煤灰……掉眼里了。爹，我再给你拿件大衣来吧。"

李老倌说："不用不用。你回吧。"李银和转身走时，李老倌又叫住了他，说："和娃子，我认得，你在城里，过得也不容易，莫为我操心啦。明天我们去找老二，住他那里。好在他还没有讨媳妇。"

六

西马从挨了李老倌那一个耳光时起，就找到了自己从前的真实身份：姓李名银斗，燕子洞村的山洞里长大。早已模糊的童年及少年生活像一场梦境的回味一般，若隐若现地在眼前盘旋。眼前站着生他养他的爹，站着曾与他朝夕相伴，一同打柴，一同放牛的哥。这就是现在的诗人西马不可抹杀的历史。父亲一个响亮的耳光就把这段差不多被遗忘的生活“啪”的一声打转来了。

李银斗捂着脸颊，嘴里喏喏地问：“爸爸，何时到的？”

李老倌又扬起了巴掌：“不会叫爹？你两兄弟在城里怕是学坏了！”

李银和忙拉住李老倌的胳膊，朝李银斗使眼色。李银斗连忙躲开，说道：

“吃炸药了？进门就开打，又不是拍电视。庸俗！”

李银和不断地劝他爹消气，又叫李银斗快招呼老爹坐，倒茶。父子仨这才安定下来。李老倌环顾儿子的房间，一张单人床，一个桌子一把椅，一个书架两个木箱，屋子一角一堆脏衣服，就是老二的全部家当了。刚从老大那个整洁讲究的家中来的李老倌感觉到兄弟俩一定生活在两个不同的天地里。老二的日子过得苦，李老倌想，心里又为刚才扇老二的那个耳光内疚。李老倌的思路还倏忽跑到了五十年代初：要是划成分，老大就是地主，老二顶多只能划个下中农。

“斗娃子，你坐嘛，老子又不吃你。”李老倌说，语调里不无做父亲的慈祥。

李银斗坐在床沿上，不敢拿眼看他老爹。尽管在外面人五人六，以青年诗人自居，但是在老爹面前，诗人的另一个身份，为人之子，还是抹杀不掉的。

后来父子仨就有一句没一句地聊起来，李老倌问的多，李银斗答的少。老倌最为关心的事不外是为啥要辞退政府的工作啦，吃饭咋个解决啦，这房子租金每月是多少啦，有没有想到娶媳妇啦，以后作何打算啦等等。李银斗回答时一般都用“没劲”、“没想过”、“随便”、“走着看”、“还好”，这样少少的几个字来搪塞他老爹。

李银斗辞去公职已有两年，辞职之前他在城郊的一所中学教书。在他看来，当老师和做诗人是相冲突的。老师是一根蜡烛，诗人是一把剑；教师机械地向一群懵懂的学生灌输陈旧的知识，诗人却无时不像上帝一样思考人类的过去现在未来。谁不愿意像上帝那样看我们眼前这个红尘乱世呢？尽管这要付出超乎寻常的代价。

李银斗在他老爹的穷追下已很不耐烦了，这就是生活中的庸俗。老爹的土气和哥哥的俗气只不过是一个层次的两个方面，他们都是没有得道的俗人，他们一点也不懂得什么叫神圣，什么叫崇高，他们也不懂得尊严和荣誉，更不懂得境界、品位以及高层次的追求。他们是和众多只知满足衣食住行老婆孩子热被窝的俗人一样，没有生活的情趣，也没有生活质量可言。别看哥哥有家室，端着个大学老师的架子，实际上也俗，他的生活中除了“媚俗”再不会有别的什么。有许多他这样的知识分子，说是接受的现代教育，口里喊叫的是现代意识现代精神，但他们没有自己，没有个性，没有灵魂，在家听父母的话，在外面听领导的话，他们从来不自己听自己的指挥。在他们的灵魂深处，他们和他们的父辈没有多少差别，奴性，小气，目光短浅，农民气或者市民气。看啦，现在他们带着中国社会中我们举目可见的污垢来啦，来到一个诗人的精神家园，来询问一个横空出世的诗人的生活，来可怜他，同情他，连从山洞里走出来的父亲都感觉出了他的寒酸。这没有什么，父亲，儿子其实过得比这座城市里的任何一个人都充实，比市长自由，比最有钱的老板富有。你不相信吗？你要是能读懂我的心灵，你就可以看到一个崭新的世界。而我的心灵，有谁读懂过呵！除非他是大师一级的人物。

“你受领导表扬的那张报纸呢，斗娃子？快找出来读给我听听。”李老倌打断了李银斗哲学家式的沉思。

“什么报纸？”李银斗问。

“就是那张晚报。我见到过的，好像是上个月的吧，那上面有表扬你的诗的文章。爹爹很高兴呢。”李银和说，同时不断地向李银斗使眼色。

李银斗无法不感到好笑，一群俗人不是。那叫表扬稿吗？诗人用得着谁来表扬吗？哥哥怎么也沦落到和爹爹一个档次了。他不屑地说：“噢，那报纸呢，我早把它揩屁股了。”

李老倌往地上重重一搁烟筒：“放屁！你个狗日的，你那屁眼就那么讲究！”

李银和见老爹又发火了，忙说：“二弟，爹爹是想看看你取得的成绩，你就拿出来给他老人家看看嘛。”

李银斗说：“我没啥成绩。你把你的成绩拿出来给老爹看不就得了，也够他高兴到回家啦。要款它三天三夜呢。”

李银和说：“哎呀，老二，你就莫说那么多啦。给他看看让他高兴一下不就得啦。他一个农民识得几个字，反正你那些东西连我都看不懂的。”

李银斗白他哥一眼，道：“明知看不懂还凑什么热闹，你以为是看西洋把戏呀？”

李老倌这下是真发火了，他对着两个儿子把从昨天开始就积压下来的火气都发泄出来了：

“狗日的些，欺负我老倌不长耳朵是不？我还没有老糊涂！告诉你哥俩，老子也有张脸皮的，进到你这狗吃了良心的城里来，儿媳给脸色看，儿子说风凉话，老子是农村人，咋啦？你狗日的些还不是吃苞谷饭长大的，莫忘了喔。老子是撞着鬼了，养出两个是城里人的儿子！你这城里没啥稀罕的，老子有脚，说走就走了，走！”

李银和忙拉住真起身要走的老爹：“爹，咋说着说着就发火呢？”

李老倌道：“咋不发火？一来到你这城里，老子就不像是个人！”

李银斗冷冷地说：“有这感觉可真好，我也感到自己在这城里住着不像个人呢。哥哥倒不会有这体验的。”

李老倌回身对他说：“斗娃子，你觉得活得不像个人，就跟我回燕子洞村去。村里地再紧，照样会分给你几分地，开春了就播种，秋天了就收割，没人饿死就有你吃的。你赖在这里做个啥？没人给你活儿做，没人给你房子住。你要想活得像个人，跟我回家就是了。”

李银斗心里震动了一下：“家……”

李老倌说："家好哩。金窝银窝不如自己的狗窝。斗娃子，莫在这儿租房子住了，跟我走。"

李银斗拿眼斜他爹一眼："回山洞？"

李老倌："那是喔。你还不是在山洞里长大的。"

李银斗哈哈大笑，对他哥哥说："哥，你听着，这就应了我那首名叫《洞穴》的诗了，'我们在洞里追寻阳光的春梦，你们在阳光中揣摩洞里的骸骨'。爹，我谢谢你老人家啦，我刚从洞里爬出来，好不容易才爬到这里，你难道还要我爬回去不成？"

李老倌愣了愣："斗娃子，你怕是搞错了。畜生才爬，我们是人，我们从来都是直起腰杆走路的人。"

李银斗看着他老爹，很久才说了一句："爹，从燕子洞村的山道上走到这城里，腰杆再直的人，都得弯下来。哥，你说我讲得对不？"

李银和没吱声。

李老倌说："放屁！"

七

李老倌后来还是住在了老二李银斗这里，老大李银和松了一口气，不然他真不知道该怎么回去向白雅交代了。昨晚把老爹安排在煤棚里睡，自己心中一刻也没有踏实过，一夜都能听见爹爹的咳嗽声，那声音穿越厚重的墙壁和道道木门，直捣李银和的耳鼓膜，声声打在他的良心上。有几次他都想翻身爬起来，对白雅说，我们还是让爸到客厅里来睡吧，就一晚上，外面实在太冷了点。但一想到白雅从看见老爹那时刻起，就没有给他一个笑脸，话到嘴边又憋回去了。

老二虽说同意让老爹住下来，但向李银和提出了一个条件：借他家的客厅开一个圣诞舞会。这是李银斗在听哥哥说嫂嫂不让老爹睡客厅后，灵机一动想到的辙。嗨，哥哥家不就有个客厅吗？李银和当时为难地对兄弟说，客厅又不是我们一家的，两家人共用的呢，你又不是不知道。李银斗说，没关系嘛，叫你的邻居一起来参加不就得了。我还给他们免费提供糕点酒水呢。大家热闹热闹，哪点不好？李银和说，我们学校也要开圣诞舞会的，叫你的朋友一起过来就行了。李银斗说，大学生们的玩耍没档次，知道我都请些什么人来吗？都是城里的名流！李银斗向哥哥报了一大堆名人的名字，这些人李银和有些还是有所耳闻的，二弟确实不简单。不过他还是说，待我回去跟白雅和曹老师商量商量再说吧。

兄弟俩在李老倌面前无所顾忌地讨论完圣诞节的安排，李老倌已抽完一锅烟了，这时他问：

"啥叫'生蛋'节？你们说母鸡下蛋也要过节？农历上可没有这个节喔。"

两兄弟都笑了，还是李银和说："爹，这是外国人过的节日。"

李老倌说："外国人过这节做啥？"

李银斗说："就相当于我们的过年。"

李老倌道："可杀年猪？"

两兄弟又哈哈大笑起来。李银和说："人家老外哪像你燕子洞村，一年才杀一回猪。爹，你别闹笑话了，跟你不相干的。"

李老倌好似被人瞧不起了，斗狠地说："那跟你们又有啥相干？"

李银斗说："别争了。爹，我们过这节是为了工作。"

李老倌不说了，儿子大了，有自己的工作，不好多说的。但他嘴里还是嘀咕了一句："不杀年猪，像啥过年喔。"

事情就这么定了。李老倌在老二这里住几天，等老大李银和向黄明说清了事情，讨得了回话再走。十二月二十五号这天李银斗把朋友们请到哥哥家来过圣诞节。

接下来就分头去做准备。李银和没料到把弟弟要在两家公用的客厅里开圣诞舞会的事给老婆和曹老师一说，都得到了热烈响应。白雅说现今城里有档次的人都在过圣诞节，没见那些个大商场、大酒店都要组织圣诞晚餐会，我们没那资本去看看，自己家过也不错了。曹老师早就想见见诗坛旗手流矢，如今有人把这位鼎鼎有名的诗人请到自己家中过圣诞节，等于说是她请来的一样，这在同事们中间是多风光的事。当下就答应了，还问一家要出多少钱凑份子。李银和说，我们两家都不用出了，我弟弟说他一人出，我们出地点就行了。于是皆大欢喜，心里只是默默地期盼圣诞节快些来临。

李银斗一离开老爹就立马恢复了诗人西马的身份，四处奔波邀请哥们儿姐们儿来参加他组织的圣诞晚会。这是一个时髦而有品位的人才过的节日呢，接到西马请柬和电话通知的无不爽快地一口答应，直到老道的流矢告诉西马，你要控制人数，不要搞得像赶庙会一样，到时我要带几个老外来的。西马乐得眼珠都要蹦出来了，有老外参加，天哪，这才叫真正的圣诞节呀。

儿子们都在忙着为圣诞节做准备，这两天李老倌很闲，袖着手到处转转，但也不敢走远。城里的街道像诸葛亮布下的迷魂阵，城里的汽车像要吃人的老虎。这是李老倌对儿子说的，儿子李银斗一边做着圣诞晚会上的化妆面具一边说：

"爹，你算是看穿城市的面目了。城市就是一个陷阱，里面装满了丑恶和杀机；城市也是一个妓女，远看还马马虎虎，走近了你就会看到她的雀斑、皱纹、梅毒和大疮。爹，我最欣赏你老人家的那句话：狗日的城里人。"

李老倌呼噜着烟筒："城里人也有好的。那天我出门找不着回来的路了，一个买菜的老太婆过了两条街把我送回来。"

李银斗不停手中的活计，说："我告诉过你，每转过一个街口，找一个记号，广告牌啦，一棵树什么的。当初我来城里念书，哥哥就是这样教我的。"

"找啦，那些牌牌都一个样，树也一个样，不好认哪。我想在那些拐弯的地方放块石头、树桩啥的吧，狗日的到处都光溜溜，毛都没有一根。"

李银斗哈哈大笑起来。这两天他和老爹挤一个被窝，同用一个烟筒，那种久远了的父子之情，不知不觉中又潜回他身躯里。再土再愚昧，父亲毕竟就是父亲。一个耳巴子扇走了陌生，找回的是割不断的血缘之亲。

"斗娃子，你做这些纸板板，做啥？"

"面具。喏，就这样男男女女跳舞时戴的。"

"难瞧死了，像鬼一样。好好一张脸，干吗要糟蹋成那种样子？"

"爹，城里人，不是每张脸都像我们山里人那样真诚，戴上这面具，大家都遮丑了。"

"倒也是。"李老倌附和儿子道。他觉着老二对城里人也很讨厌，好像对谁都有仇一般，而老大就不一样。下中农就是下中农，地主就是地主，日子过得不一样么，他心里想。但是他又弄不明白老二做啥要赖在城里不走，像斗娃子自己说的，弯着腰在这城里讨生活。斗娃子要是能回燕子洞村的小学做个教书先生，多好。

八

二十四号，圣诞前夜悄然来临，城里飘起细细的雪花，一些大商场在门脸儿上挂出了一串串五颜六色的彩灯，身着大红色衣服的圣诞老人在商场门口转悠，招来一群群好奇的小孩儿。要过圣诞节了，但下班骑车的人们也只能瞥一眼商场门口那个装模作样不甚地道的圣诞老人，该回家煮白菜的不会想到为这节日多添个什么荤菜。就像李老倌说的那样，又不杀年猪，像啥过年喔。

但西马一伙随时都在向上帝靠拢，有档次的人是把圣诞节看得来跟我们传统的春节一般重要的。流矢就宣告过：我最讨厌春节了，到处乌烟瘴气，乱×哄哄的，烹牛宰羊，就像吃了这顿就等着世界末日来临一样。今后我的日子里没有春节，只有圣诞节。

李银和和曹老师家的不足十二平方米的客厅早就被装饰一新。下午老二运来一棵圣诞树，花三百元买的。客厅的日光灯管被蒙上了粉红色的皱纹纸，客厅里一下就显得洋派和温馨。曹老师搬来她家的组合音响，柔美的舞曲在屋里回荡。诗人西马和他的女友以及一帮哥们儿姐们儿不断地往这里抱吃的进来，蛋糕、瓜子、啤酒、水果、面具、化妆品……像有人要结婚一样。邻居们评说道。

傍晚时分，各色人等陆续到来。人们互祝圣诞快乐，赠送圣诞礼物，李家和曹家从来没有这样喧哗热闹过。流矢果然带来了两个金发碧眼的老外，一男一女，男的叫狄克，女的有一个中国名字，赵淑梅。他们都是外语学院的外援老师，中国话说得还算可以，说是来看看中国的老百姓怎么过他们的圣诞节。但是今天来过圣诞节的都是中国人里的精英分子，他们中有诗人，作家，画家，记者，编辑，摇滚歌手，大学老师，下海的舞蹈演员，虔诚的文学青年，还有一个大学生黄明，他是主人李银和特地邀请来的，其目的是为了在城市西郊一间农民出租的房子里，一个正在吃着方便面的老倌的某件遥远而又紧迫的大事。黄明本来是要参加学生们的圣诞晚会的，但李老师对他说今晚来他家过圣诞节的有大诗人流矢，还有城里艺术界的一些名流，黄明就一下觉得自己的身份提高了好几个档次。要知道，黄明像许多他这个年龄的大学生一样，也在写着诗呢。

圣诞快乐！人们见人就说。显得狭窄的房间里充溢着这欢乐的祝福，有三个人就像享受朝拜一样被人们多次地祝福着。他们就是诗坛旗手流矢，老外狄克和赵淑梅，大家把他们拥在中间，围着他们的话题才敢说话。人们喝啤酒，品香槟，吃蛋糕，嗑瓜子儿。高谈阔论，说诗论道，煮酒论英雄。一般来说，流矢的所要谈的话题更恢宏，更精辟，更有理论依据和背景，它们可能引自尼采的语录，也可能有海德格尔在背后作支持。而人们稍一留心就会发现，流矢的话题不过是对两个老外提出的某些在中国人看来极为粗浅的问题作高屋建瓴的阐述。中国人提出的问题流矢是不屑一答的，比如曹老师问过流矢关于诗歌流派的问题，黄明也问过先锋诗人在当今诗坛的地位及影响问题，流矢不无傲慢地说，这个你们在课堂上和学生们讨论去吧，他们怎么说就是怎么回事。

西马不像一个圣诞晚会的主持人，倒像一个跑腿打杂的，在房间里转来转去为大家服务。他神色疲惫但两眼放光，面带喜悦殷勤的微笑，而真正的主人李银和、白雅及曹老师在人群中却不知所措，像看热闹的外人。他们不无痛心地看到一群不拘小节、无所顾忌的艺术家把他们一贯整洁讲究的家糟蹋得一塌糊涂。往地上吐一口痰，已算是轻微的不文明礼貌了。

后来流矢说："让我们上妆跳舞吧。"

西马随即抱一摞面具来，人们蜂拥而上，抢着自己喜好的面具。流矢推开西马递给他的面具，说："哪个要你这假面具？媚俗。"不知为什么今晚流矢看此次圣诞晚会的主持人西马极不顺眼，西马推测大概是流矢嫌他把晚会搞到这么小一个客厅里来开的缘故。几天以前西马对流矢撒了一个小小的谎，说他哥哥的客厅有多大多大，环境如何如何。今天看来哥哥的客厅有些让流矢失望了。

流矢叫一个随他一起来的女诗人打开她的坤包，拿出一大堆化妆品，自己跑到镜子前，把油彩一块块地往脸上抹，不一会儿工夫他就把自己涂成了一个大花脸，极像京剧中的人物脸谱。两个老外叫好，众人也跟着叫好。一时谁也不要西马精心制作了几天的面具了，都找油彩往脸上涂鸦。找不到油彩就找墨汁、找面粉。有的把自己画得半边黑半边白，有的人就把自己画成一个黑非洲，于是下一个就画个大红脸。大家伙儿怎么别致怎么夸张.就怎么来。反正要变着法子跟人不一样，才显出自己的出众、反叛、个性、独尊，以及最最关键，也最为流矢所极为标榜的一条——不媚俗！

就这么闹哄哄地折腾了近两个小时，大家才上好妆，互相一看，都乐了，开心极了。连白雅和曹老师这样在高墙深院里循规蹈矩的大学女老师也被众人带疯了，脸上涂得花里胡哨，像站在霓虹灯下守望的那种女人（这是她们的学生黄明的感觉）。

这才叫过节，这才叫狂欢。无拘无束痛饮啤酒和女人的芬芳，共享节日的欢乐和人内心深处的欲望本能。跳舞时你可以和舞伴挨得近些再近些，抱在一起也没有关系，没有人骂你流氓骚货；交谈时你可以大声骂爹操娘，一口一个“我操我操”，也没有人会说你不文明礼貌。这就是圣诞节，人们放松发疯、追求时尚的节日，一个有别于街头的小市民们过那种“乱×哄哄的春节”（流矢语）的体现着现代精神和现代文明的节日。狄克在人们近乎癫狂的情绪中觉着了某些走样，他端着啤酒杯对流矢说，想不到你们中国人是这样过圣诞节的，像一个愚人节。流矢说，中国人一年到头活得太压抑了，从来不敢按自己的意志行事，从来没有！内心里的孤独，邪恶，破坏欲，反叛意识，自我张扬，这些本能的元素，没有今天这个圣诞晚会，你在一个中国人身上轻易看得到吗？No，No！狄克先生，You are no seeing！狄克耸耸肩，不知是表示理解还是不理解。这时正和西马抱在一起跳舞的赵淑梅转过头来对着狄克喊：狄克，多好玩啊，瞧，他们多浪漫啊！

不错，圣诞节除了追求时尚外，它还是一个反叛自我和反叛世俗的节日。大家就是这样认为的。刚才那个摇滚歌手还提议：到十二点圣诞钟声敲响时，每个人都要和自己的舞伴吻在一起，不管她（他）是否是自己的配偶或恋人，谁吻的时间最长，谁就是今晚的舞后和舞皇。

九

这时有人很响亮地敲门，门边的某个人随手就把门打开了，他惊奇地看见门外站着个警察。

那警察问：“有个叫李银和的，是住在这里吗？”

全场寂静，像有个人在一盆欢腾的火焰上泼了一瓢冷水。大家都愣愣地看着那警察。

李银和站出来说：“是……是我……什么事？”

警察转身拉出他身后的一个缩着脖子的老头来，他的脸上有条条血痕，身上的棉袄也被撕破了几块，像是被人打了。

那警察说："这是你的爸爸吧？"

人们看清了浑身上下一塌糊涂的李老倌。此时他的出现，也太……那个了点儿。李银和走向前去，尽量压抑着自己的羞耻和愤怒。

"你……你你来干啥？"

李老倌一甩袖子，跨进门来，又挥袖揩了揩鼻涕，火气冲冲地说：

"来干啥，来找你两兄弟算账！斗娃子呢，叫他给老子站出来！"

诗人西马瞬间又恢复了李银斗的身份，他站到众人前，尽其所能地把老爹挡在大家的视线外。

"咋啦，爹？究竟咋啦？"

李老倌手指点到了李银斗的鼻尖："咋啦？我还要问你呢！你个狗日的一年不交房租，人家把我给赶出来了。大冷的天，要不……要不是碰到这位好心的公安带我……找你们……老子今晚要给冷死了……"

大家又愣愣地看着李银和李银斗两兄弟。那警察环顾这间热气蒸腾的屋子，再看看众人鬼一样的脸谱，不解地问：

"你们这是……"

有人答道："我们在过圣诞节。"

警察再把众人看一遍，说："李银和，人我交到你手里了。我走啦。"

李银和只答了一声："喔。"

警察又回头说："过节也不要忘了你老爸。"

屋外响起一阵摩托声。屋里的人全站在那儿，不知这圣诞节还过不过，还等不等午夜的圣诞钟声。

还是流矢打破了沉静，他说："西马，你还傻×个啥！叫你老爹过来坐嘛。喂，大家伙看哪，刚才你们还要找圣诞老人，圣诞老人不是来到了我们中间了吗？"

人们先是愣了一下，然后呼地欢呼起来，这是多么反传统的圣诞老人呀！毋庸置疑，谁也没有流矢的思想意识更超前、更先锋。一个红帽子红棉衣白胡须的圣诞老人在今天这个场合里出现，只能是一种媚俗的翻版（这跟那些大商场大酒店里装扮的圣诞老人有何区别？充其量也只能是大学生们才玩的品位和档次。而今天在场的，是最前卫的一群人，是最反叛的精英。他们要找的圣诞老人，只能是这个世俗社会所不能理解的、唯一的、最最风格独树的圣诞老人）。

只有诗人西马表示反对，他对流矢说："这个……恐怕有些不适合吧，我……我原来拟定的圣诞老人是由你来扮……"

流矢喝断他道："胡扯！你以为我流矢是那种爱出风头的人吗？"他上前拉住李老倌的胳膊："来，大爹，坐我这儿来，今晚你老人家为我们扮一回圣诞老人，我敢肯定这对你来说是一个全新的生命体验。吃块蛋糕吧，圣诞快乐！"

李老倌没想到自己一下成了众人的中心，一群脸画得像鬼样的青年男女把他围在中间，兴奋地向他喊“圣诞快乐”，把一块块蛋糕，一杯杯啤酒递给他。李老倌于应接不暇中也糊里糊涂地说：“生蛋……生蛋好……好……”大家更乐了，跺着脚地笑，喊，叫。“生蛋？哈哈哈哈……”

乐啊疯啊笑啊叫啊，搞得李老倌都暂时忘了几个小时前被房东赶出门的不快和愤怒。

天黑时李老倌正在就一杯茶啃着一包方便面，儿子走时说给他泡方便面的方法，但他或许是忘了或许是觉着这样吃更香。房东气势汹汹地来打门了，问他啥时搬走。李老倌说搬哪儿，我儿子就是住这儿的呀。房东说，还住个屁，你这儿子欠我一年房费了，早几天就跟他说了，再不交房费我就要赶人。老师傅你今晚快收拾东西给我搬走，这房已租出去了，明天人家就要搬进来住。房东欺负李老倌是个不省城里人事的农村人，说着就把李银斗房里的东西往外扔。李老倌说，你是土匪，是黄世仁。就和房东拉扯在一起，撕打在一起。后来看热闹的人找来了一个警察，警察问明了事由，才骑着摩托带李老倌来找在过圣诞节的儿子们。李银斗的家当还留在出租屋外的院坝里呢。当然诗人西马现在还没工夫来想这些令人心烦的事，哥哥李银和曾悄悄问他怎么办，他也只是白了他哥一眼，到时再说，着什么急，天还没有塌下来。

人们很快又投入到了欢乐当中，李老倌吃了几块蛋糕，喝了几杯酒，身子暖和了，气也顺了，感觉到这帮城里的年轻人待他真好，虽然他们打扮得像鬼一般。但人不可貌相，这点道理李老倌还是清楚的。这时李银和指着一个向他敬酒的年轻人说：

“爹，他就是黄明，黄行长的儿子。”

黄明说：“大爹，圣诞快乐！来来，喝杯酒，圣诞老爷爷。”

李老倌“啊哟”一声，把屋里的人都吓一跳。李老倌自己也险些从沙发上滑下来，口里说：“使不得使不得，我……我我……来来……”

众人先是不懂发生了何事，然后又乐。只有诗人西马、李老倌的儿子李银斗冷冷地看着他这帮欢乐的朋友们——从他老爹一进门，他脸上就再没有笑意了。

李老倌喝了黄明的一杯酒，搓着手，一时不知怎么称呼黄明，叫他的名字吧，好像又不太尊重黄行长，怕到头来有辱自己的使命，不知咋的就想起了戏中的称谓，一声“黄公子”就喊出去了。

屋里又一阵爆笑。

为了表达对“黄公子”的敬意，李老倌起身到厨房拎来了那只大麻袋，昏头昏脑地就将里面的山货往桌上一抛，花生啦板栗啦核桃啦，稀里哗啦满桌乱滚，人们立时又欢呼起来：

“看啦，圣诞老爷爷送礼物来啦！”

李老倌笑着说：“吃，吃吃。”人们就不客气了，顿时人人嘴里嗑得啪啪响，李老倌在人们眼里更觉得可爱了。流矢说：

“圣诞老爷爷，你让我想起我插队时的房东。大爹，我也当过农民。”

李老倌顿时就感到亲热，对他笑着说：“好好。当农民好呢。我一看你这身坯就是个种庄稼的好手。”流矢哈哈大笑起来，非常得意地向众人炫耀自己当知青的经历。他妈的那时真苦，生存成为唯一，而存在者只是一个符号——知青××。那时我像大家一样盼望着过年，过年好回家吃大肉。他妈的。

李老倌说：“是啊是啊，过年才杀年猪嘛。”

这时狄克挤到李老倌身边，操着生硬的汉语说：

“大爹，先生，你好。圣诞快乐！”

李老倌看着狄克，左端详右端详，才说：“‘生蛋’好，你这娃子长得好高喔。”

大家又乐。李银和说：“爹，他是美国人。”

李老倌再把狄克好生看了，果然发现他是个外国人。鼻子高么，眼睛蓝么，跟上回来燕子洞村的那个叫什么“狼”的一样么。李老倌说：

“我认得我认得。我见过你的老乡的，来过我们燕子洞村，是从啥……反正是所有的国家都要服他们管的那种国家里来的。”

有人插嘴说：“是美国吗？”

李老倌说：“晓不得，反正他来那地方厉害得很，连我们中国也管。”

流矢说：“是联合国吧？当今世上，谁有本事来管我们中国的事。”

李老倌一拍膝盖：“哎，对了，就叫联……合国。那人是个大胡子，长得像牛一样的身坯，从安溪骑一匹骡子进到我们燕子洞村，骡子都给压坏了，三天三夜不吃草，也站不起来，用一头公骡子去撩它它也不起来。”

大家又狂笑，没想到今晚这位圣诞老人会给人们带来这样多的笑料。还是狄克好奇地问：“那位……叫骡子爬不起来的人，他，去你们，村，做什么工作？”李老倌想了想说：“找水呢。我们那旮旯没有水吃呢。这不，我来城里，就是找黄公子他爹给我们村一点钱修水池呢。”

众人又都把眼光投向黄明，黄明今晚是第一次受到大家瞩目，一时就显得感觉很好，他非常豪迈地说：

“大爹，你的事李老师给我说过了，你放心，我只消写封信回家，我老爸就会照办的。”

“啊哟！”李老倌又大叫一声，“黄公子，我这儿要给你磕头啦！”

李银和生怕他爹真要做出磕头的事来，一把拉住李老倌，说：

“爹，你老人家先莫激动嘛。说好的事，黄明会办的。是不是，黄明？”

黄明说：“那当然，李老师放心就是。不过，大爹，我弄不懂的是，听李老师说，今年干旱，你们那儿渴死了好几个人，是真的吗？”

李老倌黯然神伤起来，说：“地里栽的水不多呢，不够吃呢。”

一个故作天真状，不知是哪家的小姐问：“大爹，水不够喝就买矿泉水嘛。”

敏感的流矢问：“大爹，地里怎么栽水？”

李银和解释说：“我们那儿是石灰岩地貌，地下打不出水，只有在雨季里挖口井蓄积天上的雨水。我们叫栽水井。”

流矢若有所思：“栽水，多具象的名词。我敢说你们在《康熙字典》里也找不到这个词。”

众人不无钦佩地应和着：“是啊是啊，栽水，太他妈具象了。”

狄克这时注意到了李老倌的水烟筒，和他抽烟的动作姿态，这是他第一次见到这种有人的胳臂粗的烟筒，他请李老倌把烟筒递给他看。李老倌就说：“你也抽一口么。”众人就怂恿狄克抽一抽试试，说这是真正的中国民间的东西。流矢先把烟筒抢过来，将嘴凑到烟筒上呼噜噜吸一口，缓缓地吐出烟来，说道：“真过瘾啊！多年以前我就是抽这个的啊！”

狄克终于经不住众人的鼓励，学着抽了一口，呛得他眼泪鼻涕都出来了。他说：“My God，我像，抽了，大号，雪茄！”

流矢说：“你该买一个回去。”

狄克说：“OK。大爹，你这个……就卖给我吧。”

狄克说着就掏出一张一百美元的钞票来，众人的眼睛都亮了。

李老倌推开狄克的钞票，慌得啥似的说：“不不不……”

狄克尴尬地问：“不……够……”

李老倌说：“不不不，你喜欢，送你。”这样的烟筒，李老倌回去砍根竹子一锅烟的工夫就做成了。

狄克释然，说道：“不，大爹，你们，毛主席，说，不拿群众，一针……一线。对不对？”

大家为狄克此刻引用老人家的话乐了，又大笑起来。这时白雅趁势上前来拿过了狄克手中的美元，说：“爸爸，狄克那么喜欢，你就卖给他得了。”

这是自李老倌来到城里后白雅第一次叫他“爸爸”，李老倌心里不糊涂。

大家脸上都有了内容，李银和的脸气成了猪肝色。但白雅不在乎，收了美元揣自己兜里了。

偏这时一直没机会插上话的另一老外赵淑梅看上了李老倌身上的另一件东西，那是他手指上戴的一只粗大的银戒，这只银戒旧而且发黑，已看不出多少白色。但赵淑梅显然比狄克更具有一个古董商的眼光。

赵淑梅说：“大爹，你……你这只银戒。卖给我。OK？”

众人眼光又盯住了那银戒看，如果和刚才那个烟筒比起来，这还真算是件古董，它的做工很朴拙，戒面上是一个阴阳图，两边各一条笨拙而又造型独特的龙和凤，龙凤的头高昂着，龙嘴微张，似含非含地衬着戒面上的阴阳图案。戒指的背面还依稀可见上面刻有“大清乾隆……年”的字样。

赵淑梅没有察觉到李老倌脸上的不悦，她的眼睛只盯着银戒看呢。她用柔软而又生硬的语调对李老倌说：

“大爹，我出，二十美元，OK?”

李老倌没吭声，从狄克手里抱过自己的烟筒来，埋上烟丝，自顾呼呼噜噜。

众人在惊讶中不解，这种破玩意儿，地摊上都可买到的货。都说：“卖了卖了，大爹。”

赵淑梅来中国已有三年多，知道一些和中国人打交道的经验，一般来说只要她提出什么要求来，还没有一个中国人会拒绝。因为她是外国人，还是个外国女人。

赵淑梅又说：“大爹，你……我出三十。”她向李老倌伸出三根白白的长长的手指。

所有的人都看着李老倌，流矢这时用很果断的语气说：

“OK！成交！”

赵淑梅大概也知道流矢是今天在座的人的“领袖”，她也“OK”一声就说：“顶好，好好！圣诞快乐，大爹！”

“我不卖。”李老倌对赵淑梅的“顶好”扔回去一个冷冷的答复。

赵淑梅抬眼看着流矢，流矢就说：“大爹的意思是说送给你。”

李老倌又是冷冷地说：“我也不送。”

一时大家都很尴尬，流矢用近似命令的口吻对西马说：“做做你老爸的工作，西马。”

西马以一种异样的眼光看着流矢，让他感到那里面有某种东西将对他很不利。

流矢又把眼光转向李银和：“李老师，你说说嘛，问你老爸多少钱才卖。”

李银和不是不晓得这银戒在他们家中的地位，他为难了，但白雅在他背后捅他，还向他递眼色。他在白雅的眼睛里看到了由于受到美元这种钞票的激励而产生出的兴奋光芒。他期期艾艾地说：“爹……爹，你看……你看……”

李老倌乜斜一眼，猛地大吼一声：“看个屁！出再多钱，老子也不会卖祖宗留下的东西！”随着李老倌的吼声一起迸发出来的，还有呈喷射状的唾沫若干。

众人都吓了一跳，继而又愤怒起来。这个乡巴佬，不卖就不卖么，怎么能对一个外国客人这样呢？真不懂礼貌，真……他妈的。赵淑梅不知是被吼声还是被唾沫打得往后一个侧身，脸煞白，不知该怎么下台，嘴里咕噜道：“Sorry，Sorry”，连狄克也都不明不白地“Sorry”起来。

流矢在短暂的震惊中首先跳起来，手指着李老倌，严厉地说道：

“你太过分了！你你……怎么能这样对外国朋友说话呢，真是没教养！祖宗的东西有什么了不起，我告诉你，你们现在还这么受苦受穷，就是因为还死守着祖宗的东西不放！那些个破玩意儿早就该扔到太平洋去了！你听明白了我的话了吗？你简直……简直让我想起了毛主席他老人家一句话，‘严重的问题是教育农民’！”

于是刚才还是圣诞老人的李老倌被群起攻之，“大傻×”，“死脑筋”，“扫兴”，“真他妈的”……一片噪声。李银和不断地对大家致歉，“对不起对不起”，“多包涵多包涵”，“山里人不省事……”

“你们放屁！”

令人奇怪的是这话是从人群外面传出来的，声音虽不大但透着一股威严和冷酷。众人回头一看，只见诗坛旗手流矢的小兄弟，刚刚崭露头角，急待流矢扶持栽培的青年诗人西马，手执一根拖把杆，横眉冷对着吃惊的一群人。

西马说：“谁他妈今晚要再对我爹爹说出一句不恭的话，老子就把他从这儿赶出去！”

流矢喝道：“西马，你喝醉了！别忘了今天是圣诞节。”

西马回敬道：“你他妈才醉了，滚出去！”

流矢气得涨红了脸，一拍茶几喊道：“西马，你……你太辜负了我的一片好心！你算个什么现代诗人，说你爹两句就受不了啦？你他妈的观念其实跟你这老爹一样，还在上一个世纪里昏睡！回去守着你们家的破铜烂铁过日子吧，那是你的遗产。哈哈哈哈，看哪，大家快看这位现代诗人终于露出了农民的本来面目。”

西马愤怒地沉默了几秒钟，脸煞白，从嘴角到腮帮子那一线的肌肉不断地抖动，人们都以为战争马上就要爆发了。但西马终于哈哈大笑起来：

“流矢。你听着，我这人诗是没你写得好，但今天我终于看出了我能超过你的地方——你比我更媚俗！不错，我是个农村人，我的遗产就是我这农村人的血统，它不比任何一种血统低贱。尽管它暂时还主宰着我们的贫困和落后，以及不懂城里人的时尚。但我们的生命一点也不因之而显得苍白和乏味。我们的家是很穷，连你说的‘破铜烂铁’也不多，我们家连瓦都没有一块，为什么？因为我们祖先都是住在山洞里，从我这儿算上去，有五代了。你们一定要问这是为什么？不为别的，就只为这是祖先选定的地方，也只为我们那里地少人多，石旮旯地里刨食吃都还填不饱肚子，哪还有多余的地方来盖房？我也是在山洞里长大的，这你们都不晓得吧？你们只晓得我的诗，‘我们在黑暗中追寻阳光的春梦，你们在阳光里揣摩洞里的骸骨’。什么‘非凡的想象力’，狗屁！什么‘将史前意识和前卫精神有机地结合起来’，狗屁！流矢，我告诉你，那都是我西马，不，我李银斗从前的生活，也可能是李银斗将来的生活。这没有什么，这样的生活比今天这种媚俗到顶的日子有意义，可惜直到今天我才晓得从前的李银斗比现在的西马过得更真实，更像一个人！

“前几天，我的老爹，这位从山洞里走到这城里来的农村人，告诉我：我们是人，我们从来都是直起腰板走路的人！我相信这话今天来过圣诞节的，自诩为从不媚俗的各位是说不出来，即使说出来了也做不到。当然包括我自己。你们也许可以在中国人面前不媚俗，在你们的领导同事，父母妻子面前，可能装出一副反媚俗的样子，但你们今天在这两位老外面前，又怎么样呢？流矢，我知道你在讨那位赵小姐的好，她将为你出面担保，申请你去美国访问讲学，你不要申辩了。不是这样吗？狄克先生，赵淑梅小姐，你们是来自讲究平等、人权的国家，你们认为今天晚上大家对我这位从农村来的老爹平等了吗？你们今晚拿他取笑开心，把他当成一个噱头来看。圣诞老人，哼！'全新的生命体验'，流矢，你这话我老爹听不懂。以后希望你对我老爹这样的农村人说通俗易懂的话。老百姓常说的那种话。

"你别着急，我还有话呢，我老爹不卖他祖传的戒指，是他的权利吧，你们中有谁尊重了这一点吗？我要告诉你们，这只戒指是我的祖先的祖先当年逃进那个山洞里时唯一流传至今的东西。每当我看到它我就会想到我的先人，当年他们被战乱所迫，迁徙流亡，不断地有人倒毙在路途中，也不断地有新生儿在路途中诞生，到如今沧桑巨变，流传下来的就只是我们李家的人和李家的这枚戒指。赵淑梅小姐，恕我冒昧，二三十美元想必也显得太轻了点。你们家祖传的东西，比方传了若干代人的一套银器，或一枚古币什么的，你肯轻易地就出售吗？不会的吧。别忘了尊严是每个人都有的，只要他还确信自己是直着腰板走路的人！只要他不忘记自己姓什么叫什么！"

李银斗——从现在起他已彻底结束了在诗人西马和农民的儿子李银斗中间反复徘徊的短暂历史——说完了。寂静的客厅中忽然有人一声一声地鼓起掌来，是流矢在鼓掌！人们像哪儿搞错了似的你看看我，我看看你。

流矢说："李银斗，你的演讲真精彩。"

李银斗说："刘世贵，这不是演讲。"

流矢这下像被真正击倒了，他脸色苍白、嘴唇抖着说："你……看你把个圣诞节……搅得……"

十

"哥哥，送客。直起腰板来！"李银斗高喊道。

人们在一片沉默中三三两两地低头鱼贯而出，没有感激的道别，也没有留恋祝福的言语。今天这个圣诞节是他妈的彻底砸啦。真正的主人李银和在弟弟的呵斥中，再不敢作过多歉意的解释。流矢威风犹存，手一挥："我们走，莫再理这个傻×！"狄克随众人走时，除了向李银和白雅及另一主人曹老师道别外（几个中国人打内战，不关他们的事），还特地过来握了握李银斗的手，说："你……很棒。"这是狄克学得最好、用得最合适的一句中国话，李银斗心里这样认为。赵淑梅不好意思再看到李银斗那威风凛凛的眼睛，只对他老爹轻声说了句："I'm sorry。"刚才还是一个欢乐的海洋的客厅，眨眼就像泻干了水的枯池，只有冷凝的空气和杯盘狼藉，还有李老倌那一声喟然长叹：

"我说嘛，又不杀年猪，像啥过年喔！这些娃子们……"

当晚，无家可归的李银斗和他老爹共睡他哥的煤棚，李老倌伸手去摸自己的烟筒，哇，水烟筒不见啦。这才想起了狄克。狗日的拿走了我的婆娘。于是就抽儿子带把儿的烟，怎么抽也不来劲。小床上父子俩盘腿而坐，猛吸着烟，还喝晚上剩下的酒，啤酒啦香槟啦白酒啦，黑灯瞎火的也看不见是什么酒，抓着什么就喝什么，后来李银斗毕竟体嫩，醉了，哭了，然后头一歪，就倒在他爹的怀里睡过去了。

没过几天，黄明来给李银和回话说，他的当行长的爹来电话了，说贷款的事他会关照的。叫他们乡里报计划上去就行了。李老倌一听这消息就要打酒买菜请黄明吃饭，被李银和阻挡了，说这是小事一桩，不必了。黄明以后也会有事求我们帮忙的，爹爹以后有什么事，尽管到城里来找我们。李老倌只说，不啦。这回我认得你们在城里活得不容易。我死后给你们报个丧，你们回来看看就是啦。

李老倌起程回燕子洞村时，老二李银斗送的行。李老倌再三嘱咐他，城里待不住，就回我们燕子洞来，你是我们那儿的人，肥田瘦地，总有你的一份，苞谷饭还是自己地里种出的吃着香。

李银斗说："爹，让我再走一程看看，老子不信在这里就活不了人。"

李老倌要上车时，李银斗猛然发现爹爹手指上的银戒不见了，他问："爹，那只戒指呢？"

李老倌眨巴着一双风泪眼四下里张望，心里找着词儿，良久才说："送给那外国婆娘了，黄公子来求的情。"

李银斗愤慨起来："关他屁事？是刘世贵叫他来的吧？爹，你好糊涂！"

李老倌揩揩眼角，说："斗娃子，只要村里的栽水池修好了，那才为子孙积了大德啦。"

1995年1月8日完稿于昆明

（选自《十月》1995年第3期）

范　稳

1962年出生，四川荣县人。1985年毕业于西南师范文学中文系。历任云南省地质矿产局宣传部干部，云南省作家协会办公室干部，云南省《文学界》杂志编辑，云南省小说报告文学创作委员会秘书长。1986 年开始发表作品。1993 年加入中国作家协会。著有长篇小说《冬日言情》《骚宅》，中短篇小说集《回归温柔》，中篇小说集《男人辛苦》，长篇纪实文学《空手掘金山》（合作）等。短篇小说《回归温柔》获第三届青年文学创作奖，《父亲的最后防线》获首届宝石文学奖，中篇小说《失家园》获 1994 年宝石文学奖，《海边走走，海边看看》获 1993 年《萌芽》文学奖。

王 士 道

宋本善

一

一个月中,我们庄上发了两个丧。一个是在省里当什么长的官,一个是坏分子王士道。前者,举动当然非凡,报纸上登了照片,上边来了十多个人,县里、乡里的头头脑脑一齐出动,各种各样的小轿车塞满了街筒子,顺河店这个不足千人的小村,体体面面地风光了一天。可是,事过之后,除去几个年轻人为那些小汽车的牌号和哪个国家产的争得面红耳赤外,别的一切好似没有发生,很快淡漠了。用老族长的话说,这个人有福,活着吃好饭,穿好衣裳,死了出了个大殡。也许,这就是他的"盖棺定论"。因为,有人亲眼看见,还没祭"一七",他的侄子就拿印有他照片的报纸包油条……坏分子王士道的丧事,当然不能与前者相比,他的侄子用小四轮把他送进火化场,将他半边山似的身躯装进了一个最廉价的骨灰盒,回来挖了一个不大的坑,儿孙们围着哭了一阵,便算完了事。这时,人们一下觉得顺河店好似少了一些什么,每家每户,大人孩子,饭桌炕头,田边场院,都在议论着他,追述他的往事。比如:谁家盖房打夯,听到的头一句话必定是:"若是王士道活着……"女人们在树荫下纳鞋底,一位婶子或大娘脱光了膀子,她们也会说一句:"……王士道活着的时候……"到了元宵节办玩,更不时听到:"王士道扮的时候就是这个样……"他给人们留下了说不完的话题。

王士道何许人也?一个普普通通的农民。

论宗族,我们不是一姓,当然就没有什么血缘关系。但对他的去世我感情上却有一种说不出的滋味,怅然若失。他活了八十多岁,可谓寿星,但总觉得他不应当死。在我的心目中,他是个人物,也可以说是个偶像。虽不能让我像伟人一样去崇拜,但他的"活法",却常使我咀嚼、品味……

按成分,他是地地道道的贫农。听大人说,土改时,他家六口人只有亩半地。可是,当把三亩上坡地分给他时,他坚决不要,只收回赵二大头霸占去的他家的一亩半祖份地,驻村干部表扬了他。所以,直到人民公社时,他还是一个翻了身的贫农。

他的长相却不贫。天庭饱满，地阁方圆，特别是他那双眼睛，平时眯成一道缝，额头下面是两个坑。可是，一下瞪起来，好似两盏灯，放射出两道逼人的光芒。人们说他有天子相，必有大富大贵。但是，他确实是响当当的贫农。

他不识字，但满肚子里是"呱"，上知天文，下知地理，有时学问人都讲不过他。是他告诉我庄上大庙里一进门那四个大神叫风、调、雨、顺；是他告诉我庄东河上那座狮子桥，是一个叫鲁班的人修的；是他告诉我庄后那个大土台，是当年齐桓公会盟诸侯时造的，所以叫桓台；是他告诉我我们的一个邻村为什么叫薛家营，是唐朝薛仁贵东征高丽时，路过这里在此扎过营盘；是他告诉我这一带人的小脚趾上多长一个小指甲盖，都是从山西洪洞县迁来的……总之，他知道的很多很多。他平时很少说话，但一开口就惹人笑，还有较深的寓意。有一次，生产队开社员大会，研究搞副业的事，谁也想不出个好点子。这时，他说："咱开个化石猴厂吧，刻化石猴不用请匠人。"人们谁也没在意，队长骂他胡说八道，只有右派分子宋玉生偷着笑。后来人们才恍然大悟，他是挖苦队干部。因为我们生产队的干部，从队长到会计，一个个又瘦又小，都像化石猴一样……

记得我刚上学的那年夏天，一大群婶子大娘在我家门前大槐树底下做针线活。有一位年纪稍大的伯母，嫌天热脱光了膀子凉快。在我们那一带这样做当着女人的面也不算什么，但不能让男人看见。她刚脱下褂子，王士道从远处走来了。他们是小叔嫂子，闹起来没大没小，有一次，他曾在她奶上搓上刺角子毛，所以，这位伯母赶紧穿衣服。王士道笑着走过来说："你不用怕，这回不摸你的奶，给你说个谜儿猜。"

"狗嘴里吐不出象牙，有屁快放！"

王士道看着她系扣子的手："掰开你那儿，放进我这儿。打一物，你身上就有。"

"锅里煮的，我想你就没好屁！"

"哎，你怎么老往裤裆里想，你不是正在摸着吗？是扣子——"

人们一齐笑了。

那时，我对大人们的事还似懂非懂，但也能听出点什么，不过，长大后仔细琢磨王士道说的这个谜语，还真有点意思。

还有一事。一天傍晚，队里刚把晒干的粮食堆起来，场院扫得又光又亮，我们十几个放了学的孩子，一边吃着干粮，一边在里面玩耍。王士道和几个年轻体壮的社员，正用布袋往仓屋里扛粮食。他倒下一趟回来，手里提着一条布袋："孩子们过来，我说个谜给你们猜！"

我们一齐围了上去。

"软时软叮当，硬了硬邦邦，硬了就压人，压人就上炕(扛)。"

我们已经懂得多了，都光笑不作声。

"猜着了吗？快说！"

这时，那位伯母正好走了过来："王士道，你这个该杀的，又和孩子们胡说些啥？坏了孩子拿你是问。"

他扬了扬手中的布袋："就是它！"

多少年过去，我一直在想，王士道说的谜语虽有几分低俗，但却形象有趣，出自这位没文化的农民之口，实在让人诧异……

再一个崇拜他的地方，就是他戏唱得很好。我们庄上唱吕剧十里八乡闻名，号称：宋家的生，苏家的旦，王士道那丑最好看。王士道不识字，认不得戏文，老师嘴对嘴教唱，用不上几遍他就全背过。《打渔杀家》他演教师爷，过年的天也够冷的，他光着脊梁在台子上丑态百出，逗得台下看戏的人笑得尿了裤。他最拿手的一出戏是《王婆骂鸡》，他演王婆，一百多句戏词他一气"骂"下来，连个哽不打。有时，他还即兴加上一些台词，把三教九流，五行八作，骂得坐立不安。有一年，上级派来一位驻村干部，这人戴一副眼镜，外表斯斯文文的，但有个毛病，好串老婆门子，庄里人们很讨厌他。王士道说了几句风凉话，那位干部就在社员大会上故意找碴儿点他的名，说什么这是阶级斗争的反映。王士道心里闷下了一股气。转眼又到了唱戏的时候，王士道借王婆的嘴，把那位干部骂了个狗血喷头：四眼子狗偷吃了我的鸡，出门掉进大河里，腚朝天，头朝地，好似王八钻黑泥，从南来了扛叉的，一叉叉进篓筐里，上锅蒸，下锅煮，先揭盖，后剥皮，看你还敢不敢"走狗子"……所以，只要他演《王婆骂鸡》，庄里几乎家家都要接亲戚来看戏。

他的武功也很好，听大人说，这是家传。他的祖父和父亲都很有"功夫"，当年领着穷人闹事，砸了衙门，打了县官，抢了官库，带领一帮穷弟兄下了关东，至今没有音信，有人传说去了外国。王士道的本事没见过，只露过一招就让我五体投地。正月十五闹元宵，庄上按传统都要扮玩，踩高跷他仍扮丑婆：穿着他女人的红裤绿袄，戴着祖奶奶的帽子，耳朵上拴着两个红辣椒，拿着一把破扇子，走在队伍的最后边，看他的人却最多。他那副高跷腿子足有五尺高，一个劈叉扑在地上，接着还能站起来；八仙桌子他一跨就能跳过去。那时，他已经五十出头了。我曾回去模仿，连饭桌都没跳过去，却扭了脚脖子，惹得我奶奶去找他，他叫女人给我煮了五个红皮鸡蛋。

但是，他最令我佩服的还是他的打夯本领。那时，农村还没有电夯之类的先进玩意儿，庄户人家盖房打地基全用木夯。这木夯有四尺多高，上小下大，一边一个把，大都是用硬质木头做成的。王士道的夯是用枣木红心制的，锃明瓦亮，好似抹上了油，在重量上比别人的重好多，简直像一件做工考究的工艺品。

他有打夯瘾。本庄盖房不用说，不请自到；若听说邻村谁家盖房，他扛上夯就走。农村有些事也很有趣味，盖房娶媳妇是大喜事，人越多越好，所以，有时盖房就会出现赛夯的场面。几个村的高手云集在一起，互不服气，大有争夺夯坛盟主的气势。王士道的绝招有二：一是擦脚夯；一是梅花夯。擦脚夯就是打夯人赤着脚丫，把夯高高举起来,使劲落下,夯靠得脚指头越近武艺越高。因为有较大的危险性,一般人不敢尝试。王士道的擦脚夯可称一绝,夯落在脚前,夯与脚趾间仅能塞上一根席篾,正好擦脚而下。凭这一招,不少夯手就甘拜下风。

但是,最让人叫绝的还是他的梅花夯。梅花夯就是将五个斟满酒的酒杯摆成一朵梅花样,大小与夯底相差无几,夯从空中落在中间,不能碰翻酒杯。我家盖房时,曾目睹了王士道这一绝技。因我祖父在乡里人缘好,打夯那天到了十几尊夯,各路人马各显神通,不分上下。正房要打五遍夯,第三遍夯开始要祭夯,就是主人要为夯手敬酒,实际这是关键一遍,要让夯手把这遍夯打坚打实。一壶酒下肚,王士道的两只眼一下睁开了,双目炯炯:"摆梅花!"他的喊声一下使全场静了下来。

人们在他夯前摆上了五只酒杯,他上前仔细打量了一眼,又调整了一个杯子的位置,深深地吸了一口气:"起夯!"

这时,五个小伙子同时拉起五条夯线,哦——的一声,唰唰地举过了他的头顶。人们一下屏住呼吸,看着在空中稍微停留的夯,哗——的一声落了下来,只见王士道闪电般地后退了十几米,猛地猫下腰,从胸膛的最深处,火山爆发似的发出了一声惊天动地的呼喊:夯——啊——这时,人们的目光一齐投向那朵"梅花",只见那尊油光闪亮的木夯,像一座宝塔,那么庄严地屹立在"梅花"之中,杯子里的酒一点也没洒出来,人们一齐欢呼,赛夯也进入了高潮……

二

在庄上,很少有人呼他王士道这个大号,但是,若一提"朝道士"这个名字,十里方圆却几乎无人不晓。我们这里把傻瓜叫"朝巴",王士道在一些事情面前表现得傻乎乎的,因此落了这么个"雅"号。况且,他自己不以为然,好似是一个美称,有时小孩子喊他都不生气,当大人呵斥孩子时,他甚至会说:"叫吧,没什么,起个名儿就是叫的。"

他的傻气已经有些年岁了……

那是在日本鬼子、中央军和八路军在这儿"拉锯"的时候。白天日本鬼子和中央军横行,夜里就成了八路的天下。武工队的杨队长经常来村上活动,因为庄上有一个在青岛开药房的,还有右派分子宋玉生的叔,在外国洋行里混事,通过这两个人给清水泊根据地的野战医院搞西药。当时,日本人控制西药比黄金还严。搞到西药后,需要人通过日本鬼子和中央军的占领区送过去。这是一个掉头的差使,已有两个人丢了性命。正在杨队长为难的时候,王士道找到他,说他去送。杨队长还对他不十分放心,他说:"请放心,出了事我赔上!"

"你赔不起。"

“不用咱没有办法，回去了！”

“行！你先试一趟！”

结果一连三趟都顺利完成任务，杨队长拍着他的肩膀说：“士道同志，行啊！”说着掏出五块大洋：“这是奖励！”

王士道笑了笑：“这玩意儿不会花！”

但是，庄里人都为他捏着一把汗：“万一让鬼子抓住……真是朝道士，给钱还不要……”

有一回真碰上鬼子了，鬼子也发现了他，他赶紧钻进了树丛，鬼子和汉奸把他包围住，一看他正在拉屎。汉奸小队长是邻村的，认识他：“朝道士，你干啥去了？”

“看俺舅去了。”他一边说，一边仍蹲在地上拉屎。

日军小队长一边用手捂着鼻子，一边问汉奸队长：“他，什么的干活？”

汉奸小队长对翻译官：“告诉皇军，是个朝巴。”

翻译官向鬼子咕哝了几句，日本鬼子看着王士道：“开路的开路！”

王士道折下一根树枝，擦了擦腚，站起来走了。等鬼子汉奸走远，他又折回来，找到藏药的地方，直奔清水泊根据地。

人们一直不理解，王士道图的是啥？真是个朝道士。

更不理解的是，他背去的药救活的人中，后来很多当了大官，他有难事去找谁也有求必应，但他从没去找过任何人，在当今这个年头，确实“朝”出个样来了。

再就是上面已提到的土改分斗争果实的时候，分给他地，他死活不要；分给他牲口，他说不会使；强分给他几件家具，到了夜里，他又漫墙给人家扔了回去。后来有人问他时，他说：“不是自己身上的肉，长不住。”

还有，他是庄上第一个把大儿子送进部队的。淮海战役时已经当了班长，立了战功，上级表扬他这军属老大爷，给他披红戴花，他就是不接受，区上干部找他谈话时，他说：“家里减张嘴，孩子不挨饿就很好了。”

谁知，国内战火刚熄，美国鬼子又在鸭绿江那边点上了。他的儿子从海南岛一个叫天尽头的地方来了一封信，说是接到命令要从关东出发，过鸭绿江去打美国鬼子，从天南一下回到地北，正好走一个全中国。王士道托人给他写了回信，让他到关东时，耳朵灵一点，说不定能听到他爷爷的消息。可是，大儿子再也没来一封信。邻村和他儿子同时去的，有的阵亡了，有的复员回来了，没回来的当了军官，唯有他儿子没有个说法。老伴急得呼天喊地，让他去问回来的人。人家说：“过江之后就分开了，再也没见到他。”他说：“孩子命短，该死也逃不过；孩子命大，有难也死不了，走到天边也会回来！”

在某些人眼里，王士道确实少个心眼儿。

庄上也有人说他不傻……

在那“拉锯”的年代，庄里的保长不好当，日本鬼子、中央军、八路军哪家也不是好惹的，谁也不能得罪。但是，村里没有一个人到时出面应付更不行。财主赵二大头推荐叫王士道顶着这个差，一个半朝巴，出点闪失好说话。这样，鬼子汉奸来了，王士道挑着一面小膏药旗出来欢迎皇军："报告太君，毛猴子的没有！"鬼子官一把抓住他的衣领，使劲用眼瞪着他："你的，说实话！"

他指了指鬼子腰上的刀："瞎话，你的……"用手做了个砍头的架势。

"哈哈哈……"鬼子笑了，"你的大大的良民，有毛猴子的，报告！"

"哈依！"他见鬼子兵对鬼子官这样吆喝，也这样吆喝了一句。

几次下来，鬼子对他真信任起来，对庄上也很少骚扰。有时，八路军武工队的杨队长在庄上开会，鬼子来了，王士道三言两语就把他们打发走了。

鬼子好对付，中央军难缠。他们是中国人，当然懂中国事，有些事很难糊弄他们。这年春天，一个连长带着几个护兵来找王士道，说团长太太过生日，要五百斤白面，一百块大洋。这青黄不接的时候，庄里不少人家断了顿，上哪凑五百斤白面？不给，那小子又不走，咋办？他眼珠一转："去找赵二大头！"

赵二大头外号"鬼难拿"，在钱财上是个抠腚眼子吮指头的主儿，当然不出血。王士道把脸一丢："二爷，这差使可是你给我荐的！我朝道士是少几个心眼，你也不能用我堵枪眼儿！我天天是在枪口上过日子呀！到这时候，你不给我当家，不是往死里送我吗？你说说，这时候，咱庄上除了你二爷，谁家还能拿得起……"

赵二大头不作声了。

他见状，又把手中的青天白日小旗往桌上一放："二爷，不要为难，我不是来逼你，这差我也当不了了，交给你拉倒吧！"

赵二大头一摆手："慢！让我想想！"

王士道乘势凑上去："二爷，这个时候你若不破费点，就是和全庄穷哥们过不去，你和穷哥儿们过不去，八路军武工队就和你过不去，不能因小失大呀……"

"好！我全包啦！"赵二大头一拍桌子说："告诉他，明天送到！"

当晚，王士道又见了武工队的杨队长，把事情原委一说，杨队长戏谑他："朝道士不是很聪明嘛！"

"不过，你得去见见赵二大头，客气几句，证明我王士道说的话是真的。"王士道借风上坡地。

"好，我去见他。你小子一点都不傻，精得很！"

事情过去后，赵二大头还很感激王士道，特意请了他一壶酒。后来，人们回忆起来，在那兵荒马乱的年月，庄上没遭大的灾难，多亏了王士道，没有他装疯卖傻地应付，很难说不遭大劫，因为周围十里八村，没有一个逃脱鬼子的烧杀掠夺，只有一个顺河店相对太平。人们越发觉得那时没有王士道不行，也只有王士道能够办得到……

日本鬼子投降了，中央军跑了，穷人当家做主人了，王士道又犯傻了。先是让他当农救会长,他死活不干,自告奋勇抬担架支前,一去三个月,等他回来时,庄上已建立了人民政权开始土地改革了。

合作化开始了,他是贫农,当然是骨干分子。可是,他开了三次会,又高低不干了,说什么:“原来入社是找上个爹管着呀? 不干!”直到 1958 年共产风把他卷进了人民公社,才成了集体的人。

大炼钢铁运动来了,全庄敲钟砸锅。开始谁家也不往外拿,砸了吃饭的锅,这还了得! 可是,谁也没想到,王士道第一个提着一口锅,来到大街上摔了个粉碎。驻村干部一下抓住了这个典型:“王士道都把锅砸了,你们还有什么话说,限两个小时全村砸光!”

噼里啪嚓一阵,全村的锅全砸了。这时,谁又能想到,王士道摔的是盖咸菜缸的一口破锅,他把做饭的好锅掀到茅坑里去了,据说,生铁在尿中不蚀不锈。还真是这样,等那阵风过去,食堂解散,家家准备点火做饭时,才发现没有锅。王士道从茅坑里把锅捞出来,用沙土一擦,上河里刷了刷,往灶坑里一安,生火做起了饭。这时,全庄人才发现,当时叫王士道坑了,一齐骂开了朝道士:“这个锅里煮的,让他把全庄人耍了!”

“精明人也没他这些心眼儿。”

而他呢,还赚了便宜卖乖:“这就叫周瑜打黄盖,一个愿打,一个愿挨……”

“这个锅里煮的……”

但是,到了六〇年,他却草鸡了。因他长得人高马大,吃得就多,可是,又没啥吃,先是干瘦,后是水肿。当时,人们却还在扯着嗓子喊:“鼓足干劲,力争上游……”他摸着肿胀的脚说:“这筋(劲)也干了,足也鼓起来了,就是没有力气上油(游)了……”那时,阶级斗争还成了中国人的精神食粮,一抓就灵,他的话上了阶级斗争的纲,他自然成了反三面红旗的什么分子。不过,他终究是贫农,当人民内部矛盾处理,斗了他几晚上,他承认不该那样说,就过去了。

斗争过去了,饥饿可没有过去。咕咕叫的肚子,开始让他红色的革命色彩褪色……

一天夜里,饥饿的人们为了尽量少消耗仅有的那糠菜发出的热量,早早都关门上炕了。街上空无一人,连条狗也没有。这时,王士道家的门慢慢开了一道缝,他从这条缝里挤出来,先在街的一边站了站,全庄漆黑一团,然后来到了庄后圩子前面的地瓜井旁。地瓜井里存的是生产队的地瓜种,但是,队干部们开会晚了,却经常用它打牙祭。全庄的老婆饿得连经血都没有了,而队长他老婆却生了孩子,吃不饱哪还有心绪去捣鼓那事? 狗日的们没少偷吃了。你们吃得我就吃不得? 一溜儿排着五口地瓜井,因为地瓜也怕热,井口全都没盖严,他选择了第三口,用他学的工夫,叉开两腿蹬着井壁,顺着井筒下到了井底。听人说,这里面有一种什么气体能呛死人,他先在井底蹲了一会儿,又使劲喘了几口气,觉得没事,才进入瓜坎,从腰里抽出一条布袋，装满了用牙咬住布袋口，叉开双腿，一步一步爬上来。这一手，没有力气和工夫是办不到的。然后，他又用一根树枝胡拉掉脚印，把布袋往腋下一夹，悄无声息地回到家里，当晚，全家就高高兴兴地过了一个“年”。

这一布袋子地瓜，王士道全家八口人若放开肚子吃，两顿就能吃光。但是，他对家里人说：“这终究不是从正道上来的，是饥困逼着我做亏心事，得省着点吃。”他只让切上几块做稀粥。尽管这样，地瓜还是吃没了，家里没一点儿吃的，他只好又去做贼。

生产队长人长得不大，心眼可不少，号称“人精”。这天他来地瓜井边转悠，发现第三口井有些不一样，仔细观察了一下，好似有人下去过。他去拿来家里打水的井绳，拴好顺着下去，果然左边坎里的地瓜有人动过。而且这个人很有心计，不是从一块地方拾，从整个大堆的表面动的手，不仔细看都发现不了。不愧是人精，队长在心里笑了笑。谁也没告诉，夜里一个人悄悄蹲在圩子的旮旯里，圆睁着一双小眼，像猎人一样，等待猎物上钩。

一连三个晚上，平安无事。第四个晚上，尽管他老婆感冒发烧，但为了公共财产，他给老婆吃上药，安排孩子睡下，又来到了这里。他先到地瓜井边一看：不好，盖井的那个草苫子揭开了！就在他打开手电筒往井里照的同时，圩子后面小道上传来脚步声。他赶紧揿灭手电筒，往旁边一蹲，只见一个人身上背着什么，爬过圩子墙的缺口，向村里走去。

他急忙尾随在后，跟着那人过了大街，穿过两条胡同，来到那口小瓜屋跟前。

“啊！原来是你！右派分子宋玉生！”

他又来到窗前，从一个小洞里往里一瞧，一点不差，宋玉生正拿一块地瓜，像捧着一个十世单传的婴儿，爱不释手，又惊又喜地在小煤油灯下看着。

“你这个右派分子，看我怎么收拾你！”“人精”咬着牙在心里说。

第二天一早，宋玉生把洗好的一块地瓜切好放进锅里，刚要生火，突然，民兵连长带着五六个民兵一步闯进来，那么准确地从炕角搜出十几块地瓜，连切在锅里的也捞出来，一块押解到了大队办公室。

这个宋玉生何许人也？庄里人都知道他是右派分子，阶级敌人。他的档案里有这样一些内容：父亲，黄埔军校毕业，国民党中将司令；两个叔叔均是北京大学毕业，曾在南京政府任职，都去了台湾。本人也在北京念过大学，闹过学潮，后去解放区，入了党，随部队跨过鸭绿江，由参谋升至团政委。后因家庭问题搞不清楚，不宜在部队工作，转业至地区教育局任局长。五七年被定为右派，妻子离婚，一个人被赶回不是他出生地的老家顺河店……

钟声急促地响了起来，人们一齐向生产大队院子拥去。门前已摆好了一张桌子，桌子上放着十几块地瓜，还有那些切开的。“人精”向大队干部咕哝几句，朝民兵连长使了个眼色，民兵连长立刻喊：“把右派分子宋玉生带上来！”

宋玉生被押到了桌子前。

庄上的“二十八宿”都在这里，一个个把眼瞪得和牛眼一样大，好似要把宋玉生吞了。

“说！这是怎么回事？”民兵连长开始审案。

“这，这……”宋玉生答不上来。

“你这个右派分子，胆子不小啊！竟敢偷吃队里的地瓜种！”

“我，我没，我不敢……”宋玉生胆怯地争辩。

“不敢？这是什么？”“人精”站出来说话了：“我在圩子旮旯里蹲了四晚上才抓住你，狐狸再狡猾，也逃不过好猎手的眼睛。”“人精”得意地说。

“不是，绝不是，我敢发誓，我没……”宋玉生急忙申辩。

“你怎么不敢说出那个偷字？”“人精”逼到他跟着说：“看来不给点厉害尝尝，你是不招的！”他说着，一脚朝宋玉生腿上踢去，他人不大，心可够狠的，宋玉生哎哟一声倒在了地上。

“你装什么蒜！起来！”民兵连长一把将宋玉生提起来，还没站稳，当胸就是一拳，又把他打倒在地上，刚要抬腿踢，突然，王士道一步闯到桌前：“住手！”只见他手一拨拉，民兵连长就打了个趔趄，差点倒在地上。

“别糟践他，地瓜是我偷的！”

“你？”

“是我！”

“什么时候你……”

“你往井里照的时候，我还在里面呢。”

大、小队干部一时哑了。

“怎么，你们不信，家里还有半口袋呢，让人去拿来，当个见证。”他又指着桌上的地瓜：“看看和这些是不是一个品种。”

地瓜取来了，和桌上一比，不是一个品种，又下井取来几块，与王士道家的完全一样，队干部们无话可说了。

“明白了吧，就是我偷的嘛！肚子逼的，要杀要剐，你们开价吧！”

“王士道，你给贫下中农丢脸！”“人精”跳了起来。

“我丢脸？丢谁的脸？”

“丢我的脸！”

“就数你的脸大，生个孩子全庄没有同岁的……”他拉起宋玉生：“走！”

人们让开一条路，让他们二人走了出去。走出很远了，“人精”才如梦初醒地指着王士道的身影：“王士道，你是坏分子……”

人们一齐笑了。

三

那时,在生产队里干活,整劳力一天才记八分工,一个工日九分钱,干一天还挣不了一毛钱。王士道家里人口多劳力少,每年工分不够,吃口粮得往队里交钱。他哪有钱交,队里就扣着他的口粮。这样,他的口粮就更不够吃的了。但是,他从不争不要,任你扣着。有一天,队长派活儿的时候,忽然发现王士道没来,派人去找,家里人说不在,再问哪里去了,回答是要饭去了。队长一听,这还了得,赶忙报告了大队,大队上报了公社,公社书记一听也急了:“这不是给社会主义脸上抹黑吗!要饭是旧社会的事,现在……”况且,顺河店还是全县的先进典型,出了这桩事,影响全公社的名誉,必须立刻组织人把他找回来,这件事要当一项政治任务来抓……

于是,队长赶忙停下农活,组织了二十名劳力,每天记六分工,兵分四路,寻找王士道。十几天过去,毫无下落。传说四起,满庄风雨。有人说他下了关东,他老子现在还活着,挖人参发了财,来信叫他去了;有人说他爬火车摔死了,邻村某某还见过他的尸体;更玄的说法是说他去了台湾……总之,没有一个确切的消息。王士道死活没人去关心,队长却撑不住了:“不找他了,我支不起工分!各路人马立刻回来干活!”

正在这时,有人“告密”,王士道根本没有走远,每天天不亮出去,夜里回来。大队立刻命令民兵连长,在村里村外设下了埋伏,要活捉王士道。这次情报准确,当晚就把他抓住了。

“王士道,老实交代,你干啥去了?”

“朋友盖房,打夯去了。”

“怎么去了这些日子?”

“他的朋友又盖房……”

“那也用不了这些天!”

“朋友的朋友的朋友的朋友又……”

“你别无理蛮缠,为什么不出工?”

“吃不饱。”

“口粮呢?”

“在队里扣着。这事还用得着问我……”

队干部无言以对了。还是大队书记水平高,他一下站起来:“不管怎么说,你不干活就不对!队里管不了你,明天送你到公社农场去!”

“好!我回去准备一下,顺便和孩他娘说一声。”

公社农场,实际上是一个私设的劳改队。各个庄的“分子”和那些好和队干部顶牛村里管不了的，就送到这里来改造一番。不过，王士道是响当当的贫农，这样处理公社不同意，说这牵扯到阶级路线，还是以教育为主。为了达到“杀一儆百”，在管理区召开一个批判大会，他若悔过自新，就把扣着的口粮发给他。

批判会是在本队的场院里召开。王士道被民兵押着去接受批判。那时，还没有电灯，各村收工又不一致，邻村的社员们吃完饭，挟着杌扎子，不紧不慢集合起来的时候，天已全黑了。王士道蹲在早已摆好的桌子跟前，有两个民兵看着他，一声也不吭。他打量着人来得差不多的时候，把手中的玉石嘴子烟袋递给一个民兵：“建国，我去解个手，准备准备。”

“我跟着你。”

“放心，我不跑。”

不一会儿，果然回来了，又蹲在桌子的前面。黑灯瞎火里，人越来越多，人们互相辨认着面孔，打着招呼，两个民兵也和邻村熟人聊了起来。

不一会儿，两个社员抬着一盏汽灯走进了会场，挂在旁边的一棵树上，场院里顿时变得一片光明，各村的头头脑脑，陪着公社书记在桌子后边坐了下来。

一个干部说了几句之后，公社书记讲话，先讲阶级斗争，后讲反修正主义，国内国外形势讲完全之后，便联系上了王士道。这时，大队书记喊：“王士道站起来！”

会场一下静下来，可是没人答应。

“王士道，站起来！”民兵连长又喊了一声。

还是没人答应。

这时，人们往桌前一瞧：没人了。立刻责备那两个民兵。

“刚才还在这里呢！这是他的烟袋。”

“跑了也跑不远。快追！”几个村干部一齐向黑地里跑去。

上千人的大会，一下乱成了一锅粥，公社书记气得把桌子也掀翻了。

这回，王士道可真失踪了。尽管民兵一连埋伏了十几个晚上，队里记工分，开夜食，甚至派人在他家坐窝值班，也没见他的人影。这次他大概真下了关东，或者去台湾了。

其实，他并没走远。后来他自己说，趁人多混乱，他溜出会场，爬在村旁的一棵松树上，公社书记讲话他听得清清楚楚，追他的好几个人，就是从他的下面跑过去的。

大约半年以后的一天，县公安局突然来了两个公安人员，了解王士道的情况，才带来了他的消息。原来他在两省交界的一个地方搞投机倒把，贩卖布票、油票、粮票什么的，被当地派出所抓住，送到县上来了。两个公安说，若是贫下中农出身，好好地教育他一顿，让生产队去领回来；若是地富反坏右分子，村里同意就逮捕他。村干部一听，心里很高兴，在家里处处给出难题，前边那事又给丢了脸皮，正好是个治他的机会，一致要求把他抓起来。两个公安说抓他俩做不了主，得向局长汇报。

村干部出具了他是坏分子的证明。但是，到了县里一查，五类分子名单上没王士道的名，村里的材料不予承认，还得当贫下中农对待，所以只好将他领回来。

大队书记和民兵连长到了看守所，让狱警打开门，他正蹲在墙角打盹，旁边放一个小布包。

“王士道，你书记来领你了，快准备一下！”

他一睁开眼，有些吃惊又故意地：“啊，是你们哪！都忙忙的，还往这儿跑么，我……我不打算回去了。”

“不走谁管你饭！”

“不是国家一天拨给六大两吗？不干活，在这屋里蹲着，我试着还能行……”

书记没好气地说：“国家不养闲汉，你毛病不小，快走！”

他懒洋洋地站起来：“说真的，我不想走，你看这屋盖得多好，铁窗户铁门，洋灰铺地，赵二大头当了一辈子财主，也没这么套房舍，我长到这五十多岁，才在这睡了三宿觉。再说，不下坡干活，太阳晒不着，还有护兵站岗，一天还保证吃六大两，享福啊……”

“别啰唆了，快走！”看守不耐烦了。

他只好跟着大队书记回到了庄上。有人问起他的时候，他都是说：“书记亲自请我回来的，要不我真不回来，都说坐公安局不好，我还没坐够呢！干啥都比当社员强……”

就在这年秋天，四清工作组进村了。那位麻子组长第一次社员大会上就讲：“工作组是铁扫帚，要横扫一切……”第一项工作当然是清理阶级队伍，人人过关，户户排队，王士道被从贫下中农队伍里清了出来。在又一次社员大会上，麻子组长宣布王士道从明日起，和地主、富农分子一块去扫大街。麻子组长的话还没说完，他一下站了起来：“扫大街使谁家的扫帚？”

“你自己的。”

“报告，王士道家里没有，原来有一把，那年入社了。”

麻子组长生气地说；“明天去队里领一把！”

“是！”

这回，王士道成了真坏分子。

但是，他表现很好。工作组把大街按五类分子人数分成几段，每人一段，谁扫得不干净，轻则挨剋，重则挨斗。所以，到后来农村实行承包制时，王士道说：“这算什么新鲜玩意儿，我们扫大街时就早实行了。”他负责的那段街打扫得特别干净，天不亮就起来打扫，耽误不了按钟点出坡。在工作组眼里，他终究不能和地、富、反、右比，他出身贫下中农，本质是好的，只是后来变坏了。所以，在麻子组长和他谈话时，他自己也表现得痛心疾首：“我混蛋，我不是人！怎么在共产党的领导下，越变越坏了呢！我背叛了祖宗……”说着就要伸手打自己的脸。

麻子组长赶忙拉住:"你认识到就好,要深刻改造,争取重新做人,你要戴罪立功,检举他们,特别是那个右派分子宋玉生,他的一言一行你都要向我报告。"

王士道听到这里,心里倒抽了一口冷气:"真是一个麻子一个心眼,这是叫我们以毒攻毒呀!不过,你不认识王二爷是干啥的……"

过了几天,他很神秘地找到麻子组长,说有重要情况报告。麻子组长立刻拿出记事本,拔出钢笔,准备记录。他连忙凑上去,欲言又止。

"什么情况,快说!"

王士道又故意向四周看了看:"宋玉生那小子说,他要去偷美国人的原子弹呢!"

"真的?"

"我听他在梦里说的。"

麻子组长刚要喜,又一下收住了笑容,一拍桌子:"滚出去!"

王士道是在自找难堪。

麻子组长的气还没消,这天走在街上,见王士道下坡回来,拿着几个蚂蚱逗几个孩子玩。他一手举着:"我说个谜儿,谁猜着给谁!"

"行——"孩子们一齐说。

"雨打沙滩地,胖腚坐簸箕,棒槌子骨头核桃皮……"

"麻子脸——"孩子们一齐喊。

"好,全给你们!"他把蚂蚱分给孩子。

麻子组长听得很清楚,王士道又在骂他,肚子气得一鼓一鼓地,咬着牙在心里说:"你这个老东西,看我不收拾你!"

当晚就召开了斗争会,主要是斗争王士道,让宋玉生陪斗。麻子组长正讲着,突然,会场里响起了呼噜声。

"谁打呼噜?站起来!"

下边没人应,仔细一听,原来是王士道打的。民兵连长过去在他背上擂了两拳,他才不打了:"我正在做梦吃肉,撑得腰疼,想找个人给我捶捶,你捶得正是时候……"

这场严肃的阶级斗争课,让他给搅了……

四

在工作组的眼里,王士道是茅坑里的琉璃蛋,不仅又臭又硬,还好滑。麻子组长早想把他送进公安局,可是又不够分,况且贫协也不同意,一提这事,他们总是一句话:"他就是这么一个人,大半辈子了,连句正经话没有。再说,把他弄进去,他那一窝谁给他管……”

麻子组长心里那团火却总是熄不了，机会终于来了……

第二年春天，正是小麦浇返青水的时候。当年在这里进行革命活动的那位武工队的杨队长，如今当了什么军区副司令，要回来看望老根据地曾经养育他的人民。不过，来头可不同了，那时候，他吃饭和老百姓一口锅里抹勺子，睡在群众的炕头上，曾和王士道的大儿子通腿睡了半个冬天，张口大爷长，闭口大娘短，仿佛他就是顺河店的人。这次回来，头一天村上就住上了县人武部的干部，基干民兵不准回家睡觉，打扫大街也不用王士道他们那帮坏种了，队干部亲自扫，说是怕他们埋上定时炸弹。最关键的一条是把五类分子看好，决不能让他们有丝毫刺杀首长的机会。大清早，基干民兵就把王士道他们那帮坏种关进了会计办公的房子，因为这房子的窗户上有铁棂子，很难跑得出来。其实，这位杨司令根本连村没进，只在村头和社员说了几句话，在坡里看了看庄稼，便在随从人员催促下，上车走了。人们看着小汽车扬起的尘土，说了一句话：“真是大官！”生产队长还和一位社员吵了一架，是为了一张锄头。刚才司令员走到这里，一群社员正在锄麦，便从这位社员手里拿过锄，锄了几下，随行记者立刻抢镜头拍照。司令员走了，生产队长要把这张锄收归公有，因为首长曾经用过，是张革命锄、光荣锄。可是，那位社员不干，我指望它挣工分吃饭，要不队里就给我张新的赔我。队长答应给他张新的换他这张锄。那位社员又伸出手说：“他还握过我的手呢，咋着换法？”队长说他动机不纯，把他训了一顿：“你忘本，当年若不是杨司令把我们解救出来，说不定当亡国奴呢！要你这张破锄，和挖你心尖子上肉似的，算什么贫下中农？告诉你，你这双手，当革命需要的时候，也得献出来！”这位社员吓得不吭声了。

而王士道这一伙呢？外面发生的一切，他们当然不知道。因为牵扯“锄头事件”，把他们全忘了。直到天黑了，还没有人来给他们开门。王士道骂开了：“姓杨的今天来威风了，当年叫鬼子撵着跟小兔羔似的，那次送药，若没有老爷们装憨，你姓杨的早叫鬼子喂了狼狗了！要不，咱就算算账，你吃了我多少窝窝头，喝了我多少粘粥，光萝卜咸菜还半缸瓮呢！今天来了，还把老子关起来……”骂着骂着，他便打起了呼噜。

其他人心里可揣着个小兔羔，大气都不敢喘。最难受的是右派分子宋玉生，天还不晌的时候，他就觉得肚子鼓得慌，要屙屎，门又在外面锁着出不去，就坚持着，谁知，到了下午还没有人来开门，实在坚持不住，要屙在裤里了，急得脸都紫了。王士道问他：“咋事？哪里不好受？”

“要屙屎。”

“这些龟孙们不来开门，咋办？”

“我鼓不住了！”

“那就在屋里屙，上会计的桌子底下。”

“不行！他们发现了……”

“你们有文化的人就是好婆婆妈妈的，他们不开门，还能拉在裤里？不要怕，我说是我屙的！”

“大叔，能行？”

“哎呀，谁家屙屎还盖上个印？谁屙的屎都是臭的。我就说是我屙的，他们不信就尝尝。”

宋玉生屙在了会计桌下。

王士道往远处挪了挪：“宋玉生，你小子昨晚准是吃的地瓜，地瓜屎格外臭，带着地瓜那种噎人的味。”

“对，是吃的地瓜。”

“哎，我还要问你哩，那次偷地瓜的事，你小子真下手没有？”

“我哪有那份胆量。”

“那你家里地瓜是哪里来的？”

“是我在部队的一位部下送给我的，在县人武部当副部长。”

“哎呀，我的祖宗，你怎么不说，说出来那帮龟孙屁也不敢放！”

“我是怕连累那位部下，和右派分子来往，还给他送东西……”

“顾惜别人，自己可吃大亏了。不过，你说得也在理，人不能不讲良心，只顾自己不管别人，你做得对！”

等队干部们吃了晚饭，打着饱嗝，又来这里开门议事的时候，才想起王士道他们还关在里面：“滚回去吧！”

他们幽灵一样走了出来。

会计走进屋，点上泡子灯，一抽鼻子：“怎么一股臭味？”低头一看一只脚正踩在那摊屎上：“哎呀，坏种们在屋里拉屎了！回来！都滚回来！”

刚出门的王士道对宋玉生他们摆了摆手：“走吧，没你们的事！”

队长暴跳如雷：“这是谁干的好事？”

“我，王士道！”

“为什么在屋里屙屎？”

“外面门锁着，出不去。”

队长答不上来了。正在这时，麻子工作组长一步迈了进来：“怎么回事？”

“王士道在屋里屙屎。”

“你给我吃了！”麻子组长也跳了起来。

“你先吃，咱一人一口，谁不吃是大闺女养活的。”王士道听他这话也瞪起了眼。

“好！你敢辱骂四清干部，就是破坏四清运动，就是现行反革命……”麻子组长气得每个麻子坑都发了红。

“我听不懂这些大理论，俗话说，管天管地，管不着屙屎放屁，已经屙了，咋办吧！”说完扭身走了。

“咋办？组长？”

“给他整理材料：破坏首长视察工作，破坏四清运动，辱骂四清干部……准备上报四清大队党委！我就不服制不了一个王士道，再仔细查一查，他是不是真贫农？先摘掉贫农这顶红帽子；再查查他亲戚中有没有历史问题的……这些问题查不出什么，就按他平日的言行，抓他一个背叛本阶级的典型，力争在全县挂上号，作为清理阶级队伍中的重点人物，因为光抓那些死老虎实在没什么现实意义了。”

谁知，福人自有神灵保佑。就在麻子组长组织人马紧锣密鼓给王士道造材料的时候，北京城里闹开了“文化大革命”，不几天，县城的学生也下来撒开了传单，一个扎羊角辫的女孩子在大庙前的台子上演讲，说什么要炮轰四清工作队，把他们赶出去，群众自发闹革命……

麻子组长当初脖儿颈还又直又硬，上公社开了一个会回来，便不那么精神了。终于在一天早晨，一纸公文下来：工作组全部撤出。他忙着卷铺盖卷儿，王士道的事也随之搁浅了。

但是，也有人不愿工作组走，用王士道的话说就是：苦大仇深的；靠哭挣工分的；给干部当儿孙的；还有没扎下根的。他说的这几种人，一是土改时虽然分了胜利果实，但是到现在还是不得温饱的翻身户，这些人家不会过日子，基本上属懒惰型，王士道说他们解放八遍也是贫下中农；二是指那些靠吃忆苦饭的人，到处做报告，眼泪不值钱，工分不少挣；三是指那些运动积极分子，干部说啥听啥，点头哈腰当孙子；四是指那些四清运动中刚上台的村干部，板凳还没坐热，工作组一走，根底很浅，怕坐不牢。

王士道说得一点不差，这些人一听工作组要走，一齐拉住麻子组长哭哭啼啼，难舍难分。麻子组长说：“这就叫阶级感情。”所以，他要挨家挨户走走，一是安慰，二是告别。他正走在街上，见王士道逗着一群孩子玩：“我说个谜儿，谁能猜着：从那来了个小黑汉，推着小车不使袢儿……”

“屎壳郎——滚蛋！”孩子一齐说。

麻子组长正好走到跟前，听出是在骂他，又不好发作，只当没听见。王士道却主动迎上前去：“听说你要走了，这些日子，我王士道不当之处，请多包涵。”

麻子组长万万没想到王士道向他说这些，又见他表现得那么真诚，也许是当干部当惯了，只会打官腔，脱口说道：“你要好好改造，争取重作新人！”

王士道一听，把脸一沉：“你娘那×，我改造啥？王士道上下三辈没有做贼的，没有养汉的，走得正，站得直，半夜不怕鬼叫门，阴天不怕神打雷，怕啥！我是坏种？你们是好人？可惜呀，都是从洪洞县来的……”

麻子组长讨了个没趣，一句话也白不上来，十分尴尬，哭也不是，笑也不是。

五

“文化大革命”来到了顺河店。这次运动和过去历次运动不一样，上级没派干部，群众自己鼓捣。先是三一堆五一群在一起咬耳朵，拿着学生散的一些纸片在念，有的人还跑到县城去探风，然后是联成串。这次运动，用王士道的话说，是新媳妇那肚子——鼓起来的。最早鼓起来的，是四清中被整的那些人，说是整错了，要和四清中的积极分子“秋后算账”，成立了毛泽东思想红卫兵，把四清中上台的干部轰下了台，成立了什么指挥部。过了些日子，这些人又说是受了什么资产阶级反动路线迫害，又鼓起来成立了井冈山战斗队，两派人马各说各的理，打得不可开交。但是，这两派有一点是一致的，就是对王士道他们那伙阶级敌人，观点只有一个：坚决斗争。无论谁家开会，先批他们一顿，才转入正题。王士道说：“我们这伙人成了他们的就菜。”而且称呼由过去的地富反坏，成了牛鬼蛇神。造反派都戴红袖章，也给他们一人缝了一个白袖章，写上他们的“番号”和名字。宋玉生戴上白袖章，觉得比挖了祖坟还耻辱，除去下坡干活连大门也不出。而王士道却觉得无上光荣，并不比他们的红袖章低下，大有衣锦还乡、光宗耀祖之感。每天收拾得平平整整，有人故意和他开玩笑问他：“上面写的啥？”

“坏分子王士道！”一边用手指着大声地念着。不过，指的和念的顺序正好相反。

有时这派上午开会，那派下午开会，他就得两头忙，回家吃完饭就走，老伴问他：“你忙乎啥，吃了饭也不歇歇？”他说：“这是公事，你别问，老实在家烧火做饭就行，我不到场他们开不了会，这些事少问！”

不过，天有阴晴，月有圆缺。两派越闹越大，最后打起来了。他们一打，把王士道这伙牛鬼蛇神放在一边没人问了。王士道觉得闲得慌，生产队里也没几个人下坡干活，他就挎了一个粪筐天天拾粪，不过人们发现他有粪也不拾，到处转悠着玩。他又好逗孩子，所以，他走到哪里，哪里就是一台戏，满肚子的谜语和笑话，惹得人们哈哈大笑。也不知他上哪里讨换的那些东西，说来难听，又耐人寻味。像什么：胡萝卜粗，大半拃长，姑娘用它在绣房，半夜三更流白水，只见短来不见长（蜡烛）；什么：一软加一硬，二人把腰拱，累了一身汗，为的那道缝（拉锯）……在人们心目中，没有一个人觉得他是坏人。即使批斗他，也好似不是真的，而是和他闹着玩，少了他，就如吃饭端走了咸菜碗，嘴里会变得没滋味的。而他自己怎么想呢，那些人虽朝着他吹胡子瞪眼，吆三喝四，只不过巴狗子看门，冒充大狗；屎壳郎落在盘子里，算道什么菜？懒汉，青皮，土蛋，都成“人物”了，这些事真叫人难以捉摸……

在人们的记忆里，王士道好似没和任何人吵过架，他缺个心眼，很好说话，天生是人们饭后茶余的笑料，可万万没想到他有时也是一头狮子……

这一年春天种棉花的时候，因为我们这里是产棉区，种棉花是一项硬任务，全县统一行动，各村的整半劳力一齐出动，必须限期完成。这天，坡里黑压压的一片人。那时，生产队里还没有抽水机，全靠人们挑水点种，几十条扁担从一口井里担水，人多必乱，不时有水桶脱钩掉在井里。水桶全是社员自家的，掉下谁的谁着急，因为这是一个家庭的一件值钱的财产。掉下一只去就停下一担，队长就让两担合成一担，掉在井里的桶等种完棉花一块捞。及至傍晌，已掉下十几只，水开始供不上，种棉速度就自然慢了下来，只好让人停下来捞桶。这口井是五十年代掏的，又深又大，加之全是扒的坟砖砌的，刚掏出来时，有人从旁边走，听见井底下有人说话，越传越玄，人们心里很犯忌讳，从不让孩子到井边玩。又谁知偏被有些人言中，三年前，邻村的一对年轻人自由恋爱，双方父母横加干涉，二人走投无路，双双跳进这口井里死了。这口井成了名副其实的鬼井。今天掉下这些水桶去，人虽在上面捞，心却在下面怕，两顿饭工夫过去，一只也没捞上来。好似下面的鬼在作祟，不给你挂钩。这时，兄弟队的进度很快上了前头。

"人精"队长急眼了，他亲自打捞，也无济于事。这时，人们全停了下来，有的在井边出主意，有的坐着拉呱，王士道干脆躺下了。"人精"队长看着遥遥领先的兄弟队，像老鼠剁了尾巴，急得团团转。他吆喝社员干，水又供不上，气急败坏之下，一双小眼一下盯住了宋玉生，他一招手："你过来！"

宋玉生赶紧过去："啥事，队长？"

"你给我下去把水桶摸上来！"

"队长，我不会水呀！"

"真不会？"

"是，真不会。"

"好，那咱想个办法。"他拖过一根捞水桶的杆子，对几个社员说，"把他绑上去！"

几个社员没听明白："咋着？"

"把他送到井里摸桶！"

"队长，不行，这个办法要死人的。"几个社员摇着头不干。

"人精"见几个社员不干，又把几个地富分子叫过来，让他们绑，他们不敢吭声，但站着不动。

"怎么，你们不绑，我叫你们下去摸！"他们只好战战兢兢地走向宋玉生，宋玉生头上已淌下了冷汗。

几个地富分子虽然在绑，但是手在不停地哆嗦，就是绑不紧。"人精"队长气得一脚把他们踢到一边，亲自把宋玉生绑在木杆上。

宋玉生的脸变得一片煞白。

“来，把他送下去！”“人精”队长吆喝那几个“阶级敌人”。

他们一个也不向前。

“你们这些坏种不听招呼，种完棉花我一块儿收拾你们！”他又对民兵连长，“你来！”

“这样会把他淹死……”

“淹死一个右派分子怕啥？少一个阶级敌人！来吧！”

二人抓住了杆子。宋玉生这时声嘶力竭地喊开了：“队长，不行啊，我害怕……”

“你吆喝啥！摸上桶来一个月不用你扫街！”二人把他推到井边，正要往井里送，突然，像晴天响起一声霹雳：“住手！”同时，一只有力的大手抓住木杆，把宋玉生从井沿里提了上来。谁也没看见怎么回事，“人精”队长和民兵连长一人一个狗吃屎架势，趴在了一丈以外的野地里。

“我日你娘，等人命使吗?!”只见王士道二目圆睁，指着两个人骂开了。他三下五除二解下宋玉生，宋玉生瘫软在井台上。

“人精”队长爬起来，满脸是土，好像庙里的小鬼。他吐了吐嘴里的土：“好啊，王士道你这个坏分子要翻天了，竟敢打干部！”说着就去抓王士道。

“今天我就是要揍你！”只见王士道一扬手，没费吹灰之力，“人精”队长又“飞”了出去。他跟上去一脚踩在他的背上：“不和你娘睡觉，你不知叫我爹。今日我就要教训教训你！”

这时，人们好似第一次发现王士道的眼又明又亮，更没料到，他的胆子这么大，竟敢打队长，简直是吃了豹子胆。但是，没有一个人上前去拉，觉得“人精”挨打是应该的，今天就是他挨打的日子。所以，都在袖手旁观，甚至幸灾乐祸，有的还在心里暗暗使劲：“狠狠揍！”

王士道顿时成了英雄。

他一只脚踏住“人精”队长的脊梁，好似一头凶猛的狮子抓住一只兔子，对猎物那么不屑一顾。“人精”队长在他脚下，又好似一条被踩住的蛇，身体动弹不得，只在摇头摆尾。王士道这回真生气了，胸膛一掀一掀的，好似要鼓开。在人们的记忆里，这好似也是他第一回生气，因此，很让人害怕。又担心他一使劲，会把“人精”队长给踩“爆”了，手心里又捏着一把汗。

这时，大队书记从邻村干活的地里跑了过来：“王士道，你想造反吗?”伸手去抓王士道，只看见王士道胳膊动了一下，大队书记一个趔趄跌倒下去，爬起来没再往上扑。

王士道开腔了，“你们先去尿泡尿照照，自己是啥模样！我坏？我家孩子的裤子也比你家的祖谱干净！顺河店就数着你们是人精啦？知道害羞早上南墙上碰死啦！你们这官儿是怎么当上的？有种当着大伙的面说说！你们不敢，也说不出口。

动不动还朝老少爷们吹胡子瞪眼，蛤蟆长毛，是个啥物件？再说今天这个事，这不是拿着活人往死里送吗！你们还有人味没有？人家宋玉生咋着你们啥啦？什么右派左派，屁，人家老子做官为宦，是祖上积了阴德。凭你们这种伤天害理的德行，八辈子也出不了官。天天骑在人家头顶拉屎不算，今天还想把人家置于死地，乡里乡亲的，还真使得出来……”

王士道骂了半个钟头，没一个人吭声。俗话说，鬼怕恶人。大队书记也好似害怕王士道了：“王士道，你放开他，有话好说！”

“你喊我什么？回去问问你爹去！”王士道此时也开始维护自己的尊严。

“王大叔，放开他，有事慢慢商量！”大队书记软了下来。

但是，“人精”队长身子软了嘴却不软：“王士道，你为右派说话，就是反革命！”

“我是反革命，你也不是正革命……”

“我要上公社告你！”

“好！我放开你，让你去！谁不去是大闺女养活的！”王士道说着放开了脚。

“人精”队长最忌讳说这句话，因为他确实是他娘当闺女的时候生的。他摸起一把镢头，直奔王士道：“我和你拼了！”

人们见状，一齐上前拉住了他。他一见，骂开了：“我日你祖宗，他打我时你们不管，我打他了，你们一齐拉住我了？一个个和坏分子站在了一起，顺河店成了小台湾了！我要上公社把你们全告下。”说着，漫荒遍野地向公社方向跑去。

“人精”队长跑出很远，大队书记好似才清醒过来：“我也去！”

六

真是无巧不成书。四清运动中的麻子组长又回来当了公社副书记。他听了“人精”队长的哭诉，大队书记又作了些补充，真是火冒三丈：“又是这个王士道，简直翻了天！四清运动时，顺河店阶级斗争的盖子没等揭开，让“文化大革命”给冲了一下子，现在斗争正在深入发展，顺河店的阶级敌人又在兴风作浪。正是火候，我要重返顺河店，杀他个回马枪！”

麻子组长这次回来，不仅成了麻子书记，而且政治上确实老练多了。四清运动进村时，他扛着把铁扫帚漫天胡拉，这一次却是稳扎稳打。先开党团员会，再开积极分子会，分析阶级斗争的动向，抓苗子，挖根子。他认为：王士道的问题是表面现象，是阶级敌人抛出来试深浅的一块石头，是一杆枪。他的背后肯定有人支持，在出谋划策，让他装疯卖傻，先把水搅浑，再实施更大的阴谋。可是，这个人是谁呢？那些地富分子年纪都大了，成了一副棺材瓤子，是死老虎，兴不起风，翻不起浪，对无产阶级政权已没大的威胁。只有宋玉生这个右派分子，共产党把他弄到这种地步，他从骨子里是仇视的。他平时走路低着头，不说话，就是不服气，想对策。可是，抓他总得有个借口，那怕是一句话，只要能上纲上线，就能把他打翻在地，再踏上一只脚。上级一再要求要稳、准、狠地打击敌人，稳是前提，准是关键，狠就是要下得了手，不能心慈手软。平时，人们好像没听见他说过一句与时局有关的话，下坡回来基本不出门，是条黑了嘴的老狐狸，道业很深。有人反映，只有他和王士道在一起的时候，不仅说，而且还笑，拉得还很热乎。因此，只要抓住王士道，就能抓住宋玉生。而且从王士道的所作所为看，很可能与宋玉生有关系，要不这个“朝道士”怎么这样会和人作对？这是个重要突破口，先拿王士道开刀！

可是，经过和王士道几次交手，这个老家伙也是个煮不烂的狗头。火小了不行，火大了也不行，是个软硬不吃的东西。他是贫农出身，本质还是好的，只是不听话，有些小毛病。当初把他打成坏分子，本想是杀鸡给猴看的，他没有文化，又不懂政治，好糊弄他，让他好好在队里干活，给那些不安分的人立个规矩，使全体社员老实听话也就是了。谁知，他顶上坏分子那顶帽子，比中了举得了第还光荣，不但不“痛改前非”，而且“变本加厉”，成了他装疯卖傻的资本，骂人是家常便饭。如今竟动手打干部，肯定是宋玉生在给他出主意。四清运动中，就想抓他个典型，目的没有实现，今天咱再和前段接上，煮不烂是烧火少，我就不信制不了一个王士道……

但是，还用过去的方法是不行了，必须换一个方式。只要捉住王士道，这回就是一箭双雕，若成了全县的典型，坐上公社书记这把交椅，就大有希望了……

王士道被“请”进了大队办公室。

麻子书记面带笑容在门口迎住，如老熟人那样，主动上前打招呼：“老王……”

“错了，是坏分子！”王士道给他纠正道。

麻子书记一怔，接着笑了笑：“咱不计较这些小事，高兴的是咱又见面了。”

“冤家路窄嘛……”

“老王，你不要误会嘛！”

“哎，你又错了，是坏分子王士道！”

“叫老王也对嘛！快坐！”麻子书记给他搬过板凳。

王士道自己却上墙旮旯里蹲下了。

“哎，老王，这里坐！”

“不，这是我的地方，过去你在这时，不都是让我在这里吗？”

麻子书记尴尬地一笑：“你还真记事。不过，那是四清运动……”

“今天我也没忘了，王士道是坏种。”

麻子书记无可奈何地笑了笑：“好吧，随你的便吧，愿在哪坐在哪坐，屋子又不大，在哪坐说话也听得见。今天叫你来……”

“我打了队长，送我进公安局？”麻子书记的话说了半句，王士道就把话抢过去了。

麻子书记露出叫人难以捉摸的一笑，没说什么，把手伸进口袋里摸烟。

“那地方我住过，很好，比我那三间草屋强多了，铁窗户，铁门，洋灰地，门外有人给站岗，到钟点有人给送饭，饭食比在家里吃的还好，是块好地方，虽然名声不好，活得可舒服，你啥时候送我去?”王士道说着说着有些激动起来，走到麻子书记面前，露出一种向往的神情:“那确实是块好地方，你是没进去试试，比你们公社强多了……”

“别说了!”麻子书记有些不耐烦了。

“我说的都是实话呀!”

“今天就是让你说实话!”麻子书记的话里有分量了。

王士道一听，心里不由咯噔了一下:“看来今天还不是只为我打‘人精’队长的事，好似还有别的瓜葛，什么事呢？一时还想不起来，先沉住气，看他葫芦里到底卖的什么药。”

麻子书记点上一支烟，使劲抽了两口，好似先定了定神，修正一下刚才的失态，然后心平气和地:“老王，我们是老相识了，四清时就想和你谈谈，一直没有机会，想不到老天有眼，又叫我们见面了……”

“你怎么还迷信？不是没有老天爷吗？人家解放他奶奶敬老天，你给人家踢了香炉子，还开会斗人家……”

“老王，你真会钻空子，以前有些事我是做得粗一些，注意就是了，不过，今天……”他手里的烟把快烧着指头了，但没舍得扔掉，又摸出一支，在头上抽掉点烟丝接上了，唯恐不着，使劲抽了两口，喷出了一团浓浓的烟雾，透过烟雾，王士道仔细观察着麻子书记脸部的表情，看他要干什么。

“老王，你虽是坏分子，但出身贫农，跟那些家伙不一样，听人们说，当年你还为革命事业出过力……”

“听他们胡唚，没有的事，我王士道是胎里坏。”

“不，真的就是真的，谁也改变不了。”

“真是这样吗?”

“不过，功过得分明，不能混为一谈。老王，你为啥打队长?”

“他该打!”

“为什么?”

“他要把宋玉生淹死。”

“宋玉生是什么人?”

“右派分子。”

“你和他是什么关系?”

“坏种和坏种的关系。”

“这算什么关系!”

“不是一块扫街吗！”

“你和他不一样。”

“他姓宋，我姓王，他姥娘家在城里，俺姥娘家是寿光，是不一样，还有……”

“住嘴！谁让你说这些！”麻子又沉不住气了。

“说啥？”

“宋玉生平时和你说些啥？”

王士道心里一乐：“又是整治宋玉生。不过，这回是想借我的手把宋玉生‘淹’死？你麻子不叫麻子，叫坑人。道业比过去深了，学会了借刀杀人，先让我咬死宋玉生，再回过头来收拾我，够狠毒的！不过，没有什么新招，还是老办法，看来就是这些本事了，我也将计就计，还用老办法对付你。”他故意看了看那张麻子脸：“宋玉生这个人……”

“他怎么样？”

“不是一般人物呀……”

“对！你接着说。”

“他有文化，知道的事多……”

“对！他说什么了？”麻子书记掏了一个小本，拧开了钢笔，准备记录。

“你要把它写下来呀？那我不说了。”

“这时候你不说也不行了！王士道你要立功赎罪，表现好了，可给你摘帽子……”

“摘帽子？这可不行，冬天到了戴着暖和呢！”

“王士道，你别装疯卖傻，你这套手段不灵了，快交代，你和宋玉生平时都说些啥！”

“你说谁装疯卖傻？”王士道也站了起来。

“我说你！”

“凭什么？”

“你若真傻，就上西坡跳进那口大井里！”

“这可是你说的？”

“我说的！”

“好，谁不敢跳进去是大闺女养活的！”王士道说着，两步迈出了门外，他来到街上放开嗓子就喊开了：“我要跳井了！干部叫我跳井了！我要跳井了！”

他的喊声，好似要被捅刀子的猪叫，又尖又厉，凄惨吓人，几声便把人们从家里喊了出来。只见他一边喊着，直奔西坡大井，人们便一齐跟在后面追去。

王士道见有人追来，便越发撒开腿跑得快了。他来到井边，连个嗝没打，扑通一声跳了下去。

人们顿时乱成一团：“救人哪！王士道跳井了！快救人哪！”

井边一下围满了近百口人。只见井里正向上翻着浪花，不一会儿，王士道慢慢浮了上来，他动了一下，便贴在井帮上不动了，从上面只看见头顶。

人们扛来了杆子，拿来了绳子，先把杆子顺下去，然后，拴住两个年轻人的腰，顺着杆子放了下去。两个年轻人又用绳子拴住王士道的腰，想把他抱住，可是，心里又有些害怕，他人高马大，抱不动他。人们又放下一个大条筐，把他放在里面提了上来。几个老人赶忙去摸了摸肚子，好似没喝一些水，又摸了摸胸口窝还热乎："快抬到热炕上，盖上被子捂！"这方法还真奏效，不一会儿，王士道竟苏醒了过来。

他睁开眼："怎么，我这是又回来了吗？让我走了算啦，你们还捞我干啥！"

"去摸了摸阎王爷鼻子，逛了逛阴曹地府，还没打火车票。"见他醒来，人们又和他逗乐。

"我真去阴曹地府了，阎王爷并不让人害怕，比咱的'人精'队长都和善。他让判官查了查生死簿，说我阳寿未尽，不能来落户口，把两个小鬼训了一顿，又让他们把我扔到还阳河里冲回来了。"

"真的，那边怎么样？"

"这还能假。那边比咱阳间好多了，没有人咱饭还没吃完就敲钟催着下坡，不用挣工分，没有扫大街的……我觉得死了比活着好……"

他把人们都说懵了，只有他老伴笑着说："好死不如赖活着。你死了我咋办哪！"

七

其实，王士道在井里一口水都没喝。他脚磴着井壁，手抠着石缝，把嘴浸在水里，露着鼻孔，所以根本淹不死他。

麻子书记听说王士道真跳了井，当时也出了一身冷汗。王士道虽是坏分子，可落下一个逼人跳井的臭名，即使上级不追查，本乡本土的也不光彩。若干年后，人们拿这事当呱拉，子孙后代也不好做人。但是，他嘴头仍不软，色厉内荏地喊："坏分子，死了活该！这是他自绝于人民，死有余辜！"一听王士道没死，他反而不骂了，擦了一把头上的冷汗，让人不可捉摸地笑了……

他决不放过王士道。

现在，在他的眼里，王士道比右派分子宋玉生都可恨，是一个完全背叛了本阶级的异己分子。尤其是当"人精"队长报告了王士道在井下耍花招是在耍弄他时，肺都快气炸了，恨不得咬他两口。于是，和队干部们关上门，嘀咕了一下午，一晚上，一份以恐吓革命干部、包庇右派分子、散布反革命言论为主要内容的材料，送上了县公安局，要求正式逮捕王士道。

在那年月，这三条是够上枪毙的。王士道却还蒙在鼓里，正对着宋玉生大吹大擂："娘的！说我装疯卖傻，让我跳井，我跳下去了，他倒傻眼了吧！"却没看见一副手铐子正在他眼前晃悠……

知道消息的人，为他捏着一把汗。

不过，不要为他担心。这回又应了人们说的那句话，王士道福寿齐天，有贵人扶持，逢凶化吉，遇难呈祥……

就在王士道被捕的那天，那位当了军区司令的武工队长又来到了顺河店。若说巧，是公安局前脚走，司令员后脚进。司令员这次直接进了村，一下车就说："上次来本想进村看看乡亲，地方上干部不同意，说是不安全，要为首长负责，我尊重了他们的意见。这次来我就不听他们的了，要回来看看乡亲们，到老房东家里坐坐。"

这样，王士道的家是必进的了。可是，当司令员走进大门的时候，王士道的老伴却坐在院子当央号啕大哭，司令员愣了，赶忙扶住她问发生了什么事，老太太一边哭着一边说："杨队长啊，你可来啦，孩子他爹让人家拴了去了，坐下处了……"

坐下处是怎么回事？司令员是很明白的，就是今天说的进公安局。当年在这里闹革命时，抓住坏人，关起来，就叫坐下处，这件事他就干过不少。他一听王士道进了公安局，问跟在身边的队干部："这是怎么回事？"队干部都吓得面如土色，一个个连话都说不成块了："……他，他是反革命……"

"胡说！顺河店打一万个反革命也轮不到王士道！"司令员气得把帽子摔在了地上。

"人精"队长当时吓得尿了裤，在司令员追问下，把全部责任推给了麻子书记。司令员听着，手一次又一次地直往腰上摸，这是他多年养成的一个习惯动作，有情况先摸枪。陪同前来的头头脑脑看见他这个动作，心都提到了嗓子眼。

"王士道是反革命？当年他冒着生命危险给后方医院送药，为的是啥！他送的药救活了那么多同志，现在，在我的军区任军师职的就有十几个。有位军长经常问：'当年那位送药的王士道同志不知还在不？若还在，咱们一块去看看他。'当时他负伤时是副营长，伤口化脓感染，高烧不退，情况很危险，就是王士道背去了十支盘尼西林救活了他。这些你们知道吗？"

那么些干部，没有一个吭声的。

司令员越说越气："建国二十多年了，顺河店一点没变样，王士道还是住在这当年我住过的三间草屋里，你们干了些啥？整人！连王士道也不放过了，混蛋！我要上公安局去要人！"司令员最后都开骂了。

第二天，庄上又开进了一辆小汽车，从车里下来的是王士道，还有三个干部陪着他。立刻敲钟开社员大会宣布："王士道不是坏分子，更不是反革命；今后，他无论出坡不出坡，每年都补贴三百个工作日；同时，麻子书记要停职检查反省……"

正如一开始就说的那样，王士道长得很有福相，他的晚年光景很好。自打司令员走后，不仅经常上边派人来问候他，还不时收到有人寄来的钱和东西，他知道是谁的，也不知道是谁的，反正又退不回去。还有，随着右派分子宋玉生的平反，他也风光起来。宋玉生先是当校长，不久又当上了什么局长，又升成副市长，如今是政协副主席。他不忘与王士道的患难之交，经常回来看他，还用补发的工资给他买了一台电视机。同时，这时的宋玉生回来，身份也不一样了，市长来看王士道，不仅身价倍增，也使门楣生辉，他的孙女小英竟考上了全国名牌大学。

王士道可谓洪福齐天，成了地方上的一个让人说在嘴上的“人物”。

有人说：王士道是享受市（师）级待遇，给半个省长不换。而他自己说：“我还是叫王士道。”他还是粪筐不离身，串村走店，说着那些永远说不完的，让人笑破肚子的笑话，猜着那些脍炙人口的谜儿。在人们的生活中，他好似无所不在，三天不见就想他。只可惜这样无忧无虑、安安静静的日子对王士道来说太短了，没几年王士道就露出了龙钟之态，对此，王士道早有准备，几年前他就给家人订下了规矩：“死了烧了埋了，谁也别惊动，让我在那边安静安静，这边太吵了。”

这是他在一生的最后，说的一句不是实话的实话。

他是春天死的，无病而终，活了八十四岁。

（原标题为《坏分子王士道》）

（选自《时代文学》1994 年第 2 期）

宋本善

1944 年出生，山东广饶人。民盟成员。高中毕业，当过农民、工人、教师，现为公务员。2004 年加入中国作家协会。著有小说集《清明雨》，中篇小说《九奶奶》，电视剧本集《那时星光》，电视剧《济南夜话》《村主任李四平》及大型舞台剧《乔女》等。作品分别获山东省精品工程奖、中央电视台优秀短剧展播一等奖、中国电视剧飞天奖等。

都市里的生产队

柳建伟

一

我站在黄河大道南侧铁路局门前卖闲眼。染上这种嗜好，已有些年头了。我卖闲眼不是为了看热闹，不是因为无聊，而是为了证实我的一个判断：在社会大动荡后的转型期，心理痼疾成为诱发精神病的主要因素。三年前，我在医学院附属医院开设心理咨询门诊后，这种判断像影子一样跟上了我。我认为从病理学和心理学上解决理论问题，要比每天看门诊更有价值。这绝不是单纯的医学问题，从本质上说是个社会问题。病例分析缺少普遍性，要弥补这个缺憾，需要到熙熙攘攘的人流里卖闲眼，我发现百分之九十的病人从没去门诊，而是像正常人一样生活着。

一个中年汉子眨了我一眼。从这瓷地一亮的眼风里，我捕捉到了我要找的东西。这种眼风带有攻击性。几年前，北京市街头，常发生因眼风攻击导致的血案。报上把这些事件归罪于浮躁心理、文化素养太低，我以为这种结论是瞎子摸象得出的。那汉子盯着我死看，像牛经纪相牛一般用眼风捏我的骨骼、肥瘦。我感到很不舒服，也用正眼打量他。身材适中，寸头没戴帽子，一条深灰围脖像个摆设，裹在藏蓝色半新不旧风衣衣领外，两头耷拉在胸前，里面的土黄色皮夹克不知叫什么东西塞得鼓鼓囊囊，深蓝的裤子下面，是一双大约半个月没擦过的，样式早过了时的三接头黑色皮鞋。

汉子看着看着，眼睛里浸出一层亮光。这是正常人都具备的惊喜时本能的生理反应。我正疑惑这个陌生人为什么看见我要惊喜，汉子一拳捣在我的左胸上。

“桑塬！不会错，桑塬！”

我错愕他竟叫出了我的名字，一时又想不起是玩伴、朋友，或是我的病人？

“你是……”

“我是张东升，看你啥鸡巴记性。也难怪，二十几年了，我过的啥毬日子，早不成人样了。”

透过二十几个年轮在他身上滚过的印痕，我终于认清了少年东升的轮廓。再次寒暄后，我和他交换了名片。没容我们反刍一星半点少年时期的往事，两个身材五短、装束怪异的青年来和东升咬了一阵耳朵，东升匆匆和我告别，独自走进铁路局的大门。两个青年转身奔向西边的一个工地。不一时，几十个人一字排在一段新砌的齐腰高的砖墙一侧，只听哼唷一声，砖墙訇然倒下了。双方争吵了一阵子，并没有出现我担心的械斗的场面，人群作鸟兽散了。我立即联想到关于东升这些年的一点消息：他因为什么事情蹲了几年大狱。我心里一悸，拿起他的名片一看，头衔位置上写着："中州市向阳区生产队队长"。

过了一个月，张东升突然出现在我的家里，和上次一样的装束，一脸匪相镶在门框间的空气里。一想起那天的场面，我眼睛里露出了狐疑。他竟感受到了。

"当了名医，小眼也变成B超机了?"牛眼如炬，盯我片刻，旋即一笑，扔下手中的大旅行包，"我肚里有几根弯弯肠，你桑塬还不清楚? 如今我是正经人，一级政府官员，不是来打劫的，来看老同学，你怕个毬!"

"我是在想，你怎会一下找到这里。"

他并不接腔，在我刚分到的两室一厅房子里巡视了一遍，大剌剌一屁股坐进沙发："医学院这么大座庙，听名头你也不是小神，一周挂牌门诊两天的名医，小四十了吧，咋还叫人塞在鸽子笼里，憋不憋气呀?"

这事用不着解释。我淡淡笑笑，拿起茶几上的喜梅烟，抽出一根递过去。

东升半天不接，啧啧几声："日怪，恁多病人认得你，还穷酸成这样。你没听人说：六类人手术刀，擦屁股也舍得用红包。别抽鸡巴那，抽我的。手术刀和手术刀还能不一样，日怪。"

我接过他的红塔山，解释说："我手里没手术刀，也不是医生，是副教授。"

"这就对了，穷得像教授一样。哎，不对，那你挂牌门诊诊个啥?"

"按摩推拿一天，心理咨询一天。"

"按摩我懂，教授了，还做这种粗话，多失身份，跟澡堂子的搓背的有啥毬区别。心理咨询又是什么玩意儿?"

我只好说得通俗易懂："心理咨询，就是和病人聊天，从他说话中看他哪里出了毛病。"

东升并没纠缠，点上烟说："我说嘛，按摩能按出个名医? 还是有两把刷子的。昨天看电视新闻，看见你和省长副省长在一起，今天一大早去医院找你，才知道你今天在家里办公。桑塬，别那样看我，我那档子事你恐怕早听说了，那是个冤案，有工夫再跟你细说。你要信呢，就给我倒杯茶，不信，我就拍拍屁股走人。"

我忙伸手按住他，"别，别! 家里待人接物，全是你弟妹张罗。甩手客官我做惯了的。"说着，给他沏了一杯茶。

他眯眼瞅瞅我，"看来交你这个朋友错不了。"正说着，他的腰里嘀嘀嘀地叫了起来，翻出BP机看一眼，"你的电话在哪屋搭?"

“我没装电话，吵得慌。”

东升拉开皮夹克，摸出一只大哥大，按着号码说：“信息时代了，电话离不了，不就是几千块钱的事儿。喂，我是张队长，有啥事你说。”听了一会儿。骂起来：“小鸡巴萝卜头儿事，呼我干啥？我留的有话，上午我有要紧事办，你耳朵塞驴毛啦？我听清了，他告到北京，也翻不起大浪，白鹤庄老少爷们儿心里有秤，他红口白牙能翻天不成？别再啰唆了，我在用大哥大和你说话，一分钟十几块呢，不当家你不知柴米贵，挂了吧。”

东升这种做派，显然是富得流了油。中州市比起我少年时的中州，不知膨胀了几倍，当年的白鹤庄，早成了新城闹市的一部分，东升靠什么用得起BP机、大哥大呢？

东升把装进衣袋的大哥大又拿出来，“这是全世界直拨，想不想找个远处朋友说几句？”

“一分钟十几块呢，我可消受不起。”

“看你心眼儿小的，放不下个屁。”东升也不勉强，收了大哥大，“我哪里会笑你穷酸，我一丝不挂的样子你又不是没见过，在你跟前我敢烧包呀？”

我忙给他续了茶水，要堵他的嘴。

东升拉开旅行包，抱出六条红塔山、四瓶五粮液摆在茶几上，“看来看去，也只剩你这一个真朋友了，吃肉喝汤，我决不会忘记你。农民兄弟玩大哥大，名医兄弟抽喜梅，别人会怎么看？”

看来东升是有求于我了。一个人的脾气、性格，多少岁月也不容易把它打磨去。少年时，每逢考试前夕，东升都要给我行贿，条件是我用小纸团保他考试及格。那些时候，他送的是一杆红蓝铅笔，一只铅笔刀，一把水果刀什么的，或是送一只他用芭茅花茎精心编成的小鸟笼子。少时这些小用品、小玩物，至今想来犹如一只小白兔，很温馨的，眼前这一堆烟酒，不是老虎，起码也是一只狼了。我心里有些不快。

“张队长还用参加考试呀？要是看病，用不着拿这些，这是我的规矩。”

“你日鬼的精能！这些事你还记着，证明我没错看你。”他把烟酒分成两半，“春节刚过，上门不兴空手，这一半算是带的年礼。这一半嘛，按咱俩的老规矩，谁也不能谈价钱，答应也得答应，不答应也得答应。”

“要是让我帮你抢银行，礼是不是太薄了一点？”

“你抬抬手就能办的小事情。”东升呷一口茶水，来龙去脉说了个清楚。

白鹤庄1958年有耕地三千八百多亩，眼下只剩下五亩多了。这点儿地早被高楼包围在城里，东升派两个人在那里种菜蔬。二七干道开通后，这五亩地恰好临街，处在黄金地段上。眼见是块肥肉，区市两级许多个单位都盯上了，正设法买到这块地。

“这还不好办，谁给的价高卖给谁呀。”我轻描淡写道：“原来你是靠卖地发的家呀，这可是掠夺性经营，早晚要坐吃山空的。”

“你把我看成败家子儿吧？”东升猛嘬一口烟，“你可是冤枉了我。这地不卖，就得白送。奶奶的，要不是白家当权时白白送人一千四百多亩地，我这生产队现在肯定是全国首富。卖地是杀鸡取蛋，这个道理咱懂，我这生产队还开着七八个工厂商店呢！这几亩地我暂时不想卖。为啥？今年这种地一亩三十八万，明年至少要翻到八十万，做什么生意能有这种利润？”

“你放着不卖就是了。”

“哪有这种便宜事！市城建局个狗日的，限我们国庆以前动工，要不然就强行征用，能放吗？”

“那可怎么办？你今年卖要亏一百多万呢！”

“这不是来找你了吗？”

“东升，你这不是发疯了吧？我一个小医生，医个病还可以，这种事我可办不了。”

“我早合计好了。”东升胸有成竹道：“你能给省长说上话，这事就能办成。如今是官大一级压死人，你让省长给市里打个电话，过问一下这片地，市里、区里就不敢怎么样。熬过这一年，我买一套四室一厅商品房送你。”

我扑哧一声笑了出来，“东升，省长能是我这种小人物支使的？这事我可干不了，你送给我八室两厅房子，我也干不了。”

“昨天电视上，我还看见你跟省长说话哩。”

“那是开会，说的是能摆在桌面上的事……”

东升把半截烟朝地上一摔，“你胆子还没鸡眼大，不过叫你动动嘴，拿捏鸡巴什么架子，我要能跟省领导说上话，还能难为你？如今这社会，撑死胆大的，饿死胆小的，剜到篮子里的才是菜，拳头硬的是爹。蹲大狱那几年，我只悟出了这个道理。你看你屋里这家当，都是什么年代的物件儿！小时候我总觉得你会比我有出息，昨天看见你和省长在一起，以为你是个多了不得的人物，原来你尽弄些虚的。听我劝一句吧，如今机会遍地都是，这时不抓，什么时候抓？说句干脆话，这忙你是想帮不想帮？”

这件事又不违法，当然可以试一试。我说：“我总得去看看那块地吧？要不我见了省长怎么说？”

东升狡黠地一笑，伸手拍我一巴掌，“这还像个朋友。其实，你只用给省长秘书说好了，让他假传个圣旨，说省政府看中了这片地，下面谁敢放个屁！又不是让你干什么违法勾当，不过是骗骗人而已。走，现在就去看吧。下个月就有咱自己的车坐了。”

二

铁丝网围着那一方地，地上铺着一层绿绸子一样的菠菜。红砖砌出的两间火柴盒样的房子摆在绿绸子的正中，房子边上有一口机井，架着一台破旧的水泵。歪脖槐树刚刚吐出的新绿，把阳光剪成一片细碎的斑驳洒在黄土地上。这情景终于唤醒了我的记忆。

这里原是华中平原的一部分，如今叫南边那鳞次栉比的高楼生生割了下来。记得有一年秋天，东升和我还在这片地里捉过鹌鹑。那时，黄豆正可烧吃，我们把四五只鹌鹑关进鸟笼，挂在这棵歪脖树上，燃了篝火烧毛豆煮鹌鹑蛋吃。也就是那一天，我知道了东升的最终理想。我说他其实很聪明，只要用心，成绩肯定不比我们这些城里孩子差。这样每次抄我的卷子，就不该进城里上学，白鹤庄办的有小学和初级中学，我不明白东升为什么舍近求远。东升答道："我爹让我将来接他的班，当大队支书。我们张家在白鹤庄是小姓，白家人多，这才送我过街进城上学。只要在市里混个中学毕业，当兵入了党，白家人多也枉然。我数学没抄过你吧？这也是我爹让我好好学的。我们张家人当文书，他们白家人就当大队长和会计，支书不会算账可不中。"

想着这一幕，我不由得伸手拍拍老槐树，叹了口气。

"桑塬，你发啥癔症？"

"我想起初二那年秋天在这里吃毛豆了。"

"大年初二吃毛豆？你说的啥毬鬼话！"

东升显然彻底遗忘了这件事，我陡然觉得无聊起来，四下一张望，看见房子周围长着十几株茁壮的植物，心里一阵发紧："东升，你胆子可真大，种大烟干什么？"

东升大咧咧道："大烟壳壳吃火锅用，籽籽又能治肚子痛，种这几棵，啥大不了的事。贩毒、吸毒，政府还管不过来呢。"

我无言以对。

沉默了一会儿，东升谈起了他这二十几年的经历。他表现出的倾诉欲令我吃惊，直觉告诉我：东升患有心理疾病。我认真倾听着，不肯放过一个细节，直到日薄西楼，东升才惊呼道："天爷，我俩午饭还没吃呢！没想到你对这些陈谷子烂芝麻有兴趣。走，到我队部那两家菜馆喝两盅，以后有你听烦的时候。"

"你忘了我是医生，搞心理分析研究的听不烦。"

东升说的两家菜馆，与他的瓜葛只是两个老板租了他生产队的房子。按理说，只要老板没有拖欠东升的房租，东升去吃盘小葱拌豆腐，也该掏腰包付账的。可是，东升在菜馆里，表现出得比老板还老板。这地界已算中州市的闹市区，又是傍晚时分，自然是吃客盈门。

我俩走进左边的川菜馆，老板模样的肥胖中年人一脸烂笑迎了过来，“张队长今晚吃个什么菜？炒好了，我让小二给你送到办公室去。”

东升一把拉我过去，“胖子，你可别寒碜我！你知道这是谁？我光屁股时就交下的朋友，市里大名鼎鼎的医生，省长、市长家的常客，来你这里吃饭，是赏你一个脸。什么办公室，好像我偶尔吃你一顿就吃穷了你，小气成啥样了？雅座侍候吧。”

我看见胖子嘴角的肌肉跳了几跳，为难道：“雅座有人预订了，张队长，你的客人不多，是不是将就一下？”

张东升鼻孔哼了哼：“将就？胖子，这大堂能是我这位朋友坐的地方？吵得鳖窝一样。雅座客人没来，明天吃一样嘛！年终我手指头一紧一松，也不是一桌两桌饭菜钱。”

老板竟妥协了，他朝两个女子喊道：“还愣着干什么，去雅座侍候张队长。”

没想东升还没完，又对胖子说：“你去给隔壁粤菜馆老林说一声，叫他做个清蒸河蟹送来。”

在雅座坐下后，我忍不住问他，“人家交了房租，你再这样胡吃海喝合适吗？”

“有啥不合适！”东升奇怪地望着我，“打着灯笼找不到的巧宗儿，他还不识相！这地是白鹤庄的地，这房是我张东升当年冒着家破人亡风险贷款盖的房，租给谁不租给谁，一年租金多少，还不是我红口白牙说了算？你只管心安理得吃喝，这两个王八蛋外省人黑着呢，这个亏他们不会吃。”

菜的味道不错，我却吃得毫无胃口。一个动荡的时代过去后，复仇心理普遍化，更多的时候，这种心理表现为自私，有的就带有攻击性，以损人为前提。正是基于这种判断，我认为这种时期多数人患了心理疾病。我和东升的生活、思想、行为，已无丝毫共同之处，作为朋友交往的前提已不复存在。如果把这次重逢当作天意。它的作用恐怕只是为两个少年玩伴的友谊画个句号。那个脚踩方口手工布鞋，身穿手挽布扣对襟上衣，四季都留着茶壶盖寸头，英姿勃勃的美少年张东升是我的少年朋友，眼前这个不农不工不官不商不洋不土的中年人，到底与我还有什么关系呢？我答应为他的五亩地去和省领导说情，实际上是在和他进行一种交易。这么做值不值呢？可是，我又不能对东升身上那种独特的东西视而不见。他是受过大磨难的人，如今又成了社会的主角儿，这种主角的表演，会为我们这个时代留一部什么样的心灵史呢？在我的病人中，近一两年，事业上取得成功的人多了起来，有瘾病患者，有隐性精神分裂患者，他们的病都深深地打着他们个人历史的烙印。张东升肯定能为我的研究提供一份新的资料，我还得与他交往下去。

吃过饭后，我要去赶公共汽车，东升生气道：“你这个大忙人，我拉你出来一整天，又有那么大的事求你，让你坐公共汽车回家，日后我见到弟妹，你让我的脸朝裤裆里装呀？我一定要看见你上出租车。”

我听得一阵心里热，不由得伸手搭在东升肩头上说："东升，你应该注意一下外部形象，这身装束太像个生产队长了。"

"我本来就是个生产队长呀，货真价实的农民。"

我忙说明："你这个生产队长，已不是原来那种生产队长，你这一身打扮，与你用的大哥大、BP机不般配，置几套行头，什么场合穿什么。"

东升在昏暗里龇着白牙笑了，说："中！几千块钱的事儿。"扬手招来一辆出租车，塞给司机两张票子，"桑塬，那件事你可要用心。事办成了，不管明年涨多少，都按百分之十给你提成。"

不管这件事显得多么可笑，我还是被东升的话深深感动了，握住他的手说："东升，你今后想发达，恐怕要靠生产队这三个字。都市里董事长、总经理多如牛毛，你这个队长可不多，物以稀为贵。"

妻正在家里等我吃晚饭，见我酒足饭饱的样子，埋怨道："连个条子也不留，我正要到报社登寻人启事呢！"

我把情况简单说了，笑道："东升支书没当成，终于还是当了生产队长，难道真有劫数不成？"

"这么大的都市里还有生产队？真是怪事。"

"那天接了他的名片，我也觉得奇怪。1958年扩大的城区，都有这种生产队，生产队长手里哪有征地合同，只不过，大部分生产队很快就城市化了。东升这个生产队，绝对是个例外。白鹤庄是个很大的村子，1958年大约有两千人，村址就在铁路局西南那一片，我以为它早消失了，没想到它的生命力这样顽强。现在，东升还是个标标准准的农民，没有中州市户口。白鹤庄还有十八个这样的农民，他们组成这个生产队，直接受向阳区领导。"

"东升他们靠什么生活？"

"卖地，租赁房屋，办工厂。"

"正经生意人嘛。"妻说："又是你小时候的同学，这个忙应该帮。其实，随便省里哪个领导过问一下，事情也就解决了。"

"从来没办过这种事，恐怕不好办。"

妻不以为然，"东升这事求到你，算是求对了人，就看你能不能放下架子了。听你这么说，东升是个仗义的人，你要把这事办成了，说不定他真能兑现。"

我心里一沉，立时有些不悦："动动嘴明年拿十几二十万，这不是都市天方夜谭吗？再说，这种事我怎么好对人开口说。"

"有什么难为情的！"妻鼻子哼了哼，"你如今也算名医了，班上忙个贼死不说，下了班，省长、市长、部长，说叫你去就叫你去。义务按摩几百次了吧？这点小事，他们也该帮你办一办。"

"这么做合适吗？"我自言自语着。

“有什么不合适的。”妻冷笑道：“你打听打听，市里有你这种身份的医生，哪个还住两室一厅？为自己的事，我决不会要你破例，如今是为朋友，说得过去了。前两年我要停薪留职办舞蹈学校，你拦住不让干，如今各种舞蹈学校烂了街，想当你的贤内助也当不成了。做不做，是你自己的事，反正你不去求人，歌舞团也在传说咱家占了多大的便宜。”

妻这番话说得我心里疼，我正是不想当个按摩师虚度光阴，才转向心理分析研究的。不能说妻的这番话没有一点道理，我无偿为官人、官太太、衙内按摩推拿时，心里收获了几多亏空？几年来，我没为自己的事张过一次嘴，如今也好利用这件事，检验一下我在这些官员心目中的分量。

星期六下午，省委宣传部梁部长派车来接我去给他夫人治腰椎间盘突出。部长夫人是中州有名的才女，在全国要算一个二流知青作家，近年来为了创作，得了这个病。实话说，全市那么多官员找我治病，也只有这个病人对我有点吸引力。部长夫人毕竟和我一样下过乡，共同语言要多得多。

部长夫人俯在床上，照例发了一通牢骚：“这个病再好不了，我这辈子恐怕真的要被等掉了。文学史也他妈的太残酷，提起知青文学，吝啬得只提三五个人，要是提十个人，我也用不着这样拼命。”

梁部长插话道：“你也不用想不过，史书历来只记各行业顶尖的人物。”

部长夫人尖锐地笑了几声，“你还不如我呢！得意什么？中国搞一本官吏传，出十卷本，也轮不到省委宣传部长。你到时候青史有名，恐怕还得依靠我下面这部书。”

老夫少妻间的这种争斗，我见多了，笑着打圆场道：“女才郎貌，郎才女貌，你们全占了。嫂子这病，坏就坏在一个要强上。”

梁部长讨好道：“桑医生把你治好了，咱们比翼双飞。”

部长夫人在我身下咯咯了几声。我立即想起了东升说的那件事，心想：谋事在人，成事在天，梁部长不管，你张东升可别怪我不够朋友。

我说：“我的任务艰巨呀。嫂子这病，多看看绿色，常过田园生活，很快就会好。古时候的文人，没有得这种病的。其实这种病是一种城市病。”

部长夫人说：“说得好！满眼的鸽子笼建筑，看了心就烦，如今这中州，往哪里过田园生活呀！”

我说：“市区里还真有个生产队，有五六亩菜地，四周被高楼包围着，去那里看看，感觉好极了。”

“真有这样的生产队呀？”梁部长先问起来。

“是的。”我又用力推了两把，“今天就这样了。这个生产队在向阳区，队长张东升是我初中时的同学。这些年，他们靠卖地积累了不少资金，开办有工厂、商店。不过，这五亩地恐怕保不住了，很多单位要买这块地哩。”

“不能卖!”部长夫人穿着衣服道:“给都市留点活力吧。”

“张东升也不想卖,不过,他一个小生产队长,恐怕挡不住。”

梁部长若有所思了好一会儿,问道:“他们生产队还有多少人?固定资产有多少?”

“还有近二十个没转城市户口的农民,生产队的形式保留得很完整。他们具体有多少资产,我说不具体,大概有几百万吧。东升有大哥大、BP机,听他说还要买辆小汽车。”

梁部长喃喃自语道:“都市里的农民,又曾经是这片土地的主人,现在有大哥大,小汽车,比我还阔绰嘛。一个人平均几十万元,在中州是很富的单位。是个人物,真是个人物。有机会我得去访访这个张东升。”

部长夫人道:“到时候可别忘了带上我。”

三

转眼到了夏初,我已经把东升和他的生产队彻底遗忘了。部长夫人听了我的劝告,去北戴河疗养去了。

一日,我让妻在家帮我整理病历,两个不速之客来了我的家。

两个电信局的工人带着一部高级录音电话,进门就要施工。中州市电话号码升成七位数后,每幢住宅楼都安装了分线盒,装电话已不是多难的事。可是,我们确实没有交过申请,怎么就大跃进到了施工阶段呢?我让工人拿出各种单据一看,用户一栏果真写着我的大名,只是我的单位变成了中州铁路局综合服务公司,付款一栏,赫然写着“转账”一字。

“这是怎么回事?是谁开的这种玩笑!”

“张东升呀。”妻把一张收费单据递给我,“你看,经办人一栏写着张东升的名字呢!”

“莫名其妙!我要出去给他打个电话,他的名片呢?”

“看你急的。”妻说:“让师傅把电话安好,你想找张东升还不容易。问清楚了,再决定要不要嘛。”

我只好同意两个师傅施工。

电话安好后,我立即拨了东升的大哥大号码。听出他的声音,我大叫道:“东升,你搞什么名堂,这台电话是怎么回事?”

“狗日的,是不是今天才装上?”东升说:“迟了一个星期,早知道这样,上星期请他们的那顿饭还不如喂狗。电话机子不错嘛,你的声音一点都没变。”

“东升,你冷不丁给我装个电话干嘛?我怎么变成铁路局综合服务公司的人啦？我胆子小，你可别吓我，说不清楚，我可要扔电话了。”

“桑塬，你狗日的尽给我装蒜！”东升声音大了许多，“你还想当活雷锋呀！你帮我张东升这么大的忙，我给你安个电话算鸡巴啥？我要是不还你这份情，我还是个人吗？告诉你，那块地没人敢抢了。桑塬，你小子真有能耐，一弄就把我弄成个典型了。”

我越听越糊涂，对着话筒央求着，“东升，要不你过来一趟，那件事怎么就办成了？”

东升公鸡打鸣一样笑了起来，“鸡巴船弯在这儿呀！你是争理吧？这个理也该争一争。我爹拼鸡巴一辈子，不过才当了个大队支书。你说几句话，我摇身一变就成了区政协常委。我已经弄清楚了，区政协常委相当于副县级。我是该亲自到府上谢你才对。前几天梁部长还来过呢。”

“哪个梁部长？”

“省委宣传部梁部长呀。你和他那么好的朋友，他来我这里视察，也没给你提说过？”

我拿着话筒听呆了。

“桑塬，这里说话不方便，等会议结束了，我请你作陪，好好请省报谭记者吃一顿。前天他在省报上给我写了一大版，以后这生意好做多了。有人来了。”话筒里传出“吭吭吭”的声音。

“东升，你装什么鬼！你到底在哪里？”

等了一会儿，东升急匆匆说：“我在中州宾馆茅坑里蹲着。正在开政协会，上午单个发言，再有两个代表就轮上我了。大哥大一嘀咕，我赶紧捂着肚子朝厕所里跑。咱是个新常委，要注意影响，怀里揣大哥大开会，这不是烧包吗？剩下的话见面再说吧。这泡假屎屙的时间太长，屙成井绳了，我得去会场准备准备。这两天电话可得关了，总不能老是假装屙屎吧？又有人来了。”

东升那边压了电话。

我想象着东升这个时候装作系裤带的滑稽相，不禁笑出声来。东升有极上乘的表演才能，上中学时，即兴表演常能引得全班哄堂大笑。那时候，我很为他没有实现一名演员的抱负而感到遗憾，背地里常喊他小支书，以表示我对他恨铁不成钢的情绪。每次喊他，他都乐滋滋地听着，只是提醒我不要当着别人的面喊，怕传到白鹤庄白姓人的耳朵里。想起这些往事，我多少理解了东升现在的得意。

“你笑什么？”妻问，“到底是怎么回事？”

我塞给电信局工人二十元钱，让他们买包烟抽，送他们出了门。转念一想，我又觉得这事对东升不一定是好事。他这些年，人生的最高理想一直处于抑制状态，如今一下子实现，心理会出现失重现象，这是精神抑郁症转化成精神分裂症的基本条件。我曾对中举时的范进作过病理分析，得出他曾患有癔想病的结论。在我收集到的上万份病历中，有半数以上的人在苦难时撑了过来，当他们重获自由时，他们的心理以这样那样的形式崩溃了。省作协有个作家，二十岁作长诗名噪文坛，二十一岁被打成右派，二十二岁被追加反革命罪，判徒刑十五年，四十二岁被平反昭雪，进入第二个创作高峰期，女友如云，一年当二十年来过。五十岁后，这位作家又因收藏两千余件女人内裤胸罩闻名中州。事发后他自杀未遂，现在他正在我这里进行心理治疗。东升能不能经受这种成功的考验呢？我有点为他担心起来。

“桑塬，”妻喊我一声，“你一会儿笑，一会皱眉头，出了什么毛病？”

“毛病？是福不是祸，是祸躲不过。我和梁部长说了几句闲话，那五亩地不但没人买了，东升竟当上了区政协常委。这部电话，他说是他的一点心意。”

妻的眼睛忽地一亮，说：“东升还真讲交情，如今这社会，过河拆桥的人太多了。我想，交这样的朋友，没什么坏处吧。”

“能有什么好处！这电话费竟要另外一个单位支付，谁知道背后还有什么交易。”我从茶杯里挖出一团茶叶子嚼着，辨不出是苦是香。

妻说：“干吗把事情想那么复杂？你帮了张东升的忙，他还你一个人情，如今流行这个。流行的东西，总有它的合理性。”

“我总觉得这不大正常。”

“你是病人见得太多了，别疑神疑鬼了。”

我找了一张前天的省报，第二版果真登了一篇通讯《都市里的生产队》。文章占了一整版，标题是通栏手书，规格之高，实出我的意外。东升说的谭记者，竟是部长夫人。到底是作家，文章写得十分动情，白鹤庄人显然被部长夫人美化了，他们养狗养鸡的传统被根除，竟显出了一种悲壮。部长夫人在这里好好地诅咒了都市文明，把东升的生产队当作世外桃源来讴歌了。文章里引用东升的话，多半是广告性言语，十几项没受孕的工程，也让他说得有鼻子有眼。我已经习惯了时下推出典型的做法，并没有觉得出格，也不特别为东升高兴。

星期四上午，东升拎着一只微波炉来了，一身质地考究的深灰西服，两个扣子都扣着，“金利来”领带的尾巴斜在右面一排两个扣子附近，朝上一看，领带是红领巾的打法，松松垮垮，皱皱巴巴在下颚下面拧出一个疙瘩，脚上的皮鞋样子极瘦，蓬头垢面的。一个解放军中士紧跟着他走了进来，手里拿着东升的大哥大。我有点诧异，一时没找出合适的话，只是让他们坐下。

妻从里屋走出来，笑吟吟地道：“是张队长吧。”昨晚东升打电话说今天要过来，她执意要认识认识，今天没去歌舞团上班。

东升显得手足无措，喉咙里咕哝着奇怪的响，结结巴巴说：“是，是弟妹吧？”

东升面对女人时的表现叫我好生纳罕，在我的想象中，东升是腰缠万贯的新贵，应该不乏和女性交往的经验。

东升立即啧啧连声，“咦，到底是跳芭蕾的，要不是桑塬说过你们儿子在杭州跟他外爷上学，我怕是要把你认作侄女了。真是人跟人不同。我那屋里的，爱人，论年纪，大不了你几岁，倒像是你的妈了。”

妻看上去很高兴，说：“老了，老了，不好看了。快坐下来喝茶，喝茶。”

东升并不坐，拉过中士说：“小李子，门也认清了，这是你桑老师，这是你师母，看清楚了，你去忙你的吧。你把大哥大随身带着，我啥时叫你，啥时你来接。别跟你那小鸽子玩忘形了，误了我的事。”

中士连声答应，转身出了门。

“东升，啥时候学会变魔术了？”

东升坐下来，“车已经上了牌子，小李子是专职司机。原想买个半旧的上海玩一玩，这一当政协常委，身份不一样了，换了辆新桑塔纳，耽搁了一个月时间，要不，我怎么会这么长时间不来看你们。”

我担忧道：“东升，涉及军队的事，可不是闹着玩的。”

“你这话是啥意思？”

“冒充军人，可不是小事。”

“桑塬，你也太小看人了。”东升说：“这种事我怎么能去干？别说现在咱也算是个有身份的人，坑蒙拐骗的事，十年前我也没干过。这个小李子不是假的，车上的军牌也不是假的。你咋会想到这个岔道上！”

妻打圆场道：“桑塬跟你开玩笑呢！那小李子站有站相，坐有坐相，一看就知是个真的。”

东升解释说：“如今这社会，不好混，凡事都得备七八个心眼。有车的人不多是不是；不多，别人心里就不平，交警、公安、保安，专爱找私人车的麻烦，一看咱是个农二哥，肯定抡起快刀宰。我的司机是军人，车牌又是军队的，出点小问题，谁敢扣咱的车？”

我还有点将信将疑：“这事就那么容易办？”

“容易？鸡巴容易！我又没个将军舅爷，靠关系咱根本办不成。这是撞在枪口上的便宜，不拣白不拣。铁路局南边伊河路有个兵工厂，做服装的，想用一用围墙外面和大街之间的空地修个店面，对外出售军服什么的，找到我要给个方便。我提的条件就是给个军牌，配个司机。其实，这事能办成算是侥幸，我哪里不明白军队欺不得？枪杆子里面出政权，咱懂，他们要占，我也只能干瞪眼，军工厂不比铁路局，咱懂，不能跟人家耍横的。所以，我才说这事办成是运气。”

我还是不大明白，“你们生产队难道还有土地所有权？”

“鸡巴权。见缝扎针，打擦边球。六十条说得明白，解放后土地都归国有。国家是啥？先前公社大队就是国家。各个单位征地，都和大队签字画押，合同地契就留在大队了。这些地又不是有零有整划出去的，剩下的边边角角，日子一久，都想占了。咱有十几个农民，这地就属于咱。农民活命靠啥？靠地呗。他要盖房，咱不让他盖,闹出事情,官司打到京城咱也占理。国家总不能让咱这十几号农民饿死吧?”

“这里面还真有学问!”我不由得叹道:“这部电话,恐怕也是用这些边角地换的吧?”

东升得意地笑了笑,“我爹在世时,常对我说,精一门手艺,就能吃遍天下。你靠行医吃饭,弟妹靠脚下功夫吃饭,我只能靠地吃饭。一马平川的地,靠的是侍弄,会种瓜得瓜,会种豆得豆,有的家养猪兴,有的家养鸡发。这一圈到城里,什么都不灵了。外国城市还准养狗,这里狗也不能养的。说起生产队,城里人一想,不是鸡鸣狗叫,就是萝卜青,青凌凌。我这生产队,这十八般武艺都吃不开了。开始想着没地了,做别的文章,办过草帽工厂,干两年,草帽不兴了。后来又做茶壶塞儿,又做两年,不灵了,为啥?高压水壶满街都是。想做别的吧,哪有力量和城里人竞争。走投无路,转回来又琢磨这地,没想还真整出点名堂了。那一次在铁路局门口见你时,正和铁路局服务公司较劲。他们想修店面,招呼也不打一个,当我张东升是个二百五呀?在这块地皮上混了几十年,绝过食,请过愿,使过绊子耍过横,次次都赢。那边我让人推墙,这边我去找铁路局局长,把当年的征地合同朝桌上一摆,让他看着办。没过几天,服务公司经理去找我了。结果他答应安排我两个远房亲戚到他的公司上班。后来一想,还不解气,就让他们给你安了这部电话。我说你是我们生产队聘的高级顾问,理上就说得过去了。”

妻说:“张队长,桑塬点子还真不少,当个顾问,对他搞研究也有好处。”

我心里暗自叫苦,又不好再拒绝,只是咬着牙白了妻子一眼。

东升说:“弟妹说的对。桑塬提醒我要靠生产队三个字发达,果真就有那个意思了。这边边角角的地,总有用完的时候,那时该咋办?梁部长那次去视察,指示我要把目光放远一些,要做城市新农民,把生产队磨成一颗中原明珠。如今我才后悔当年书读少了。桑塬随便一出手,我张东升就变成一个人物了,这才叫能人。”

话说到这种程度,我只好顺水推舟了,“这是什么话,你我朋友多年,在一个城市,相互照应一下,也该。”

东升眨巴眨巴眼睛,突然伸手捣了我一拳,“谁不想扑腾出点大名堂?有你这句话,我就放心了。朱元璋打天下,没有刘伯温,行吗?那块地这一两年不准备卖了,没有地还能叫什么生产队,没有生产队咱就当不了典型。当了典型,就能贷来款干大事。我琢磨好了,拆掉我现在队部的两幢两层楼,盖一座农民娱乐城。市里已经答应优先保证这个项目的贷款,我已经让省设计院设计图纸了。等这事办成了,再卖那块地。不管啥时卖,这钱都有你桑塬百分之十。”

“我不会要你这些钱的。”

“咋!”东升瞪起牛眼,“你是不是信不过我?要不我给你留个字据,你这样说话我可要恼你了。”

“张队长，”妻给东升剥了一只香蕉，“其实，你有这份心意也就够了，给得太多，我们怕担待不起。”

没想到东升竟动了感情，喘了几口气道：“我在监狱里，什么恶人没见过？这些年，那些年，什么险恶没经见过？有恩报恩，有仇报仇，我就是这么一个人。出狱后这十几年，我苦挣苦挨，为的是什么？我有了钱，还是什么也不是。本来，我打算就这么活毬一辈子算啦，你们拉了我一把，党籍问题有人过问了，被冤坐牢的事也有人过问了。没有这些，我就是成了亿万富翁，也是个劳改释放犯。桑塬，你说这能是钱可以买的吗？我知道这都是因为我如今成了典型、政协常委，才有这个合法洗刷自己的机会。这个机会是谁给的？是你桑塬，我要是忘了这一点，我还是我爹掂毬做的吗？”东升呜呜地抽噎起来。

我发现我低估了那几年冤狱给东升带来的伤害。东升这种表现，有极大的普遍性。一个生命的正常流程被扭曲后，只要这生命的细流没有中止，它的力量根本没有消耗掉，一旦时机成熟，它就要以合适的方式显示自己。从这一刻起，我把东升当成一个病人看待了。我不知道能为他做些什么，即便要做，也要等我知道了东升全部的心灵伤痕后才能决定。我拍拍他的肩头说：“东升，把肚里想倒的东西都倒出来吧。”

东升鼻子一嗡一嗡，号啕一阵，突然骂道：“操他妈！”

接着，他如泣如诉地讲述起来。他在戈壁滩为了入党九死一生的冒险经历；他在牢里搞同性恋的隐私；他出狱后得到白鹤庄的最高权力时的步步血痕，都使我惊悸。作为一个心理医生，我并不是没见过更深重的苦难。我一直认为，消灭生命并不是最残酷的，我需要一批证据，来证明这一点。东升的经历，放在当代中国，它有极高的典型性。正因为我发现了这一点，我才感到了悲凉，他毕竟是我的朋友。

中午吃饭时，妻教会了东升怎样打领带。

妻说：“嫂子读过大学，怎么没教你？”

东升说：“她整天想的就是拔牙，又是‘文化大革命’后期读的大学，咋会日弄领带。我让她辞职开诊所，你猜她怎么说？她说这样可以备个万一。哪里有这么多万一？我张东升总不能老走背运吧？”

四

所有伟大的东西都有魅惑力，哪怕伟大的苦难和伟大的罪恶。我热爱有魅力的生命，这就是我当初选择学医的唯一动机。艺术也崇尚苦难和罪恶，但它设置栅栏，我不喜欢中间的面纱。艺术有点叶公好龙，它在展示苦难和罪恶之后，只具有净化这一种于人类有益的功能。医学在饱览苦难和罪恶的奇观后，多半能产生根治的良方。

我该认真剖析一下东升了。支书坯子、要党票不要命的戈壁滩战士、片警、劳改犯、同性恋者、低层阴谋家、都市生产队长、腰缠万贯的大款、区政协常委，直到今天，东升完成了以上形象的塑造。将来呢？东升将来最终要成为一件什么样的雕塑呢？在东升以往的历史中，没有清晰可见的主要特征，每一段都呈现出模糊性和多义性。心理学认为，一个成熟的生命，其行为受一种处在无意识状态中的心理定势制约。东升的心理定势是什么呢？如果他被捕前的经历起了主导作用，他将来或许能成为一个政治家，经济决定政治，已成为一种世界潮流。如果劳改时期积淀的力量占了上风，东升又会朝何处去呢？东升多舛的命运，是天性使然，还是环境的塑造？

我必须对东升的重要历史片断进行梳理。

东升在戈壁滩几乎用生命换来党员这个身份那一刻，他心里在想什么？他在想张家父辈苦斗时的艰辛吗？他在想张家权势在白鹤庄的固若金汤吗？东升在那个年代，属于政治上早熟的一类人。东升他爹这个老牌政治家，在东升踏上西去列车的时候，已经给他打上了鲜明的生命底色。东升走进部队的目的，只能是一个：入党。要当支书，必须入党。

但是，东升还是能选择别的道路，这得需要环境的塑造。这个时候，军队的现状没能阻止东升朝自己的理想前进。东升入伍第二年，中苏在珍宝岛打了一仗，穿越沙漠地区的实战演习关系着国家利益，必须要搞。大规模演习前，要搞模拟试验，看一看战士的生命极限到底在哪个地方，以便决定中苏战争全面爆发后，部队从沙漠穿过，迂回到敌后的行军路线。东升报名参加小分队，是在拿生命赌火线入党。要不，就无法解释二十年后，东升谈起这次死亡行军时眼睛里闪烁的恐惧。七天后，他成了八个幸存者中的一员，他赢了。他赢了之后，唯一一个念头就是尽快回白鹤庄。

东升在白鹤庄生活了四个月，父亲马失前蹄，被免去支部书记职务。此时，东升自小就开始追逐的目标突然消逝了。我认为，他对戈壁滩的恐惧只有在这个时候才深深地烙在他的心灵上。他也正是在这个时期，才开始考虑在戈壁滩付出的代价值不值这个问题。老牌农村政治家因为说了一句对林副统帅充满感情的醉话，他的政治生命就中止了。这种残酷的现实，把他送进一个心理颓废期。心理学告诉我们，人在这种时期极易走向反面。东升决定来一次脱胎换骨，彻底走出土地，变成一个城里人。实际上，他是在尝试学会遗忘。第二年春天，支书坯子张东升去了一个派出所当片警。这一年，白家在白鹤庄的权力较量中取得了彻底的胜利，老支书在一个凄苦的冬日里含恨而逝，生前，老支书没有留下任何遗言。

东升在这个时期，打算要把警察一直当下去，他并没学会卧薪尝胆，学会的是谈恋爱，追求的是平凡和安静。父亲的结局，给他的启示是：不能再醉心权力了。

二十年后，东升却说："我爹死在我手里，他不该小看我。"我姑且把东升这种补遗当作他在那个时期的一份潜意识看。

紧接着，东升被抛入了另一个轨道。

"赵副局长为他侄儿的事，不该把我朝死里整。周指导员为什么要落井下石，我更不明白。我想，有些人生下来心就是黑的吧。"

我很重视东升重复两遍的这番话。他的结论重视了问题的一个方面，忽视了另一个方面。他忽视了当时的社会大环境。其实，世界上不是每一件事都能问为什么的。铁路局医院外科医生扒儿媳内裤要化验精液，恐怕不能问为什么。儿媳妇偷人，儿子不急，老子急，为什么？这恐怕也是一个斯芬克斯之谜。

问题是这个场面恰恰让穿着警服的张东升看见了。张东升没问为什么，直截了当对那个挨打的女人说："你打他不过，你爹，你哥，你弟弟呢？"

问题是这女人照着张东升的话做了，惊动了派出所。这起民事纠纷的问询笔录上，记下了女人这样一句话："张片警要我找人打他的。"

女人这句供词本来伤不了张东升一根汗毛。

偶然事件发生了。张东升这一段经历中，充满了偶然事件。

一个月后，赵副局长的内侄与人发生争执，先动了刀子，案子恰恰出在东升管辖区。本来，这件事可以把张东升推到赵副局长亲信的位置上。他只要在审讯笔录上做点文章，很容易能达到这一目的。赵副局长确实给了东升这个机会，当面塞给张东升一个纸条。张东升看后，随手把纸团扔进了废纸篓，这一行为并不构成对赵副局长的伤害，甚至可以解释为张东升在销毁罪证。中午，张东升在一个同事家里喝了几杯酒后，去审了这个案子。他记着赵副局长的条子，放了一个姓赵的，写了"拘留十五天"的处理意见。偶然的事发生了，张东升忘了内侄外侄的区别，而与赵副局长斗殴的青年恰好又姓赵。这样，张东升的一系列行为就构成了对赵副局长的伤害。

必然结果出现了。一个星期后，外科医生好端端地，却住进了医院，那件民事纠纷变成了刑事案件。审理的结果，张东升成了主犯。两个月后，他被判三年徒刑，却被关押进一座重要罪犯监狱。

一个警察和一群杀人抢劫犯住进同一个号子，所受的待遇可以想见。我有个病人，是个刑满释放犯，他家里人介绍说，他出狱后，几次回到监狱附近，后来就有了重新犯罪的行为。经过半个月的治疗，我发现他是一个受虐狂。在监狱里，他挨了五年打，出狱后，与苦难有了距离，他透过这段距离，发现了苦难的诱惑。靠他自身的努力，他已经无法抗拒这种诱惑了。我对他的病毫无办法，当我知道他小时候很惧怕他父亲这一历史后，我约见了那位已经年迈的父亲，希望他能重新建立他的权威。半年后，这位病人自杀了。做父亲的在一次盛怒下，用木棍打断了病人的一条腿，因这次失手，父亲再没动儿子一根指头，病人无法再次挑起父亲的愤怒，他选择了死亡。正因为这样，我并没有追问东升在监狱里的详细情况。他对这一段生活讲得极少。在这极简约的讲述中，他重复了这样一个细节：开始的半年，他靠马桶睡，每天负责倒马桶，每天晚上，狱头罚他把头插进尿桶倒立，唱完三首歌才准睡觉。东升自杀未遂后，管理人员才把他换了一间牢房。

三年后东升出了狱，发现自己的城市户口已不再存在。他又回到了白鹤庄。

我已经注意到这段生活对东升产生的重大影响。东升在以上几个阶段的转变，都是急风暴雨式的，每一次打击，都足以改变他人生的道路。老支书死后，东升的酋长梦从理论上说已经彻底破碎了，再经过不堪回首的三年牢狱的磨炼，东升应该变得安于现状了。事实上，东升却以百倍的狂热投入到白鹤庄的权力争夺中。这是人性中普遍存在的置之死地而后生的心理。东升的天性，东升所受的环境的影响，把他推到了一个带有攻击性的人群之中。

后来一段时间，我给东升通了几次电话，他的农民娱乐城项目一路绿灯被批准了，只等第一期款子到了他的账上，就可以动工。我为东升感到高兴，平心而论，我宁愿看到东升能通过自我调节，把苦难带来的心理痼疾变成一截永不发炎的盲肠。我不希望他在我的研究中提供一份新的证明材料。如右派作家后来表现出的现淫癖在我看来是他在漫长的二十年里性压抑积淀的结果。他的病已成为不治之症，因为他已经过早地在生理上丧失了男性的功能，心理亏空被放大了。在和这位作家的诱发式交谈中，我曾指出，他错过了一个历史性机遇，没能充分重视他声名鹊起那段时间和一个年龄上可以作他女儿的青年女作家的恋情。我曾经用一个月时间，反复研读了这位女作家失恋后发表的大量的作品，发现她也有病。

有很多次，我真想中止这种研究。我发现，进入的愈深，我就愈痛苦。几乎所有的病人，都是各个行业的最优秀的代表。正因为他们的优秀，他们看到了社会的不完整性，看到了人性的弱点，看见了法律的漏洞，他们都是行动者。

过了近一个月，小李子突然来到我的家。

“是不是要开奠基礼了？”

“不是的。桑老师，下午打了起来，郝院长要告状，张队长要我接你过去讨个主意。”

我顾不得收拾案头的病历，急忙跟着小李子下了楼。

东升一个人闷坐在办公室里抽烟，看见我进来，踩了烟头骂了起来：“银行这些王八蛋，贵贱只给两百万，加上我的家底，这大楼也只能盖成一小半。我去找市长，市长说如果这个项目基本上由国家投资，就没多大意思，银行答应给两百万，已经破例了。他让我设法自筹资金。把我浑身骨头削成扣子卖，又能卖几个钱？我心里本来有气，这姓郝的还不给面子。”

“你怎么能动手打人呢？”

“我没动手。手下几个人不会办事，打出了红伤，他告到区里了。”

“你找我来做什么？叫我来给你擦屁股呀！”我坐在办公桌前，翻看一叠图纸。

“伤势不重的，这个姓郝的外强中干，不会有大事。我找你来，是想合计一下娱乐城的事。这个大家伙怕是搞不成了。省设计院太黑，搞一个设计，问我要了十几万，房子盖不成，这十几万不就泡了汤。”

设计费要十几万的工程，小不了，我说：“到底还差多少钱？”

“差多了。”东升打开保险柜，端出一个模型，“你看看，漂亮不漂亮？二十二层，五层以下搞娱乐，六层当生产队办公室，剩下十六层搞宾馆，一条龙服务，造价八千万。”

“八千万，贷款利息每年要付多少？”

“大概三百万吧。”

“第几年可以赢利？”

“大概第三年吧。”

我忍不住笑了起来，“东升，你这是蛇吞象！国家钱再多，也不敢让你拿来打水漂呀。眼下恐怕只有两条路，搞股份制，会有人感兴趣的；要不，就缩小规模。”

“股份制？谁当老板？当然是谁的钱多谁当。事儿办成了，人家吃肉我喝汤，这种傻事不能干！恐怕只能缩小规模了。可是，盖个小火柴盒子有啥毬意思。”东升轻轻抚摸着那个精制的模型，“十几万呢，梦了一下就完了。我总得想法补上这个窟窿。姓郝的有钱，我会想办法叫他吐出几万。走，到咱的馆子喝几盅。”

“东升，你这么蛮干可不行，你能有今天这种局面，不容易，应该珍惜。”

“喝酒，喝酒，我又不是三岁小儿，大风大浪经得不算少了，没什么大不了的。你是顾问，等会儿我给你说说清楚，省得你睡不着觉。”

东升出狱后，过了两三年让老婆养活的日子。不知不觉中，白鹤庄人重新感觉到了经济的重要。土地被白家无偿送人了一千多亩，剩下的已不能养活自己，弄得几百个青年待业在家。人们开始怀念老支书执政的那些年月，不满情绪愈积愈浓。挨到大队改称村的时候，白家执政的人已走到众叛亲离的末路。这种怀旧情绪，终于把东升推到了前台，他当选为白鹤庄的村长。这时候，东升已不是党员。因党支部几个成员正因受贿问题受审查，东升向区委提出白鹤庄不再设支部的要求。区委不同意，理由是全国所有的村都设有党支部，白鹤庄不能例外。东升以退为进提出辞呈，并组织几百人到区政府门前静坐请愿，区委只好将白鹤庄由村降格成生产队。东升取得了白鹤庄的最高领导权。

这一年，东升押上身家性命贷款盖了这两幢楼房。当时，郝院长只是一个名不见经传的骨科医生。郝医生租了东升的一幢四层楼，办了私立骨科医院，开始一代名医的自我塑造。东升因有这笔固定的房租收入，开始进行他的生产队由农变商的革命。这种患难之交，在当代中国的都市十分常见，正是他们这种自发的联合，促进了中国改革的进程。此一时，彼一时。几年后，地价暴涨，郝院长那笔房租在东升眼里只能是小菜了。这时候，遗忘起了作用。东升拿着十几万换来的图纸和模型，再看郝院长车水马龙的医院，感觉完全变了。当年的兄弟之情这时被一脚踹进了爪哇国。郝院长拿出合同书拒绝东升，东升的手下动了拳头。

“你们之间有合同，他又没拖欠你的房租，你怎么能问人家要钱呢?”我觉得东升这种念头很可怕。

东升振振有词道：“你没见他的生意有多好。八年前，他三个床位只有一个病人，现在一个床住俩，住院费他涨了三次。当年我眼窝浅，小瞧了他，签了十五年的合同。这合同还有六年才到期，我遇到了困难，他看见了就该帮我，等我开了口，已经是他的不是了。我问他要五万，不算多。要是前几年，我早撵他出去了。”

“法律呢？东升，拿农民的习气经商，能有多大发展。世界上没有一个亿万富翁是靠这个办法发家的。你这样不讲信誉，这个顾问我可不敢当了。”我真的动气了。

东升忙赔笑道：“何必说这种话，我保证不动他一个指头，这总可以吧?”

五

半个月后，东升专程到我家报喜。

“事情解决了，按你的意思解决了。”东升得意地说：“桑塬，这回解决得很文明，姓郝的乖乖吐了五万元。这王八蛋黑着呢，第二天他又把床位费提了两块钱。”

我冷笑一声，“你的事我不会再管了。我想不出你能用多文明的方法。你问他要五万，他转身问病人要五万，你咽下这五万元，也不怕噎死了!”

东升嗫嚅着，“这个理我倒是没想过。”

“那你这些天都想些啥?”

“出了这事，我才知道这区政协委员还有个好处，犯了案，区公安分局没权抓我。我这下才明白有钱人为什么舍得花钱买官衔，买的不是官衔，是护身皮。你是个蚂蚁，三岁小孩都能捏死你，你要是个老虎，武松碰见也要吓一身冷汗哩。当年，我要有现在一半的风光，姓赵的、姓周的也不敢下黑手。”

我心里不禁一颤：东升终于想起监狱这段苦日子了，接下来，他就会让这个社会加倍偿还。重复了多次的社会灾难，都是这种心理之树上结出的苦果。这种心理不是来自人性，它扎根在一种文化中。作为医生，我能认清这一点，可无力去改变它。但是，我又不能放弃我作为医生的责任，我看看样子朴实而狡黠的东升，叹口气道：“你这种想法太危险了。为什么老向后看呢？你住监的日子已成为历史，无法更改了。区里增补你当政协常委，是因为你对社会做出了独特的贡献。省里把你当典型宣传，是因为你的生产队成了集体致富的楷模。为什么你不向前看呢?

你逼郝院长，等于逼上千个病人。这个郝院长为什么答应你呢？”

“他不答应不行。”东升说：“姓郝的只租了我的房，没租我的院子，我让人锁了院子大门，收过院费，姓郝的立马慌了。当年签合同，写的有撕毁合同一方要赔偿对方的损失。当年盖这房，是想开旅馆。开了几个月，招来成群的野鸡，我平生最恨嫖女人和卖×的女人，他一租租十五年，解决了我的大难题。想想也真不该打他。这样逼了三天，他就下了软蛋。”

原来这也叫文明，真让我哭笑不得。我挖苦道：“你真是个天才！我想不出你当年用的什么办法战胜了那么多单位。我真小瞧了你。”

他没听出来我的挖苦，两眼倏地变得贼亮，一拍大腿说：“兔子急了能跳墙。好不容易搞倒了姓白的，不拿出点手段，江山能坐稳吗？我一个进过大狱的人，白鹤庄老少爷们不嫌弃，我只能豁出去了。开始跑户口，他们说我们还有地，不给办，闹到市里，才解决了四百个。那回我转的全是老的和小的。剩下六七百青壮年，不好办了，不耍横的不行。小鸡巴单位好办，连蒙带吓，都答应招几个人进去。有个饮料厂不服气，顶着不办，我就让人在他们厂门口打了一堵墙。那时城建局没有现在操蛋，不爱管闲事，最后，他们乖乖收了我的十个人。铁路局最牛，说早些年已经给过我们招工指标，不再管了。我一想，攻不下铁路局，就要砸牌子，就找十几个老人到铁路局院里绝食。他们那块地当年一分钱也没花，我们有理由。这事惊动了北京，答应招我的一百多人。后来，地价涨了，卖一块，搭几个人，三折腾两折腾，就剩下这几个了。”

既然郝院长已经接受了这种“文明”，我还有什么说的。东升策划的是几千人的大迁徙，很悲壮，时过境迁，再去品头论足也没意思。

我说：“东升，还是往远处看看吧。世界著名的大实业家，事业发展到你的这种规模，心胸都变得阔大了。这些成功的人物，当年都吃过不少苦，他们都有个特点，能自己消化掉仇恨这种情绪。”

“你能不能说白一点，”东升央求着，“我那点墨水，你是知道的。生意上的事，这些年摸多了，水再大也淹不死咱，咱会水，怕个毬。这种朝人上人奔的大学问，我一定听你的。我总想，你一个医生，能和首长、部长称兄道弟，肯定有绝招。”

“东升，这么说吧。山西清朝时商业很发达的，借钱实在还不起，这些大商人也不追究，几万两白银，还一把斧头就结了。这必须要人格精神十分健全才能做到。不扯这么远了。你要是能做到爱上赵副局长、周指导员这样的仇人，就上了一个台阶，我也放心了。”

“你胡扯淡！我又不是女人，怎么爱他们？”

“其实，我是想让你忘掉他们整过你这件事。总想着这件事，心里不会舒坦。”

“忘了这件事，我不成神仙了？”

我只好用诱惑疗法，“你最好能想着名利双收。将来，大财团恐怕要影响中国的政治。你现在的势头不错,弄好了,当然也可以和省长、部长平起平坐。”

东升眼睛瓷了一下,说:“这下我弄明白了,你是让我一手抓钱,一手抓名,不干小鼻子小眼的事。是个好主意,是个好主意。”

这次见面后,有一两个月没见东升。关于他的消息,倒能经常听到。他做每件大事,总要打电话来。他划出五十万元作教育基金。用每年的利息奖励白鹤庄后代品学兼优的学生。东升舍得进行文化投资,我很为他高兴。过了几天,我从报上看到他一次性为残疾人基金会捐了三十万元的消息。我忙打电话过去提醒他这样要坐吃山空。东升在电话里说:“你知道基金会的会长是谁?邓大爷的大公子邓朴方!邓小平是中国改革开放的总设计师,中国的事都是他说了算,攀上他家,有什么坏处?”

东升绝对是个有智慧的人,这件事又可证明。

到了年底,他打电话向我报喜,说他的名声如今已出了省界,搞成了几个大项目,其中就有和残疾人基金会合搞的,产品将来能免税,又说他已在某次市政协会议上被增补为市政协委员了。又隔了几天,他又说,他的党籍已经恢复,那个案子要不了多久就能翻过来。

我很为东升感到高兴。东升在已经是个成功者的时候洗清历史,大概不会产生心理失重感。作为医生,又作为他的朋友,我为他感到庆幸。在这个前提下,东升很容易获得一个健康的心态,他以后的路会走得顺利得多。

这天晚上,我和妻专门为东升喝了酒。

妻说:“心理医生,今天我看到一则消息,中国现在的百万富翁、千万富翁、亿万富翁,有一多半是蹲过监的,最富的一个,当年差点叫枪毙掉,你说这是为什么?”

我不假思索地说:“这是一群具备超常心理平衡机制的人,因为他们从苦难的炼狱中煎熬过,所以他们更加热爱生命、更加珍惜机会。这不是我们这个时代才有的现象,古今中外已有无数个例子说明这一点。”

“东升也是这一类人吧?”妻又问。

我没有回答,或许是因为我对他太熟悉,不好下这个结论。

春节过后,东升的案子平反了。他在家里设宴招待了我和妻子。第一杯酒,他敬给了他当牙科医生的妻子肖英。当年他被捕后,周指导员三番五次去劝牙科医生和东升离婚,牙科医生带着女儿等了东升。这就是东升为什么把周指导员当成第二号仇人的原因。

春天里,东升出乎我的意料,真的要和赵副局长、周指导员和解了。一天上午,他诡秘地把我拖上了他那辆“桑塔纳”轿车。

他说:“我要让你亲眼看见我是不是进步了。能把仇人团结起来,心里真受活哩。桑塬,你真是能人,想出这样的乐子给我耍。杀死十个八个仇人,也没有干这种事痛快。墨水喝多了,到底不一般。”

我没听明白,对他说:“不是急事,我可不去,我忙着呢。”

“急事,当然是急事。”东升把我推进车门,“你让我上档次,上去了,你看不见,还有啥毬意思。如今好话听得多了,也不受用。区委书记见了我,大老远就把手伸出来,一年前我哪里敢想!不知道这是不是上了档次。说上档次了吧,又像不是的,我咋一见你气就出不壮呢?”

“到底是什么事,你不说我可要跳车了。”

“我要拉你去看我行善。当年的周指导员,三年前得了中风,半身不遂躺在家里。人背时放屁能砸掉鞋子,他老婆的工厂也发不出工资了。两口子从牙缝里掏出钱供女儿自费读财经学校,毕业半年多了,却找不到工作。我决定聘这妮子到生产队当会计,你说这个主意好不好?”

我无法立即回答,问道:“姓周的同意吗?”

东升道:“原想这事好办,谁知道姓周的倔着呢,死活不同意。我低三下四跑了四五趟,姓周的才松了口。每月我给他女儿开四百元工资,管吃管住,待遇不错吧?我今天是去接那妮子上班,让你做个见证,我张东升可是真心诚意帮他家的。”

小车七拐八拐进了一个胡同儿。周指导员家住在一个大杂院里,占着两大间东厢房和一间小耳房。这里是都市的羞处,四周的高楼已经宣布这种大杂院便是变成一块旧城市的化石也不会有什么改观了。那个叫周小娜的妮子看见我们,立即笑烂了一张脸。东升过去小声和周小娜嘀咕几句,周小娜抿嘴笑了,笑得很自信。周小娜知不知道父亲和张东升的旧怨呢?一个中年妇女给女儿装了一些日用品,一再叮嘱女儿要好好干。一股呛人的尿臊气挤过旧布帘子刺激着我的嗅觉。我很想掀开帘子,看一看卧在床上的东升的仇人。

妇人把一个六十年代流行的帆布旅行包递到周小娜手里,朝里屋说:“张队长亲自来接小娜,你也该说句话呀。当年你们干的什么事,看看人家张队长的肚量。”

东升笑着说:“大嫂,我不会怪的,当年人家老周是我的上级,摆一摆架子也是应该的。日久见人心,我和老周肯定还会成为朋友的。”

一个中气十足的男人声音挤破帘子出来了:“小娜,你好自为之吧。”

东升能走出这一步,很不容易。我不由得仔细打量了他:西服裤线熨得笔直,领带打得规规正正,背头梳得一丝不乱,脚上的皮鞋一尘不染。回想起去年见的东升,竟有一种恍若隔世的感觉。

东升孩子气地笑着:“咋样,是档次吧?”

我说:“日久见人心呀。”

路过黄河大道火车票预售处,东升叫小李子停了车,拉我下去了。

太阳正悬在头顶,撒下一片过了头的春意。一个头发花白的老头坐在一张方凳上,手里捏着一簇竹牌牌,木呆呆地盯着梧桐树下一片花花绿绿的自行车。

东升走过去,摸出中华烟递给老头一支,指着我说:“这是桑教授桑大夫,和马

省长、梁部长称兄道弟的人，今天我请他来作个见证，我要是有半点二心，断子绝孙。”

老头眼神变得扑朔迷离，“东升呀，我过得挺好，你的案子也平反了，也过得挺好。当年是我不对，如今你就不要变着法子折腾我了。”

东升抬起头，吸了口气，“我真的很感激你，我要一直在所里干，你说我能不能当所长？”

老头眯着眼看了看太阳，“三十年河东，三十年河西。什么事我都想得通，你不要逼我，我都明白。”

“你是不是嫌工钱少？这好商量嘛。”东升研究什么似的看着老头：“五百块行不行？看你老人家在这里风吹日晒，我心里真不是个滋味。其实，活儿也不多，送送报纸送送信，我一个初中毕业生，外地有几个朋友，还是在牢里认识的，都不识几个字，一年能有几封信？剩下的时间，你帮我看看有没有什么坏人进来，这是你的老本行，累不着。”

老头似听非听的样子，淡淡说：“习惯了，习惯了，不用你多费心了。”

东升悻悻地回到车上，忍不住埋怨起来：“给脸不要脸！这就是当年的赵副局长，清理三种人，把他免了职。听说他当时就办了退休，干起看车子的活儿。我想让他去给我看大门，他还不领情。桑塬，你说这仇恨可以消化，可我消化了，人家不消化，我有什么办法！我能想个啥办法把他弄来看大门呢？”

“东升，”我忧心忡忡道：“仇恨可不是这样消化的。”

“怎么消化，怎么消化？”东升朝我嚷嚷道，“你是又当巫婆又当神，还让我活不活？”

鬼使神差，我又一次去了东升那亩菜地。十几株罂粟花开得血红。东升真生了气，个把月也没个电话打来。每次门诊值班，我都不由自主地想起东升。不知在他的潜意识里，仇恨是在消解，还是愈积愈浓了？东升这样做，是他的复仇方式，还是真正宽容了对方？

东升不救周家，周小娜下一步会干什么？

后来，病人一多，就把这事忘了。一次，部长夫人请我去闲谈，不住地夸奖东升，要为他写电视连续剧。我听了很高兴，可见他的日子过得不错。

一九九四年六月一稿于北京

一九九四年八月二稿于北京

（选自《当代》1996 年第 1 期）

柳建伟

1963年出生，河南镇平人。1983年毕业于解放军信息工程学院计算机工程系，1997年又毕业于北京师范大学中文系，研究生，鲁迅文学院学员。历任解放军56025部队政治部干事，解放军艺术学院文学系学员，56025部队六处助理工程师。1985年开始发表作品。1995年加入中国作家协会。著有长篇小说《北方城郭》《突出重围》，长篇报告文学《红太阳白太阳》《日出东方》等，中篇小说《王金柱上校的婚姻》获1993—1994年《昆仑》文学奖，《都市里的生产队》获1996年《当代》文学奖，《北方城郭》获1997年全国十佳长篇小说奖，《红太阳白太阳》获第三届国家图书奖提名奖、中国第十届图书奖。

花瓶镇

向本贵

一

花瓶镇乡党委书记伍运来和分管乡镇企业的副书记邓以龙从结肠坡村回到乡政府的时候,集贸市场的摊位已经被砸了十几个。乡政府办公室秘书小郝说:“县工商局市场管理股的工作人员刚刚收走市场管理费,他们就开始砸摊位了,看样子可能还要砸。”

邓以龙上午在结肠坡度假村喝了半瓶二锅头,酒精还在打脑壳,连眼睛也是醉红的,喷着满口的酒气说:“他们要砸,就让他们砸去吧,迟早是要砸的,留在那里,农民不但没有钱赚,反倒月月要从口袋掏钱出来。”

伍运来对邓以龙的牢骚话没有理睬,只把一直紧皱着的眉头又打了个结,急急地往集贸市场奔去。

花瓶镇集贸市场在乡政府左侧两百米处,这里原来是一片乱石岗子,丛生着狗尾巴草。四年前,原乡党委书记宋光旦动员群众集资在这里办了个集贸市场,自己掏钱修做生意的摊位,摊位归自己使用。于是,这片乱石岗子上盖起了一座长八十米,宽五十米的石棉瓦棚,石棉瓦棚内整整齐齐地建起了三百来个摊位。三百来个摊位分为两种类型,一种是用水泥垒起的三尺高的长方形平台,大约有一百三十来个,这种平台分成前后两行,专门作杀猪宰羊卖肉食水产用的。另一种是除了三尺高的长方形平台之外,平台后面还有一个八尺高的挂货用的架子,这种摊位大约有一百八十来个,专门用来卖百货的,也分成两排。卖肉食水产的在南边,卖百货的在北边。伍运来赶到集贸市场的时候,集贸市场闹哄哄的,一个衣衫褴褛的农民汉子正拿着一把铁锤怒气冲冲地在那里砸水泥平台。平台后面的百货架已经被砸倒了,几根被折断的竹竿还让铁丝缠着,横七竖八地躺在地上。周围的百货架已经被砸烂了好几个,那边卖肉食水产的摊位被砸烂得更多,地上一片狼藉。那个农民汉子砸一锤子,就咬着牙大吼一声:“砸他娘的稀巴烂!”

伍运来问跟来的办公室秘书小郝:“那个砸水泥平台的汉子是哪个村的?”

小郝说:“是落沙坪村的,叫周生同,修摊位欠下的千多块钱还没有还清哩。”

伍运来走过去,对周生同说:“别砸了,修得好好的,砸了多可惜呀。”

周生同瞪了伍运来一眼,吼道:“你是哪里来的,少在这里管闲事。”手中的铁锤落在水泥平台上,发出当的一声响,那平整的水泥平台就掉下了一只角。

乡政府办公室秘书小郝对周生同说:“这是我们乡新调来的伍书记。伍书记叫你别砸,你还砸什么嘛,一个摊位花了千多块钱才修成,让你一锤子就给砸了。摊位砸了,你欠下的账还没了啊,同样还得从你口袋掏钱还呀。”

那个名叫周生同的汉子听说站在面前的这个中年汉子是新调来的乡党委书记,眼神里带着一种怨恨,斜斜地瞅了他一眼,落下的铁锤更有力了,咣当一声炸响,水泥平台掉下了小半边。

“姓宋的在这里待了四年,弄出了许多新花样之后,风风光光走了,你准备在这里待几年?又要弄出些什么新花样来,再风风光光地走?”周生同瞪了伍运来一眼,“告诉你,老百姓是再不会上当了。”

伍运来浑身不由打了个颤,周生同的眼神像刀子,狠狠地剜在他的心上。他怔了那么一刻,大声地说:“现在别说那些气话。说气话,砸摊位,都解决不了问题。你们都要冷静一些,这些摊位是你们自己掏钱修的,你们的钱来得不容易,是抛汗脱皮挣来的汗水钱,怎么能说毁就毁了呢,有什么解决不了的问题呀?”

“摊位摆在这里,生意没有,每个月却要交六十块钱的摊位管理费,还留着这摊位做什么!”周生同身后的一个中年女人说。

“砸了摊位,看他们来收个卵钱!”

伍运来这时才知道这些农民汉子为什么要砸集贸市场摊位的缘由,好言劝道:“大家都别砸了,收费的问题好解决。”伍运来顿了顿,“我说了,在集贸市场做生意的,按做生意买卖的实际天数缴管理费,做一天生意买卖就缴一天管理费,不做就不缴。”

“你说话算不算数?”人们一齐围过来,问伍运来道。

“我伍运来要是说话不算数,你们把我从花瓶镇轰走!”伍运来说这话的时候显然有些激动,声音很大,方方正正的脸膛有些发红。

“这话可是你说的,你要是说话不算数,我们就来找你。”说着,百十条汉子扛着锤子锄头扬长而去,偌大的集贸市场一下变得冷冷清清了,寥寥几家做百货生意的,卖鱼虾卖猪肉羊肉的,卖小菜的,竟没有一个顾客光顾他们的摊子。

伍运来怔站一阵,过去问那些做生意的农民:“你们一天能赚多少钱?”

“还能赚多少钱呀,别亏本就不错了。”一个卖猪肉的汉子指着案板上的猪肉说:“杀一头猪,两三天才卖得完,冬天还好,今天卖不完明天卖,明天卖不完后天卖,到了热天,一天下来就臭了,只有减价卖掉,连本钱都收不回来。你看,百多家肉案,今天只有四家在这里卖猪肉。”

一个卖小百货的摊主抱怨说:“当时宋书记要我们在这里集资修建摊位,说是再过几年,花瓶镇就会成为一个繁华的小城镇,我们这些抛汗脱皮土里刨食的农民,就不用再去盘泥巴犁田耙地插秧割禾了,我们都成了城镇人,做生意买卖讨吃了。如今,集贸市场办了四年,我们集资的本钱都没有收回来。工商管理费一年七百二十块,却一分都少不得。”

伍运来问:“这个集贸市场生意为什么这么差呢?”

一旁的邓以龙说:“我们花瓶镇总共才九千多人口,就是男女老少天天穿新衣裳,家家户户餐餐吃鱼吃肉,也用不着这么大的集贸市场,何况花瓶镇的老百姓才刚刚解决温饱,手头不可能有多少余钱剩米来吃香的,喝辣的,来穿绸挂缎。当时建这个集贸市场的时候,很多人提出反对意见,说建大了。宋书记说我们看问题办事情要看到将来,要看到发展,鼠目寸光办不了大事。他说几年之后,花瓶镇就成了新河市的卫星城,人家新河市有五十万人口,每天只要有十分之一的人到这里来买东西,就不得了。这个集贸市场不是大了,而是小了。”邓以龙显得很气愤的样子:“人家新河市的人是碰到鬼了,城里几个大市场的东西多的是,他们鬼打起要翻过结肠坡,跑十多里路到我们这里来买东西啰。”

听见邓以龙这么说,伍运来就不作声了。上午,他和邓以龙去结肠坡看了乡政府在那里修建的度假村。度假村共有三十二栋吊脚木楼,全修在结肠坡的半山坡上。两年前,这些吊脚木楼刚刚修好,县委书记和县长便带着全县三十三个乡镇的书记乡长到这里参观学习。当时任花瓶镇乡党委书记的宋光旦说,如今的城里人在城里住腻了,有一种城市病,都想往农村跑,在这里修个度假村,票子会像流水一样往花瓶镇人的口袋里流。当时,宋光旦这么说的时候,一些乡镇的书记乡长却持怀疑态度。新河市与花瓶镇隔着一条狭长的山谷,这山谷就叫结肠坡,公路从山谷中穿过时,像一串鸡肠子,七弯八绕,又窄又陡,两边山头的树木早就被砍光了,只留下一些低矮的灌木丛和满山遍野的荆棘芭茅,荆棘芭茅中稀稀疏疏地裸露着一些石头。城里人是不是神经出了毛病,要跑到这里来度假。果然,两年过去了,那些吊脚木楼从来没有人去光顾,十几个从村里请来的工作人员闲得没有事做,买了几十只山羊在半山坡放养。

邓以龙说:“宋书记在这里做了四年书记,按他自己的说法,是四年五大步,首先更改乡名。花瓶镇原来不叫花瓶镇,而是叫落沙坪乡。他说落沙坪乡马上要搞小城镇建设了,还叫落沙坪乡,实在太俗气,叫花瓶镇吧,又有意义,名字又响亮。过后就动手建集贸市场,建度假村,再后来是抛荒一百八十亩水田办开发区,去年,又在龟石村搞旅游业。他要是不走,还不知道今天又有什么新点子。”

伍运来见邓以龙当着大伙这么说有些影响不好,说:“老邓,你以后要少喝酒。”

邓以龙生气地说:“你以为我醉了?再喝半瓶我也不会醉。对你说,老伍,花瓶镇的干部群众都把眼睛盯着你的,你要是也玩花架子,老百姓的日子就没法过了。”

二

伍运来是三天前走马上任到花瓶镇来做乡党委书记的。以前,他在另一个乡做乡长。元月下旬,县里进行换届选举,大动了一下全县各乡镇的领导班子,伍运来便到花瓶镇做书记来了。上任之前,前任花瓶镇乡党委书记、新任县委常委、县政府常务副县长宋光旦单独找他谈了两个小时的话,说花瓶镇的小城镇建设已经初具规模,乡镇企业正在兴旺壮大,旅游业已经起步,农民群众的生活水平有了很大的改善。特别是农民群众的思想觉悟和文化素质,都有了不同程度的提高,他们已经开始由过去的单纯靠土地吃饭过日子的传统意义上的农民,向新型的现代化的农民过渡,他们迫切希望走出土地,改变过去那种面朝黄土背朝天的艰辛劳作的局面,积极地投资办集贸市场,办开发区,办旅游业。当然,办集贸市场也好,办开发区也好,办旅游业也好,都是以前没有办过的新生事物,困难很大,阻力很大,也许会有很多挫折,“我在花瓶镇四年,发动群众,花大力气办了几件实事,当然,这几件实事才刚刚起步,我把它们交给你,它们的成功与否就看你了”。

宋光旦的话说得很动情,推心置腹,让伍运来深受感动。四年前,伍运来和宋光旦在市委党校学习过一年,两人一个宿舍,宋光旦常常人前人后说他很喜欢伍运来耿直的性格,办事踏实果断的作风。伍运来比他小五岁,他亲切地唤他做小老弟,还说,如果今后自己要是走在了伍运来的前面,他不会忘记他。如今他果然没有食言。

宋光旦把一本印刷精美,装帧别致的小册子递给伍运来,说:“我在花瓶镇干了四年,就得了这么一本小册子,你在那里待几年之后,应该不是一本小册子,而是一本厚厚的书。”

这个小册子一年前伍运来就见过,当时县委书记陪着市政府的几位领导到他所在的乡检查工作时,他们口袋里都有一本这样的小册子,当时他和乡党委书记汇报工作的时候,他们还拿着小册子翻,但他不知道这个小册子是宋光旦弄的。他接过那本小册子说:“请宋副县长放心,你在前面给我做出了榜样,我一定会老老实实向你学习,努力工作,为老百姓多做一些好事、实事,让他们尽快地过上小康生活。只是,还请老领导不要忘记花瓶镇,多多关心支持我的工作。”

宋光旦握着他的手说:“放心,我不会忘记花瓶镇,我会给你关照的。你在那里好好干几年,干出成绩来。四年前老兄我说的话,你这个小老弟忘记了,我做老兄的可没有忘记啊。”

伍运来做农业技术员出身,后来做副乡长,乡长,一步一个脚印地走到了乡党委书记这个位子。当时,县委决定,各乡镇新的领导班子宣布之后,书记和乡镇长们在原来的乡镇辞个行，到新的乡镇报个到，认一下门，春节也就到了，安安心心回家过春节，明年开春新官上任，认认真真烧几把火，开创一个崭新的局面出来。伍运来却不敢有丝毫的懒惰，来到花瓶镇之后，就一头扎到下面村组去了。三天下来，他才弄清楚，宋光旦在花瓶镇做出的政绩是什么，他办了几件什么样的实事。伍运来浑身不由有些发冷。

“伍书记，上午你到结肠坡度假村去了？”

伍运来和邓以龙小郝几个人回到乡政府的时候，小郝小心翼翼地这么问道。

伍运来没有作声，皱着眉头坐在那里想什么，许久，他问小郝：“结肠坡修的那些吊脚木楼，钱是从哪里来的？”

“乡政府贷的款。”小郝看了邓以龙一眼，“乡政府原本是想发动群众集资修结肠坡的度假村，由于集资修的集贸市场没有生意可做，群众有意见，再不愿凑钱在结肠坡修什么度假村了。宋书记却决心大，接连召开了几次群众大会，得到的回报是群众的牢骚和风凉话，他们说结肠坡那一段公路像一串鸡肠子，又陡又窄，每年都要翻几次车，压死一两个人。那地方什么可看可玩的都没有，只有芭茅，只有荆棘，只有石头，只有摔死在坡坎下的鬼魂。在那里办度假村，活人不会去度假，要去只有冤死在车轮下坡坎下的鬼魂去栖身。宋书记就要乡政府先贷款把度假村修好，待有效益了，再转卖给农民。为了这事，许多干部还和宋书记发生过争执，邓副书记就和宋书记拍过桌子，还是没有阻止住宋书记的决心，如今，银行的那笔贷款一直还欠着。”

“贷了多少钱？”

“一百万。已经贷三年了，连利息加一块，怕就不止一百万了啊。”

“乡政府还欠了些什么账？”

“去年的上交任务完不成，又贷二十万抵上交任务了。”

伍运来从口袋掏出上次宋光旦给他的那个小册子，想看一看花瓶镇这几年的财政收支情况。

小郝说：“不用看那个小册子，那上面的各种数字都信不得，有很重的水分。”

伍运来说：“这个小册子的后面也有你的名字，你说说，哪些数字有水分。”

“都有，不过有大有小。”小郝看见伍运来的脸一直板着，不由得勾下了头，“去年，全乡财政总收入只有二百一十万，上报的数字却是二百八十万。”

“四年前的财政总收入是多少？”

“宋书记来咱花瓶镇之前，只有一百五十万。他来的第一年增加了二十万，第二年又增加了三十万。实际上，第二年乡财政的总收入就有水分了，不过还能勉强维持下去，第三年就不行了，乡村小学老师的工资，乡干部的工资总是一月拖一月。由于乡政府还要给开发区的一百八十亩稻田和龟石村办旅游区修路占的五十亩稻田补损失，如今，乡干部和乡村老师已经有四个月没有发工资了。”小郝勾着头，怯怯地说："开始统计上来的数字还是很准确的，宋书记说那个数字不行，过不了关，于是每个数字都加大了许多。"

伍运来这时才知道，每天下午到了四五点钟，乡里的干部一个二个都匆匆地往自己家里赶，第二天十点钟才回到乡政府来的原因不是因为快过春节了，他们要回家去帮着家里做些事情，准备过春节，而是因为几个月没发工资，他们没钱在食堂开伙吃饭，要靠老婆养着。

邓以龙发牢骚说："几个月来，乡政府的干部每天都只在乡政府打个转，就回去了，许多工作都没人干了。宋光旦可能知道自己要走，也不管了。"邓以龙吐了一口酒气，"他做书记的不管，我们也懒得过问，哪里有酒，就到哪里去喝，混日子吧。"

伍运来脸色有些发青，站在办公室门口对着二楼喊刘乡长，喊了几声也没有人答应。

邓以龙说："喊她做什么，她到县里去了。我早晨看着她上的车。"

伍运来说："我昨天对她说，这几天都到村里去走走，快过春节了，看看下面有没有特困户，有没有没年饭米的户，如果有，我们要想办法给他们解决一下，总不能看着人家年三十饱饭都不得一餐吃吧。她到县里去干什么？"

"宋光旦走了，她当然也想走嘛。"

伍运来说："换届选举刚刚结束，该安排的早就安排了，她往哪里走？"

邓以龙说："猪往前拱，鸡往后扒。她可能有她的路子。"邓以龙顿了顿，"下午你还要到哪里去，我陪你去算了。"

伍运来说："到落沙坪开发区去看看。"说着，站起身出门去了。

邓以龙听伍运来说去落沙坪开发区，有些犹豫，嘀咕道："这几天落沙坪村的人没到乡政府来吵架了，乡政府才安静了几天。我们这一去，不是自投罗网么。"

伍运来在外面等了一阵，没看到邓以龙出来，叫道："老邓，快走吧，还在办公室嘀咕什么。"

邓以龙悄声叮嘱小郝："我们要是天黑了还没有回来，你就带几个人去接我们。"接着，匆匆赶伍运来去了。

三

落沙坪开发区离乡政府就两三里路。说是开发区，就是在公路旁边的那一大片平整的稻田的四周用红砖砌起一道半人高的砖墙，砖墙里面的稻田横七竖八地垒上了许多石头堤，将平整的稻田分割成方方正正一块一块的豆腐格，再在这些豆腐格里面堆上一些石头和沙子，俨然是准备修房子的架势。两年多了，密密扎扎的狗尾巴草和水灯草从石头缝里，从沙石下面，从低洼的水坑里疯长出来，一片荒草萋萋的样子。

伍运来和邓以龙来到落沙坪时，一个五十多岁的农民汉子正站在半人高的砖墙旁边，面对着偌大一片荒草发愣，他的旁边，还有一个中年汉子正在荒地里扯杂草。邓以龙轻轻说："那个扯杂草的是刚才砸摊位的周生同。"

伍运来说："我们去看看。"

那农民汉子看见他们过去，口气冷冷地问伍运来："伍书记，你是不是农民出身？"

伍运来记得刚才在集贸市场砸摊位时他也在那里，反问道："是农民出身怎么样？不是农民出身又怎么样？"

那汉子说："不是农民出身就没得说的。"

伍运来说："我是地地道道的农民出身。"

"既然是农民出身，我问你，在这么好的水田里堆些石头堆些沙子，然后就抛荒，让它们长狗尾巴草，你心疼不心疼？"

周生同一旁有些没好气地道："说这些话有什么用？说也是白说，宋书记不也是农民出身么，他还说过他五岁的时候正好是三年自然灾害的时候，饿得皮包骨，差点饿死了，他娘天天在山坡上挖鱼腥草根煮了让他充饥，才救下了一条小命。如今怎么样？这些水田就是他叫抛荒的。"

伍运来问邓以龙："你们当时怎么做出这么个决定，要在这里办开发区？"

邓以龙说："宋光旦不是给你了一本小册子么？他的规划都在上面写着的。"

"没有人来这里办工厂、办企业，怎么能先把水田圈在那里闲起来呢？"

"宋光旦说，这叫作先栽下梧桐树，才引得来金凤凰，他说人家看见我们水田还插着水稻，认为我们招商引资是说的一句空话，我们把水稻田抛荒摆在那里，不插禾了，人家才会相信我们是真心实意在搞招商引资。"

"问题是，这些水田已经抛了两年荒了，一家企业一家工厂都没招进来呀。"

邓以龙有些无可奈何地说："人家口袋里的钱没地方去了，鬼摸了脑壳，要跑到我们这里来投资？人家来投资的目的是赚钱，光有地方建厂还不行，还要看交通方便不方便，还要看原材料短缺不短缺，还要看当地的投资环境好不好。"

周生同一旁气愤地说："知道没人来投资，还要把这么多水稻田圈起来抛荒做什么？做样子给谁看呀。"

那个中年汉子对伍运来说："落沙坪村有许多户没有年饭米过年，伍书记你得给我们一个答复，赔偿的钱什么时候给，不然这个年就过不去了。"

伍运来说："老邓，走，我们到村里去看看。"

伍运来和邓以龙跟着中年汉子和周生同进村不久，就被群众围住了，人们吵吵嚷嚷地向伍运来要抛荒水田的补助，有些胆大的还骂乡政府的娘。村支书和村长怕出事，赶来给群众做工作，说伍书记才调来花瓶镇三天，对花瓶镇的情况一点都

不熟悉，让他将情况弄清楚了之后，再请他解决问题不迟。

伍运来说："你别拦他们，我今天就是来了解情况的。"说着，要村支书带路，先到周生同家里去看看。

周生同家有五口人，一个老母亲，两个孩子。大孩子读高中，小孩子读初中。老母亲是个瞎子，正坐在堂屋摸摸索索剁猪菜。周生同说他婆娘清早就背着一些萝卜白菜到新河市卖去了，"我们一家五口，靠的就是公路旁边那四亩三分责任田，当时宋书记占我家责任田的时候，说每年补给我家四千斤稻谷，折算成钱，每年补两千块。两年来，我才得一千块钱。一家五口，这一千块钱买糠吃都不够。两个儿子每年的上学费用要几千块钱。"周生同越说越来气，后来眼睛就瞪圆了，那张皱纹密布的脸就青了，"那个姓宋的书记动员我们集资办集贸市场，把办集贸市场的好处说得如何如何，好像在集贸市场建一个摊位就是棵摇钱树，就是个小银行。我借钱修了个摊位，心里希望能让婆娘在那里做点小生意，赚几个钱，供儿子读书。如今钱赚不到手，每年还要交七百二十块钱的工商管理费。日他的娘，要人死！"

伍运来在周生同那栋破旧的木屋里里外外瞅了一阵，问周生同道："这两年你家的日子是怎么过来的？"

"靠的是八分旱地，我婆娘一年四季就蹲在旱地里种菜，春天黄瓜茄子，豆角辣椒，冬天萝卜白菜，香葱大蒜，隔了两天三天，把小菜挑到新河市去卖，卖了钱就买米买油盐回来。两个儿子上学的钱也靠着那八分菜地。"

伍运来问村支书，"落沙坪百来户人家的日子是怎么过的？"

村支书说："我们村百来户老百姓，过日子也全都靠着几分旱地种小菜卖钱。好在新河市的人喜欢吃我们落沙坪种的小菜，说我们的小菜没有污染，鲜嫩。"

邓以龙一旁说："龟石村因为搞旅游开发，占了几十亩稻田，他们也是靠种小菜卖钱过日子。"

周生同说："我们这哪里是过日子，我们这是在熬日子，熬过一天算一天。到哪一天熬不下去了，我们就把锅儿鼎罐挑到乡政府来，向你们做书记做乡长的要吃的。"

伍运来对村支书说："像周生同这样的困难户，你心中有底没有，一共有多少户？"

村支书说："大概有十多户。"

伍运来说："我不要你说大概，我要你认真落实，到底有多少没有年饭米的特困户，有多少困难户，落实好，明天把具体数字送到乡政府来。搞开发区，搞旅游业抛荒的水田，我们年前年后会认真做出处理，这两年乡政府该补给你们的损失，乡政府也会落实好的。"伍运来提高嗓门说："请大家放心，我伍运来说话要是不算数，你们今后就不要听我的。"

四

伍运来和邓以龙原来准备在落沙坪村再调查了解一下情况的，才走了两三家，却被办公室秘书小郝匆匆叫回去了。县政府办公室打电话下来，有一个六十多岁的老女人坐在县政府不肯走，说是要找宋光旦书记，已经做了常务副县长的宋光旦却去市里了，县政府办公室打电话要伍运来赶快去接人。伍运来问小郝："你问了没有，老女人是哪个村的？"

小郝说："问了，说是大坡村的。"

伍运来说刘乡长到县里去了，你没让他们找找她，要她将老人接回来。小郝说我对他们说了，他们将电话打到刘金娥家里，家里人说她回花瓶镇了，就又打电话过来，口气明显有些不耐烦了，说花瓶镇发生这样的事，你伍书记和宋副县长脸上都没有光彩。

小郝说："要不我去一趟。"

伍运来说："还是我自己去。"

邓以龙说："叫小郝和你一块去，两个人，有什么事情也有个照应。"

花瓶镇离县城四十来里路，坐中巴车要个多小时。两人赶到县政府的时候，下班的时间早过了，办公室的门开着，一个年轻的秘书陪着一个衣衫褴褛的老女人坐在那里。小郝老远就认出她了，对伍运来说："她是龙祖树的母亲。"

伍运来问："龙祖树是什么人？"

小郝叹了口气："等会儿我慢慢跟你说。"走过去，对老女人说："老人家，回去吧，在这里找宋书记没有用，他不管我们花瓶镇的事了。花瓶镇的事是伍书记管，伍书记接你来了。"

县政府那个年轻秘书也指着伍运来对老女人说："这就是你们花瓶镇的党委书记。有什么事情，你对他说，他会给你解决的。"

老女人对伍运来瞅了瞅，就嗵的一声跪倒在伍运来面前，声泪俱下地说："伍书记，救救我的儿子吧。"

伍运来连忙将老人扶起，问她儿子怎么了？老女人却不说，只是悲悲切切地掉眼泪。伍运来说："老人家，有什么事，你跟我回去再说好么？你看人家都下班了，他们也要下班回家啊。"

老女人死活不肯走。伍运来问小郝："老人的儿子到底是个什么情况，使得老人跑到县政府来找宋副县长。"

小郝说："老人的儿子叫龙祖树，前不久因为贩毒，被县公安局抓了。"

伍运来心里不由一怔，还想问什么，小郝瞅了政府办年轻秘书一眼，叹了一口气，说："说来话长，以后再对你说。"

伍运来有些为难地对老人说："老人家，国有国法，家有家规，你儿子要是犯了哪一条法，我是救不了他的，宋副县长也救不了他。他要是没有犯法，公安局就不会抓他，你老人家还是回去，找宋副县长没有用。"

老人有些绝望地说："我可怜的儿呀，我有个多月没有看见他了，伍书记，求求你，能让我见我儿一面么？"老人痛哭失声地说："没看见他一面，我是不回去的啊，我就在这里等我儿出来。"

伍运来要政府办年轻秘书给看守所挂个电话，通融一下，看能不能让老人见儿子一面。如果不方便，他和小郝可以陪着她去。

看守所见是乡党委书记出面，就答应了，说现在正是吃晚饭的时候，可以让他们母子见一面，只是龙祖树的案子还没了结，他们母子只能见一面，三两分钟，不能多说话，怕里外串通，增加办案难度。

伍运来和小郝就带着老人匆匆地去了公安局看守所。

路上，小郝说："伍书记，你在花瓶镇这几天，没有看见公路两旁到处都有酒家饭店么？我点过数儿，从镇政府到结肠坡，不过三四公里远，大大小小的酒家饭店有三十七家，看起来十分壮观，真有三步一楼，十步一店的架势。其实，开门营业的只有七家，有三十家修的漂亮砖房不是开店接待酒客赚钱，而是在铺了高级地板砖的酒店里喂猪养鸡，或是干脆常年门上一把锁锁着。这三十七家酒店，只有六家是自己凑资金修的房子，另外三十一家是宋副县长让银行贷款修的。如今这三十一家全成了花瓶镇的特困户了。"

小郝顿了顿，"龙祖树贷款修酒店之前谈了个对象，正准备结婚的。由于修酒店欠了账没办法偿还，姑娘就有些变心了，这次龙祖树被抓，姑娘就把订婚时的彩礼退回来了。龙祖树为了还银行的贷款，到广州打工，和毒贩子搞到一块去了。"

老人听见小郝这么说，一泡鼻涕、一泡眼泪道："乡政府做的好事，弄得我都要家破人亡了啊。"

伍运来心情沉重地说："我虽然刚调到花瓶镇不久，这些问题，乡政府的确有不可推卸的责任。我说了，该我们乡政府负责的问题，我们一定会负责解决好。我们花瓶镇是市里小城镇建设试点。我们搞小城镇建设的目的，就是要提高农民群众的生活水平，尽早地奔上小康生活，任何不符合实际的形式主义，花架子，都是不行的。不但严重损害了农民群众的利益，也损害了我们党和政府在人民群众中的形象。"

五

那天，天黑一阵，伍运来和小郝才和龙祖树的母亲一块回到花瓶镇。伍运来要老人在乡政府歇了，明天再回大坡村去。老人由于和儿子见了一面，心情比过去好了些，说她不在乡政府歇，离乡政府不远的公路旁边还有一幢漂亮的砖房是她家的哩，锁着，她到那里去睡。伍运来就不强留她，要一个乡干部送她去。

老人走后，伍运来问刘乡长回来了没有。邓以龙说回来了，看她的情绪好像不怎么好。

伍运来不作声，便去二楼找刘金娥。

花瓶镇乡政府的房子还是七十年代修建的红砖房，外面没有粉刷，里面也十分的简陋。每个干部都分了一间十五平方米的房子，又做办公室，又做卧室。刘金娥的办公室在二楼中间，房子里的摆设十分的简单，一张办公桌，一条凳子，办公桌前的壁上钉了一排铁钉，铁钉上挂着一长溜铁夹，铁夹上夹着的是县委县政府的各种文件，还有各种报刊杂志。办公桌上只有一个热水瓶和几只杯子。办公室的另一边摆着一张木床，木床是那种农村人睡的架子床，也没有漆一下，木纹有些发黑。床上罩着一块厚厚的塑料薄膜，看不见被子是什么样子。刘金娥是个年纪还不到四十岁的女人，长得端庄清秀。她是三年前从县里下来的。当时她在县妇联做副主任。她的男人在县农业局做副局长，儿子在县一中尖子班读初中。她当时不怎么愿意下来。县长找她个别谈话时，说只要她下去做一届乡长就上来。当时宋光旦对她说，像她这样的情况，只要做出政绩来，前途将是一片灿烂辉煌。她也似乎意识到领导是让她去锻炼一下，就下来了。三年多来，宋光旦领着她果然把花瓶镇弄得轰轰烈烈，年年都有新思路，年年都有新招数，年年都有说的，年年都有看的，年年都有总结的。县里的领导当然高兴，把花瓶镇的经验几条几款地总结出来，当作文件下发到全县各乡镇，还当作典型向市里、省里汇报。隔不了多久，市里的、省里的小车会开进花瓶镇乡政府那简陋的院落，宋光旦会陪着领导们在外面走一圈，看一看，然后开个座谈会，请他们在那本厚厚的缎面签字簿上签上一句赞扬的话。风风光光的几年过去了，宋光旦走了，到县里做常务副县长去了。刘金娥也急着想走，她原来就不愿意到农村来的。可是，宋光旦却坚决不让她走，他要她接他的手做一届书记之后再走。他说花瓶镇的改革开放才刚刚走出关键的一步，小城镇试点建设还有许多工作等着她去做。刘金娥不愿意，说她家里有困难，孩子没人照看，丈夫没人照顾。再不回去，这个家就散了。其实，这是面子上的话，她心里清楚，自己千万不能接宋光旦这个手，谁做花瓶镇这一届书记，谁就会寸步难行，会像坐在火山口一样，焦头烂额。宋光旦火了，说你走得动你就走吧。这一下，别说升迁，就是平调也没有单位敢要了。只是，花瓶镇的书记她仍然死活不肯做，问她原因，她也不说。

“刘乡长，去县城了?”伍运来进门就这么问。

刘金娥的脸上没有任何表情，说:“孩子病了。”

“什么病?”

“感冒。”

伍运来关心地说:“那你怎么不照看几天孩子? 孩子可是大事啊。”

刘金娥没有作声，坐那里好像在想什么，一副愁眉苦脸的样子。

“明天还去城里不?”

“乡政府有事没有?”刘金娥抬头看了伍运来一眼，说，“如果有事，不回去算了。”

伍运来说:“如果不去县城，我们一块到各村去走一走，离春节只有几天了，该安排的工作，得赶紧安排一下才行。”之后，伍运来将下午和小郝到县政府接龙祖树他母亲的事对她说了一遍。

刘金娥心里微微一颤，她万万没有想到乡下的女人会到县城去找宋光旦。口里问:“这几天，你走了几个村?”

“四个村，还有五个村没有走。”伍运来顿了顿，“刘乡长，我刚来这里，花瓶镇的情况还不怎么熟悉，你得多担待一些才行。”

刘金娥叹了口气，说:“我下来整整三年了，我的家已经不成家了。”

刘金娥急着要走，伍运来来花瓶镇之前就听说过。他瞅着她那张满是忧虑的脸，说:“县里不让你走，就只有在这里待下去了。”伍运来心情有些沉重地说:“我们一块好好地在这里干三年吧。”

刘金娥说:“难啦。”

“不能说难，就不在这里干了啊。”伍运来顿了顿，“不过，再像过去那个搞法，肯定是不行了。”

刘金娥抬头盯着伍运来，她不知道他还会说出些什么。可是，伍运来却不说了。只是拿着一支烟，在那里慢慢地抽，浓浓的两条烟柱从他的鼻子里喷出来，好像要把心中集结的忧虑全都吐出来一样。

许久，刘金娥开口说:“其实，那阵宋副县长在花瓶镇弄的许多事情，大家都还是有看法的。当时宋副县长说，一些事情，谁都不试着去做，抱残守缺，还是守着祖祖辈辈留下来的那几亩水田，花瓶镇只有永远受穷。”

伍运来说:“问题是，花瓶镇现在的实际情况并不是你们想象的那样好啊。你们这几年办的几件事情，虽说都是看得见，摸得着的，但花瓶镇的老百姓并没有受益呀。”

刘金娥脸上有些尴尬:“他说要办，我也没有办法阻止他。”

伍运来狠狠地将烟蒂掐灭，说："刘乡长，我看，你也安下心来，别进城去，我们一块在这里干几年。老百姓的日子不好过，我们心里也不好受呀。"

刘金娥有些无可奈何地说："只有这么办了。"

伍运来站起身，说："你休息吧，明天我们一块到村里去走走。剩下的五个村走完了，我们再开个会。年关到了，老百姓的具体困难得不到解决的话，今天只有龙祖树的母亲一个人去县政府，弄不好，就会有更多的人到县政府去的。"

第二天，伍运来带着刘金娥、邓以龙几个人去了花瓶镇最偏远的大坡村。中午时分，他们来到大坡村的时候，碰到了龙祖树的老母亲。老人在山里挖红苕回来，背篓里的红苕沉沉的，老人的背脊都压弯了，拄着一根棍子，慢慢地从山坡上下来。老人说她天没亮就回来了，家中喂养有猪和鸡。伍运来和她说了两句话，老人就哭了起来，说如果不是刘乡长和宋书记上门做她儿子的工作，她儿子也不会贷款在公路旁边修那么一幢砖房。她儿子如果不欠银行的账，也不会跟着人家去贩毒。如今，儿子被抓了，未过门的媳妇也走了，家中只剩下她孤苦伶仃一个人，她真不想活了。老人家这么一哭，引来了许多人，人们将刘金娥团团围住，说宋书记走了，她怎么没走，是不是还想在花瓶镇弄几个新花样出来再走。

刘金娥脸面有些发白，她极力向大家解释乡政府的目的还是希望花瓶镇能尽快富裕起来，花瓶镇的老百姓能尽早地过上好日子。人们却不听她的，要她说话时摸摸良心，骨子里是为了花瓶镇的老百姓好呢，还是为了自己能早日回到城里去。还是村支书和村长几个人出面做工作，才把人们劝走。

那天，伍运来和刘金娥、邓以龙几个人没有回乡政府，晚上在大坡村开了个村支部会，了解了一下情况，就在大坡村歇下了。第二天，第三天，第四天，他们又走了几个村，到乡政府的时候，离过春节只有五天时间了。

伍运来对刘金娥说："大家辛辛苦苦工作了一年，却有半年没有领到工资了。乡政府欠了百多万的债，县财政将工资拨下来又让银行给扣了，乡政府想不出别的办法给大家发工资。是不是再到银行借点钱，每个干部多少给打发点过年钱，回去安安心心过个春节才行。"

刘金娥说："乡政府欠的钱是哪个的，不就是银行的么，再向他们借，他们不会干的。"

伍运来说："我去说说，看能不能弄点钱回来，让大家空着手回家，实在说不过去。"伍运来顿了顿，"这几天在村里跑，不知道你心中有数没有，我的本子上记着的，有一十八户没有年饭米，有三十三户特困户，有一百一十五户困难户。我们这几天还要想想办法，让他们把年过去。"

刘金娥一脸难色："乡政府拿不出钱和粮，他们的困难怎么解决得了呀。"

伍运来说："我看只有采取这样两种办法来解决，一是发动全乡的干部捐助。当然，要大家捐钱怕不行，半年没领到工资了，口袋都是空的，要大家捐钱不现实。

捐物是可以的，每个干部捐一套两套衣服，捐一套被子，还是拿得出来的，哪个家里没有几件旧衣服摆那里。这些半新半旧的衣服被子压在箱子里做什么，拿出来，送给那些缺衣服少被子的困难户，可以解决他们的大问题。再一个，我们是不是去县里找找宋副县长，他是我们花瓶镇的老书记，对花瓶镇有感情，对花瓶镇也很了解，请他想想办法，看能不能弄点救济款什么的下来，让花瓶镇这百多困难户把年平平安安过过去。”

邓以龙说：“别忘了落沙坪村一百八十亩抛荒搞开发区的补偿费还没有给他们啊。还有龟石村的五十亩修公路占用的水田，年前不想办法给他们一点，别说我们这个年不会过得安宁，他宋副县长只怕也不会过平安年。”

伍运来说：“一步一步来。他们还没有到没米下锅的地步。先解决特困户，再解决困难户，然后解决落沙坪村的那一百八十亩抛荒水田的补偿问题。当然，龟石村那五十亩修路占用的补偿费也要给。”

邓以龙说：“这两百多亩的补偿不少，折算成钱要十来万！”邓以龙脸上显出十分气愤的样子，“再要这样折腾几年，花瓶镇的老百姓别指望活了，花瓶镇的干部队伍也要散摊子了。”

伍运来一脸的焦虑，嘴上却说：“我们要面对现实，多想想办法，把这一段困难时期挺过去就好了。”

刘金娥有些为难地说：“我们县这几年的情况也不是很好。宋书记如今是常务副县长，一个县的内当家，考虑的是全县，不可能是一个花瓶镇。在那里只怕难要得到。”刘金娥和宋光旦做搭档在花瓶镇工作了三四年，对他，她算是比较了解的。特别是这次县里调整县乡两级领导班子，她算是彻底地看透了他，她心里极不情愿去县里找他。

“他是常务副县长，管着全县这么大个摊子，哪里挤不出一点钱来。”伍运来神情十分严肃，“他才从花瓶镇走几天？坐的凳子还是热的，年前年后花瓶镇出了什么问题，只怕就不好说了。”

邓以龙说：“龙祖树的母亲不是到县政府找过他的么，再去三十五十群众往县政府一坐，我看他把脸往哪里搁。”

刘金娥听见邓以龙把话说到这份儿上，就不好再推了，毕竟她过去是花瓶镇的乡长，今后还是花瓶镇的乡长啊。花瓶镇真要出了什么问题，不论从哪方面说，她刘金娥都有不可推卸的责任。她说：“那我们就走一趟吧。”

“最好今天就去，县里后天放假，去迟了，就是要得了钱，也取不出来。”

邓以龙说：“今天去只怕来不及，如今宋书记成了宋副县长了，你们两手空空上人家的门要钱呀，土特产也不带点？”

伍运来站起身说：“把买土特产的钱节约下来，送给特困户吧，那才叫雪里送炭啊！”

六

这天中午,伍运来和刘金娥赶到县政府时,宋光旦却不在。办公室主任说宋副县长昨天到市里去了,不知道今天回不回来。伍运来说:"宋副县长是去开会还是办事,上次来也去市里了。"

办公室主任说:"不是开会,是办事。"过后就叹了口气,"如今这风气,不跑勤快点,什么事情也办不好啊。"

伍运来说:"我们找宋副县长有重要事情汇报,你能不能打个电话问一下,问问他什么时候回来。"

办公室主任认得伍运来和刘金娥,不好意思不打。手机一打就通。办公室主任要伍运来自己和宋光旦说话。伍运来拿着话筒才说了一句话,宋光旦就听出了他的声音,十分热情地说:"小伍啊,我知道你要找我的。你在宾馆休息一下,等着我,我下午就回来。"

办公室主任带着伍运来和刘金娥在政府办小食堂吃了午饭,就把他们往宾馆送。伍运来说:"别去宾馆了,那里的房门一开就要钱。干脆在办公室坐一会,喝杯茶。从县里到市里不过三四十公里,个多小时的车,宋副县长就会回来的。"

办公室主任说:"宋副县长交代了,你们从基层来,很辛苦,要我好好接待你们。"

伍运来说:"在办公室扯扯淡,也一样。那个排场还是不要讲。"

办公室主任无奈,只有又带着他们回到县政府办公室。

下午三点,宋光旦果然风风火火地回来了。小轿车开到宾馆,却没有找着伍运来和刘金娥,回来问办公室主任,办公室主任说:"伍书记他们没去宾馆。"

"他们在哪里?"

"在二楼办公室等你。"

宋光旦匆匆地奔上二楼,没进门就大声道:"小伍,你怎么不听安排,坐在办公室多累。"

伍运来说:"我心里发急,有些事情要当面向你汇报。"

宋光旦一脸深沉地说:"性急吃不得热豆腐。小伍,你要汇报什么事,不说我也知道。"宋光旦打住话,扭头对办公室主任说:"拿几个茶杯,提瓶开水到小会议室去,我和伍书记他们有事情商量。"

宋光旦这么说的时候,自己端着只不锈钢茶杯前面走了。

伍运来和刘金娥跟着宋光旦来到小会议室,办公室主任给他们各人泡了一杯茶,就出去了。宋光旦将小会议室的门掩上,才说:"知道么,我是专门为了花瓶镇的事才去市里的。”宋光旦这么说的时候，瞅了刘金娥一眼，“小刘，还在闹情绪呀！”

刘金娥没有想到宋光旦会这么直截了当地问她这么句话，脸一下红了，眼睛慢慢地盈满了泪水，但她没有作声，只把头勾了下去，再也不肯抬起来。

宋光旦神情严肃地说：“的确，花瓶镇眼下有困难，而且困难还不小，我看，乡政府一部分人不是在想办法去克服困难，解决问题，而是被眼前的困难吓倒了。你们就不想想，天塌下来还有我宋光旦嘛，我在花瓶镇做了四年乡党委书记，花瓶镇有困难，难道我不着急？告诉你们，我比你们更急。”

宋光旦四十四五岁年纪，个子不怎么高，看上去很结实，四方脸，可能是经常喝酒的缘故，脸面有些泛红，额头过早地谢了顶，光光的，只有浓眉下的眼睛显得很深邃，让人老觉得他在想什么问题，给人一种城府很深的感觉。

伍运来笑说：“宋副县长知道我们花瓶镇的困难就好，宋副县长虽然离开了花瓶镇，对我们花瓶镇却是有感情的，不会忘记我们花瓶镇。”

宋光旦一脸灿笑地问：“说说看，你们来找我做什么？”

伍运来说：“宋副县长在花瓶镇做了四年党委书记，花瓶镇老百姓的生活有了很大的提高，这是有口皆碑的。只是，花瓶镇由于底子较薄，基础较差，老百姓过去的生活水平一直在温饱线上徘徊，你在那里四年，也不可能让九千多人口全部奔上小康生活。我们今天来，想请宋副县长想想办法，能不能给我们一点扶贫救济款，解决一下花瓶镇特困户过年吃饭的问题，一些困难户，我们准备发动乡政府每一个干部都伸出手来，没有钱捐，就捐物，捐衣服被子。”

宋光旦见伍运来这么说，打了一个哈哈，说：“小伍啊，你现在不是乡长了啊。做乡长，前面有个书记，百样事你可以少想，甚至懒得去想。现在不行了，你是书记，是七八十个干部的头，是九千多老百姓的头，你的一言一行，一举一动，都关系着七八十个干部，九千多老百姓的前途和命运啊，你大老远地跑到县里来，就是向我要几十户特困户的年饭米么？小伍，我把口袋张开了，你也不知道往里面跳。我说，你太老实了。这个时代，太老实的人是干不出大事业来的，也是不可能有多大前途的。小伍，对你说句心里话，我是很看重你的，很希望你有所作为呀。”

伍运来被宋光旦一席话，弄得有些云里雾里，不知道怎么回他的话好，只把一双眼睛对着他。

宋光旦说：“我当副县长才几天？对你们说，我已经往市里跑了很多次了，去干什么去？找关系，联络感情，然后就伸手要钱。市里这次拨下来一百万扶贫款，就是我跑得的，不跑，也就二三十万吧。昨天上午常委会上分了一下，我给花瓶镇争得了十五万。这个数你们满意了吧，要是按全县三十三个乡镇平摊，一个乡镇还不足四万。这笔钱，今天上午县财政已经拨下去了，你们把欠乡干部的工资全部补发下去，全乡的困难户也给一点，大家都愉愉快快热热闹闹过个年，明年工作起来也才有劲头。”宋光旦这么说着，对伍运来露出得意的一笑，“今天上午，我又去找市里的领导，他们又答应了我的扶贫开发基金。”

伍运来和刘金娥听宋光旦说给他们十五万扶贫款，心里很高兴。伍运来说：“感谢宋副县长对花瓶镇的关照。这十五万，乡干部的工资还不能全部补发，落沙坪村那一百八十亩水田的补偿费，龟石村五十亩水田的补偿费，都还没有着落，要从这十五万块钱里面拿点出来。落沙坪村和龟石村被占用了水田的农户，生活上有困难，他们经常三十五十地结伴到乡政府来吵闹，不给他们解决一点，说不过去。我看，给乡干部补发工资也好，给落沙坪村和龟石村补发占用土地补偿费也好，都只能是小头，这十五万中的大部分资金，都要分发到下面村组去，这是扶贫救济款，就要真正起到扶贫的作用，起到救济的作用。我看，这些钱的用途应该是两个，一是解决那些特困户的年饭米问题，二是重点扶持一些困难户，给他们一点生产启动资金，让他们能够在很短的时期内找准项目，尽快地发展生产，增加收入，脱贫致富。不知道办公室对你说过没有，前几天大坡村龙祖树的母亲到县政府来找你，还是我接回去的。这样的事，是再出不得的了。”

宋光旦眉毛有些发皱，说：“你的这些想法都是不错的，但我这里暂时还拿不出钱来拨一笔下去给干部补发工资。我看，稳定干部的情绪，要放在首要位置才行，自己手下的干部思想情绪不稳定，你要想办点事就不会顺畅，人家背后就要嘀咕你，甚至放你的暗箭。扶贫的问题要不要搞，也要搞，但你心里要有个谱，要有轻重缓急。扶贫是攻坚战，是持久战，一年两年不一定看得见成效，三年五年不一定能摘掉贫困帽子，十年八年也不一定能奔上小康。你伍运来准备在花瓶镇待多长时间？你比我小五岁，也已经到不惑之年了。你等得及么？我宋光旦今年四十五岁了，三年之内如果不上半个台阶，不往市里挪一挪，我这辈子也就完了。小伍，你才四十岁，可能还不觉得年龄的重要，我是有危机感了，年龄就是本钱和砝码，年龄真的比黄金还金贵呀。”宋光旦顿了顿，口气硬硬地说：“我看，这钱还是先补发拖欠干部的工资，再解决那些特困户的年饭米问题，这是当务之急。扶贫致富的问题，放在下一步，稳定才是头等大事。有机会，我再想办法从其他地方给你们弄点钱来，几十万人口的县，弄十万二十万不会有多大问题，市里已经答应给我扶贫开发资金，用在这里用在那里都是国家的钱。谁叫我曾经在花瓶镇做过四年书记！”

刘金娥呆呆地坐在那里，脸面的表情有些木然。伍运来却是不认识似的盯着宋光旦，他说：“宋副县长心里惦记着花瓶镇，我们太感激了，不过，你如今是一个县的常务副县长，管着全县这个大家，什么事都想着花瓶镇，给花瓶镇开绿灯，只怕也不好，人家会有意见的。”

宋光旦显出一种激动的样子：“哪个有意见？有什么意见？我给花瓶镇的钱不是从他们口袋里掏的，也不是我们县财政的钱，我是向市里要的。年底市里给我们县的扶贫款原来只有三十万，我连着往市里跑了几趟，又要得了七十万。给你们十五万，县里还沾了我五十五万的光啊。昨天常委会上我说了一个观点，要想让我们县尽快地摘掉贫困县的帽子，只有两条路可以走，一条路是靠自己的力量发展生产，增加财政收入。走这条路难度很大。另一条路就是向上面伸手要。国家好比娘，崽女都争着向娘要奶水吃，谁个崽女有本领，讨得娘喜欢，谁就能多得一些好处。我说谁有本领向市里要得钱，谁就为我们县做了贡献，谁就是英雄好汉，我们就要表扬他，奖励他。”说到这里，宋光旦突然打住话，眼睛瞅着刘金娥和伍运来，说：“这次，我在市里要得的二十万小城镇生产开发资金，全部给你们算了，我们花瓶镇是市里小城镇建设的试点，这就给我们一个向市里要钱的由头。过些日子，我还要到市里替你们去要，到时候，你们两个也跟我去认一下门，带点土特产去，和领导联络一下感情，今后，我要是没有时间去市里，你们自己就可以直接去要钱了。”说到这时，宋光旦叹了一口气，“我在花瓶镇四年，将落沙坪乡改成了花瓶镇，还做了四件事，这四件事眼下都还没有什么效益。花瓶镇的干部群众可能背后还对我办这几件事有不同看法，我说这个问题不在我宋光旦身上，这是大气候的原因。不过我宋光旦不会让花瓶镇的百姓吃苦，不会让花瓶镇的干部吃苦。欠下的工资，我给你们钱补发，办开发区占用落沙坪村的水田，办旅游业占用龟石村的水田，这个损失我也给你们填起来，我这次向市里要得的二十万拨下来之后，把欠他们的补偿费连同明年的一次补完。我再去向市里要些钱来，慢慢偿还结肠坡度假村欠下的贷款。但我有一个要求，我宋光旦只要不离开这个县，我在花瓶镇办的四件事，你们只能给我好好看管着，有条件的话，还要有所发展，争取有一些效益。不然，我宋光旦是不会答应的。”

刘金娥看了伍运来一眼，脸上刚才布满的忧虑没有了，流露出一丝惊喜。她正准备说句什么，看见伍运来的脸色有些沉，就把喉头的话又咽了下去。

许久，伍运来才说：“宋副县长这样关心花瓶镇，我代表花瓶镇全乡八十一个干部职工和九千多群众，向你表示深深地感谢。关于小城镇建设资金的使用问题，我回去开个党委会，研究一下，拿个详细的方案出来，再向你汇报。”

宋光旦说：“拿个方案出来也好，我拿着你们的方案，再去市里要钱，理由就更充足了。只是，那二十万，你们只能按我说的办。不能说我宋光旦前脚走，花瓶镇的开发区和旅游业就不办了吧，结肠坡的吊脚楼就拆了吧。”宋光旦好像看出了伍运来心里想的是什么，这么叮嘱说。

伍运来没有作声，心里想，你向市里要钱养着你办的那个毫无意义的开发区和旅游业，把它们撤了，你脸上觉得过不去了？市里的钱又是哪个的钱？你向市里要钱往水里丢，市里向省里要钱往水里丢，省里向中央要钱也往水里丢，我们这个国家到底有多少钱能往水里丢！这样下去，国家会成个什么样子？娘身上到底有多少奶水让我们挤呀，我们不都成败家子了么！

七

这天下午五点多钟，花瓶镇的干部职工都没有回家，他们像过节一样，坐在几个办公室扯闲谈，有的还在打扑克。伍运来和刘金娥刚刚跨进乡政府的大门，就被小郝发现了，小郝一声大叫："伍书记回来了。"于是扯淡的不扯了，打扑克的将扑克摔了，一齐围上来，问伍运来什么时候补发这半年的工资。这半年，干部们都成了穷光蛋，回家弄碗饭吃都要看婆娘的脸色。

伍运来问："银行通知乡政府那十五万扶贫款到了？"

"银行怎么会打电话告诉我们这个事？欠他们那么多钱，催我们都还来不及。是宋副县长刚才打电话对我们说的，他说除了这十五万扶贫救济款，还有二十万小城镇建设生产开发经费，明年开春还向市里给我们要几十万元的资金来。这一下，我们什么都不愁了。"小郝兴致勃勃地说。

"从我们花瓶镇走出一个常务副县长，我们花瓶镇从此就靠上一棵大树了啰。"

"现在看来，宋副县长在花瓶镇办的几件事情，不但没有什么过错，还是件大好事，农民不用抛汗脱皮种田了，放那里长狗尾巴草，年底只签字领取补偿费就是。不用花力气就有收成，这样的事谁不愿意呀。"

伍运来瞅了眼围着他叽叽喳喳议论的干部职工，唯独没有看见邓以龙，说："什么时候补发工资，补发多少，明天开党委会再说。"说着，就匆匆往邓以龙家里去了。

邓以龙不是花瓶镇人，他的家在另一个乡，他没有办法回家吃饭，每个星期从家中带点米带点菜来，自己做。伍运来去他家的时候，晚饭已经吃过了，正拿了本杂志在那里翻，看见伍运来进来，头没抬，口里说："今天的收获不小呀。"

伍运来进屋之后就说："我有个打算，只怕真的办起来上下都会骂我的娘。"

邓以龙就把杂志放下了，"话不能说得这么绝对，我邓以龙就不会骂你。对你说句心里话，许多事情我一直就看不惯。"

伍运来说："把国家的钱拿来往水里丢，泡泡都不起一个，我不干。国家的钱也就是自己的钱，人家不心疼，我心疼，两个村二百三十亩上好的水稻田摆在那里长狗尾巴草，给他的开发区做做样子，国家一年要填进去十来万，这是哪家的改革路子！他要愿意给我们钱，我们就认认真真办些让老百姓受益的事情出来。他要用钱养他的那个开发区，我就把钱退回去。"

邓以龙的脸上流露出一丝惊诧之色："抛荒在那里的二百三十亩水田你准备怎么办？"

"暂时还没有找到解决它们的最好办法。"

"如果有解决它们的办法，你是下决心要动手的啰？"

“在我任花瓶镇乡党委书记的这几年里，我不允许花瓶镇有水田旱地抛荒闲置在那里。我也不赞成用国家的钱来搞形式主义。”

邓以龙说：“按照你的这种思路去办的确会有许多人反对，这几年大家都被弄得苦不堪言，只要他宋光旦不走，他就不会对花瓶镇撒手不管，今后花瓶镇也不会吃多大的亏。你这样做，会把宋光旦那条路堵死。”邓以龙顿了顿，“不过，我早就对你说了，我会全力支持你的。”

伍运来说：“我打算明天上午开个党委会，下午召开全乡的干部职工大会，后天放假。”

邓以龙说：“你跟刘乡长商量了没有？”

“这就去和她说。”伍运来看着邓以龙，“怕的是明天党委会上意见不统一，一些事情定不下来，才到你这里来一下。”

邓以龙知道伍运来已经下了决心，心里不由一热，说：“应该不会有多大问题，其实，几个党委成员对宋光旦在花瓶镇办的几件事也是有看法的，只是没有说出来罢了。”

伍运来晚上找刘金娥谈了明天上午开党委会的事，刘金娥对会议内容没说行，也没说不行，从她脸上的神色看，他知道她是有顾虑的，伍运来说：“我伍运来做的事，我伍运来负责。”

刘金娥忧虑重重地说：“我现在想的，是能够早些日子调回县城去。我那个家已经不成家了。”

伍运来说：“这是上面考虑的事情，我伍运来是无能为力的。我想，我们既然到花瓶镇来了，就要为花瓶镇的老百姓办一些好事，办一些实事，让花瓶镇的老百姓把日子过得好一些才对。”

第二天上午的党委会开得比较平静。伍运来在会上说了几点意见，一是县里拨下来的十五万扶贫救济款的使用问题，这个钱，原则上乡政府一分都不能挪用，要全部用在扶贫救济上面。考虑到乡政府的干部职工已经半年没有发工资，大家的生活都很困难，又是在年关，暂时从中借三万块钱出来补发一个月工资。其他的钱，也不能作为落沙坪村和龟石村占用水田的补偿费，而是要真正地发放到全乡的困难户手中去，帮助他们发展生产，从贫困中解脱出来。二是宋光旦从市里要来的二十万小城镇建设开发经费的使用问题，这个钱原本是要用作小城镇建设的，修路、通水、通电、办学校、建医院，或是用作发展生产，都是可以的。但宋光旦的款是戴帽子来的，必须作为落沙坪村和龟石村办开发区办旅游业占用土地的补偿经费。伍运来说：“作为花瓶镇小城镇建设的一个组成部分，这些钱往开发区往旅游业上面投放也是对的，问题是我们每年拿出十几万去养那两百多亩抛荒的水田有什么意义？我觉得，每年用几万十几万元钞票去维护一种毫无意义的形式是完全没有必要的。那个二十万，我们拿十万出来将今年的补偿费付了，这是个遗留问题，不解决，群众有意见。剩下的十万，我们研究一下，选准一个项目，就把钱放下去。没有效益、只有投入的亏本生意我们再也不能做了。”

刘金娥说：“二百三十亩水田，我们还占着的，明年就不补偿了？到时候，两个村的群众又会天天到乡政府来吵闹。”

邓以龙说：“那二百三十亩水田抛三年荒了，莫非还要抛荒。我同意伍书记的意见，办实事，办好事，不搞形式主义，搞形式主义害死人！”

“只怕宋副县长那里通不过。”分管党群的副书记担心地说，“宋副县长要是知道我们没有按他的意见办，不给我们钱，怎么办呢？”

伍运来说：“发展生产，脱贫致富，眼睛只盯着上面，靠外来的援助，都是不行的。我们希望宋副县长能多关心我们花瓶镇，多支持花瓶镇的工作，如果拨下来要我们养着那二百三十亩抛荒的水田，这样的钱，我们不能要。”伍运来神情严肃地说：“我讲的两点意见，请大家议一议，如果同意，下午召开全乡干部职工大会时我就这么说。要乡财税所把钱取回来，给大家发一个月的工资，明天就放假。只是，我们几个党委成员还不能走，这两天要到各村组走一走，将扶贫救济款送下去，让那些困难户都过一个平安年。”

邓以龙说：“刚才办公室小郝说，他那里已经收到了几件衣服，明天也一起带下去。”

八

下午，干部职工大会还没有开完，乡财税所长匆匆赶到会议室说，宋副县长拨下来的那十五万扶贫救济款取不出来，让信用社给扣了。伍运来十分着急，心想这是全乡困难户的救命钱，没有这钱全乡的困难户这个春节就过不过去。交代刘金娥主持会议，自己和乡财税所长匆匆来到信用社。

不等伍运来开口，信用社主任说：“乡政府欠了百多万，你们不造个归还的计划出来，我们要猴年马月才收得回这笔贷款呀。”

伍运来说：“今天这十五万，你们一分也不能扣我的，这是全乡干部职工和百多户困难户的过年钱。欠你们的贷款，我任职的三年内一分不少地归还你。”

信用社主任说：“也不是我硬要扣贷款。刚才县政府办公室打电话下来，说那十五万是宋副县长拨下来偿还贷款的。”

伍运来听他这么说，气就上来了：“他欠下的百多万不用我偿还了？”

“你不还哪个还？莫非我还去找宋副县长。”信用社主任发急地说。

“既然这样，这十五万他还要打电话告诉你怎么使用？”

这时，乡政府小郝来找伍运来，说是要他挂个电话到县政府去，宋副县长正等着的。

伍运来说:“你回他的电话,就说没找着我。”过后就对信用社主任说:“那十五万,你给是不给?”

信用社主任有些为难地说:“这样吧,扣五万,给你们十万。不过修结肠坡吊脚楼的那百多万乡政府是得有个偿还计划才行。”

“我说了,我任职的三年内一分不少地还给你。”伍运来交代财税所长,“没有办法,你只有按十万重算一下。”

伍运来回到乡政府的时候,干部职工大会已经散了,刘金娥问他这两天的安排有没有变动。伍运来没好气地说:“昨天晚上开会的内容也不知道是哪个向宋副县长汇报了,他要信用社扣那十五万还贷款。”

刘金娥的脸色有些不怎么自然,说:“我们靠这十五万解决问题的,被扣下了,花瓶镇的这盘棋就死了。”

伍运来说:“我和信用社说好了,扣五万,给十万。”

刘金娥喃喃地说:“我和宋副县长共事三四年,知道他的性格,他这个人,还是顺着他好。顺着他,我们花瓶镇不会吃亏。”

伍运来不作声,只把眉头皱起,站起身去找小郝,问他全乡干部职工一共捐了多少件衣服,是怎么安排下去的。小郝说刚才刘乡长已经安排好了,七个党委成员,分成三个组,明天就下去,衣服也安排好了,全乡的特困户,每户三件衣服。过后就对伍运来说:“我刚才回宋副县长的电话时,他说他明天到花瓶镇来,要你在乡政府等他。”

伍运来知道宋光旦来花瓶镇的用意是什么,但他又不能不等他。第二天,只得叫刘金娥、邓以龙他们几个人带着扶贫救济款和救济衣服到各村去看望困难户,自己在乡政府等宋光旦。

中午时分,宋光旦才来,伍运来没有料到,宋光旦是走路来的,他的身后还跟着落沙坪村的周生同。周生同一身的泥水,宋光旦却是一脸的怒气。远远的,还跟着一群看热闹的群众。

伍运来把宋光旦让进办公室,才去问周生同怎么碰上宋副县长了。周生同把经过对他说了,伍运来才知道宋光旦已经来一阵了,他是看见周生同在开发区垦挖他那几亩抛荒的水田,停车下去阻止他,两人就吵起来了。他的小车还停在落沙坪开发区。

周生同说:“伍书记,你不是说过我们花瓶镇不准水田旱地再抛荒了么?”

伍运来瞪了他一眼,大声说:“这两年抛荒水田的补助费你不要了?”

周生同说:“做农民的生成做活儿的命,田地抛荒,坐在家中自拿钱,实在拿不下去。再说,一年一亩才补助五百,没法养活人。”

伍运来说:“那是开发区,日后要招商引资办工厂办企业的。”

"招商引资办企业办工厂我周生同不反对,什么时候有人来办工厂了。我就把田退出来。"

"你准备在那里种什么?"

"种蔬菜。"周生同有些气愤地说,"水田里堆了许多石头沙子,插水稻是不行了。"

伍运来说:"你回去吧。"说着就到办公室去了。

宋光旦板着脸,对伍运来说:"你怎么处理这件事?"

伍运来说:"落沙坪那一百八十亩水稻田已经抛荒两年了,再抛荒,的确是有些问题。"

伍运来话没说完,宋光旦就站了起来,生气地说:"怪不得周生同将开发区的围墙给毁了,将他的几亩责任田全部翻挖过来了,说是准备种蔬菜,原来你这个做乡党委书记的早就有这个想法了呀。"

伍运来说:"那么多良田摆那里闲着,总不是个办法呀。"

"小伍,我早就对你说了,要向前看,不要只看到眼下。好吧,算我在这里求你,坚持三年,每年我都给你二十万。全部给落沙坪。龟石村的那五十亩不在公路旁边,我也就不管了,你可以让他们利用起来,种蔬菜或是插水稻都行。"

伍运来说:"这样吧,春节过后我们准备召开三级干部会议,拿出方案来之后,再详细向你汇报。"

宋光旦口气冷冷地说:"小伍,你不能辜负了我的一片心意啊。昨天乡党委会的内容,刘金娥已经全部告诉我了。刘金娥那阵想走,我不让她走,她对我的意见挺大的。没想到吧,如今她还得靠着我。"

宋光旦说着站起身,边往外走边说:"春节过后的三级干部会议,我再来一下。"

九

正月初四,花瓶镇的干部职工都按时回到乡政府上班来了。刘金娥也从县里赶了下来,一到乡政府就急着找伍运来。可是,谁也没有看见伍运来书记,问正在办公室前面小黑板上写通知的办公室秘书小郝,小郝说:"伍书记和邓副书记请了三天假,也没说这三天他们到哪里去干什么,只叫我发个通知下去,正月初八召开全乡三级干部会议,全乡的干部职工、各村支部书记、村长以及村民小组长都参加,一个都不能缺席。"

正月初七下午,全乡的村支部书记、村长和村民小组长都来了,一个也没有缺席。他们说,腊月二十九伍书记和刘乡长还在各村给困难户送衣服,送被子,送过年的救济款,乡政府叫开个会都不来,实在有些对不住人了。

只是，直到天黑，伍运来和邓以龙才回到花瓶镇，两人一身的灰尘，一副风尘仆仆的样子。

刘金娥见着伍运来就带着抱怨的口气说：“伍书记，这几天你到哪里去了，我有事要对你说。”

“是明天开会的事？”

“不是。”刘金娥有些忧虑地说，“我来花瓶镇的时候，宋副县长又找了我。”

伍运来听她这么说，打断她的话道：“晚上开个党委会，研究一下明天开会的内容，别的事情以后再说吧。”伍运来交代小郝马上通知党委成员，“两个不是党委成员的副乡长也列席参加一下。”说着，自己先到小会议室去了。

一会儿，七个党委委员，两个副乡长都来到了小会议室。伍运来给几个会抽烟的人每人抛了一支烟，开门见山地说：“今天开个党委扩大会议，我讲，你们听，我说的话我自己负责。不过，拿主意时还请大家多谈谈自己的看法。我们花瓶镇被定为市里的小城镇建设试点乡四年来，成绩有没有？应该说是有的。变化大不大？我说变化也很大，但问题也不少。我觉得，要真正发展农业生产，搞好小城镇建设，提高农民的生活水平，我们的许多措施还得改一改。一是落沙坪村办开发区占用的一百八十亩水田，再不能抛荒了，摆那里做样子，等人家上门来买地办工厂、办企业，都是不合算的，人家一百年不来，我们的好田好地不是要抛荒一百年么？还有龟石村那个旅游区，只有一个谷桶大的青石头摆在田角角里的荆棘丛中，周围连棵树都没有，哪个来你那个旅游区旅游，人家神经又没出毛病。两百多亩水田抛荒，即使农民能按时拿到补偿费，这个钱是谁的？是国家的呀。国家好比娘，大家都去挤她的奶水，把娘挤得皮吊骨，挤得的奶水又不当数，我们还算什么儿子，简直是败家子！只是，抛荒的那些水田再要用来插禾，只怕也不太现实。里面全是石头，砖头，沙子，再要恢复成水田不知道要多少劳力。去年腊月，我到落沙坪村调查了解周生同他们几户人家，这几年他们家的水田被乡政府圈在那里做开发区之后，家中的生活来源，小孩上学的费用，全靠几分旱地种小菜卖钱来维持。你们问我和邓副书记这几天到哪里去了，这几天我们到新河市去了，走访了新河市几个较大的蔬菜市场，而且，连续三天都碰上了周生同和他老婆挑着蔬菜在新河市蔬菜市场卖，他们说是给两个儿子准备上学的学费钱。他们说他们的蔬菜很抢手，一担小菜一个早头就卖完了。只可惜种菜的旱地少了，不然，他们早就成了万元户十万元户了。过去，我们算过新河市的市民来我们花瓶镇赶集的账，账是没算错，只是人家不肯来。我今天也来算一个账，新河市有五十多万人口，每人每天吃半斤蔬菜，新河市一天就要吃掉十多万公斤蔬菜。新河市附近的几个蔬菜基地远远供应不上，大部分蔬菜要从云南和广西运过来，价钱高，新鲜蔬菜运了几百公里路也就不怎么新鲜了。这么大的蔬菜市场，我们花瓶镇的农民要是发动起来了，是完全可以去占领一部分的。第二，结肠坡的度假村，已经修了三年，没有一个人去度假，乡政府还要养着在那里守房子的十几个人。那十几个人闲在那里没有事干，买了几十只小羊崽在半山上放养。我们去看了，那些山羊都长得不错。我看，那里的山头不长树，只长草，干脆在那里办个养殖场算了，销路当然也是新河市。养乌鹿羊，养奶牛，一年两年就可以见成效。”

七个党委委员和两个列席会议的副乡长，一个个都用一种惊诧的目光盯着他。伍运来不看他们，继续说：“沿公路的那些砖房，要动员砖房的主人把它们利用起来，当然，开酒家开饭店都行不通，我们这地方，离新河市虽然不怎么远，只是隔着一条结肠坡，办的饭菜又没有什么特色，人家新河市的市民为什么要翻一座山头，跑二十里路到乡下来吃饭。我看要从实际出发，发挥自身的特色和优势，比如办粉丝加工厂。我们乡产红苕，产玉米，加工红苕粉丝，加工玉米粉丝，不愁没有原料，也不愁没有销路，还可以办豆腐店做豆腐，我们乡产黄豆，也不愁没原料，还可以办蘑菇场。农贸市场的问题，我们乡下几千人，要那么大的农贸市场做什么，是不是也想一想办法，另作他用。”

伍运来看来已经将这些问题反复想过了，他说得十分的从容，十分的坚决，“这是我的初步设想，大家议一议，看行不行，如果同意我的设想，明天就在三级干部会上讨论一下，然后将大家带到新河市去实地考察，回来之后就定下来。”

伍运来话刚说完，刘金娥就迫不及待地说：“我下来的时候，宋副县长找到我，说他在离开这个县之前，他在花瓶镇办的四件事，谁也不能动他的，要钱要粮他都给。不然，他要来的小城镇建设资金就不给我们了。”

邓以龙惊诧地问：“他准备往哪里走？”

“可能往市里调。”刘金娥说，“他说他做常务副县长的这几年，还是准备办几件看得见、摸得着的事情出来。要我们别在后面挖他的墙脚。”

邓以龙有些没好气地说：“宋副县长什么时候升迁，我们给他放鞭炮热烈欢送。”顿了顿，又说：“如今的事情也真是怪，这样的领导，怎么上升得也就越快。”

伍运来拦住邓以龙的话：“别说其他的事了，还是讨论一下我们花瓶镇的问题，我们今天是花瓶镇的头儿，我们要对花瓶镇的老百姓负责，不然他们就要指着我们的背脊骨骂娘。”

邓以龙就说：“按伍书记说的办。办实事，办好事，要看得见，摸得着，还要让老百姓受益。”

第二天，村支书、村长和村民小组长，将伍运来的想法讨论了一天。第三天，第四天，伍运来用五辆中巴车将全乡七十多个干部职工和全部村支书、村长和村民小组长拖到新河市考察了两天。第五天，大家才坐下来认真地研究新的一年花瓶镇的各项生产指标，今后发展的规划。

上午十点，乡干部和村支书、村长、村民小组长正在热烈地讨论花瓶镇如何创办蔬菜基地，抢占新河市蔬菜市场的时候，宋光旦副县长突然来了，他从小轿车里面钻出来的时候，人们也没有看出他脸上有什么不快。他笑着和大家一一握手，说是听到花瓶镇正在召开三级干部会议，给新的一年做规划，他就赶来了，“毕竟在花瓶镇做了四年书记，做出感情来了啊”。

伍运来请他做指示，他也没有推辞，即席说了半个小时的话。他还是像过去一样，说话的声音很大，很洪亮，富有激情，极具煽动性。光光的额头，深邃的目光，城府很深的神态和那时高时低的手势，能让下面打瞌睡的听众不打瞌睡，看书看报、交头接耳的人们都把目光集中到他的身上去。他说：“我在这里做了四年乡党委书记，首先是将落沙坪乡改成了花瓶镇，后来，办了个开发区，办了个农村集贸市场，办了个度假村，还办了旅游区。如今，我走了，新任党委书记伍运来同志也准备在这里办几件事，一件是办养殖场，一件是办两个蔬菜基地，还有一件，就是办小型加工厂。这个规划很好。过去，我在这里办的几件实事是形势发展的需要，今天，伍书记在这里准备办几件实事也是形势发展的需要。我说，没有我在这里打下的基础，你们今天要办的几件实事也就没有这么好的条件。没有条件，你们也就下不了这么大的决心。如今，上面一再要求我们做基层领导工作的同志，要多办实事，我在花瓶镇办的是几件看得见，摸得着的实事，伍运来书记要是将这几件事办成了，也看得见，摸得着。我希望你们要发扬自力更生的精神，克服一切困难，把这几件事办成功。”

和腊月二十九那天来花瓶镇一样，宋光旦副县长说完话就走了，怎么留他吃了午饭再走，他也不肯，他说，他要赶到田头乡去剪彩，田头乡今年要办一个万亩柑橘园，市里的领导也要来。

宋光旦走后，办公室秘书小郝有些担心地对伍运来说：“宋副县长往小轿车里钻的时候，我注意看了他的脸色，他的脸色很不好，板着，有些吓人，和在会议室讲话时好像变成了两个人。”

伍运来说：“你看清楚了？我怎么没有看清楚呀。”然后手一挥，“走，我们开会去。”

（选自《山西文学》1998年第10期）

向本贵

苗族。1947年出生，湖南沅陵人。1967年高中毕业后回乡务农，历任县文化馆文学专干，《雪峰》文学杂志社编辑、编辑部主任、副主编、社长。怀化市文联专业作家，中国作协第六届全委会委员，湖南省文联副主席，怀化市作协主席。1980年开始发表作品。1995年加入中国作家协会。著有长篇小说《苍山如海》《凤凰台》《遍地黄金》《盘龙埠》《非常日子》《乡村档案》《毒案喋血》《金客》《暑假六十天》等十部，中篇小说集《这方水土》《文艺湘军百家文库·向本贵卷》《血月亮》，发表中短篇小说八十余篇，共计五百五十余万字。《苍山如海》获第七届中宣部"五个一"工程奖、第六届全国少数民族文学创作骏马奖，《这方水土》获第七届全国少数民族文学创作骏马奖，《盘龙埠》获华东地区优秀文学图书奖，《灾年》获《当代》中篇小说奖。

老 那

和军校

一

腊月初四，碾子沟村开村民大会，大会有两项内容，一项是选支书，一项是做计划生育工作动员。大会由副乡长马明亮主持。

先前村里开会，暑天在拐子五门前的老槐树下，会也开了，凉也纳了，还能打盹犯迷糊。冬天的会场就在饲养室里，饲养室里有一口大炕，队里的麦秸草烧着，昼夜都是烫屁股的热，男男女女一口炕上坐了，开着会，脚却在被子底下胡扑腾，很热闹，很有趣。包产到户以后，饲养室被掀椽揭瓦牵毛拉驴分了，冬天里再开会就只好挪到村西的夜庙里。这庙里潮湿，寒气森森，不时有人打喷嚏，咳嗽吐痰擤鼻涕，墙旮旯却不时传来压抑的嘻嘻笑声，会场气氛很不严肃。主持会议的马明亮就动了一点怒气，语调很重地把会场纪律又强调了一遍，随后又认真详细地讲了选支书和计划生育工作的目的和重大意义，接着鼓励大家大胆提名。会场秩序好是好了一些，却没人提名。马明亮只有暗自叫苦。马明亮这次来碾子沟是抓计划生育工作的，他来村后先寻原支书牛天笑，一看牛天笑门上挂把锁，一问才知道，上个月的一个夜晚，牛天笑钻进了刘二老婆的被窝，被刘二用镢头砸断了两根肋骨。说也凑巧，当时乡党委书记郑宝荣正在碾子沟蹲点呢，准备抓精神文明典型。不料，精神文明建设的带头人出了这等丑事，郑宝荣气不打一处来，第二天就开了村民大会，撤了牛天笑的支书。村里没了支书，计划生育工作就没人管。马明亮又去寻村长。马明亮和村长的关系不错，每次来碾子沟蹲点，都住在村长家里，吃村长的俏媳妇做的拉条子。村长知道计划生育是出力讨骂的事，就推辞说，这事一直由支书抓呢，我情况不熟悉，老虎吃天没法下爪。马明亮说，情况不熟悉你可以熟悉嘛，眼下没支书，你不抓谁抓？村长反诘说，没支书再选支书嘛，支书的活儿又不能件件都让我来做的。马明亮知道村长要滑头，碍着他媳妇的面子，马明亮又不好强求他，便不再跟他犯犟，决计再选一个支书。

老那也来开会了。老那蹲在夜庙外，灿烂温柔的阳光舔着他粗糙的老脸。他塌蒙着眼，一边有一口没一口地咂巴旱烟，一边在琢磨心事。

这几年，碾子沟村的支书走马灯似的换了一茬又一茬，似乎这支书谁人都当得了，甚至连刚从劳改农场出来的盗窃犯牛大胆，一夜之间混了个党员，堂而皇之地当了一年零三个月的村支书。这些支书要么是拿上村里的钱大吃大喝，乱花一气；要么是滥用职权，乱划宅基；要么是一月净拿七十元钱，啥事也不管，支书成了聋子的耳朵。村民对支书意见很大，骂支书是毬不顶！如此这般，村民对选支书的兴致就不高，认为谁当都是那么回事。

马明亮看没人提名，心里不悦，又见来开会的人不多，就问村长：

“咋来了这么几个人？”

村长扫了一眼人群，说：“有些人没来……”

马明亮仿佛找到了发泄口似的，厉声问：“谁没来？”

村长结结巴巴地说：“牛钢、牛铜……他们的家人都没来……”

马明亮眈眈地瞪着村长，继续追问：“为啥不来？”

村长躲避开马明亮咄咄的目光，胆怯地望一望村民，声音很低地说：

“牛钢是包工头……”

马明亮说：“包工头咋？包工头就了不起了？就可以不开会了？就可以拿选支书当儿戏了？”

村长解释说：“他父亲要过三年呢。”

马明亮还要训，村长凑近马明亮，在他的耳边嘀咕了几句。马明亮的脸色就温和了许多。他转向村民，口吻平和地说，大家提嘛，把能给大家办实事、办好事的人提出来。

这时，墙旮旯一个人小声说：“让吴宝宝当吧。”

村民们哄的一声笑了——吴宝宝是个神经病。

马明亮又黑煞着脸训了几句，会场秩序顿时又很安静了。

“一家一家地轮吧，一家当一个月，反正谁当都一样。”一个村民提议说。

“我看还是抓阄儿好，谁抓上谁当，反正啥心也不操，一月又能干拿七十块钱。”又一个村民说。

马明亮听这话不顺耳，又想发作。就在这时，老那站起来，从夜庙外一瘸一拐地走进夜庙内，先咳嗽了两声，仿佛是给自己鼓劲，又好像是吸引人的注意力，然后慢慢腾腾地说：

“我给咱试活几天。”

马明亮和村民们霎时就瓷住了，有些莫名地盯着老那看。老那有的是钱，用不着劳心费神地去挣那可怜的七十元工资；老那应有尽有，在村里，在乡里，甚至在县里，没有老那办不通的事，老那用不着去当那个小得不能再小的支书搞特权。老那有两个儿子，大儿子志平大学毕业后，在乡里当了三年秘书，又当了三年乡长，如今是副县长；二儿子志直大学毕业后，在西安的一家大厂里当工程师。志直娶了个西安姑娘做媳妇，小两口一直叫老那老两口到城里去，过舒服的日子。老那怕到城里过不惯，老婆也丢心不下一大群猪呀鸡的，就一直没去。现在，老那和老婆两个人过日子，守着六亩苹果园，年年进账几万元。老那为个啥呀?!

老那咳嗽了两声，继续说：

“我当支书，就是想让咱碾子沟的村风变得好一些，不要让别的村里的人笑话咱碾子沟村人，不要让外村的人说咱碾子沟村的人只会吃喝嫖赌打麻将，不要让咱村的娃们娶不上外村的好女子，也不要让外村的娃们娶咱村里的女子时提着心，吊着胆，总之，我要叫咱碾子沟的人都走到正道道上来，早早地过上好光景，叫咱村里人走出去腰杆子也能挺起来，说话的口气也能壮起来，不要叫外村的人拿尻子笑话咱碾子沟人!”

会场死一般的静谧，村民们的眼睛都死死地盯在老那那张多皱的老脸上。

老那环视了一遍一张张抹着土色的脸，接着说：

“咱秃子头上摆虱子——把话撂到明处，我当支书不是为那七十块钱的工资，在我当支书期间，我不要工资。上半年的工资给咱村里买乐器，二胡呀，笛子呀，给咱村里弄个自乐班，叫咱村里热火起来，下半年的工资就给咱村里的小学买些图书。一年内，我要是叫咱村里还变不了个样样，我自动滚下台!”

听老那的一番话，村长很快地在心里把自己的算盘拨拉了一遍，觉得对自己不利，就急忙把马明亮拉到庙外面，凑近马明亮的耳朵，压低声音说：

“马乡长，不能让那跛子当支书。”

“咋?”马明亮愕然地问。

“他当上支书，就把我不给眼里磨了。”村长忧虑重重地说。

“井底之蛙!”马明亮挖一眼村长，骂了一句，拧身又进了夜庙。马明亮是见过世面又富于心计的人，他的小算盘比村长拨拉得更快更准更精更细。马明亮思考问题有扑腾眼睛的习惯，老那讲一句话，他的眼睛就扑腾一下，老那讲完了，马明亮的对策也思谋好了。马明亮能掂量得出老那这个人的分量。当然，就老那自身而言，他轻飘飘的没有多少斤两，跟眼前这些灰头灰脸的农民们没有啥异样，关键是他的身后还有一个当副县长的儿子。这个人你平时看不见，但他的威慑力却无时无刻不在，马明亮知道，他在那志平眼里，不过是一只瘦棱棱的小鸡，那志平打个喷嚏，足够他马明亮打十天寒战的。所以，马明亮到碾子沟来，虽然每次都不是冲着老那来，但每次都要先进老那的门，先拜老那这尊神。拿些吃的喝的抽的用的，礼都不重，老那也就一一收下了。在礼轻礼重的问题上马明亮也是费过一番心思的，拿重了，他一怕老那不收，二怕老那收了，而这信息又没及时反馈到那志平副县长的跟前，那这重礼就成了肉包子；而不轻不重地送着，下点毛毛雨，这毛毛雨，损失又不大，迟迟早早都会飘进那志平的耳朵的。眼下，老那自荐当支书，马明亮喜出望外，这无疑给他开通了一条和那志平套近乎的道儿，他更明白大树底下乘凉的道理。

马明亮握住老那的手，摇晃了几下，十分动情地说：

“那伯，你接管碾子沟村这个烂摊子，我这当晚辈的真是感激不尽。”

老那说：“闲也是闲着。”

马明亮把头转向村民的刹那，神情就变得格外的严肃了，他厉声说：

“同志们，那伯能当咱这村的支书，这种精神令人感动，令人佩服，更值得我们学习，这说明我们碾子沟村的希望来临了。我带头支持老那伯当支书，我也希望咱们都支持老那伯的工作，把咱碾子沟村的事情办好。好，现在大家鼓掌，欢迎老那伯当支书！”

马明亮带头热烈地鼓掌。村民们也热烈地鼓掌。

老那不好意思地在头上搔着，待大家的掌声落下去，他才说：

“村是咱大家的村，村里的事也是咱大家的事，我只是给大家挑个头儿。办不好了，大家骂我骂在当面，我既然当这支书，就不怕挨骂。”

大家又热烈鼓掌。

老那说：“俗话说，新官上任三把火。我既然上任了，也就烧烧三把火。马乡长来咱村抓计划生育，正好，我的第一把火就烧计划生育。这回的计划生育是硬的，谁也躲不过，谁也逃不脱！该计划而不计划的，罚款、停电、停水、没收果园，全是硬对硬。再不行的话，大家知道，我志平是县长，他对公安局说一句话，那就是圣旨，我对我志平说一句话，对志平来说，也是圣旨。戴大盖帽的那些人绝不是吃素的！”

这一回，掌声很稀疏了。

坐在大门口的乌鸦十分有力地朝地上吐了一口浓痰，愤愤地骂：

“计划，计划他妈的×！谁动我儿媳妇一根毫毛，我叫他全家不得安生！”

乌鸦骂罢，寻牛铜商量对策去了。

有人悄声给老那亮耳朵，说：“有乌鸦和牛铜把关，碾子沟的计划生育就弄不动。”

老那听了，笑了笑，在心底说：“我就不信这份邪！”

散会后，老那哼着秦腔回到家里，却挨了老婆的一顿数落。

老婆不满地指责说：“你几十岁的人，逞哪门子能？！”

老那不以为然地说：“几十岁咋？年龄越大经验才越丰富呢。再说，这村支书总得有人当吧？”

老婆说：“谁爱当当去，与你屁的相干！”

老那说：“我是个老党员，光交党费不做事，总觉得对不起那个称号，自己心里也总觉得愧得慌。”

老婆担心地说：“那么多人都当不好，你能当好？”

老那成竹在胸地说:“没有金刚钻,不揽瓷器活儿!”

老婆说:“咱志平是人面上的人,你不放稳重些给他撑面子,还当支书给他惹麻烦,给他脸上抹黑,让他给你擦屁股。”

老那说:“他当他的县长,我当我的支书,谁不妨碍谁。我当上支书,才能体现出老子英雄儿好汉嘛。再说,我把支书当好了,他肩上的担子不就轻了?”

老婆说:“我不跟你犟,等志平回来收拾你。”

老那说:“他翻天呀,敢收拾他老子!”

老婆知道犟不过老那,索性不再跟老那啰唆,叹一口气,望着县城上方那方无云的瓦蓝天,想她那在县城里当着县长的儿子志平,想了一阵,便忧郁地说:

“咱志平当个县长也不容易呢,上回回来,你看瘦的,头上都有了白丝丝。”

老那说:“等志平下次回来了,我割二斤大肥肉,给他好好补一补。”

老婆说:“咱志平如今啥好的没吃?我看他倒爱吃搅团,还有苜蓿菜。”

老那说:“好说,等他下一回来,就给他弄苜蓿菜搅团煎汤,让他吃个美!”

二

傍黑时分,村里突然鼓乐声大作,伴以稀稀疏疏似歌似唱的哭声。老那走出头门去看,见一队白衣孝子正从街道穿过,原来是牛钢给他父亲办三年呢。街道两边站了许多看热闹的人,马明亮也站在人群中咧着嘴笑,朝着摇头晃脑的乐队指指戳戳。老那朝马明亮挤去,马明亮瞄见了,脸上堆了笑,抢先说:

“那伯,你也瞅热闹呀。”

老那搭讪着说:

“没啥事,瞅瞅。”

这时,走在乐人后的供桌正从他们面前通过。供桌上有几炷正在燃烧的香,一碟苹果,一碟橘子,一碟点心,一碟饼干,一张牛钢他父亲牛老九放大的照片。望着那张牛老九笑吟吟的照片,老那恨不得上前去砸翻那供桌,撕碎那张照片,甚至把牛老九从坟墓里挖出来,砸断他的腿,砸碎他的头,让他重新死一回——就是照片上的这个牛老九在“文化大革命”中硬说他是保皇派,打断了他的一条腿。

马明亮敛了脸上的笑容,捉住老那一只布满老茧的手,忧虑地说:

“那伯,计划生育工作历来都是老大难工作,这回就全靠你了,你要新官上任三把火,把这项工作烧出一点起色来,也好叫我到县里给咱那县长交差。”

老那表态似的说:“我尽力,我尽力。”

马明亮笑了,更有力地握了握老那的手,说:

“只要你那伯用心干,就没有干不成的事。”

马明亮往老那的脸上贴了金，老那就有些飘然了，拉了马明亮的手，说：

“走，家里坐坐。”

马明亮推辞说：“改日吧，村长叫我给牛钢随礼去呢。”

老那一拍脑袋，佯装乍想起似的说：

“你不说，我差点忘了，走，我也去随礼。”

马明亮和牛钢是在麻将桌上结为知音的，村长搭桥牵线。混熟了，马明亮摸清了牛钢的底细，就瞅了个机会对牛钢说，想盖一栋房呢。牛钢说，多大规模。马明亮说，四间门面，一砖到顶。牛钢说，好说好说。马明亮却哭丧着脸说，料还没备齐呢。牛钢心领神会地说，好说好说，我抽个空儿把料送过去就行了，你再不要费心了。马明亮说，这钱……牛钢说，咱不谈钱不谈钱。所以，马明亮给牛钢随礼是有想法的。

马明亮和老那一搭儿朝牛钢家里走，路过茅房，马明亮说，你等等，我去解个手。就进了茅房，马明亮正要办事，却见村长光着屁股，裤子坠在脚面，爬在墙缝朝外张望呢。村长见马明亮进来，着急地说：

“你咋把那跛子叫上了？”

马明亮不解地问：“咋咧？”

村长说：“老那跟牛钢家有仇呢。”

马明亮瞥了眼村长黑乎乎的下身，不满地说：“把裤子提起来说话。”

村长恍然明白自己的失态，窘得红了脸，慌慌张张地拴裤子。

马明亮问：“他们两家有啥仇？”

村长原原本本地讲了一遍历史，而后又说：

“你知道我村里的计划生育工作为啥恁难搞？就是因为牛钢弟兄两个拦着道儿。为啥？牛钢弟兄俩没生一个儿子，他们当然心不甘，非生一个儿不可。村里的人就都看他们的影儿，他们不计划，谁也不计划，想想也在情理。而村干部谁也不敢得罪这弟兄俩。”

马明亮扑腾了几下眼睛，咧了咧嘴，摆副恨铁不成钢的样子，说：

“你个猪脑子，为啥不早说？”

村长有些委屈，咕噜着说：“我不知道你要叫那跛子的。”

马明亮疑惑地问：“他弟兄俩敢跟老那顶硬？”

村长说：“我给你说过，牛钢有钱，牛铜是个半吊子，头上又没有乌纱帽，也不想入党捞个政治资本，天不怕地不怕的，怕那志平个啥？!”

马明亮扑腾着眼睛没吭声。

村长说：“我看老那这回拿牛钢弟兄开刀呢，你等着，非有好戏看不可。”

马明亮还在扑腾眼睛。

村长说：“马乡长，依我看，县长官是大，但离咱远，咱沾不上光，还不如从牛钢身上捞一点更实惠，咱用不着怕他那志平。”

马明亮不满地瞪了村长一眼，骂了句鼠目寸光，尔后才叮咛说：

“等一会儿我跟老那说话，你就把你的×夹紧。”

村长溜了一眼马明亮，说：“我不胡说。”

马明亮和村长从茅房出来，见老那圪蹴在粪堆尖尖上抠鼻孔，头一歪一歪的，十分专注的样子。马明亮给老那递过一支烟，叫上老那一并走。坑坑洼洼的路，老那走起来晃动的幅度十分大，晃一下，把马明亮撞一下。

马明亮说：“那伯，我本来是不想给牛钢随礼的，我知道你跟牛钢先前有一点不愉快，但我想我还是要去，把他们震一下，给他们敲敲警钟，表示我支持你的工作，我的苦心你明白吧，那伯？”

老那说：“这弟兄两个难缠，把他两个弄不住，我的工作就没法弄了。”

村长觉得嘴痒痒了，说：“他们要耍二杆子咋弄？”

马明亮想村长这句话真是说到点点上了，他不失时机地说：“他狗日的敢！我叫乡治安办的把他狗日的捆起来！”

暮色坠了，沸腾的村庄宁谧了许多，呼儿回家，叫狗归窝，唤鸡上架的悠长的喊声东一句西一句，有一句没一句。家家户户的烟囱里都冒起了做饭烧炕的烟雾。

牛老九的灵堂设在牛钢的家门前，电灯烁亮，红蜡忽闪。管事的本家，戴着孝帽的亲戚，看热闹的娃们，人来人往，喧喧闹闹。乐人们吱哩哇啦地吹奏着。孝子们跪在灵堂的两边，随礼的客人来了，烧罢香，就作三个揖或者磕三个头，孝子们跟着磕头。客人走了，乐声也就落了。老那、村长、马明亮走近灵堂，负责主持的牛大胆一下子愣住了，竟然忘了喊起乐。村里人都知道老那跟牛老九有仇，也懂得来者不善的道理，都静静地闪在一边，让出一条路。首先发现老那的是牛铜，他跳起来，冲过去揪住老那的领口，恶狠狠地说：

“那跛子，在我父亲的灵堂前，你敢骚情，我砸断你狗日的另一条腿！你儿子是县长，我是平头百姓，他能把我的毬咬了！我才不怕他呢！”

老那也不吭声，任凭牛铜把他推来搡去，脸上挂着大度善意的笑。

马明亮正要发作，牛钢站起来，把牛铜使劲地推到一边，骂了句没教养的东西，然后拧头冲牛大胆说：

“还不奏乐！”

懵里懵懂的牛大胆恍然灵醒，冲乐人们颤声喊：

“起——乐——”

乐人们又吱哩哇啦地吹奏起来。老那、村长、马明亮一字儿站在灵堂前，毕恭毕敬地上香。老那手握一炷香，凝眸望着牛老九的遗像，在心里说：

“牛老九，你当了大半辈子支书，碾子沟村人见你都怕三分，你把人活成了。说心里话，我不服气你，我一直想跟你比个高低，你打断了我一条腿，使我走不到人面前去。有时,我很恨你,恨得牙根发痒。但有时,我也想开了,也怨不得你的。可有一点我要告诉你,我不承认你的本事比我大。本来我不想当支书,我知道我年龄大了,但是,你不知道咱村里乱成了啥样子,你要知道,非气死不可。我看了好长时间,我不出来不行了。你就在九泉之下看一看,看我是咋治理这个村的!"

上罢香,作罢揖,三个人去到牛大胆跟前随礼。村长把手伸进口袋望着马明亮,马明亮把手伸进口袋望着老那。老那知道这两个人等他来定随礼的标准,就率先掏出了五十元,马明亮和村长也一人掏了五十元。牛大胆惊得眼睛瞪得像牛眼睛,看热闹的村民也惊得直抽凉气,因为当时村里的随礼行情不过是五块钱而已。牛钢在外面跑了十多年,见了大世面,经了大世事,显得通情达理。他知道,这三个人能来给他父亲上香,就是给了他天大的面子,是原先想也不敢想的事情。他急忙把三个人让到一间厢房里,吩咐人端来了酒菜。牛钢把牛铜叫来,弟兄两个在老那脚边跪下,一人端一杯酒,牛钢说:

"老那叔,你不计前嫌,我……"

牛钢眼里蓄满了泪水,哽咽着说不下去了。

老那把牛钢弟兄两个一一搀扶起来,说:

"过去的事都过去了,我再计较,就对不起这一大把年纪了,也不配做你们的老叔了。"

几个人寒暄了几句,喝了几杯酒。牛钢问老那:

"志平最近回来了没有?"

老那说:"他忙,一年也回来不了几回。"

牛钢说:"我准备在咱县里办一个厂子,还得志平帮一把劲。"

牛钢拧头又对马明亮说:"马乡长也得多扶持啊。"

马明亮红着脸说:"在所不辞,在所不辞!"

几个人又喝了一阵。这时,自乐开始了,老那站起身说:

"今日是老九的忌日,我得为他唱一折子去。"

马明亮等几个人都嚷着要听老那的戏。走出头门,老那看来听戏的人不少,当下在心里说:"好,这机会好!"老那做了个手势,制止了乐人们的吹奏,然后双手抱拳,转圈儿向站在四周看热闹的乡亲作了揖,扬声说:

"各位乡亲,今日是咱老支书牛老九的忌日,老支书生前为咱村的发展,出了大力,流了大汗,有人说,我跟老支书之间有过节儿,今日,我要更正这种说法。过去的事,怨不得咱老支书,那是历史的过错,我从没记恨过咱老支书。大家选我当新支书,就让我代表咱碾子沟的父老乡亲先给老支书献上一段《祭灵》。"

老那一番话,说得村民们一个个缓不过神来,倒是乐人们先鼓起了掌。这时,站在人背后的马明亮感慨着对村长说:

"俗话说,有其父,必有其子。果真,有其子,必有其父啊!"

村长说："那跛子真阴。"

马明亮说："碾子沟村得有这么个人。"

村长阴阳怪气地说："好戏在后头呢。"

老那脖子伸得老长，脑门、脖子上青筋凸暴欲裂，唱得认真，唱得真诚，唱得动情：

满营中三军们齐挂孝，
白旗招展雪花飘。
白人白马白旗号，
银弓羽箭白翎毛……

老那唱罢，牛钢又领着孝子跪倒在老那的脚前，结结实实地磕了三个响头。老那很夸张地在嘴巴上抹了一把，望一望眼前比他矮半截的孝子，又望一望牛老九的遗像，再望一望看热闹的乡亲们，嘴角荡漾着得意的微笑。他又一次把目光挪到牛老九的遗像上，心里说：

"我要让咱村里的人知道，我老那不是小肚鸡肠，不是鼠目寸光，我的心胸像咱碾子沟的土地一样宽阔。现在计划生育是国策，谁也不敢违抗的，你儿子也不能例外，要不，这地球上咋承受得了呢？当然，对我来说，这不过是个捎带的活儿，我要下决心把这个村弄好，让大家都过上舒坦的好日子。最最重要的是，我要让碾子沟村的老老少少都认识一下我老那，让他们知道我老那的本事比你老九的本事大。"

想到这里，老那抱拳朝乐人和众乡亲作了揖，就要告辞，牛钢、马明亮、村长都挽留老那再去喝几杯，老那执意要走，临走，佯装猛然想起似的对牛钢说：

"你是见过大世面的，要支持老叔工作。"

牛钢说："会的会的。"

老那又说："马乡长这回来，主要是抓计划生育工作的，你要支持马乡长的工作，带个头，村里人都看你的样儿呢。"

牛钢的脸就透儿白了，白得像他身上的孝衣。但他很快就恢复了镇静，说：

"老那叔，你放心，我会把手续办齐全的。"

老那说："那好那好。"

老那一走，牛铜就到村长的屁股上狠狠地踹了一脚，恶声恶气地骂：

"日你妈的×，你真是条喂不熟的狗！你敢串通那跛子来一搭儿对付我们？"

村长只觉得腿肚子一阵阵发软，底气不足地颤声说："我，我没有。"

牛钢察言观色，见牛铜的行动收到了一定的效果，就走过来，把牛铜搡到一边，骂了句不识好歹的东西，然后给村长摆了一副笑模样，递给村长一个信封，息事宁人地说：

“村长，牛铜是个二杆子，你不要跟他一般见识。”

村长从牛钢的手里不是第一次接这样的信封了。牛钢外出时要他开证明给他递过这样的信封，牛钢要新宅基时也给他递过这样的信封，村长知道，信封里是一张张簇新的人民币。村长悄悄捏了捏信封的厚度，方才的胆怯畏惧一扫而光，眉里眼里都是笑了。村长说：

“咋会呢，咱一家人不说两家话。”

牛钢说：“对，村长说得对，咱一家人不说两家话。”

村长说：“你放心，咱们联合起来，我再给乌鸦几个人通通气，看他那跛子有毬的治！”

牛钢说：“村长，你是咱村里举足轻重说一不二的人，全靠你了。”

牛钢给村长戴了高帽子，村长就乐呵呵地忙活去了。

天黑黝黝的，几粒小星沾在黑幕上打战。村长家的电磨子还在呜呜地响，没有别的声音了，乡村的夜真是静啊！老那反剪着手，一拐一拐，走得艰难，也走得精神，边走边哼着秦腔小调。走出好远，他敛住脚步，回过头，去望牛老九的家，自乐班的声音没有了，只见他家的上方有一个巨大的光圈。老那不由自主地打了个寒噤。

三

老那和马明亮坐在沟边。眼前是弯弯曲曲的泔河，泔河没有上冻，河水清得发绿，潺潺东去，无声无息。几只野鸟在河面上盘旋，偶尔叫一声，显得很孤兀，很无趣。老那抽旱烟，马明亮抽纸烟，一边抽烟，一边扯淡，一边商量工作。

“那伯，牛钢这人不错，跟人不胡来。”马明亮说。

“牛钢挣了大钱。”老那说。

“牛钢说钱是纸，牛钢还说钱是人身上的垢痂。”

“钱能使人的心变黑变硬，也能使人变糊涂。”

“牛钢的本事大呢。”

“他能日天！”

“牛钢想承包咱县里的造纸厂呢。”

“造纸厂现在是个烂摊摊，谁都知道，经营好了，就是一块大肥肉，好多的人都眼巴巴地盯着，眼睛发绿。”

“牛钢想让那县长给他帮忙呢。”

“牛钢得先帮我。”

“那伯，牛钢的情况特殊。”

“谁的情况不特殊?”

话隔一层纸,却没人捅破,你打你的算盘,他打他的算盘,话不投机,两人便都缄默了。河岸的草都枯萎了,在风中无力地摇曳。老那面无表情,不紧不慢地抽旱烟,吧嗒吧嗒。老那磕了烟灰,又装,边装边说:

“马乡长,论年龄,你叫我伯,论能力,我跟你拾鞋带都赶不上,你得帮伯。”

马明亮说:“那伯,你吃的盐比我吃的饭还多。”

“你不会跟老伯耍花花肠子吧?”

“老伯,我就是有这个心,也没这个胆呀。”

“老伯知道你会支持老伯的。”

“绝对不含糊。”

“老伯知道你不打麻将,但你看这村里打麻将简直打疯了,老伯打算收拾呢,你得给老伯撑腰。再说,你是乡里的领导,要给咱群众起个表率呢。”

马明亮直觉得一股子凉气嗖嗖嗖地顺着脊梁骨往上蹿,他想起了村长的话,那跛子真阴。委实如此,他明明知道我打麻将,却偏偏要给你戴一顶不打麻将的高帽子,先给你上一圈紧箍咒,叫你哑巴吃黄连有苦说不出。马明亮的眼睛又扑腾了几下子,想这麻将无论如何是不能再打了,这事要是捅到那志平那里去,娄子就捅大了。马明亮昨晚打了一夜的麻将,眼皮肿胀着,眼睛里布满了血丝丝,一身的烟臭味,他急忙岔开话题,说:

“那伯,这村里的事麻缠呢。”

“我想过了。”老那说。

“你打算咋弄?”马明亮问。

“把党支部先整起来。如今的党支部名存实亡,党员带头打麻将,还翻金花,玩肉夹馍,都是赌钱的把戏。先要把这瞎瞎风气改了,想办法让党员带头奔小康才是正经事。”

“有啥具体打算?”马明亮问。

“办个砖瓦厂,再把从村里到乡里的那条大路铺一铺,最少也要铺成石子路,我还想办个自乐班呢,用它把年轻人的心收一收,还有……一件一件办吧,一口也吃不成胖子。噢,趁你在这儿,我先要开几个会,一个村干部会,一个支委会,一个党员大会。尤其是村干部会,要定几条制度,村干部以后再不能乱花村里的钱了,还有,凡是用钱、划宅基等大事,一个人说了不算,你看行不?”老那说。

“那计划生育工作咋弄呢?”马明亮又问。

“下硬手弄。”老那说。

“多少妇女要计划?”马明亮问。

“二十多个。”老那说。

“咋弄?”马副乡长问。

“从牛钢身上开刀。”老那果断地说。

马明亮打个激灵，没敢接那话茬，扑腾几下眼睛，又转了一个话题，说：

“这工作不是一天两天的事，慢慢再说。听说那县长在县里买了一院宅基，准备盖楼呢。”

“知不道。”老那漠不关心地说。其实老那知道这事，老那不主张儿子盖楼，嫌人背地里说闲话，可儿子不听他的，坚持要盖楼。

“工队找上了没有？”马明亮十分关切地问。

“知不道。”老那闷声说。

“啥时破土呢？”马明亮问。

“知不道。”老那生硬地说。

“要不要工队？”马明亮又问。

“知不道。”老那烦躁地说。

“要的话，给我吭一声，我认得几个工头。”马明亮说。

“我不管他的事！”老那愤然地说。

老那和马明亮转进村口，远远望见街道中央停着一辆黑色小车。马明亮兴奋地叫了一声：那县长回来了！从房屋的建筑不难看出，这是一条很古老的街道，狭窄的路上布满了人的脚印，猪马牛羊狗的蹄印，还有深深浅浅的车辙，高低不平，坑坑洼洼。东家门前矗一座大粪堆，西家门前摞一垛柴火。有的人家是青砖白玻璃的小洋楼，有的是摇摇欲倒的破草棚，显示着一家的过活。几个碎娃正站在小车旁边看稀罕，为一个啥问题争吵着。每每一看见这黑色小车停在自家门前，老那的腰杆子一下子就直了许多，说话的底气也就很足了，这是他的荣耀，也是他的资本，更是他的精神支柱。现在，又成了他大刀阔斧干工作的后盾。只要有志平在，就没有过不去的火焰山。老那想。

坐小车回来的不是那志平副县长，是那志平他妈。昨日，志平他妈摊了些煎饼，说志平打小就爱吃煎饼，就坐着手扶拖拉机到县里送煎饼去了，今日这车是专门送志平他妈回来的。马明亮见那志平没回来，待着也就无趣，告辞出来，寻牛钢商量事去了。他一边走一边想，你牛钢想生个牛牛娃，想承包县造纸厂，就看你到那志平跟前这出戏咋唱呢。

老婆一副没精打采的样子，坐在炕边上长吁短叹。

老那问：“啥不顺心了？”

老婆说：“志平说，你老糊涂了。”

“我过的桥比他走的路多。”

“志平说，你不该当那个破支书。”

“我撒的尿比他喝的水多。”

“志平说，不少吃不短穿的，图啥？”

“图个党员的良心，图个眼窝净。”

“志平说，你不该给牛钢随礼。”

“人不能小心眼，小心眼干不成大事。”

“志平说，你不该唱祭灵。”

“跟死人计较个啥劲。”

“志平说，因了牛老九，他小时就没笑过。”

“眼睛总盯着过去，人就走不动了。”

“志平是县长，能呢。”

“我比他还能。”

“你想把人气死？”

“我想把村里弄好。”

“志平说……”

“干件事咋恁难场呢。”

“那就不干了，志平说，叫咱享福呢。”

“我骑到驴背上下不来了。”

四

第二天，老那醒得很迟，太阳钻过窗棂，无声无息地舔着捂在他身上的被子。老婆把拧得干干的热毛巾捂在老那的眼睛上，老那打个激灵，就灵醒了。老婆嗔怒地说：

“我等着喂猪呢！”

话是这么说，老那的眼睛一睁开，旱烟袋已经塞在了他的嘴里。随后，老婆手中的火柴就划着了——老那睁开眼睛的第一件事就是抽一锅子旱烟，这是腿断那一年养成的习惯，几十年了。在老那抽烟的当儿，老婆打来了洗脸水，端来了一碗玉米糁子，一碟咸萝卜菜。老那没有像往常一样立即从炕上起来，而是穿了棉袄半靠在墙上，一边津津有味地咂巴旱烟，一边端详着老婆，叮咛说：

“从今日往后，你的嘴巴放严实点。”

“咋？”老婆纳罕地问。

老那却顾自说：“该说的说，不该说的就不要嘴巴子犯痒。噢，还有，你再不要跟一些神老汉鬼老婆瞎凑热闹，又是东山烧香西山拜佛的，影响不好。噢，还有，你再不要打麻将了……”

“你今日咋了，跟个婆娘似的唠唠叨叨？”老婆稀里糊涂地问。

“咋也没咋，只是从今日起，你的身份就和以往不同了。”老那板着脸，十分认真地说。

“有啥不同？我还不是那志平他妈你老那的老婆？”老婆不满地说。

老那睨老婆一眼，教训说：

“我说你心眼儿实，你还不服气。我问你，你现在的身份跟以前的身份一样吗？我现在的身份跟以前的身份一样吗？”

老婆眨巴几下眼睛，思索了一阵，还是不明白，小了声说：

“没啥不一样呵！”

老那把烟锅在炕边上出气似的有力地敲了敲，说：

“从今日往后，我就是村干部了，你呢，自然就成了村干部的家属了。我问你，这和以前一样吗？”

老婆听了，长长地松了口气，朝地上吐了口唾沫，说：

“说你胖，你就大口喘，给你一根头发丝，你就当一条檩。亏先人呢。”

“我可不是跟你说着要的，”老那正色道，“我当支书，你就不能给我的脸上抹黑，就不能给我的脖子底下垫砖！”

老婆撇撇嘴，轻蔑地说：

“一个烂松支书，有啥稀罕的？还给我约法三章呢！咱志平是个大县长，也没敢给我订个约法三章，你真认不清自己姓啥为老几了。”

老那又一次直起身子，严肃地说：

“正因为咱志平是县长，我才这么要求你呢，你想，我干好了，咱志平脸上也有光，我干不好了，人会咋说咱志平呢？”

老婆一想，也是这茬理，当下表态说：“好好好，我不拉你的后腿行了吧？”

老那见老婆开了窍，脸上也有了喜色，说：

“支书是个小官，比芝麻还小的官，但碾子沟恁多的人，把这担子交给我，我总不至于当儿戏吧？咱不弄就不说，弄就弄个眉儿眼儿出来，对不？”

老婆不想再打嘴仗，一口气说了几个对对，又给脸盆里兑了些热水，督促老那快些洗脸吃饭。

吃罢早饭，太阳已经二竿子高了。老那咬着旱烟袋掮着铁锨在村里的公墓地里转了一通，那里埋着老那的父亲，还有老那的母亲。老那给父亲和母亲的坟上培了新土，然后拄着铁锨，凝神望着那坟茔，心里说：“您二老听着，村里人叫我当支书呢，我不说你们也知道，我要不当支书，您二老会在这安安静静地休息，我一当支书，您二老就不得安宁了，肯定有人会骂你们的，如果你们听到了，就多担当着，算是拉你娃一把。我准备把这村里好好整一整呢，我先向您二老告罪了。”

阳光很好，空旷的田野上干干净净，狗大个人影也没有，没人拾粪，没人弄地，没人修渠，如今的人都变懒了，人都在村里坐在阳光下打麻将呢。老那一面走一面把自己的行动计划在心里反过来倒过去，过了筛子又过箩地想了个无数遍，觉得万无一失了，才昂着头，信心十足地朝村里走去。

老那转进村口，迎面碰上牛钢的媳妇。牛钢的媳妇左手牵一个女儿，右手牵一个女儿，肚皮稍稍地鼓着。老那狠狠地朝那肚皮上盯了一眼，心里说：

“我要让你的肚皮瘪下去，变得平沓沓的。”

就在擦肩而过的时候，牛钢的媳妇张了口，低声叫了一声：

“爷……”

老那一愣，收住了脚步，左右看看，除了她，没别的人，再说，牛钢的媳妇正盯着他呢，分明是在叫他了。

老那支吾着，一时不知道究竟是她叫失了口，还是她神经出了麻达，老那瓷着，不知如何应付这个尴尬的场面：“这……”

牛钢的媳妇对两个女儿说：“叫，快叫姥爷。”

两个女儿都乖甜地叫老那姥爷。老那很惶惑，结结巴巴地说：

“这……”

老那回到家里，还为刚才的事费心劳神。这牛钢的媳妇一直把他叫叔的，今日咋变成叫爷了？这是咋弄的？老婆果然听老那的话，没去打麻将，心不在焉拆一件旧棉袄。老那说：

“怪不怪，牛钢的媳妇把我叫爷了？”

老婆说：“她刚来过，说了这事，说她以后按我娘家的辈分叫你。”

老那的老婆和牛钢媳妇是一个村里的，七拐弯八转折就成了自家人。按她娘家的辈分，牛钢的媳妇把老那叫爷；按碾子沟的辈分，她该管老那叫叔，可她一直把老那是叫叔的。老那知道这是牛钢的主意，是想跟他老那套近乎，更是为她肚子里娃搞投资。

老那说：“叫叔，还是叫叔好。”

老婆说：“你又不能堵塞她的嘴。”

老那执拗说：“叫叔，叫叔，还是叫叔好。”

老那自个儿在心里掂量了几下，又说：“哼，叫啥都不行，我非把你的肚子整平不行！”

正说着，牛钢拎两瓶酒进来了，喜眯呵呵的。老那让牛钢坐下，说：

“咱这村里邪，正说你呢，你就来了。”

牛钢说：“说我咋？说我为啥还不来看你二老？对不对？”

老那说：“不不不，你也是大忙人呢，你媳妇刚来了……”

牛钢是个明白人，老那提个话头，他就知道老那要说啥事了。他却不容老那把这层纸戳破，打断老那的话，以晚辈人的口吻很谦逊地说：

“回来这些日子了，一直说来看你，总是没得空，害怕你怪罪，也没啥孝敬你老人家的，这两瓶酒是我的一点心意，你老就收下吧。”

老那推辞说:“你这就显外了……”

牛钢说:“咱一家人不说两家话。”

老那打心眼里佩服他不愧是牛老九的娃,完全彻底地继承了牛老九的精明。他仔细地打量着牛钢。这个从碾子沟出去的包工头,碾子沟村的气息在他的身上已所剩无几了,西装革履,油头粉面,皮鞋擦得锃亮,一副见多识广春风得意的样子。

老那说:“让你媳妇还是叫我叔好。”

牛钢说:“她叫啥是她的事,反正又没叫错的。”

老那说:“叫叔好,叫叔好。”

牛钢没继续在这个问题上纠缠,说:

“听说志平要盖楼呢?”

老那说:“他咋折腾我不管。”

牛钢说:“他有啥难处你吭一声,我跟咱县里的建筑队的头头儿都是哥们,钢筋呀水泥呀只要我一句话,保管送到家门口,钱他都不敢要。我跟志平从小是一搭儿耍大的,叫他不要客气。”

老那警觉地在心里说:“狗日的,想用糖衣炮弹袭击我儿子,没门儿!别说他,连我这一关都过不了。我儿子是县长,是党员,一身正气,两袖清风,光明磊落,是反腐败的带头人,想拉拢他,瞎了你狗日的眼!”

可嘴上说:“没难处,没难处,不用麻烦你,我想,他能买得起马,就能备得起鞍。”

牛钢说:“过几天我要到县里去看他呢,顺便看看他盖楼的事。”

牛钢又聊了一阵子闲话,就告辞走了。

老婆气咻咻地说:“我看见他姓牛的,气就不打一处来!”

老那叹口气,感慨着说:

“这都是冲着我这支书来的,任重道远啊!”

五

这是一条很直溜的街。腊月十二,在这条直溜的街上,在温柔的阳光下,一溜儿摆开了六张麻将桌,男男女女,老老少少,十分投入地在赌博。老那从街上走过,没有打搅这些人的雅兴,径直进了村长的家。马明亮的头发蓬乱着,正蹴在石榴树前刷牙,满嘴白沫。村长的媳妇是个受看的美人儿,屁股绷着,奶子鼓着,一脸喜悦,一扭一扭在马明亮的眼前晃来晃去。老那听村里人说过马明亮和村长媳妇的七七八八,但他听见装作没听见。不过,马明亮每次来,都是住在村长家的,马明亮说，村长媳妇做的拉条子香。村里人说，是村长媳妇的肉香。村长是个眼窝窝浅的主儿，马明亮给他买些平价尿素，买些平价椽，还叫他当村长，毬心不操每月干拿七十块钱，马明亮每次来了还给村长拿两条好烟。村长从马明亮跟前得到了太多太多的好处，对马明亮和他媳妇的事也就睁只眼闭只眼了。村长自有村长的哲学，他想，人家对咱慷慨大方，咱也不能抠抠掐掐，再说，不就是那么回事吗？村长想得很开，村长觉得自己没吃亏。

老那坐在村长家的房台台上，咂巴旱烟，等马明亮。村长媳妇招呼老那说，支书来了，吃了没？老那没有表情地嗯了一声。村长媳妇热脸碰了个冷屁股，就不再对老那热情，进屋对马明亮热情去了。

马明亮没有及时出来见老那是有原因的。昨天，他跟牛钢好好地谈了一回。

马明亮沉重地说："牛钢，我看老那这回是要下硬手了，你这牛牛娃我是保不住了。"

牛钢却说："马乡长，我已经叫人把水泥、钢材、砖头都送到你家里去了。"

马明亮说："咱得想个法子。"

牛钢着急地说："马乡长，我只有靠你呢。"

马明亮扑腾了几下眼睛，说："看来还得在那志平的身上下功夫。"

牛钢说："马乡长，你知道，我两家有仇呢。"

马明亮说："钱能解仇。"

牛钢说："他要是不吃这一套呢？"

马明亮从鼻孔里冷冷地哼了一声，成竹在胸地说："没有不沾腥的猫。"

牛钢担心地说："那志平鞭长莫及，咱过不了老那眼下这一关。"

马明亮又扑腾了几下眼睛，很自信地说："咱自有办法。"

当然，马明亮也不是三岁的鼻嘴娃娃，他把自己的账算得一清二楚。他怕牛钢给他放烟幕弹，一大早就派村长去他家里看个究竟，看钢材、水泥和砖都到位了没有。村长回来说，都妥了。马明亮这才出来见老那。

"那伯，有事？"马明亮笑着问。

"马乡长，我想求你帮个忙。"老那说。

"啥事？"马明亮问。

"你跟着我走就行了。"老那说。

马明亮跟村长的媳妇碰了一下目光，就随老那出了村长的家。阳光刺眼，马副乡长不适应，一个劲在揉眼睛。

"搞啥毬名堂？"马明亮咕哝。

"去就知道了，不用你出力，不用你说话，用用你的威风。"老那神秘地说。

麻将战斗正酣，打的人紧张，看的人更紧张。老那带着马明亮朝麻将桌走。

老那没吭声，走近第一张桌子，黑煞着脸，把铺在桌子上的床单四个角一提，说：

“我先保管一会儿，等一会儿在夜庙里开会。”

老那挨个儿收了六张桌子上的麻将，因为有马明亮跟随着，也没人敢嘴犟，大家都等着看老那能耍个啥把戏。麻将摊子被卷了，大家没热闹可看，所以没费多大工夫，村民们就在夜庙里聚齐了。老那把六副麻将一股脑倒在墙旮旯，从庙外搬进来一块大石头，从腰里抽出一把斧头，一截儿皮绳，坐下，用皮绳缠住一个麻将，举起斧头，一声脆响，一个麻将变得粉身碎骨。

当时，碾子沟村的人谁也没想到老那会来这一手，霎那间都愣住了，待缓过神来，就有人坐不住了，第一个跳起来的是牛铜。牛铜扑过去，一把揪住老那的领口，一用劲，就把老那拎在了空中，他一边摇晃着，一边凶狠狠地吼：

“那跛子，老子的麻将是花五百元买的，你敢砸老子的麻将，老子就让你狗日的脑袋听个响声！”

老那从牛铜的手中挣脱出来，喘息着，平和地说：“牛铜，你的心情老叔能理解，但老叔非砸这害人的东西不可，我不砸，咱这村风就正不了。”

老那说毕，摆出一副大无畏的模样坐下去，手起斧落，一声脆响，又一颗麻将粉身碎骨。

牛铜朝老那的胸口飞起一脚，老那歪倒在地。

此时，站在一边的马明亮是快活的，他在心里说：“老那，你不要以为你儿子是县长，你就连姓啥是老几都不知道了。我怕你，但还有不怕你的人！”

想归想，快活归快活，但这个场面还得他马明亮来圆。马明亮黑煞着脸，吼：

“牛铜，你无法无天了！”

马明亮朝村长摆一个眼色，村长就把牛铜抱住了。

牛铜又蹦又跳地骂：“那跛子，你砸老子的麻将，老子就砸你的头，就砸你的锅，就掀你的椽，就刨你家的祖坟！”

老那站起身，拍了拍身上的尘土，冷笑一声，说：

“牛铜，咱乡里人有一句俗话，叫作卖面的不怕吃八碗。我既然弄这事，就要把这事弄好，就啥也不怕。我给你把缰绳放长，你尽管跳腾，但你想把我吓住，你娃嫩了点儿，你想挡我砸麻将，你娃还嫩了点儿。”老那越说越激动，越说声调越高，越说脸阴得越重，“老子告诉你，老子不是吓大的，你跟老子耍二杆子？瞎了你狗日的狗眼，老子耍二杆子的时候，你还在牛老九的大腿上转筋呢！”

牛铜骂：“那跛子，我日你妈！”

老那不再理睬牛铜，坐下去又一次砸起麻将来。

马明亮朝村长摆个眼色，村长就把骂骂咧咧的牛铜抱走了。

第二个跳将出来的是刘小民。刘小民单腿跪在老那面前，抱住老那的手，可怜巴巴地乞求说：

“支书，我叫你一声爷，你别砸我的麻将了。”

老那说：“你叫我老爷都不行，这麻将我今日是砸定了。”

刘小民说：“支书，你知道不，这麻将是我用两个猪娃换的……”

老那说：“真是用两个猪娃换的？”

刘小民说：“真是用两个猪娃换的，我哄你就不是人，就不是我娘老子养的，就遭天打雷轰，出门让车碰死，喝水噎死……”

老那说：“你是心疼你的麻将呢，还是心疼你的猪娃？”

刘小民说：“都心疼呢。”

老那说：“好，你心疼你的猪娃，今日当着咱全村人的面，你赌个咒，说你从今往后再不买麻将了，开完会后，你到我家里捉两个猪娃，算我送给你的，咋样？”

刘小民惊诧地问：“当真？”

老那说：“咱裆里长货的人没假话。”

这时，刘小民的媳妇奔过来，说：“支书，你砸得好，他狗日的拿我的两个猪娃换麻将，我叫他狗日的半个月没上炕。”她拧身又对刘小民说，“还不快给支书认错下保证，支书说给咱两个猪娃呢。”

刘小民在头上搔了搔，作难了好半天，才说：

“毬，反正我豁出去了，从今日往后，谁要是再打麻将，就不是人！”

老那又坐下去砸麻将，这时，村长凑近老那的耳朵，压低声音说：

“支书，算了，做个样子就行，这里面有马乡长的麻将呢，那可是一副真家伙别砸了。”

老那仰起头，佯装疑惑地问：“啥？有马乡长的麻将？不对吧，马乡长又不打麻将，他要麻将干啥？马乡长，你说砸不砸？”

马乡长狠狠地瞪了一眼村长，随后笑着对老那说：

“砸，那伯，你全砸了。”

老那越砸越熟练，越砸越快，半袋烟功夫，六副麻将都变成了一堆花花绿绿的碎末。这当口，有人眼睛瞪得像牛眼睛，有人咬牙，有人攥拳，有人把唾沫星子吐在手掌上，然后把两只手放在一起搓，做一副摩拳擦掌的样子，也有人把唾沫朝肚子里咽，一副麻将毕竟几十块甚至几百块，叫人心疼呢。却没人敢发作。末了，老那拍拍手，站起身，说：

“今日开会，只一句话，从今日往后，咱碾子沟村，谁再买麻将，谁再打麻将，驴日他妈！这是我上任烧的第二把火，散会！”

却没人走，会场上鸦雀无声。村民们都怔住了，谁也没有想到，一直德高望重的老那骂起人来竟然这么馋火，这么粗野，这么实在。

马明亮咳嗽一声，他有点愤然，心里说：你儿子把我不当人，骑在我的头上屙屎撒尿，你老那也在我的头上作威作福吗？你也太目中无人了，你讲了一句粗话，我这乡长也不是电灯泡，我也得指示几句，让你清楚，支书的头上还有乡长呢。我今日就要喷喷你的火，灭灭你的威，刹刹你的狂！

马明亮说："各位乡亲，支书刚讲了，讲得对，讲得好！在目前改革开放的大好形势下，我们就要坚决制止一些不正之风，譬如危害极深的打麻将。谁再打，我就叫乡里治安办的人来抓。有的人还不服气，想弄事，我看你能弄个啥事？咱支书的儿子是县长，我就不相信谁能弄过他？当然，"马明亮停顿了一下，缓和了口气继续说，"支书刚才的话有点过火，有点不文明，但也应当理解，一个乡村支书嘛，他的意思是明白的，希望大家不要违犯，散会吧。"

这时，有人问："支书，这第一把火还没烧呢，咋就烧第二把火了？"

马明亮说："支书还没顾上烧第一把火呢。"

老那说："不对，第一把火正烧着呢。"

老那斜睨了一眼马明亮，率先走出了夜庙。

"那伯，那伯！"马明亮在后边喊。他想，不管我心里咋想，面儿上我还要装得跟你十分亲热的样子。

"啥事？"老那等马明亮跟他并肩了，才问。

"咱得把计生工作抓紧。"马明亮说。

"我今晚就去挨家跑。"老那说，末了又问，"在村长家吃得习惯不？"

"还行。"马明亮说。

"不行就到我家里吃羊肉泡馍去。"老那诚恳地说。

"算了，我就爱吃个拉条子。"马明亮说。两个人缄默着走了一阵子马明亮开口说：

"那伯，你刚上来，要注意一些工作方法，譬如刚才，你看你把村长弄得多难看，你把他的脸不当脸，他在村民中没威信，他在村里的工作就不好开展，他一不好好干，你肩膀上的担子就重了，当干部要讲究个配合，对不对？"

"对！"老那狠声说。

老那心里说："他算个啥毬村长嘛，我迟早要撤了他，等我站稳了脚跟，就撤他，他带头打麻将，他把媳妇让给别人睡，他光领工资而不管村里的事，他不配当村长，连党员也不配！"

六

冬日天短，在街上打个晃，天就显黑了。老那回家吃了一碗茶泡馍，就去寻人做计划生育工作。老那选下的第一个目标是李素素。李素素三十岁冒了个头儿，当姑娘时做过村里的团支部书记，又是党员，如今膝下有两个女儿。她知书达理，

把她的工作做通了，她还可以再做别人的工作。李素素的丈夫是个木匠，人很实在，家境也殷足，这阵儿两口子正坐在热炕上给女儿辅导功课。一见老那，木匠先有了几分紧张，结结巴巴地说：

“支书，你，你来了，你坐，坐。支书，我这人你是知道的，从不沾麻将的。”

老那笑一笑，坐在炕边上，打趣说：

“你看你，就不兴我在你家里坐一坐了？”

木匠说：“好支书呢，平日盼都盼不来呢。”

木匠忙碌着倒茶，递烟，李素素的脸始终阴沉着。她不看老那，也不说话。

老那一时没了主意。开门见山地说吧，似乎张不开口，于是，他就把早已准备好的糖果掏出来，扔给李素素的两个女儿，逗她们玩。玩一阵，瞥一眼李素素。李素素是个明白人，说：

“支书，我知道你来的目的，你也别作难。”

老那说：“知道就好，就好。不过，你得带个头。”

李素素说：“支书，你不会吃柿子拣软的捏吧？”

老那说：“你是党员，再说，这计划生育……”

李素素打断老那的话，说：“支书，计划生育的伟大意义你就不要讲了，我知道，我瞎好也是个党员，这点水平还是有的。你支书能走到我家门上，是你支书看得起我，我呢，也不能不识好歹。咱打开窗子说亮话，计划生育我支持，这扎我也结呢，但这头我是不能带的。”

老那说：“为啥？”

李素素说：“你想听真话还是想听假话？”

老那说：“真话得说。”

李素素说：“好，那我就说了，我们怕你一碗水端不平。”

老那说：“这话咋讲呢？”

李素素说：“这计划生育是国策，是给大家制定的，而不是给没权没钱的人定的，我没说错吧？”

老那说：“我知道。这事要先从牛钢身上开刀呢。”

李素素的脸上有了笑意，她给老那的茶杯子续了水，目不转睛地盯着老那，说：

“支书，大家都看着你呢，看你怎样把这碗水端平。说句良心话，谁不想把日子过好？谁不想让你把咱村整好？你今日砸了麻将，大家都说砸得好，都赞你呢，但计划生育跟砸麻将不一样，这得下硬手。有一点，请你放心，人都是懂道理的，只要你开个好头，我首先不为难你，我想别人也不会为难你。”

老那没想到这个农村妇女把问题看得这么透彻，他站起身，说：

“我走了。”

李素素略含歉疚地说：“支书，我不能带头，你莫怨我。”

老那说:“不怨你,我把一碗水端不平了,你骂我。”

从李素素家出来,老那的心绪好了一些。他很快又想到了另一个人。这人叫乌鸦。乌鸦是个寡妇,两个儿子,都已成家。大儿子生了两个牛牛娃,二儿子生了两个女子,乌鸦不甘心,下决心非叫二儿子生个牛牛娃不可。乌鸦是个榆树皮枸木根,骂遍碾子沟一条街,练就了一副铁嘴金嗓子,骂个一天一夜,骂话不重样,嗓子不哑嘴不困,你要动手打,她就脱裤子。这是另一类人的代表,先要把她降住。老那心里说,别人怕你,我却不怕你,我有我的县长儿子支持呢。想归这么想,老那还是转回家拿了两瓶罐头一瓶酒。老那知道,乌鸦这人吃软不吃硬。老那和乌鸦年龄相仿,又是同辈,经常在一搭儿开一些很荤的玩笑。见老那黑天来了,乌鸦就说:

“想我了?”

老那说:“怕你一个人睡不着。”

乌鸦说:“面条吃多了,还想吃馍呢。今晚就叫你尝尝我的味儿。”

老那说:“一晚几个钱?”

乌鸦说:“白送,外加管烟。”

乌鸦说着,就把一根烟塞进了老那的口中。老那点燃烟,把烟雾朝乌鸦的脸吐过去,才说:

“我寻你有正经事呢。”

乌鸦说:“有话就说,有屁就放。”

老那撒谎说:“前几天我到县里去看志平,志平说他在咱村里就佩服你了,说你敢说敢干,说你心肠好,还让我给你带了两瓶罐头一瓶酒,还叫你到县里看戏去呢,他管吃管住。”

乌鸦听了赞话,又见了罐头和酒,当下就眉开眼笑了,说:

“志平这娃从小就懂事,怪不得当县长呢,你看着,他还要往上升呢。”

老那一看火候到了,就说:

“志平说,这回计划生育风声紧得很,所以,你得让你二儿媳妇结扎。”

一听这话,乌鸦的脸就变了,眼睛也瞪成了牛眼睛,她凶狠地说:

“老那,你叫我二儿媳妇结扎,我就刨你家的祖坟。”

老那说:“我说正经事呢。”

乌鸦说:“我的脾气你知道,说得到,做得到。”

老那说:“志平说,这回风声紧,躲不过去的。”

乌鸦说:“志平真这么说来?”

老那说:“牛钢弟兄俩没一个儿子,不如你吧?他两个的媳妇都要做,你想你能躲得过去吗?”

乌鸦惊诧地问:“真的?”

老那说:“我哄你不成?再说我是支书,咱志平是县长,又主管计划生育,你不给我长脸,说啥也得给咱志平长脸呀,对不对?”

乌鸦意识到是中了老那的圈套,又估摸躲是躲不过去的,却说:“村里的媳妇都结扎了,我二儿媳妇才结扎呢。”

老那说:“好,有你这句话在,我就放心了。”

老那的目的一达到,就告辞了。

一牙嫩月卧在光秃秃的树枝上打战,偶尔有几声懒洋洋的狗的吠声在村中荡漾,一冬无雪,空气中含着浓浓的土腥。高一脚低一脚地走在这条他十分熟悉的街道上,老那忍不住,就吼出了两句秦腔:

事急了才知把佛念,
口内含冰满腹寒……

稍没留神,老那就摔在了坚硬的路面上,老那感到了疼痛,他躺在地上,一时觉得实在划不来:咱几十岁的人了,放着热炕不睡,放着清福不享,何苦受这份洋罪呢?

老那转念又想:这也是为咱当县长的志平啊,想一想,碾子沟的计划生育工作做不好,就拖了全乡的后腿,马明亮的脸上就不光彩,全乡也就不光彩,乡里不光彩,就拖了全县的后腿,咱志平是主管全县计划生育工作的,毫无疑问,咱志平的脸上也不光彩。归根结底谁的错?就是我老那的错。我能拖儿子的后腿吗?不能的,我一定要把村里的工作做好,村里的工作好了,乡里的工作也就好了,乡里的工作好了,县里的工作也就好了,县里的工作好了,咱儿子志平的脸上就光彩了。再说,我要把碾子沟村弄不好,不是让牛老九在九泉之下看笑话吗?哼,我不会输给他牛老九的,一定不会!

想到这儿老那浑身又充满了力量。他费力地站起来,弹了弹身上的尘土,哼着秦腔回家睡觉了。

七

转天早上,老那刚端上饭碗,就见老婆风风火火地从门外跑回来,站在老那面前,双腿筛糠,恐慌得说不出话来。老那登时也吃了紧,忙问:

“咋咧?”

老婆说:“牛,牛铜磨,磨刀呢……”

老那问:“牛铜磨刀做啥呢?”

老婆说:“他,他说要,要割你的老二呢……”

老那又端上了碗，不慌不忙地吃，不紧不慢地说：

“他要我的老二做啥？炒着吃还是煮着吃？”

老婆说：“你别不当个事，我看他的脸黑着呢，像来真的样子。”

老那说：“其实，我要这老二也没啥用，他想割就让他割去，我就是怕你不愿意。”

老婆说：“都啥时候了，你还有心说笑！”

老那见老婆真急了，这才放下碗，用手背揩了揩嘴唇，说：

“割我的老二？借他狗日的十个胆！”

老婆撩起前襟揩眼泪，嘟哝说：

“叫你不要当支书，你偏逞能。牛铜是个二杆子，他啥事不敢做呢？”

老那被老婆唠叨得心烦，饭后的一锅烟也省略了，起身朝门外走，老婆想阻拦他，他劝了老婆几句，就出了门。老那大老远就望见拐子五家门前的槐树下围着一圈人，他走近一看，是牛铜在磨刀，磨一阵，就从头上拔一根头发放在刀刃上吹，然后用力地朝前一戳，做一个刺的动作。

老那笑着问：“磨快了没有？”

牛铜斜了老那一眼，没吱声，又低下头磨刀。

老那板了脸，说：“牛铜，给你媳妇捎个话，叫她后天到乡上结扎去。”

牛铜没招理老那，把刀举到眼前反过来倒过去，仔细端详了一阵，不慌不忙地从头上拔一根头发，放在刀刃上，吹了一口气，头发一分为二。牛铜又举刀端详了一会儿，然后朝着老那的方向猛地一刺，围观的人都吓得惊叫了一声。老那纹丝未动。牛铜恶狠狠地说：

“谁不叫我生儿子，我就叫他的全家见阎王！”

老那笑了，说：“牛铜，我几十岁了，是吃饭馍长大的，不是吓大的。噢，你父亲没给你讲过，我跟他都是党员，我们都跟土匪动过刀子，砍过人的头，你看他，应该告诉你的嘛。”

老那说罢，头也不回地扬长而去，反剪着手，昂首挺胸，雄赳赳，气昂昂。

老那去寻牛钢。老那知道牛铜是个没头脑的人，他不会想出这个计策的，肯定有人在他的背后为他出谋划策，这个人是牛钢无疑了。老那心里说：哼，想给我来下马威，来硬的，你碎狗日的想错了，老子是经过世面的人，老子不怕，老子软硬不吃。

腊月天的关中道，风景是很单调的，不见雪，视野内的一切都灰不拉叽的脏。太阳似乎也懒得看这肮脏的大地，懒洋洋地卧在天上，隔一会儿，便有气无力地走一步。街道两边站了许多闲人，说着不让打麻将的无聊，说着过年的打算，说着城里人的好日子和城里人的洋相，说着来年的收成，说着某某的媳妇跟野男人去幽会被打断了腿，说着某某的儿子参军了，说着某某的女子嫁人了，说着日子越过越没过头，说着这二年人没了盼头，活着不知为了个啥。乡下人的话题永远是那么广泛，永远是那么杂乱，永远说个没头。老那很想加入到这个行列，说说闲话。老那却没有。老那想，人家乡长马明亮为了咱村的计划生育工作在咱村住着，咋说也不容易，抓紧把这事办了，也好让人家马乡长回家准备年货，把人家拴在咱村里，心里过意不去呢。老那大老远就看见牛钢朝村长家里走，牛钢却没看见老那，待牛钢发现老那，就想躲过去，老那害怕牛钢跑，就大声喊：

“牛钢，我正寻你呢。”

牛钢一看躲不过，只好硬着头皮站下等老那，脸上老早就抹了笑，左右溜几眼，见没有人，就亲切地叫：

“老那爷。”这一声叫，老那就明白了七八分，你兄弟二人耍得好，一个来硬的，一个来软的。我还是那句话，你们认错人了，我老那是软硬不吃！

老那说：“你咋也胡叫呢，叫叔，叫叔！”

牛钢说：“我，我想，还是叫爷好，我媳妇叫爷，我再叫叔，像个啥话嘛。”

老那说：“叫叔好，叫叔好。”

牛钢还要争执，老那伸手做了个阻挡的动作，说：

“别再说了，叫了半辈子叔，猛然改口，你不习惯，我也不习惯，村里人也会不习惯的。牛钢，你说心里话，你在外面跑了恁多年，老叔对你咋个样？”

牛钢说：“这，没得说，好得很。”

老那说：“我虽然跟你父有过一点矛盾，但那都是老账了，你叔我没往心里记。你父亲三年，我上了香，唱了祭灵，老叔给你面子给够了吧？”

牛钢咬牙切齿地在心里说：这老不死的东西，原来是早有打算，要跟我搞交换呀。狗日的，我不会让你得逞的！

牛钢点头哈腰地说：“给够了，给够了。”

老那说：“今日，老叔要求你了，你无论如何要给老叔一个面子。”

牛钢知道老那要说啥事了，支吾着不吭声。

老那说：“牛钢，你在外面跑，经得多，见得广，党的政策比老叔知道得多，这计划生育……”

老那把后半截话又咽了回去，死死地盯着牛钢，等他的反应。

牛钢说：“这……”

老那说：“牛钢，村里人都在看你呢。”

牛钢说：“这，再说吧。”

老那说：“牛钢，马乡长就在咱村里住着呢，这回，比较硬，实在没法，要不老叔就不会为难你的。”

牛钢说：“我，我这情况特殊，你看……”

老那说：“牛钢，这个面子，你得给老叔。”

牛钢说："这么吧，我不为难你，行了吧？"

老那说："那我后天就拉人去乡上搞结扎。"

牛钢说："我支持你。"

有了牛钢这句话，老那就把心放踏实了。一个下午，老那就挨着跑那些结扎对象的家，没想到十分顺利，她们都表示，只要牛钢弟兄俩的媳妇和乌鸦的二儿媳妇结扎，她们就没啥说的。老那表态说，你们放心，她们不做，你们也不做。老那顾不上吃饭，给马明亮汇报了一遍，并定了三个手扶拖拉机，准备后天去乡卫生院。马明亮说他也要去，还要在乡里替老那请功呢。老那摸黑往家走，一边走一边想，要过年了，大家整天闲着也不是个事，得给他们寻个事做。他知道还有几个瘾大的在继续打麻将，他只是睁只眼闭只眼，不作声罢了。等有了耍的，就得让他们彻底拾掇了。老那想，把篮球杆栽起来，买两个篮球，让年轻人耍去。把自乐班弄起来，买些乐器，让大家说说唱唱热闹去。

起了风，天很冷。

八

腊月十四早上，落了场大雾，凛冽的空气黏稠黏稠，沾人的脸，挡人的眼。街道上狗大个人影也没有，死一般的静谧，碾子沟的人们都还在热被窝里受活。老那蹲在门前的大青石上，塌蒙着眼，有滋有味地吸旱烟，琢磨心事。望着眼前这熟悉的街道，熟悉的一户户人家，老那想着这村的变迁，想着这人的变化。末了，老那想了自己，想了自己当县长的大儿子志平，想了远在西安城里的二儿子志直，又想了已在黄泉之下的牛老九。老那在心里说："老九，等我把咱这村整治好了，我会去你的坟上给你报个信的，让你也高兴高兴，别着急，这一天不远了。"昨天夜里，老那在炕上辗转，左右睡不着，他一想起这碾子沟往后的变化，就激动不已。当然，老那也想到了一些困难，譬如，牛家兄弟说话不算数咋办？乌鸦中途变卦咋办？老那都一一想好了对策。现在老那就等着天一放亮，他就带人去乡里结扎。

老那站起身，朝屋里望了一眼，屋里静悄悄的，一点动静都没有。老婆还在生闷气。老婆对老那大清早地起来很不满意，嫌打搅了她的瞌睡，并数落说，跟个娃们样的，遇个事儿沉不住气。老那心情很好并不计较老婆的唠叨，说：

"今日给我多带些钱，花销大呢。"

老婆说："村里的事，村里不拿钱？"

老那说："咱又不缺钱。"

老婆说："咱的钱也不是地上捡来的，是汗疙瘩泡出来的。"

老那说："钱是人身上的垢痂，没了还会有。"

老婆说："反正只给你十块钱，你想咋花就咋花，我不管。"

老那说："三个司机外带我，每人吃两顿羊肉泡馍，带二百元吧。"

老婆说："别人当官是挣钱，你当官是赔钱呢。"

老那说："少啰嗦，快拿钱！"

老两口说着声音就高了，脸上的颜色也不好看了，最后，老那怕耽搁了正事，就自个从柜子里拿了钱。老婆说，你走了就别回来。老那说，不回来就不回来。老婆说，神经病。老那说，神经病就神经病。

老那先去找了几个手扶拖拉机手，然后直奔村长家。

老那万万没料想到，村长家灯火通明，头门敞开着，门口停着两辆摩托，老那认得，一辆是牛钢的，一辆是村长的，莫非他们要出门？即使要出门，也没必要这么早啊。老那走进村长的屋子，果然这三个人都在，屋子里烟雾弥漫，满地都是烟蒂，三个人的脸色都是烟灰色，眼圈布满了黑晕。不言而喻，这几个人又打了一夜的麻将。这三个绝没想到老那会来，更想不到他这么早会来，一下子就有点愣，不知所措。村长首先慌张了，竭力掩饰自己的局促和不安，解释说：

"支书，我们没打麻将，真的……"

老那意味深长地笑了一下，心想，村长还是笨，你为啥要此地无银三百两呢。

牛钢见村长说漏了嘴，就挖了村长一眼，急忙搬过一把椅子，冲老那说：

"坐，坐，来，抽烟。"

老那接了烟，就着牛钢打着的火吸着了。

"那伯，咋恁早？"马明亮笑着问。

老那说："不是说好了今日去乡里给那些结扎对象结扎吗？我怕你睡过了头，就来叫你，没承想，你比我还起得早。"

马明亮说："也是刚起来。"

牛钢也顺水推舟地说："就是就是，我们也刚起来。"

村长看老那没有在打麻将的事上纠缠，在心里长长地松了一口气，随即附和说：

"对呢，我们没干别的。"

马明亮狠狠地挖了一眼村长，口吻很硬地呵斥说：

"你不说话，没人把你当哑巴！"

马明亮把头别在另一边，长长地打个呵欠，很慢地吐着烟雾，待烟雾把他脸掩得模糊，他才冲老那说：

"那伯，昨日晚上，乡里来人通知我，叫我今日回乡里开会呢，我先走一步。咱乡里穷，没车，我叫牛钢拿摩托送我一阵子。"

老那想了想，说："乡长有事，你就忙你的事，我带她们去就成了。"

老那拧头问牛钢："你媳妇准备好了没？"

牛钢躲避着老那的目光，支支吾吾地说：

“可能，好了吧。”

老那见牛钢回答得不痛快，想继续追问，马明亮却接过了话头，说：

“那伯，八点钟要开会，我们先走一步了。”

马明亮的话刚一落，牛钢就溜出了村长的家。

老那从村长家往出走的时候，感到大事不妙，可能中计了。三个司机站在街道上，眼巴巴地望着老那。这时辰，浓密的雾气已散淡了，东方有个朦朦胧胧的红砣砣，凛冽的空气格外清纯。一个司机说：

“你叫我们拉人，都这时候了，连个鬼影影也没有。”

一个司机说：“我们还等着吃你的羊肉泡馍呢。”

老那给三个司机每人发一支烟，又似自我安慰又似安慰司机地说：

“别忙，会来的，会来的。”

一会儿，李素素来了。又一会儿，乌鸦带着她的二媳妇来了。又一会儿，要做结扎手术的都陆陆续续地来了。只差两个人，一个是牛钢的媳妇，一个是牛铜的媳妇。

李素素说：“支书，我们说到做到。”

乌鸦说：“支书，你想给我们灌迷魂汤？”

一个妇女小声说：“看，不来的照样不来，我看支书是嘴硬骨头酥，毬不顶。”

一个说：“她们不去，咱也不去。我盼她们不去呢。”

老那站在村长家门口的粪堆上，大声说：

“大家静一静，听我说，我要是把这碗水端不平，我就不配当支书，我就不姓那，我这脸就不是脸，我这嘴就不是嘴。”

老那缓了一口气，继续说：

“跑，跑了和尚跑不了庙！现在大家先回去，我这就坐在他屋门口等他，看他回来不回来。”

众人相继散去了。三个司机见老那下了大赌注，也不再提羊肉泡馍和损失的话，也不敢走，在一边悄没声抽旱烟。李素素感动地望着老那，想了想，走过去，说：

“支书，别伤身子，啥事都要慢慢来呢，一口吃不了个大胖子。”

老那说：“我知道，但这是我上任干的头一件事，干不好，往后的工作就没法弄了，对不对？”

李素素说：“支书，这事难缠，多当点心。”

老那说：“我要把这头三把火烧好呢。”

九

这是一个难得的大晴天,太阳又鲜又亮,天又高又蓝,不见一丝云翳。老那圪蹴在牛钢家门前的蹲石上死等。不时有人从房背后,从麦秸垛背后,从树背后探出脑袋望一望老那。老那不管,专心致志地抽烟等人。没有温度的太阳并没有把从西边过来的风儿暖热,老那打了两个喷嚏以后,清鼻涕线一样坠下来。老那知道自己是着凉了。老那想牛钢是不敢跟他碰硬的,充其量让他媳妇躲一会儿,躲不过去了,就会出来。老那想,牛钢是聪明人,他不会不知道躲过初一躲不过十五的。但老那太低估牛钢了。老那做梦都不会想到,就在他坐在牛钢家门口的门蹲石上守株待兔的时候,牛钢的媳妇和牛铜的媳妇都稳稳地坐在她们娘家的热炕头上,牛钢、马明亮、村长和那志平副县长几个人则坐在县城一家豪华的酒家雅座里正在谈笑风生,有滋有味地喝酒呢。

太阳两杆子高了,老那在牛钢的家门口坐着;太阳升起了,老那在牛钢家门口坐着;太阳稍稍偏西了,老那在牛钢的家门口坐着。老那把一袋旱烟抽完了,就看见老婆捧着个碗颤颤悠悠地走来了,老婆端的是老那爱吃的搅团煎汤。老那饿了,接过碗就狼吞虎咽起来,把对老婆的感激也一并咽进了肚子里。老婆睁望老那,吁了口气,嗔怨地说:

"咱干啥事不行呢,受这洋罪。"

老那吃完了,把碗递给老婆,说:

"你不懂,咱党员这心上不行呢。"

老婆问:"还吃不?"

老那说:"饱了。"

老婆又颤颤悠悠地回去了,老那又等。三个司机劝老那回去,老那说,我不信他能钻到地缝里去。李素素和乌鸦来劝老那回去,老那还是那句话,我就不信他能钻到地缝里去。冬日天短,家家户户做饭烧炕的烟雾一升腾起来,天空就被染得墨墨地浓了,终于,把天染黑了。

老那站起身,捶了捶酸疼的腰,揉了揉麻木的腿,凝眸望着那把黑乎乎的铁锁,咬了咬牙,对司机说:

"去,给我拿一把斧头去。"

司机胆怯地说:"支书,这,犯法呢?"

老那说:"犯法我坐牢。"

司机拿来斧头,老那三五下就砸了牛钢家的门锁,牛钢家里没个人踪影。

老那说:"你躲得过初一躲不过十五。"

这个晚上，老那辗转反侧，难以入眠，思量着对策，直到后院的大公鸡啼过三遍，老那才迷迷沌沌地走进了梦乡。翌晨，老婆把老那摇醒来，惶悚地说：

“快起来，起来，出事了，出事了！”

老那睡眼惺忪地问：“咋咧？”

老婆的脸皱得像一张受了潮的烟叶，提心吊胆地说：“咱门口来了一大伙人，像是要弄事的架势。”

老那说：“怕啥，天塌不下来。”

老那安慰了老婆几句，用凉水洗了脸，抖擞了精神，把自己拾掇得利利索索地走出自家大门。老那的家门前围了好多的人，有手扶拖拉机司机，有李素素、乌鸦，还有十多个计划对象，更多的是来看热闹的。老那一时搞不明白这些人的来头是啥，也就没敢贸然发话，先挤了一个笑给大家。李素素率先发话了，说：

“支书，支书，我们想通了，你这么大的年纪，跑来跑去，也是为了咱村上的事，我们再不支持你，就说不过去了，今日，我们不给你出难题，跟你计划去。”

乌鸦跟着说：“素素说得对，人心都是肉长的，将心比心，都一理。我们支持你的工作，因为我们看出来了，你真的是想把咱村里弄好呢。”

司机也说：“支书，我也是义务服务，不要车费，也不要你给我管羊肉泡馍。”

望着这情这景，听着这番话语，老那只感到眼前发酸，想哭，但他忍住了，他顿了顿，说：

“大家的好意我心领了，不过，我这人有个怪毛病，不干就不说，干就要干个彻底，把一碗水端平，叫大家心服口服，不叫大家心里结了疙瘩。大家等着，我这就去把牛钢和牛铜的媳妇找回来，跟大家一起去结扎，我去她娘家找，她娘家没有我找她姑家，她姑家没有我找她姨家，我就不信她能钻到地缝缝去。”

老那艰难地爬上了手扶拖拉机，很威风地朝司机一挥手，发号施令：

“走！”

走到半道，老那在商店里买了一瓶西凤酒，两斤点心。

司机不解地问：“支书，咱是抓人去，理直气壮，买东西干啥？”

老那神秘地说：“干啥都要讲个战略战术。”

几乎没费啥周折就找到了牛钢的媳妇。牛钢媳妇没事人似的和她娘坐在炕上纳鞋底，一见老那，母女俩都变了脸色。牛钢媳妇镇定了一下情绪，招呼老那坐了，随后才叫叔不是叫爷不是地叫了一声支书，说：

“你咋来了？”

老那先把礼物放在柜盖上，像平常走亲戚一样随便地说：

“昨天晚上，老九给我托了个梦，他说他亲家母是个好人，他好长时间都没看他的亲家母了，他说我现在是支书，叫我来替他看看他的亲家母。”

牛钢媳妇的母亲将信将疑地问：“真的？”

老那说："可不是呢，买啥礼都是他给我说的。"

牛钢媳妇的母亲就说："我这亲家也真是心长。"

老那一看火候已到，就转入正题说：

"咱牛钢在咱碾子沟村是数一数二的人物，村里人干啥都爱学个牛钢的样子，就说计划生育这事，村里人也看咱牛钢的样子。我知道牛钢有办法，他说要把手续办齐全的，不知办齐了没有？"

牛钢媳妇说："他办去了。"

老那说："这样吧，你今日先跟老叔回，行不行？"

牛钢媳妇跟她的母亲碰了一目光，牛钢媳妇的母亲就出去了，给牛钢媳妇的弟弟交代啥事，老那只隐隐约约地听牛钢媳妇的弟弟恶狠狠地说，他敢骚情，我打断他另一条狗腿。俄尔，就听到摩托的声响。牛钢媳妇说：

"我收拾一下东西，咱就走。"

老那怕她再耍花心眼，就蹲在门口，一锅接一锅子地抽旱烟，他心里说："你今日非跟我走不成。"

牛钢媳妇有意磨蹭着。当老那抽第六锅子旱烟的时候，牛钢媳妇的弟弟回来了，他在牛钢媳妇的耳边嘀咕了几句，牛钢的媳妇就露出了笑容，对老那说：

"走，咱走。"

老那把牛钢的媳妇径直拉到了自家门口，他叫李素素和乌鸦看牢牛钢媳妇，他还要找牛铜的媳妇去。乌鸦说：

"她要跑呢？"

老那说："你给我把门关上。"

乌鸦说："她要屙屎尿尿呢？"

老那说："你跟着。"

乌鸦说："她要吃要喝呢？"

老那说："到我家里做，要吃鸡杀鸡，要吃肉杀猪。"

当老那再次艰难地爬上手扶拖拉机的时候，老那听到小汽车引擎的轰鸣声，一回头，老那就看见了那辆他十分稔熟的黑色小汽车。

"志平咋回来了？"老那纳罕地想。

十

小汽车在老那的家门口缓缓停稳，钻出来的依次是那志直、乡长马明亮、村长和牛钢，却不见那志平。老那知道这里面定有蹊跷，他心里又挂着事，就没有下手扶拖拉机，对那志直说：

“志直，你不好好干工作，跑回来干啥？”

那志直奔过来，拉住老那的手，十分焦急的模样，答非所问地说：

“爸，你好着呢？”

老那用拳头在胸脯上捶了捶，说：“爸能吃能睡能干活，这不好好的？”

那志直把疑惑的目光投向村长，村长避开了那志直的目光，那志直又盯向马明亮，马明亮扑腾了几下眼睛，走过来笑着说：

“那伯，是这么回事，咱那县长考虑你年龄大了，又为村里的事东西颠簸，担心你的身体吃不消，就让我到西安把志直接回来，想叫你跟志直到西安享几天清福去呢。”

那志直对老那说：“爸，他们来说你的身体不好，我一看我哥又派了车来，吓得我连假都没请，就跑回来了。”

牛钢说：“志平也是一片好心，你就到西安去吧。”

村长不失时机地附和说：“对对的，我说老那，咱村上这事婆婆妈妈的，永远也干不完。到西安多好，吃羊肉泡馍，看秦腔，放在我跟前，我早都走了。”

这时，牛钢的媳妇、李素素和乌鸦也从老那的家里走出来。牛钢的媳妇一见牛钢，仿佛有了主心骨似的，长长地吁了一口气，脸蛋红突突的，一副小鸟依人的可爱模样。牛钢握了握媳妇的手，悄声说：

“别怕，没事了。”

老那从手扶拖拉机上爬下来，一不小心，棉衣的前襟挂破了，露出白花花的棉花。老那对马明亮说：

“要我到西安享福也好，不过，得等我把这几件事办完了再走。今日这小汽车来得正好，让我也用一用，去把牛铜的媳妇找回来。”

马明亮把老那拉到一边，压低声音说：“那伯，本来，那县长要亲自回来的，可是牛钢的工队正着手给他盖房呢，他脱不开身，噢，牛钢和牛铜媳妇的事，那县长说手续都办好了，再不用结扎了。”

老那把手伸向马明亮，说：“把手续拿来让我看！”

马明亮说：“那伯，你也是见过风，经过雨的人，咋恁犟呢？”

老那的老婆拉着那志直的手，一副泪汪汪的可怜样子，说：

“志直，把你爸接走吧，让妈过几天消闲日子。”

那志直说：“爸，走，咱到西安去。”

老那见此情景，想起了自己当支书以来的日日夜夜，陡然觉得十分地疲倦，十分地劳心，他真想歇息了。老那沉重地点了点头。

此时此刻，李素素、乌鸦和一伙结扎对象都静静地注视着这一幕。李素素首先忍不住了，她扬声说：

“他娘的脚，这二年真是有钱能使鬼推磨啊！”

乌鸦朝小汽车"呸呸呸"地吐了三口唾沫，转身朝一伙结扎对象一挥手，说：

"共产党瞎了，官官相护，钱钱相护，咱们走。结扎，结他娘个脚，从今往后，谁敢动我儿媳妇一根汗毛，我就骟了他个狗日的。这政策也不是专为咱穷人制定的，为啥光叫咱结扎，走！"

结扎对象走了，马明亮走了，村长走了，牛钢和他的媳妇也走了，都走了。老那和老婆、二儿子那志直也进了家门。老那恍然明白了，他的心情格外沉重起来。

老婆说："咱走，咱跟志直过日子去。"

老那冷不丁大声地吼："走？狗日的想撵我走，瞎了你的狗眼！"

那志直说："爸，要不，你就到我那儿散散心？"

老那骂："狗日的良心瞎了，良心瞎了！"

那志直心疼地叫："爸……"

老那顾自骂："良心瞎了，良心瞎了！"

老婆说："你走不走，人家小汽车还在外面等着呢。"

老那说："走，我为啥不走？那小汽车我不坐，小汽车里有腐败的臭味儿，叫他开走，开走！"

老婆说："小汽车开走了，你咋到西安去？"

老那说："到西安？我不到西安去，我要到县里去，我要骂他个狗日的那志平，我要打他狗日的那志平，我要叫他狗日的灵醒，共产党的官是当在光天化日下的，是当在老百姓的眼皮下的，胡毬来是弄不成的。"

老婆说："你老糊涂了……"

老那吩咐那志直说："给爸拿几个馍，爸这就要走。"

那志直说："爸，你去了，到我哥家里吃就行了。"

老那说："我不到他家里吃，他家里的饭有腐败的味儿。狗日的瞎良心，我就要教训他，叫他不能丢了我老那家的脸，叫他不能丢了咱共产党的脸！"

那志直说："爸，我哥是过分了，走，我陪你去。"

老那和那志直就要出门，老婆喊："等一等。"

老婆从屋里拿出针线，半跪在老那面前，一边垂泪，一边一针一线给老那缝补了挂破的衣裳。

老婆叮咛说："志直，路远，跟你爸走好。"

老那和那志直走出家门，他们走得很有劲，很威风，也很吃力，愈走愈远。老那自始至终没回头，他知道，在他的身后，在碾子沟村口，有好多好多的乡亲正在目送着他上路。

（选自《清明》1996 年第 4 期）

和军校

1963年出生，陕西礼泉人。1982年毕业于长庆石油学校物探系。历任长庆油田地调处调度员，长庆油田团委干事，长庆油田职工医院宣传干事、政工师。1984年开始发表作品。1997年加入中国作家协会。著有长篇小说《千万别说我爱你》，中短篇小说集《和军校小说选》《人心朴实》《寻找一个人的一句话》，短篇小说集《一不小心》，报告文学集《石油人的家》。电影文学剧本《小村无故事》《欣逢佳节》(均已拍摄发行)。中篇小说《欣逢佳节》获甘肃省第四届文艺奖、第二届敦煌文艺奖。

正 爷

王泽群

从鲁家滩朝西北看，眼前这一片青翠翠的绿槐环抱的村庄就叫台上。

若论距离，台上离鲁家滩大约不到二里；若论高矮，台上可就高得多了。从台上庄边子的土台下朝鲁家滩远眺，鲁家滩外的东河、西河一目了然。村里的茅檐石墙，牛棚猪圈，人模狗样，清清楚楚明明白白。所以，自古就有民谣：台上看鲁家，数出吃啥饭；鲁家望台上，一把绿蒲扇。从这民谣里，可以感觉出台上一种居高临下的地理优势；但稍有农村知识的人都知道，旧社会里，凡傍河依湾的地儿，都比较富；凡叫个"台上"、"岗上"的，都比较穷。那时候的台上，在我们鲁家滩里扛长活的可不在少数。至于收麦、种秋、锄地的当儿，从台上下到鲁家滩的就更不计其数了。

台上穷。鲁家滩富。

可是我们鲁家滩里，特别爱娶台上的媳妇。

从我这一辈上溯七辈，辈辈都有先人和台上联姻，最出名的，当数正爷。

我在结构这篇小说的时候，眼前总是出现小时候对于正爷的印象。

我们鲁家在故乡所以出名，与正爷一生辉煌的经历是密切相连的。我十七岁时回老家读书，鲁家滩里许多亲戚总是拿正爷来教育我。我虽然点头敷衍，心中却懵懂。我印象里的正爷实在是一个昏昏庸庸的糟老头子，他最大的能耐就是睡觉。

乡亲们以正爷教诲我，是叫我学睡觉吗？

建国初期，街道上正兴"开会"。凡开会，家家都要出一位代表，听凭街道上的领导传达各种指示、指标、指导……那时候，我父亲已在政府里做了相当级别的干部，他最怕家中有不服从政府领导的事件出现。所以，他便劝他的叔父正爷担当这一开会的重任。父亲自有父亲的一套理论：我在政府做这样的干部，是绝不能搞特殊的，凡是街道的事，也就是政府的事。叔，你就去听听……

正爷就应一声：那行。

无论冬夏，正爷开会总是一只竹凳，一柄手杖。他到了会场，找个地儿坐了。竹凳在后，手杖在前，两手撑住，只要街道上的领导一开始讲话，不用三分钟，正爷的呼噜就打起来了，而且打得天惊地动。街道上的领导碍着父亲是政府里的一位相当的干部，正爷又是父亲的亲叔，他的出席是街道上的一种荣誉。所以尽管正爷的呼噜天惊地动，领导们从不干扰。于是会场上就出现了街道领导声嘶力竭地喊报告，正爷惊天动地地打呼噜的奇妙景观。奇就奇在只要街道领导讲话一停，正爷的呼噜也就停了。正爷还会一手拄着拐杖，一手拎起竹凳，礼数尽至地问一句：完了？

街道领导极恭敬地说：完了。正爷。

正爷便回一句：那我回。

街道干部极恭敬地说：您回。正爷。

正爷又答一句：留步吧。

便看也不看地拎着竹凳，拄着拐杖，迈着员外步子回家了。

我那时候太小，不省事儿。我不知道正爷回来是否跟父亲汇报，也不知父亲是否知晓正爷开会就睡觉的情况，但对正爷能坐着睡觉且呼噜惊天动地非常奇怪非常钦佩。所以在结构这篇小说的时候首先想起来的就是正爷的坐着睡觉。

也许，正爷的坐着睡觉与他一生的奇特经历有关？

正爷娶台上的正奶，在台上，在鲁家滩，都是一件大事儿。

在我们故乡，娶媳妇本来就是件大事。何况又是进过北平大学堂，光绪皇帝赐过“贡生”，如今正在琴城任城建科长官差的鲁宽正先生回来娶亲。莫说鲁家滩、台上轰动了，连六十里地县城府里的县太爷，都差人送了大礼来。我的祖父也认为这是一件极荣耀的事情，他是刻意要让兄弟的亲事办得风光一些的。他知道，父亲在世的时候，不送他做长子的去读书而送了老二去读，实在是因为父亲对老二的智慧不能放心。小时候，父亲下了血的狠心要发家的那个晚上，曾把八岁的他和四岁的弟弟都叫到炕沿前。父亲把白馍馍、杀猪刀、一支秃头笔、一段红绒绳、一把算盘、两个铜钱放在炕上，让他弟兄两个拣着自己喜欢的挑，他毫不犹豫地挑了白面馍馍，老二却什么也不拿。

父亲说：二子，你咋不挑？

老二说：俺哥挑了俺不挑。

父亲说：你哥是你哥。你是你。你挑么。

老二说：俺哥挑了俺哥分俺。俺不挑了。

父亲说：膘子！你是你的。你哥是你哥的。你不挑可就白不挑了。

老二说：俺不挑。俺分俺哥的。

父亲叹了一口气，对祖父说：小子，起你个名字叫“长”，起你弟个名字叫“正”，就是图希你们哥们儿将来长得周正些，别丢了咱老鲁家的人。你这个弟，听你的话，归着你管了。你可上着心，有了闪失我剥你的皮。

后来，父亲发了起来，又嘱咐了他：你弟膘。让他上学识俩字儿吧，不识字儿他是饭也混不出来了。你行，我这个家当落了你手里踢蹬不了。

就这样，祖父一直留在乡里种地，染布，贩皮货；正爷却乡上读了县上读，县上读了京城读，一直读出一个京师土木建筑大学堂的大学士，回到省上就放了一个琴城政府城建科科长，是我们鲁家滩上现世里官做得最大的一个。那一份儿荣耀，非今个厅局长可比。

正爷虽然官做得大，恁事儿却依旧听他哥的。

祖父请算命的批了八字，由媒婆子介绍了台上宋贵荣家的大闺女宋香芝。祖父作为一家之长亲自去相了一下宋香芝，看她长得还算周正，只是身条子细，不像是个能出大力的女人，心里就有点犹豫。可是我们鲁家当时是已经发了家的有钱的人家，财礼是两匹布，四篓子开花大馒头，外带二十吊铜钱，四只鸡，两坛子家酿的老酒，十八斤老秤秤的五花肉。这么多的礼品已抬到了台上，果真不行也不好意思再抬回去了。祖父想想就有些心疼。再想想老二也是在城里做了官的人，想必他的媳妇是不用在黄土地里出汗了。祖父就立即把这门亲事定了，打了信让弟弟回来成婚。

正爷奉命回乡，穿了一身洋装，辫子虽然还没绞，但已盘在头顶。祖父虽没说话，却狠狠地瞪了辫子一眼。正爷却灵醒，不待他哥说，已回屋里将辫子又放了下来。西装却不换。西装是一种身份，他若真换了下来，想那做哥的还会来瞪他。放下辫子，又将在琴城买的礼品一一让哥哥过了目，这兄弟俩才坐在暖炕上说话。

祖父说：女人我看了。还行。

正爷说：那行。

祖父说：娶了，就带了走吧。暖个脚做个饭的，也不用再雇人了。

正爷说：那行。

祖父说：钱。你就一个月少捎十块。

正爷说：这会儿留的我也用不了。

祖父看他一眼，才说：不是又添了一口子人了吗？你怎么也是个做了官的……

正爷说：那行。

哥儿俩再无话，就那么默坐着。许久，祖父才又开了口，并不看着他的胞弟：夜里的事儿，去问你嫂。

说完，做哥哥的倒像是要做什么见不得人的事似的，站起来走了。

正爷独自坐在那儿发愣。

小说编到这儿，却使我犯了难。

尽管小说主要是虚构，无论情节还是细节主要依赖作家的想象能力来进行虚构和渲染描叙；但是我常常觉得小说一虚构就没有生活本来显得更真实了。

我十七岁回老家读书时第一个念头是前途无望了。那是一所半工读的农业学校，我学的是农业机械化。可是学校里除了一辆发动不着的四个轮子一个单缸的匈牙利式拖拉机，其他的工具都是祖宗们发明的。锄镰锨镢，外加一种柳条儿编的木连枷，一辆小胶轮儿车。半读不知道，半工已足够。至于那辆"老匈"，主要是老师用它来向我们讲述机械化的教具。在这样的学校里，我非常快地明白了农业机械化于我是绝对的走不通的一条道路；也就是那时候，我萌动了自力更生的想法——那时候，因为大家都吃不饱，最响亮的一个口号就是自力更生——我决定要当一名大作家。我为我选择了这条光明大道兴奋异常。除了写诗、拼命地向报纸和杂志社投稿，同时也就像一切年青的文学爱好者一样，开始准备大作家必然要做的文学准备。那时候，我的在政府做着相当级别干部的父亲已经犯了"错误"，为着这"错误"他曾经在一个水利工地劳动改造。改造的最大收获是使他得了肝炎，从此再不能参加改造他自己的劳动了。而我，却也只能去读一所这样半工半读的学校走一条自力更生的道路。

我读书的学校设在一个废弃的国营农场里，离我们鲁家滩只有八里。这使我有许多时间可以回到老家去寻祖、探亲，还有就是积累未来的文学素材。我虽然回了老家，但其实与那一片生了养了我的祖祖辈辈的山山水水格格不入。主要就是因为我基本上是个城里人，长得很"文化"。这使得我的家乡的乡亲们始终不肯把我当成一个一无所有的穷学生来对待。我一回家，老家里总是有一些年纪相当的人——当然，他们之中有的是我的爷爷辈上的也有许多是我的孙子辈上的——来陪我叙坐闲聊几句，也就必然聊到我祖父、曾祖父乃至高祖父上的事情中去了。那原因很简单，我的祖父盛年辞世，正爷谨遵兄嘱，将我们鲁氏一门全部迁徙至琴城。近四十年来，我是第一个返回鲁家滩的此一系的后人。我所以觉得小说写到这儿很难了，是因为我们鲁家滩有些很"古老的"风俗习惯。凡是结婚这种大事，新媳妇进门，为了表现人丁兴旺，总是由大伯哥背进去的；这倒容易理解。而为了使繁衍顺利，新郎则必须是由嫂子启蒙性教育的。为了准确无误，嫂子们常常要耳提面命，舍身"实践"。而为人夫为人兄者此时此刻绝对不准干涉。这也是我祖父当时向正爷做了交代之后，似乎是他自己犯错误似的仓皇而逃的主要原因。现在想起来，倘若我的祖父不是这样尴尬，能稍许从容一些，多一些严厉的训导，正爷也不至于在那样年轻的时候就犯了一个那样大的人命案子……

好了。我总算把我以为有点儿赧颜的部分凑乎过去了。我们家世里，喜好文学的子孙们实在太多，我很怕一不小心，让一位类似祖父式的人物站出来，向我大喝一声"忤逆！"尽管他或她也许刚刚从情人或者是姘妇，或者是姘夫的床上匆匆爬起来，但他或是她的这一声断喝，却仍可以让我"吃不了，兜着走"。

这年头，这种人物还少吗？

婚礼是在响器班子的嘈嘈杂杂大吹大擂声中和爆竹惊天动地的爆炸声里顺利完成的。进了洞房,两只红烛已花泪点点。尽管杂七杂八的许多亲戚很想借机好好地闹闹房寻新娘子取取乐儿,但少年老成的祖父却冷着脸挡了驾。祖父知道,兄弟经过妻的调教,这会儿最想做的是什么事儿。他先是拿了铜钱赏了响器班子,又接着双手一揖,说:二子是科长,在城里养了习惯。城里规矩多,咱得随他。不是吗?

就这一句话,把所有想闹的想乐的全挡了回去。那时候,鲁家滩的人谁见过洋装?谁见过科长?这婚虽是在鲁家滩结的,这人可是城里的科长啊!老大敢拿这话出来,分量当然不轻,乡亲们知趣地退了。唯独祖父怎么也没想到,把这句话最看重的,倒不是众乡亲,而是来做陪送的新娘子的妹妹宋美芝。宋美芝从这句话里才一下子明白了她的姐姐交了何等的好运!她和她一母同胞的姐姐,从此将会是何等的天壤之别!这一夜,正爷用他嫂子调教出的手段,使他的新娘美美地惊天动地地知道了自己是一个女人,并下了死的决心要一辈子好好侍奉科长丈夫。他们做梦也不会想到,那个为姐姐来做陪送的十六岁小姨子,在摸黑回到她的台上老屋土炕上后,羡慕姐姐,哀怜自己,竟睁着一双清亮明眸,直到朝霞染窗……也许,就是那个晚上,宋美芝自己也下了一个决心,不是城里的科长,她这一辈子是再不能出阁了。

按着鲁家滩的规矩,新婚三日,女婿是要陪着新媳妇回门的。

正爷的岳父虽居台上,却是台上少有的殷实人家。贵婿回门当然少不了的要祝贺一番。大碗的白菜粉条猪肉,大盘的炸花生米儿,大盅的冰糖冲白干酒,亲舅堂舅表舅的频频酬谢,使颠鸾倒凤整整三天的正爷着实有些承受不了,酒席未结他倒是先吐了。这就给了做小姨子的宋美芝一个天赐良机。她把姐夫扶进后屋的暖炕上,先是端了热汤给正爷抹了面,又轻手轻脚地为姐夫宽了衣,刚在暖炕上放平,正爷却又要吐,挣扎着翻在炕沿上,就垫着小姨子的大腿干呕了起来。宋美芝一手托了姐夫的额头,一手款款地在姐夫背上摩挲,嘴里还百般温存地安慰着:姐夫,姐夫,你难受啊?难受了你尽管吐……

正爷一直在外读书,心是极老实的,又有一位堪称表率的兄长严加教诲,在男女事上从不越雷池一步。但是架不住这次返乡成婚,嫂子调教,妻子逢迎,心也就野了。此时刻一个小姨子又是温柔体贴细致周到馨香阵阵,他也就借酒借醉似醉似醒地在小姨子的腿上臀上乳上轻薄了一番。宋美芝对姐夫的动作,不推不拒,任其发挥,还故作娇憨地装傻装痴一派天真。正爷在暖炕上也就醉得格外的"糊涂",光是一次次地爬起来干呕又呕不出来,就折腾到天黑掌灯时分。

又三日,宋美芝再以姨妹的身份去看姐姐、姐夫的时候,正爷和他小姨子彼此的目光里,就多了好几层的意思。觑个空子,正爷把小姨子搂了一把,两个人便都心颤颤地舍不得离开。正爷自己也不明白,新媳妇的滋味儿还没嘬透,他怎么就会觉得小姨子似乎更好呢？……

我十八岁那年的暑假没回城，而是回到鲁家滩老家进行了一番“寻根调查”。那时候当然不曾改革开放，当然也就没有“寻根”一说。但我现在想想，那时候我进行的确实是一种寻根研究。在我混沌未开的世界里，我的第一次记忆是夜半时分父亲归来，母亲被闹醒之后的第一个动作是弄我撒尿。多少年都过去了，我仍能清晰地记得母亲把住我的双腿，嘴里吹出一种口哨，引我赶快撒尿时的温馨与甜蜜。灯光是昏黄的朦胧，世界是昏黄的朦胧，父亲母亲的话语和面容也都昏黄而朦胧。那是我有了自我主体意识之后的第一次记忆，记忆之深刻，我想我这一生都绝不可能忘却了……从那以后，多年困惑我的一个最大的问题就是：我是谁？我为什么会到这个世界上来？我是从哪里来的？我来了之后可能会做些什么？冥冥之中的神会让我做些什么……

十八岁那年我回到鲁家滩，就带着这种困惑，正式地神圣且虔诚地去参拜了我的列祖列宗的坟茔。

引我去祖坟的君爷是个结巴，但唱得一手儿好小曲儿。他能即时即兴地将村里发生的故事编成小曲儿合辙押韵地唱出来，若稍做整理定会胜过李有才板话。但我那时候满脑子是“诗”，对李有才板话或准李有才板话之类的材料没有多少兴趣。现在想起来，才觉得实在是个不大不小的遗憾。君爷不是我这部小说中的主要人物，我想在关于鲁家滩的另一篇小说《铁婆》中请他出任一定的角色。在这里，他主要的任务是把我带到宗祖们面前。在鲁家滩后坡的北山山坳里，我十分虔诚地看见一排一排二十四座统一格式化了的石碑——我的二十四个宗祖。

这……是……正哥的……功绩。

君爷费了很大的劲儿，才说了这一句话。他看了看我，抿了抿干燥的嘴唇，说：我……我唱。他就现编现唱地给我讲了这个“二十四碑”的故事：

一摞齐的二十四个碑，
睡着咱祖宗的一辈辈。
正哥琴城当大官，
不忘扫墓记祖规。
刚发财，就回乡，
请了神汉请石匠。
亲自恭楷立家谱，
全族擎酒烧高香。
敬祖宗，敬兄长，
敬了发妻敬偏房。
好山好景好风水，

正哥立起二十四个碑。

君爷一气把歌唱完，我也不甚明了他对正爷是褒是贬，但显然，这二十四个碑里也埋着正爷与他小姨子的风流故事。我站在二十四个碑前，感觉到一种相当的震撼。哦，这也许就是我的生命的轨迹——一代又一代，生了，死了，埋了。活着的时候便演出着一幕又一幕泣血泣泪的故事——十八岁的我，第一次感到了生命之沉重抑或是生命的无意识……

那种感觉我不能清理得清楚，但印象深刻。

翌年夏天，正奶临盆的日子日渐近了。

琴城的德国医院条件相当不错，大学毕业受了洋文化熏陶的正爷力主正奶就地生养，封建意识浓郁的正奶却死活不依，非要回娘家去坐这第一个月子不可。

正奶说：我的身子，怎么能由他洋人摆弄？

正爷说：护士，也是女的。

正奶的眼睛便睁大了：护士是女人。大夫哪？你硬是要一个人看了不行哪？你丢得了这份儿丑，我可丢不起。

正爷便无话。倏忽间灵光一闪，他蓦地想起了小姨子的一双乳，一年多里，该更多了些动人之处，生尘根处一紧，便觉得正奶回娘家的主意无比正确。

正爷偕夫人回到鲁家滩，最欢喜的其实是宋美芝。一年里一个农村女子，把所有的回忆与幻想都交付于远在琴城的姐夫，其实已经是绝望着了。忽然，他们又仿佛从天而降，带给她的激动与喜欢莫可名状。她立刻挟了一个小小的包袱，来姐夫家里伺候姐姐的月子。

祖父对于弟妹回家分娩，心里也是很高兴的。

虽然由于祖父的善于理财，家里已盖了两出两进的二十四间房子，堂皇皇地雄踞在鲁家滩里一片最好的风水宝地。但农家的收入，包括能干的祖父闯荡出来的染布、熏皮子、豆腐坊，仍然有限；贪财且又想大发家的祖父，对二弟所拿的官银一向是极看重的，约束也紧。倘若弟妹这次分娩不回乡，正爷借此提出些财产要求，他也毫无办法。偏巧，他们主动回来了，祖父也大喜过望。所以便开了一院五间的房子特为是弟妹的“月子房”。原来是准备找个下人来做点粗活的，恰好小姨子主动来了，一向吝啬的祖父巴不得能省几个儿，顺水推舟地做了个虚假人情，就让宋美芝在这儿出力了。

正奶对妹妹在身边照应十分满意，也欢喜着夜深人静的时候姐妹俩儿还可以拉点儿悄悄话，向待字闺中的妹妹讲讲做女人的痛楚与快活。但她万没想到结婚三日时，夫婿就已经与妹妹有了暧昧。这一次分娩倒是促成了他们的“鸳梦成真，山盟海誓”。

那几夜，正奶生了我的堂姑之后，身神皆乏，在妹妹的细心照料下沉沉睡去。宋美芝在东屋伺奉了姐姐之后，又赤足裸身匆匆去西屋里侍奉姐夫。而正爷也终于圆了他最初醉酒时就有了的梦。在小姨子一双丰乳上享尽了婴儿般的喋呷，每当此时，宋美芝在正爷身子下面就活泼得像一条游鱼，使正爷真切地感觉了生命的强悍与快乐。

正爷八十岁上神志已不清醒。在他最后似梦似醒、非醒非梦的记忆里，他独自悠悠地回味把玩他一生中亲近过的女人，第一个也是让他最难忘怀的，仍然是他的小姨子。那个在他身子下面活泼泼如一条游鱼似的年轻的小姨子。

我最初想写正爷的故事，确实缘于正爷的这一个为命花案。我甚至无法理解祖父为什么会僵化顽冥地死守着这样一条莫名的道理，生生地拆毁了二十几岁的正爷和十七岁的宋美芝的爱情姻缘？要知道，那会儿才刚刚是民国初期，别说是两厢里自由恋下的爱，自由的结合；就是花钱娶个三妻四妾，对只要养得起的大户也很平常。何况，正奶在确知了妹妹与丈夫之间的苟合，痛思痛想之后，也认可了这个既成事实。

我在鲁家滩收集宗祖们的生活材料时，那个叫琼婆婆的就曾对我说：膘。你们老鲁家常常出膘。春子你想想，那算是个什么事儿？她们是亲姊妹呀！膘。你爷爷是真膘……

琼婆婆那年那时候也八十多岁了，一头白发。说起当年事便有青春的光彩在她的老眼里闪亮。她大约是当年不多的几位见证人之一罢。她说：春子你说你爷爷他膘不膘？他就是不答应！你二爷爷已经领着你二奶给他跪下了，你二爷爷什么熊话都吐了。美芝在台上也哭得死去活来，两个眼都肿成烂桃儿了。嗨！他就是膘。他抽着个烟锅子只一句话：你要带她走，先把我杀了……

坐在电脑前结构这篇小说，我甚至可以想象出当时的情景：

我的堂姑满月的时候，正爷已经和宋美芝如胶似漆。每一次的欢愉之后，年轻的正爷和更年轻的小姨子都被自己的爱所陶醉；他们不知道多少次的相拥相依发出生生死死的誓言。他们不知道多少次地以为他就是她或者她是他或者他和她合起来才是一个完整的他们。当爱使他们昏头昏脑的时候，一个眼神，一个动作都能使他们感觉到彼此的爱恋彼此的温柔；正因为他们的昏头昏脑，使他们忽视了正奶的灵醒与聪明。正奶不动声色，只是忽然提出正爷可以住进来了。她说：女也不大闹了。你一个人老睡在西屋里也太孤单了。美芝伺候了我一个月，亲姊妹的，可真不容易，也该让她回俺娘家休息休息了。我该你们老鲁家的，她可不该。正奶还以她独有的贤惠问：当家的，你说呢？

正爷哑口无言。

小姨子向他递了许多眼色也都无奈。

这位大学毕业的城建科长想了半天，居然只想出了一句话。他嗫嚅着说：也好。

宋美芝急了，她说：姐，我不回。你还能在家住几天？姐夫不得回琴城去忙公务？女夜里闹，不还得我抱？女的尿布，不还得我洗？他呀！这当儿她又极爱恋地看了正爷一眼，才说：能让他洗吗？

正奶便笑了，说：也好。还是俺妹子疼我。那就这样儿，等真得回琴城了再说。

正爷和小姨子无比欢喜。他们也觉得时日不多了，一切都该再抓紧些个才是。也就是那天晚上，他俩被正奶堵在西屋炕上……

当然，这属于我的虚构。小说家言，无足为凭。

但我在鲁家滩"寻根"时，几位才能人都竭力做证，说我的祖父确实是因为正奶已经闹起来了才下决心进行干涉的。但是他的干涉彻底，原则也简单：你是在城里做官的，不是老百姓；做官就要做清官，有伤风化的事儿，在家里做下了就算是做下了，决不可以带进琴城以妨官运。鉴于此，尽管后来正奶为了丈夫一起和正爷向大伯哥下跪求情，祖父也丝毫再不徇情，致使正爷正奶离开鲁家滩的第二天清晨，宋美芝便在台上以半匹白布，悬梁自缢，实践了她和正爷在西屋炕上许下的那许多的海誓山盟。

八年之后，祖父病逝，正爷回来奔丧并处理家事，才一下子为宗祖们立起了二十四个碑，顺便从台上起了小姨子的骨殖，并入了祖坟。这时候，因为正奶先此病故，正爷为妻子立碑时便挟了一点儿私。仅从这一点儿上，也看出了正爷对宋美芝的一往情深。

这其实是后面的故事，可以不提。

琴城的历史不长。我写这篇小说的时候，琴城刚刚过了它的百年生日。八十年前，正爷已在这座城市的政府里面做城建科长，实在是我们鲁家滩的一种辉煌。

迄今，访问过这座城市的许多外国领袖还常常赞美琴城的美丽。我不知道他们主要是说山光水色，还是也算上了琴城的建筑。据我那位在政府里也担任过相当职务的父亲说，正爷的政绩就在于他当年所受的洋化教育。据我父亲回忆，正爷做城建科长，一条必须坚持始终未改的原则就是：凡建筑图纸、楼房设计，不准重样。也许琴城正是得益于他老人家这一原则，百年之后，居然还有些风格独特、花样纷呈的建筑。

正爷本人也身体力行地实践着他的这一原则。

正爷在琴城先后起过四处楼房，位于青山脚下的青山路 2 号，至今还是琴城的一处风景。一道石头楼梯自路边极具气势地排上山去，经过了三十二级花岗岩的阶梯才到达正楼的正门。正楼是正爷一生最得意的"杰作"，既非是德国式，也非是中国式，当然也不是某国式，而是正爷根据自己的一次梦中的感觉，画出了图纸亲自监工盖成的。我至今仍非常欣赏正爷的这一梦，它为我们鲁家在琴城留下了一座辉煌的纪念碑。一位流亡国外多年的国家元首，在受到我们的友好接待访问琴城的时候，就因为正爷的这一梦而想起了他的皇宫。他曾向敬爱的周总理要求把这座正爷的梦借给或是租给他，最好是能够卖给他。那样，他就可以“梁园虽好，也是久留之地”而不再进行他的艰苦卓绝的流亡斗争了。当然，这事儿最后没能办成。否则我也不能仍在正爷的荫庇下，仍在正楼的正爷设计独特的阁楼里，用现代化的电脑来写正爷的已经古老的故事。

正爷另外起的三处楼，不知为什么却远不如正爷这个梦。青山脚下206号的房子简直就是一个豆腐坨子，方方正正的一无特色。北山和柳山的两栋房子也平庸得不堪一评，比正爷审核批准的那些设计相差十万八千里。我一直怀疑，正爷那夜的梦，不是梦见什么房子，而是梦见了他的小姨子。一个男人，一生里永在怀念的，大约也只能是一个女人。就正爷而言，他的怀念当是他的小姨子，而非正奶。正奶太厉害也太能干了。大多的男人，不大喜欢自己的夫人太能干，当然，更不喜欢自己的夫人太厉害。

正奶虽是从台上走出来的一位只读过三年私塾的农妇，但她却具有超凡脱俗的城市意识。进了琴城不过一年多的时间，正奶已把城市里的一切民俗人情琢磨了个透彻；把台上的劣习陋俗消除个干净。在她协助正爷完成了他的那一座梦之后，年轻的正奶就已下定决心要把鲁家滩的大本营扎进琴城青山路。妹妹的殉情，夫婿的苟且，使她在没有长辈的家庭里掌握了全部的权力。同僚的文化，洋人的熏陶，使她极快地懂得了营造怎样的家庭氛围。厨师用科班的；保姆用漂亮的；家里的地板一天一擦，一周一上蜡。她很快就可以把维纳斯与大肚子的弥勒佛相当别致地安排在一起，使他们相得益彰，彼此辉映；也很快地掌握了将炸牛排与小葱拌豆腐同时摆在铺了白桌布的放了亮晶晶的银刀叉的餐桌上，而倍添了就餐者的乐趣。最可敬的是她很快地皈依了天主且十分虔诚，惹得那位美国加州来的神父常常以蓝色的眼珠儿望着她微笑。鉴于正爷是城建科长的特殊地位，正奶很快也就掌握了炒房地产的个中三昧，于是我们鲁氏在琴城的宅邸扩大为四处。正奶那时的做派，已很有些欧化的味道。据我们的长辈里见过正奶又能向我做些介绍的讲，正奶已能用简单的英语与洋客人寒暄；正爷那时的访友拜客，也必然要着西装，戴礼帽，拄一支相当考究的洋拐棍，手上，也总是戴着一尘不染的白手套。

一个农村女人，几年间把自己受过大学教育的丈夫改造成一位中国绅士，这种事儿也只能在我们鲁氏家族里才能发生。如果有一天我有勇气把我的那位曾经做过政府里相当级别干部的父亲也写进我的小说里的话——那将是一个非常惨淡的小说题目:《审父情结》。但愿我永远也没有这份儿勇气——我可以再一次证明这个并非是真理的真正事实:一个女人可以把一个男人按她的意愿而改造成功；而一个男人极少能够按自己的意愿改造成功任何一个女人。因为我对于在我童年印象里的能坐着睡觉的正爷，实在只记得他像一位土里土气的农村老大爷；所以如果不是我自己曾亲自地去调查了解过，我永远也不会、不能、不敢相信我的叔祖父正爷，曾经“绅士”过。

但正爷确实“绅士”过。

在他的那个时代里，正爷不仅仅“绅士”过，而且，以他自己的成就成为琴城名流。在他的那个梦所建成的正楼里，中国建筑业、科技界的权威人士如梁思成、束星北等，都曾以朋友或晚辈的资格到访过他老人家。正奶也以她出类拔萃的周旋能力使今天——九十年代——看来当属中国第一流的宾客倾倒。只是正爷的绅士时代很短，随着正奶的猝逝也突然结束。

正奶死于“抠钱症”。

“抠钱症”是我的一大发明。因为我想了好久好久，也想不出正奶这种病症能够归拢于医学范畴的哪一种科目？所以，既然是写小说，当然可以胡诌。正奶在炒房地产的经验里发现了证明她自己的一种最佳方式，那就是她确实可以通过“操纵”，使原本没有多少价值的一片地皮一夜里价值连城；她也可以通过使某一位要员的偏房或是姨太的小小欲望得以满足，让一片满有希望的建筑一钱不值。正爷积我们鲁氏两代人的努力，以他的智慧建起了一座他的梦的正楼；正奶则以她女性的直感和魅力，连续炒出了琴城的六栋新楼。那一瞬间，正奶，或是正爷，都以为他们是一定可成为琴城的“大户”或是“房地产专业户”。鉴于这一自信，正奶便决定再上一层楼。她毅然决然地将刚刚炒进的两栋新楼——这楼我后来去看过，它们坐落于西山沿海的一条叫作碧湾路的黄金地段，以九十年代的眼光衡量，这确实是两栋相当不错的老建筑——以当时最高市价抛出，并且准备以极低的价格一下子买进位于筛罗口的五十亩沙岗地。然后，利用正爷城建科长的权力，建一座类似于我们今天到处可以从广告中看到的“弄海花园”“水晶花园”之类的别墅建筑群落。如果正奶当时的决策成功，今天的琴城，在各路房地产高手们的激烈竞争中，将会有一个相当质量的“样板”可以作为参照系。各路高手今天也不必挖空心思地在琴城利用各种宣传媒体，竭力鼓吹自己的创意能力。他们只要想想，远在七十年前有一个农村只读过三年书的妇女，曾经“险些”做成了此事。他们也就只剩了赧颜、羞颜、汗颜了。一切所谓的“超前”、“新潮”、“先锋”……早在七十年前就已经有人在做了。

可惜，正奶没能成功。

正奶的没能成功，却缘于一个极小的失误。

那天，正奶在取到了两栋新楼最高市价掷出的银票之后，由于一帆风顺的成功与得意，她老人家忽萌奇想，想再把已低到不能再低的筛罗口沙岗地价，再压低一成或是半成，那样，她老人家两栋新楼的价格，也许就可以做出更大的生意来了。那是个夏日炎炎的下午，正奶乘坐的黄包车一个轮胎瘪了气，车夫老王慌慌地请正奶在荫凉里稍等，他去找个地儿补带。正奶一人在荫凉里擎一柄阳伞等得焦躁，便沿着石头牙子的马路边儿随意溜达，一条“露布”使正奶心中一动：“星泰银行为庆祝建行十周年，特向各界让利储蓄，凡于十周年纪念月存入星泰的银票外钞，月息均上浮一分五厘”……

正奶心里一动，她迅即算出若将银票存入星泰，再将篩罗口的地价下压一成，她将会在沙岗地上又多起一栋小楼。她似未犹豫便踏上了星泰颇为壮观的花岗岩石阶——需要特别注明的是，正奶的这一“未犹豫”，竟改变了我们家里三辈人的命运！——正奶抱着必然又赢的无往而不胜的巾帼丈夫气概，将刚刚从德国银行里取出的银票存入了中国星泰银行以正爷的名字新开的账户上。二十七天之后，正奶通过艰难谈判，终于使篩罗口的沙岗地又下压了半成，当正奶满心欢喜地等待再有三天即可将她的又一梦想成为现实的时候，中国的星泰银行宣布破产。正奶的两栋新楼与上浮一分五厘的利息一起成为青烟。青烟变做黑云凝在正奶的心头，沉甸甸地成为正奶真正的心疾。正奶当场昏厥。

又是二十七天的时候，正奶因发疽痈，不治而殇。

我们鲁氏家族在琴城为正奶举行了惊动全城的大殡礼。

正奶的去世使我们鲁家位于青山路 2 号的正楼一片荒凉。

先是小保姆不是一天一擦地板了，后是厨子开始向外倒腾米面油肉了，再后来正爷出门访友也没有了洁白的手套、漂亮的西装了，再后来正爷就有了一种家不是家、院不是院的凄凉感觉。

正爷只得向他的长兄求救。

祖父第一次从鲁家滩进了琴城，他见了正楼一愣，他不知道也不能理解老二这个科长竟然在城里有这么豪华漂亮的住宅。他在三十二级花岗岩的台阶前站了半天，迟迟不敢登上这个属于鲁家的高楼。

你？你？你就住在这儿？

正爷向哥点点头。

是啊。这是咱家的。我在信上给你写了。

你说你盖了四栋？

是啊。这栋是最好的。

正爷看哥哥还站住不动，他只得请了。

哥，咱家走。

祖父激动了。他看看和他长相极似的弟弟，眼里竟有了泪水。

二子。我若是知道你在城里干的这么个样儿，我就、就该出来和你一并肩儿地干。我、我还守那片土干什么？

待得进了正楼，一间一间的房子看了，兄弟俩在屋里抽上了烟锅子，正爷简单地向哥哥介绍了正奶发家的功绩，祖父猛然朝地上一蹲，拍着自己的大腿号啕着说：悔啊！悔啊！可是悔死了哪！

正爷第一次看见哥哥这样子，反而吓得一声也不敢吭。保姆，厨师，下人，听见客厅里有人大号，悄悄聚在门外偷看。正爷毕竟受过高等教育，觉得哥哥这种不明不白的悲哀有伤风雅，让下人们见了也太掉架，他挥挥手将他们赶走。但他仍然不敢劝他的大哥。

直待祖父号啕够了，正爷才怯怯地问：哥，你悔什么？

祖父倒不太怕羞，他抹了一把鼻涕才说：二子，哥对不起你，对不起咱爹。

正爷更有些糊涂。

哥，你咋会对不起我了？又咋会对不起咱爹哪？

祖父很愧疚地看了弟弟一眼，才说：若是知道兄弟媳妇这么能干，早就该答应让你把她妹子也捎出来。碰上这会儿这个事儿，她走了，她妹也就填了房。想她妹那会儿就有那胆子，现在再帮你，不比她姐还发得大吗？

正爷听了，觉得哥哥的见解比他更深刻，反倒无话。

静了半晌，他才又怯怯地问祖父：哥，如今咋办？

祖父大手一挥：娶。这次哥给你娶个比她更能发的。

这时候，我的年仅四岁的堂大姑和又小她两岁的堂二姑携手走进了客厅，两双怯怯但美丽极了的大眼睛，完全懵懂地注视着决定她们终生命运的两个高大的男人。

一个是她们的父亲。

一个是可以决定她们的父亲的命运的大伯父。

我在结构这篇小说的时候，常常遇到我无法解决的难题。常常想不出到底是虚构，还是完全纪实，才能把我的这位正爷描叙清楚。因为，这实在是感觉、而不是懂得——感觉与懂得可是有天壤之分啊——我的正爷确实可以代表我的祖辈。

在我为着做一个大作家细细地搜寻着我们鲁家滩里宗祖们的各种各色的故事的时代，我曾在正爷的发了黄的大相册里，看到过险些就做了我的正二奶的一位女人的照片。她戴了一顶帽檐极宽的编织白草帽，着一身洁白的垫肩连衣裙，亭亭玉立在我们正楼的三十二级台阶最高处，风情万种地注视着镜头。那一种身姿，那一种笑容，那一种可怜可爱的妩媚，连未谙人事的我都怦然心动。照片背面，正爷以蝇头小楷写着：周玉鋆小姐留法商学士民国八年由商务科长邓秋火先生绍介与余结百年之好洽谈三次宴请三次是日宽摄于家宅门前。

我当时一是惊讶正爷的一手好字，二是惊讶正爷的拍照技术。而且凭我十八岁的想象力，我也无法把那个坐着打着呼噜开会的老爷子，与这位光艳照人的妙龄少女结合在一块儿。但从照片背面的文字分析，周玉鋆小姐成为我们鲁家的正二奶还是极有可能的。后来，从我的担任了政府相当职务的父亲那里，我终于打听到，就在正爷正欲与周小姐结百年之好的关键时刻，一位琴城士绅又为正爷举荐了后来的我见过无数次的真的正二奶。

这是一个没有故事的故事。

周玉鐾小姐的风度、学识、教养，都使受过大学教育的正爷与没受过一天教育的祖父很满意。正爷的正楼、职务、官衔也很让周小姐喜欢。他们这颇具现代色彩的恋爱正要达到高潮，却被那位琴城士绅的一句话摧毁。

那士绅只在我的两祖辈面前说了一句话——

陪送是一百亩地。好地。

首先动摇的是我祖父！一百亩地！好地！……祖父面前悠悠出现一片摇着黄金光泽的麦浪，还有好高好高的粮食囤子，不知为什么，祖父把这麦浪、这粮食囤子与鲁家滩上已盖成的两进二十四间黑瓦平房连在一起，于是琴城、琴城属于他和他兄弟的正楼与其他宅邸都黯然失色。

祖父说服正爷的话也相当简单——

什么老婆能赶上好地！一百亩好地哇！……

当然，正爷心中也开始了大的动荡，一个留法归来的风情万种的商学女子，一百亩好地，在一个从农村走出来的城建科长的心理天平上，颤悠悠地摇荡了一阵子之后，终于倒向了一百亩好地。这正是我们鲁家滩里真正的遗传！

于是，周玉鐾小姐在一次十二分的伤心之后再度出洋；那位莱阳县的一个大字不识的又丑又矮的老闺女，揣着一张一百亩好地的地契和大红大紫古色古香的老式家具一起进入琴城正楼，做了我们鲁氏的正二奶。把这位“一百亩好地”称之为二奶也是由祖父规定下的。台上的宋香芝进门之后，举家都称她为正奶，而莱阳的鲁张氏——“一百亩好地”没有大名——进门之后，祖父立即让晚辈们称之为二奶。不知是从兄弟排行上是二奶呢，还是从续弦的角度上被称之为二奶。反正从我们记事至二奶去世，“一百亩好地”便一直被叫作正二奶。

我在前面的文字中说过，正爷确实“绅士”过。正爷的绅士时代比较短暂，大约也就是从正奶入了鲁家大门到正奶因一笔交易失误而疼钱伤逝的五年之间。而正奶协助正爷盖起的正楼，还正是色彩鲜艳油漆闪亮的辉煌时期。

当我坐在正楼顶端的阁楼里，边回想边敲击键盘记下正爷的故事，居委会的老大娘喜滋滋地送来了琴城市政府的正式通知：鲁知春先生，根据琴城城字第135737号协议，青山路2号建筑将于一九九四年九月三日拆建，请你于一九九四年八月二十日以前迁出原址，支持琴城市委、市政府关于二〇〇七年将琴城建成为世界级国际大都市的计划。谢谢你的合作。

我心中默默一算，正楼从建成到拆除，恰恰是八十年。八十岁的人是一位老人了；可八十岁的楼能算是老楼吗？正楼从建成到拆除，它是琴城的“古”建筑，记录着琴城短暂但坎坷的历史。但正楼当年只住了我们鲁氏的一家人，而现在却住了各色姓氏的十八家人家，仅在小院落里搭起的违章建筑就有十一间。拆除已是一种必然，况且，拆除并不障碍我讲正爷的故事。我倒是应该抓紧点时间来讲了才是。

我认识正二奶当然是在有了记忆之后。那时候，我的父亲已经有了相当的社会地位，从某种意义上来说，父亲已是鲁氏家族里的“当权派”。正二奶业已从带着一百亩地的当家人变作了须仰人鼻息的角色。祖父的盛年夭殇，使我们鲁门一氏生活的重点不得不从鲁家滩转移至琴城。正爷回乡处理长兄的丧事，一气为宗祖们立起了二十四座碑，那大约是我们鲁家在故乡的最后一次辉煌。因为我已经说过，打那以后，直至我再返乡，四十余年间琴城鲁氏再无一人回过故乡。正爷从那时开始成为我们鲁氏这一系的掌门人。正爷最果断也亦称为最伟大的决策就是把我们这一系的所有男丁全部带回了琴城。当然，正爷带走的最重要的一项东西即是祖父一直不曾旁落的家族权力。只可惜没有几天，这权力就完全落在正二奶的手里。正二奶以她从莱阳黄土地里衍生繁荣的愚昧、偏狭、执拗，掌管着远远多于一百亩好地十倍、百倍的财富。这一位财主家里的老闺女，在手中的权力逐渐扩大的时候，便把愚昧发展成狂妄，偏狭发展成刁钻，执拗发展成暴戾。也许是某种不可抵御的力量，使这位年近三十嫁人的老姑娘一直没有子嗣。没有子嗣，也就使她一生没有培养出丝毫的母性。正爷在处理了他哥的丧事携鲁氏三门七子——我没来得及交代，祖父弟兄三个，老三行爷虽年纪最小，但在繁衍后代上却力争上游，接二连三地生出五位英男——回到琴城之后，正二奶与正爷的家庭大战就迅速升级。这时候，琴城鲁氏庞大的晚辈七男加上正奶留下的我的堂大姑、堂二姑，全部成为这位莱阳老闺女的眼中钉。她以一百亩地为一种巨大砝码，使正爷的心理再不曾找到平衡，总以为她的这一百亩地委实是一个顶天立地的大产业，她应该说了算。我曾经在了解我们这个家族的并不古老的故事的时候，为正爷算过一笔账，以正爷当时的工资除以米价，得出粮食的斤数，再以粮食的斤数去换地，则正爷仅需五个月另七天的工资即可买得一百亩地。但我不知道正爷以他大学的文化水平，为什么算不清这笔账？而总以为正二奶的一百亩地是一个伟大的大产业大数字呢？……在正二奶这一百亩地的巨大精神压力之下，正爷整个儿地回缩成一个诸事无主张、无意见的平平庸庸可怜巴巴的和事佬儿。十数年的城市文化的熏陶，正奶竭力塑造的一代士绅形象，在正二奶那一根杆儿极长、烟锅儿极大、总是呼噜着水滋滋的旱烟臭气里蜕化至尽，正爷又回归于一个鲁家滩上的农民。于是，我的父辈们，就在一片黑暗、在一位无知无识一个大字儿也写不出来的主妇手下讨生活，充分地体验了“寄人篱下”的人生滋味。

这其实是件好事儿。她逼迫我的父辈们匆匆逃离家园，大部分走上了革命道路，小部分走上了反革命道路，在历史的风起云涌里，起起伏伏恩恩怨怨地在我们的家族里演示了中国当代五颜六色的悲欢离合的正喜闹剧。

我认识正二奶的时候，当然是我的父亲已经大有成就的时代，他在政府里已担当了相当的职务。建国初期，一个干部坐汽车上下班，回到家里有一位警卫，使颐指气使惯了的正二奶十分恐慌；而父亲对她的宿怨旧仇耿耿不忘，只是因为正爷的原因没对她有什么报复举措。一家人虽然还住在一座楼里，却已是分灶吃饭。母亲又是巾帼丈夫，很有些大家气度，来往皆鸿儒，谈笑有高朋，这些人对一个抽着长烟锅的土里土气的乡下老太太，当然不会有什么说得上的尊敬。敷衍周旋两句也就径直去了被母亲布置得豪华亮丽的大客厅里谈笑风生了……正二奶便从大家主妇的位置，悄悄退居到一个每天为她自己和正爷做一小锅烩菜，蒸几个馒头，再煎几条小咸鱼，便默默吃饭的小市民老太太的生活中去了。也许正是这个原因，正二奶对我们几个晚生的小鬼头，绝不像对当年的父辈们那样敢于发狠，倒常有一种巴结还巴结不上的意思。我们那时候当然是人世未省，只要有一位大人让我们放纵开怀，昏天黑地地做游戏，捉迷藏，搅他个天翻地覆人仰马翻而不受责怪，她当然就是最好的奶奶。

母亲好热闹。家里常常是高朋满座，云山雾罩。云山雾罩里我们叔伯姑表的十几个孩子便趁火打劫，爬窗台的爬窗台，藏猫猫的藏猫猫，黑灯瞎火里一会儿鱼缸砸了，一会儿花瓶倒了，一会儿大衣柜的镜子碎了，一会儿大的叫了，一会儿小的哭了，真有几次险些酿出大祸来。有一次我的大哥从院墙顶摔下去，当场休克，幸亏厨师老张去煤房取煤，扔了煤桶背起大哥就朝医院里跑；再有一次，我们在屋子里玩火，玩着玩着就真的着起来了，我们一帮子小鬼头一面拍手一面叫：起火了！起火了！一个个兴高采烈！若不是一位表叔抢得急，将刚刚发明出来的消火弹、灭火器全使用上了，才避免了一场可能会导致我们琴城鲁家人财两亡的大悲剧。那一次，我们家的走廊里，可是一下子跪下了七八个垂头丧气的小鬼头。母亲是真真的发了火，一下子让我们这些纵火犯全跪地示众。客人们居然毫无一丝怜悯之心。一个个经过走廊时都笑嘻嘻地摸着我们的头顶说："该罚！该罚……"鉴于这次教训，大凡客人多时，我们便被打发到正二奶的屋子里去，由正爷和他的长烟锅儿不离嘴的正二奶全权对我们负责。

现在想起来，似乎很容易懂得"权势"是一件怎么样的事儿了。太极轮回，人世沧桑。谁看重谁，都是一种虚空拟就的态势，一种并无真意义的形式。家庭人情之中，有了因"权势"而产生的虚伪，亲情就很淡漠了。

我细想那时正二奶对于我们调皮捣蛋的放纵，主要就是对于父亲做了高官的畏惧，而并非有多少真正喜爱我们的因素。细想她年轻时对于我的堂大姑、堂二姑的虐待欺凌，逼迫她们弃家革命，今天怎么会容忍我们这样子在她的房间里胡乱闹哪？但那时的正二奶，确实是让我们孙子辈儿的小孩子很喜欢的呢。这个丑老太太，一点儿都不使人畏惧。

小说写到这儿的时候，京都来了一位女友。她是第一次到琴城来，来了之后看到琴城的碧海蓝天绿树红瓦她表现得十分兴奋，整日里拖住我陪她看山看海看人。我迄今不太明白女人们是怎么理解这个世界的，我的这位女友是国内相当有名气的一位作家，很是写了些让当代中国人民看了很过瘾的小说。于是便有人捧她是“大陆三毛”。她亦为此很得意，故意把自己的小说写得凄凉飘逸自怜自爱洁身洁灵的。果然，她名气也就更大了；对于小说乃至散文乃至诗乃至文学、人生、生命、世界、宇宙……都有了很深刻的认识。她看山看海看人看累之后，忽然要和我谈谈小说，当听说我在写《正爷》的时候，竟又不管不顾地坐在我的电脑前面一定要调出文字来看看。拗她不过，只得从命。

岂料她看着看着便大声喊：写“咧”了！写“咧”了！……

我吓了一跳，不知何为“写‘咧’了？”

她咧嘴一笑，说：这么好的个题材你写得这么笨！写正爷呀！写他的农民式的风流，农民式的性呀！你没看我的东西？轻轻一点，就上了这儿去了。飘逸。空灵。充满诱惑。你写的这个正爷，怎么竟“咧”到这么一个无滋无味的地主家的老姑娘身上去了？邪。你邪过去。譬如，你家的正爷后来能不能去调戏个小丫鬟小保姆什么的啦？或者是他又爱上了一个其他的什么人家的姨太太之类的啦？现在的小说，不是土匪，就是妓女做了主角了咧！……

我无言。

这位“大陆三毛”的文化修养我已望尘莫及，她的那些畅销书也许真就是这样“咧”出来的罢，可是我写的这个正爷，非她想的那个正爷；再说正爷虽然年轻的时候确实风流过，但我从记事起，他就已经是一位白髯长者了，虽然开会坐着打呼噜，七十余岁还能挑一担水上楼，但从未爱上他人的姨太太或是我们家里的小保姆，我无法不把这小说不写“咧”。管他咧不咧的，我认了就是！但“大陆三毛”的意见也有可取之处，该更多地写写正爷倒也是。

我们在正爷房间里做游戏的时候，正爷常常是闭目养神。他从不为我们的大声吵嚷大声喧嚣所动。他坐在藤圈椅子里，既不打呼噜，也不睁眼；他似乎是在参禅，抑或是在拜佛，很有一种肉身虽在，魂灵已远的超然。我常常在游戏时忽然打住，认真地看着这位对我们鲁氏家族有大功德的老人，以我小小的思维，猜测他老人家到底是在干什么？想什么？……

果然，没有几天，正爷便向全家宣布了他的大计划——卖房子。

他的计划使全家所有的人都吃了一惊！

但是正爷很坚决。他的理由也非常出色：

一、共产党早晚要共产，趁他还没共产，我要把房子卖了；

二、我已没有经济收入，现在全靠你们晚辈拿钱养着，这是靠不住的；

三、房子产权是我的，我卖了房子有了钱，自己可以养自己；

四、家太大了惹是非，卖了房子分开住，各人顾各人，愿意走动就走动走动，不愿意走动正好，我看共产党早早晚晚离不开搞运动，这么大的家聚在一起，有点事就要伤筋动骨头，还是散了好。

正爷的决定当然遭到家中大多数人的反对，但正爷毕竟是一家之长，在社会上他是个一点儿职务没有的小小老百姓，但家里他还是长辈，还是主儿。青山路2号，这座代表正爷一生辉煌一生努力的建筑，包括正爷在琴城的另外两处房子，就由正爷主张主持，一次性地卖断了——卖给了琴城大学。只是正爷在签约时提出一个谁也驳不倒的理由，我只卖给你们三十年，三十年之后房子产权仍然归我。因为，土地全是国家的，我盖的房子虽然有地契，但地我也拿不走；你们买房也就是买个居住权，三处房子住三十年我只收你们三个亿（旧币），你们算算多合算吧？他的话把大学行政处的干部们真说傻了，当时，大学里又确实急等房子用，便和正爷签了这个对我们鲁氏后辈有决定性意义的卖房合同。

正爷卖房之后，便是我们鲁氏家族的大搬家。父亲是政府要员，当然由政府安排；伯父是大学教授，便改住大学的房子；六叔做工程师，便迁入工厂区……鲁氏青山路2号的四十多口人分为六处散居。正爷和正二奶自己赁了柳山脚下的一处三间平房，自炊自饮，独立了门户。

正爷是国民党时代里赋闲的。那原因很简单，与上司过不去。他递了一个辞呈，上司获准，他也就没了工作。他正想以自己的资格再找点儿事情做的时候，年纪偏大使他遇到了麻烦。依仗有几处房子，可以收点儿房租，就又逢上了解放，他于是真正地做起了“寓公”。子侄辈上的飞黄腾达做官做僚，似乎并没有怎么让他心动。分家之后，他把卖房钱存进了银行，躲到柳山脚下的三间平房里，与又老又丑长烟锅子不离口的正二奶做起了平凡小民。正楼里豪华的家具也分给了喜欢摆设铺张的后人们，他的日子过得真与一介农民没有什么差别。但他很安于室了。

父亲常常去看他，但正爷从不准他坐小车来。

坐小车你就别来了。张扬。我一个老头子住在这儿，你一个大干部坐了小车来，左邻右舍的我说不清楚。

于是，父亲就自己骑了自行车来。坐一坐，问声平安也就走了。

我们兄弟们倒是常去——柳山是座野山，是我们撒野发疯的乐园。玩完了，玩累了，走到柳山脚下上正爷家里讨口水喝，找点饭吃真是方便。正爷给我们的饭是烧饼果子，即一个火烧，里面夹一根油条。在孩提时代，那实在是一种美味极了的食品，比自己家里的大鱼大肉，山珍海味可口多了。正爷也愿意留住我们，讲一些有“小鸡鸡”的黄色故事，对我们这些人事未省的男孩子进行着启蒙的性教育。也就是在正爷那里，我们这孙子辈儿上的男儿，懂得了男人与女人之间的分别。正爷讲这些故事的时候，正二奶便叼着大铜锅子的长烟杆儿阴森森地笑，活脱脱的像一个老妖精。

若干年后，我因为父亲政治上的牵连，在青海工作二十三年之后重新回到琴城，从父亲颤巍巍的手中接过正爷遗留下来的三处房子的卖房合同，四处奔波找关系，托人情，请律师，终于把三处房子的产权归属问题理论清爽，重新拿到属于正爷门下子嗣的房子证明。我才明白，正爷是一个真正的“农民”。在我们这个以家为本的初级阶段的国家里，没有谁，能真正地战胜“农民”。

据父亲讲，“文革”初期，晚于父亲罹祸九年、位居高位的我的叔、伯、姑姑们纷纷落马，垂垂老矣的正爷得知之后忽然神志不清，不能说清一个单词儿。他在银行已达十万(新币)的存款也被冻结，每月只发给他六十元的生活费，但他生活已经不能自理。正二奶早在四年前去世，我父亲自母亲自杀之后也风雨零丁，无力自顾。父亲只能托了他表舅的一个外甥去照应已年逾八十的正爷。那外甥还算孝顺，但因为贫穷，外甥媳妇是极看重正爷那六十元的生活费的。正爷虽神志不清，亦不能言，但强挣扎不给后辈们多添麻烦。一次父亲趁夜色偷偷去看他老人家，正爷素无表情的眼眸里流露出少有的温情，他不断向父亲示意什么，看父亲不懂，他便自己去取了一本红塑料包皮的《毛选》交给父亲，并一个劲儿地推父亲快走。父亲怏怏地独自回家，随手将《毛选》放在床头。第二天下午，外甥慌慌地来了，说正爷已老。父亲恍然大悟，没有去看正爷，却先打发了外甥，关门闭户找出《毛选》，他反复查找，终于在塑料皮内，找出了正爷夹藏的卖房合同与银行存单。

父亲将卖房合同给我时说：你正爷走得很从容。那天他把《毛选》给我之后，还是什么话也说不出来。第二天早上，他老倒是很清楚地换了一身干净衣裳，又自己走到原来你正二奶老了之后，他定了月饭的饭店里去，要了两菜一汤，三两米饭，吃了个干净，又自己走回来，坐在他坐了一辈子的那把藤圈椅上，睡了一样的自己走了。等你表嫂中午回来，以为他还在睡着，直到做好了饭，喊他来吃的时候，才发现你正爷已过去了有一个多时辰了。消息传出去，饭店里的人都不信，说是老爷子昨儿还来吃过一顿哪，胃口挺好，两菜一汤三两饭，丁点儿没剩。哪像个要老的样子……

他老是自杀？我问。

不像。父亲说，你想想已经八十多了么……就像是一只瓜，熟透了么，说老了也就老了。我只是奇怪，他怎么知道是时候了？不早不晚，就在前一天晚上，想起来把他所有值钱的东西都交给了我？我那天要是不去呢？后来，我又想想，我不去，他也就不走了。倒是我的去，促了他老的寿……

他老一生就是没碰上运动？我又问。

是呀。父亲又说，就这些年里，谁还不是天翻地覆地倒上三两个个儿？你正爷这一辈子，除了你正奶那个妹妹那一条人命——那还是有了爱情——他再没出过一点点儿的大茬子。你说奇不奇？八十多年啊，晚清，民国，日本，解放……

我那时正读佛学的杂书，信了些“缘”说。想说这是命，或是缘。但看看已是颤巍巍的父亲，他这一生的颠沛流离宦海沉浮，便又没说。只是又想起年轻时我回鲁家滩里寻根，在二十四座碑前体味人生、生命时的震动；又想起了家乡的民谣：

台上看鲁家,
数出吃啥饭。
鲁家看台上,
一把绿蒲扇。

不知这民谣,是否揭示了另一种人生? ……

(选自《新大陆》1997 年第 1 期)

王泽群

笔名罗放。1945 年出生,山东青岛人。1966、1983、1988 年分别毕业于山东莱阳农学院、中国鲁迅文学院、北京大学中文系,文学学士。1966 年参加工作,历任青海海西州文联副主席,青岛市作协副主席,市文联创作研究室主任。1963 年开始发表作品。1984 年加入中国作家协会。著有电影剧本《梦非梦》等六部,电视剧本《男人也有故事》等一百八十余部(集),舞台戏剧剧本《凤兮凰兮》等十一部,长篇小说《海在呼唤》,中短篇小说集《黑色高脚杯》,散文诗集《樱唇》等七部。获飞天奖、CCTV 杯奖等五十余项。

林木乡长

段 平

一

当初转业的时候费了老劲才总算留在了县城，这才过了两个月，县委突然下来一道文，让到林木乡代理乡长。张力当时就懵了——早知今日，他娘的何必当初。

林木是张力的老家，不过已没有什么亲人，仅仅是老家而已了。县委黄书记也说，林木是你的老家，为家乡建设做些贡献也是应该的。是吧？

当兵十八年，从机关到基层，从野战军到边防团，他张力什么时候跟组织讲过价钱？但这次——张力试探着开了口：

“黄书记，这代理一般代多长时间？”

黄书记一愣，心想这家伙跟我玩什么心眼。但抬眼看到张力身上的军装才想起张力刚转业，地方上的事还没入门。只好跟他解释，所谓代理不过是选举前的铺垫，人代会一开，代字就抹掉了。

解释完黄书记才说：“有困难吗？”

困难？困难就多了，旁的不说，光老婆就够他对付的。不是老婆，他张力也不会离开军队。三十五岁的副团，不说如日中天，三五年下来，去掉副字不是多大的问题。但老婆的事能抬上桌面吗？

还是黄书记想得周全，说：“你的情况，我们是了解的——部队对你的评价很高。问题在你爱人。这样吧，你爱人的工作组织出面去做。你看怎么样？”

黄书记是上午谈的话，晚上老婆就说，是不是要你下去当乡长？张力不知底细，含含糊糊地说，不知道，上面没跟我谈。老婆急了，说这事你可千万要抓紧。张力以为老婆让他抓紧活动别去，就说：“组织还没跟我谈，你让我怎么抓紧？谁说过让我去当乡长啦？这种事弄不好还惹人笑话。知道的好说，不知道的还以为我伸手要官——”

老婆知道他想岔了，忙说：

“不是。我的意思是你要抓紧把这事促成。这个乡长咱们当定了。”

张力不敢相信地转过身来看着老婆，老婆一笑说：

“这个世道我算看透了，没职没权你就等着让人欺负吧。你想想看，这乡长上来是什么？是县长，你才不过三十多岁，不信咱们就熬不成个县长！”

张力哭笑不得，心想当初怎么找了这么一个老婆？

因为接着就要开乡镇人代会，张力不敢耽搁，第二天就交代手续，准备下去。交完手续出了大楼，见大院里拴了两匹马，习惯性地想起了自己保卫科长的职责，停下问：

“谁家的马？谁家把马放进大院啦？”

喊了两声，楼里跑来一个中年人，一把抓住张力：“老同学，不！乡长，张乡长——”

张力也认出了来者，使劲摇晃来人的手：“王二顺，你小子从什么地方钻出来的？”

王二顺一笑：“我是专门来接你的。”

张力过意不去地说：“这又何必，我跟他们要辆车就下去了。”

王二顺眨巴着眼说：“他们没跟你说？”

“说什么？”

王二顺拍着手道：“咱们林木没车可坐——没路！”

张力笑了：“别吓唬我，老同学。当年我可是坐车出来当的兵。”

王二顺急了，说：“好吧，我不跟你争。是骡子是马咱们上路再见分晓。”

说着就去拉马。这下张力有点半信半疑了：“林木真的不通车？”

“这话说起来就长了。路上说吧，乡长。”

“咱们是老同学，就别来什么乡长不乡长了。走吧，今儿我请客，咱们好好喝一顿。”

王二顺看看手表，面有难色地说：“乡长，不，老同学，你打算今儿走还是明天走？”

张力奇怪了：“这话怎么说？”

“咱们是老同学，我就直说了吧。你要打算今天走，这饭就只能在路上吃了。你要明天走，我先把马送城外马店去。”

张力想想说：“饭要吃，路也要走。这样吧，先到我家，收拾好行李，咱们再去喝酒。”

谁知一顿酒喝得张力心里直冒冷气。

如今的林木早已不是当初的林木，当年的林木全县首屈一指，那是因为林木有树，砍下来就可以卖钱。还因为有树，林木在全县最早通了公路。如今，森林砍光了，路也就没人管了。几年下来，跟遭了匪似的早已是路断人稀了。

原先的路面上长满了一人来高的荒草灌木，大的差不多有手腕子粗，跟过去张力防区里的中越公路差不多。但中越公路如今也早已修通,边民们都做上买卖了。想不到后方的公路上倒长起树来了。

张力心里不由来了气:“路烂成这样就没人管一管？修一修?”

王二顺说:“管是想管,可没钱怎么管?”

吃饭时,从王二顺口中张力已知道王二顺正是林木分管财粮的副乡长。于是又问:“路烂成这样,往外送公粮怎么办?”

王二顺瞪大了眼睛:

“他们真的什么也没说？这也太不地道了。告诉你,林木有十年没上过粮了——全省有名的贫困乡,上什么粮?”

张力勒住马头:“你是说,他们怕我知道内情后不来?”

王二顺也跟着停下:“除此之外还能有什么解释?”

张力突然哈哈大笑起来,笑得王二顺心里发毛:“你、你笑什么?”

张力收住笑:“告诉你,我还就爱到这种不毛之地。”

王二顺也笑了,笑罢,从怀里拽出一把五四式手枪:“这下我就放心了。拿去吧,老同学。”

张力又吃了一惊:“怎么,还真有断路的土匪?”

王二顺又笑了,笑着重新打马上路:

“土匪不至于,但狼又回来了。派出所特意给书记乡长各配了一支枪。”

五四式看上去有一把年纪了,张力怀疑还能不能打响。刚想问问王二顺,突然意识到这不是军队,重要的不是能不能打响而是它存在的本身,或者说一种身份的标志。这样一想,张力开始不安了。王二顺是管财粮的常务副乡长,乡长走后,他顶着干了小半年。如果张力不来,人代会一开,顺理成章他就是乡长。中国的事谁不清楚,除了领导富余,旁的哪样不是要啥没啥？别说地方了,就是部队要拿掉那个副字也不是一件容易的事。况且,论能力人家不一定比自己差。部队上的事跟地方没法比,能带一个团不一定能管好一个乡。想着想着,越发在心里埋怨自己,怪自己没有早点进入情况,有些事其实早有兆头的。因为老婆在农行,起先是人行答应接收张力,但档案到了军转办,却被卡下了,一安给安到政府大院干保卫科长。张力当时也感到意外,但一想也许是自己档案中的第一个职务——军区保卫干事引起了人家的注意,所以才给安了一个保卫科长。这个科长据说连股级都算不上,上面还有管理科和政府办。但按老婆当时的意思,只要能留在县城,职务不职务就暂不考虑啦。现在看来是自己大意了,其实上面早有考虑,只是不动声色罢了。

二

从县城到林木有七十里地。七十里地走了整整五个小时，这还是骑马呢，走路不定还要到什么时候。到乡上已是掌灯时分。黑灯瞎火的，如果不是王二顺说到了，张力真不敢相信这就是自己曾经引以为荣的故乡。

马蹄声引来了一阵电筒光，接着就听人说，来了来了。张力连忙跳下马背，王二顺指着披大衣的一位老大爷说：

“金书记。”又指指张力，“这位就是张乡长。我的老同学。”

尽管王二顺说过金书记上了年纪，但张力无论如何没想到一个乡书记会老到这种程度，看面相起码不下七十。

接风酒是在金书记家喝的。这又大大出乎张力的意料，这如今哪里还有在私人家为公家的事喝酒的？张力过意不去：“金书记，你……”

金书记甩掉大衣：“叫我老金好了。来来来，咱们今天喝个痛快。”

一只清炖母鸡，一盆腊肉，几大碗粉条熬白菜就算是欢迎他这个代理乡长的接风酒宴了。

老金举起一只土碗：“没什么菜，来来来，先喝了它。”

一个年轻女子在暗处小声说：“就这老书记还把家里唯一的一只鸡杀了。”

老金一口将酒喝干，才指着那女子说：“小田，咱们的副书记。大学生，女秀才。”

煤油灯太暗，张力看不出“女秀才”的模样，一时也不好说什么，只好学着老金的样子，一口将碗里酒喝干。酒是好酒，正宗的苞谷酒，但张力却喝不出什么味道。

老金将一条鸡腿夹到张力碗里：“吃。快吃。这一路一定饿坏了。”

张力看着昏暗的煤油灯问：“金书记，我记得咱们林木二十年前就通电了，怎么二十年后反倒点起煤油灯来了？”

老金没吭声。倒是二顺说：“还不是一个穷字闹的。”

张力奇怪：“莫非现在的林木还不如二十年前？”

二顺拿起一只鸡爪：“这话看怎么说了。原先是大集体，人家电力公司只管跟公社和大队要钱。现在责任到户了，谁有工夫一家一户去收钱？这还不说那些胡搅蛮缠不自觉的。所以人家干脆把电掐了省心。”

张力也算见过一些世面的人了，尤其是刚到边防团那些年，死人的事几乎天天发生。但要说眼下的心情却比当年死了一个连长还要沉重。一时不知说什么才好，只好闷头喝酒，不管谁来敬酒一概来者不拒。

本来张力还是有些酒量的，在边防团时号称“公斤级”。但今天才几碗下去就不对了，最后稀里糊涂怎样被人弄上床都不知道。

第二天一觉醒来，一方面头痛欲裂，一方面竟一时不知道自己身在何处。见一个年轻女子在屋里走动，吓了一跳，以为是在梦里。但那女子却明明在喊，乡长、乡长。这才想起自己已经到了林木，已经是一乡之长了。赶紧翻身爬起说："献丑了、献丑了，不好意思。"

年轻女子抿嘴一笑："你可真能喝呀，乡长。"

张力不好意思地笑笑："能喝什么，能喝就不会被你们灌醉了。你就是那个姓田的副书记吧？还是个大学生。"

小田说："现在满街都是大学生，早就不稀奇了。哦，对了，你夫人刚才来过电话，我看时间还早，就没叫你。"

张力四下找着表问："几点啦？几点啦？"

小田说："吃饭还早呢。"

张力找到手表，一看吓了一跳："都九点了，你是说吃午饭还早吧？"

小田说："都一样，我们这里早饭就是午饭，午饭也就是早饭。"

张力有些吃惊："一天只吃两餐？"

过去部队节假日星期天也是只吃两餐，后来为保证官兵的健康，总后专门发了个文，规定节假日星期天也要吃三餐。

小田已经将洗脸漱口水准备好了，这时端过来说："你先洗脸吧，乡长。"

张力过意不去地说："让我来，让我来，怎么能让你干这个。"

小田说："只要能把咱林木搞好了，干一辈子我也愿意。"

张力停下手："哦，你老家也是林木的？"

小田说："嗯，林木老屋的。"

张力扔下毛巾，一时心里乱糟糟的不是滋味。但当他抬头看到不远处那条清悠悠的小河，心情又豁然开朗了。

"走，到外面走走。"

外面天高云淡，空气十分新鲜。远山近林也是绿树成荫，让人赏心悦目。

将近二十年过去了，林木似乎一点也没变。要说变化，恐怕就是供销社那幢新盖的大楼了。

张力径直向小河走去，像是自言自语，又像是对身后的小田说："我两岁就死了父母，是吃千家饭长大的。不是林木的父老乡亲，我早就饿死了。"

小田心里一震，因为她自己也是孤儿。但她一时还弄不清张力的心思，所以什么也没说。这样走了一段，张力又问："小田，你在大学学的什么专业？"

小田说："农学，我是农大毕业的。"

张力说："噢，你这专业挺对口嘛。"

小田摇头叹息："别取笑我了，乡长。毕业快四年了，可以说一事无成。"

张力笑道："你是笑我吧，一混混了十八年才混了一个代理乡长。你干了四年不到，就是副书记了。"

小田急了，一跺脚："你再这么说话我就不理你了！"

"好好好，不说这个，咱们换个话题。我问问你，你是学农的。你说林木的问题究竟在哪里？怎么二十年跟没过一样，甚至还不如二十年前？"

"还不是因为一个穷字。"

张力说："穷我知道。难道就没人想过改变改变？穷则思变嘛。"

小田叹道："问题就在这里了，人家就是不愿意改变。"

张力吃惊了："有这种事，还真有人乐意受穷？"

小田噘着嘴："当然有人乐意。不消出力就可以享受贫困乡的优惠政策，何乐而不为？"

张力低头看着收割后的稻田，轻声说："是这样。"

他知道小田的话里肯定有所指，但他现在还不能搅和进去，于是又换了一个话题，指着脚下的稻田："这稻子一亩能打多少斤？"

小田道："好的能有四五百斤吧。稻种都退化了，又都是粗放耕种。"

张力皱了皱眉："农科站干什么去了，这事他们应该管嘛。"

一说农科站，小田更来气了："人家不让管，农科站都散了。过去我就在农科站。"

这下张力不知说什么才好了，虽然昨天喝酒的时候书记老金说过，今后林木的一切就交给张力了，一切由他做主，由他说了算。他老了，不中用了。但现在看来事情并不那么简单。他张力好歹也干过十来年领导，虽然是在军队，但道理是一样的。最简单的一条就是，在不知深浅的情况下，千万不能乱表态。这不是对党不负责任，恰恰相反是为了搞好领导班子的团结，更好地为党工作。

就在张力不知说什么好的时候，王二顺替他解了围。王二顺站在老远的地方喊：

"电话，乡长！"

电话是县委黄书记打来的。

黄书记先是表扬了他一番，那么快就下去了，不愧是解放军的作风。接下来又略带责备地说，下来也不跟他通通气，有些情况还没来得及介绍；有些该由上面解决的问题，也还没来得及解决。接下来黄书记又问，下一步打算如何着手开展工作。

张力想都没想就说："我想先走走看看再说，黄书记。"

黄书记笑了："这样好，这样好。没有调查就没有发言权嘛。有什么困难你直接找我。"

放下黄书记的电话，张力想了想，又拿起电话摇了起来，但摇了半天却没人接。

正感到奇怪，王二顺说话了：

“别摇了，摇散了人家也不会接。”

二顺苦笑着道：“跟电一样，没钱交人家电话费。”

这下张力再也憋不住了，摔了电话说：“走，上邮电所。我就不信这里不是共产党的天了。他娘的！”

到了邮电所，交换台的小姑娘堵在门口不让进。二顺腆着脸说：

“这是咱们刚来的张乡长……”

小姑娘手一伸：“钱呢？没钱刚来的县长也不行！”

张力一晃膀子将小姑娘顶开，进了屋才说：“你们所长呢？”

小姑娘头一扬，一副生死不惧的样子：“所长不在。”

张力问：“到什么地方去了？”

小姑娘一连声道：“进城了，回家了。”

只差没说“你管得着吗”，差点把张力气个半死。张力哆嗦着手从兜里掏出一叠人民币扔在桌上说：“现在可以接了吧？”

小姑娘瞟了眼钱，很不情愿地：“你要哪里？”

谁知张力已经被气糊涂了，忘了刚才是要哪里的电话。一时想不起干脆叉起腰来，左右打量起这间小小的电话交换室。“楼上楼下，电灯电话”，当年，无数革命英烈不正是冲着这样一个简朴的理想，高喊着“为了新中国，冲啊”，赴汤蹈火，英勇献身。解放战争中，张力那个团五百多人先后战死沙场。如果哪一天，这些先烈一旦发现解放四十多年后的中国，居然还有既没有电灯也没有电话的地方，张力拿不准他们会不会从坟地里站起来。

张力半天不说话，倒把小姑娘唬住了，声音也小了许多：“您要哪里？张乡长……”

要哪里？我他妈就从这电灯电话弄起，不信你还能翻了天：“给我接电力公司。”

张力提干那年，他那个部队又从这个县接了一批兵。因此，县里有他不少老部下，电力公司经理就曾在他手下干过排长。这个经理也姓张，张力刚转业时，他还在县里最豪华的帝王酒家请了张力一顿。据说那一顿就吃了一千八。

电话接通后，小姑娘小心翼翼地将话筒递给张力：“通了，乡长。”

张力接过话筒：“请接经理办公室。喂，张经理吗？我是张力啊。你好你好。你看有个事要麻烦你一下……”

电话那边说：“你这么说话我可不敢当。老领导，你的事就是我的事，什么事你尽管说吧。”

张力道：“我给派到林木当了乡长。”

那边说：“哦，好兆头嘛。我就说像你这样的人才，人家不会随便浪费的。”

张力道："先不说这个。我想请你帮个忙。"

那边说："说吧，只要我能办的。"

张力将话筒换到另一只手上，笑着说："这事还就你能办。据说，林木的电被你们公司掐断好些年了。是吗？"

那边说："有这个事。"

张力加重了语气："你不会让我的未来充满黑暗吧。老战友？"

那边像是考虑了一阵，终于下定了决心："实说了吧，教导员，不是你亲自开口，我是不会开这个先例的。好吧，明天我就给你送电。"

张力放下电话，半晌才自言自语地道，到底是战友啊。

三

如今的乡镇可不比过去的公社，麻雀虽小五脏齐全，党委、政府、人大、政协、纪检，县一级设置的机构下面几乎都有。出了邮电所，二顺跟上来说：

"老同学，走吧，先吃饭。上午人大、政协做东，下午工商、税务、法院、公安替你接风。"

张力摇头道："不行不行，我醉一次一个星期不能碰酒。你替我回了吧。"

王二顺为难了："人大政协都是平级单位。再说，眼看就要开人代会选举了……"

张力停下看着他："你是担心我不吃这顿饭而落选？如果这样，我还真愿意落选。"

停了一会又说："二顺呀，我问你，你那账上还有多少钱？"

二顺朝地上啐了一口："屁的钱，赤字倒是有几十万。"

张力道："难怪老百姓说，'赤字'就是'吃字'。你告诉他们，只要账上还有赤字的一天，我张力决不会吃公家的一分钱。"

接下来又说："这倒不是我觉悟有多高，或者说不近人情，问题在于，既然我没本事赚钱，就没脸拿公家的钱来吃饭。我看你也最好别去，跟我去找老金吧。"

到了老金家，老金正准备出去。二顺这时才说："金书记兼着咱们的人大主席……"

老金不知底细，说："好好好，来了我们一块去。"

张力看着老金："金书记，我看这饭就别吃了吧？"

老金诧异地问："为什么？"

张力笑笑："昨天的酒还没醒呢。我想跟你商量点事，金书记。"

老金说："什么事还能耽误喝酒？走吧走吧，边喝边说。"

张力指着胃:“真不能喝了,这儿受不了,再喝非进医院不可——你不会希望我进医院吧?”

老金有些为难:“可人家还等着呢。”

张力说:“改个时间吧,嗯?改个时间我一定奉陪。二顺,麻烦你跑一趟。”

老金说:“酒不喝饭总得吃呀。”

张力说:“不急不急,饭我可以待会到食堂吃。”

老金皱起眉头:“乡里没食堂,二顺没告诉你?”

张力笑着道:“那我就在你家吃。”

听张力这么说,老金笑了:“我家可没什么好菜。”

坐下后,老金才说:“什么事那么急?”

张力诚恳地说:“金书记,你知道我过去一直在部队,地方上的事可以说两眼一抹黑,真不知道如何下手。”

老金“嘿嘿”一笑:“都有这个过程都有这个过程,慢慢就习惯了。像我和二顺,过去多年教书,上面一个文让到乡上任职,更是丈二和尚摸不着头脑。但慢慢也就习惯啦。再说,你还年轻嘛,告诉你——你可能还不知道——黄书记对你是寄予了很大希望的哟。”

张力道:“就怕干不好,辜负了黄书记和乡亲们的厚望。”

老金拍着手说:“太谦虚啦,黄书记说,你团政治处主任都干了好些年了。”

张力笑笑:“那是部队。部队上的事要单纯得多。”

老金点头道:“这倒也是。好吧,说说看,你有什么打算?”

张力看着老金:“如今,盖一幢房子上一个工程,都要先讲‘三通四平’。我想,要把一个地方经济搞上去,恐怕也是这个道理。”

老金说:“你是说修路?”

张力点头:“对,这次我转业回来,从南到北走了几千里地,沿途农村几乎每一道墙上都写满了标语。除了计划生育,最多的就是关于修路。”

老金一笑:“‘要想富,先修路’,是不是?”

张力忍不住地站起身来:“都九十年代了,真没想到我会骑着马来上任,倒真是‘走马上任’了。”

老金和王二顺见张力确实是要把林木搞好的样子,不像是下来镀金的,就把这些年憋在肚里的话痛快说了。原来林木的问题比他想象的严重得多,三两句话根本无法说清。

一切都要从十多年前的“林业三定”说起……

林木当年在全县森林最多,“三定”时,县和地区都把林木列为试点来抓。凡事一被列为“试点”麻烦就大啦,地县工作组一下来,一切由他们做主,碰上了解当地情况的还好说,要是碰到好大喜功的你就等着替他们擦屁股吧。

林木的情况就是如此，地县都想弄个“典型”，大家一窝蜂上。当时倒是皆大欢喜了，本来属于国家的森林一夜之间归了集体和个人，哪还有不高兴的道理？也就是一年的工夫吧，几乎所有的山头都成了秃瓢。原来山青水绿的林木，成了黄土高坡。林毁了，灾难也就一个跟着一个地来了。起初是大旱，赤地千里，人畜饮水都困难，粮食就更是颗粒无收了。后来又一连几年暴雨成灾，上万亩良田活生生被泥石吞没了，好端端的林木就这样毁了。

那时林木刚由公社改为区，省委组织部一个列为“第三梯队”的年轻干事下来当书记兼区长。要说年轻干事也是好心，走遍了林木的山山水水后，召集区乡干部开了个会说，林木的事要想弄好，只有一条路子——争取评上“贫困地区”，最好是省级贫困地区。接着就把“贫困地区”的好处说了一遍。

区乡干部一听“贫困地区”有那么多好处，不但可以免粮免税还有名目众多的扶贫款项，都说好好，咱们就争取弄它个“贫困地区”。

年轻干事是省委而且是省委组织部下来的，地县都不愿开罪他，省里也有不少的熟人，几个月后，这事还真让他办成了。林木从此成了“贫困地区”。

一年后，年轻干事回省城升了干部处长。他倒还记着林木，毕竟是他仕途上的一个里程碑嘛。常常给地县领导打招呼，让多多关照林木。他是省委组织部的干部处长，地县领导的小命都在他手里捏着。于是，各种各样的扶贫款返销粮源源而至，那些年林木的日子倒也还过得去。后来，年轻干事升到另外一个地区当了副专员，林木的事就有些顾不过来了。再后来，上面改革扶贫方式，“输血式”的扶贫款没有了，要钱你就得上项目，上什么项目给什么款。坐吃等死的好事再也没有了，这下上上下下才傻了眼。改区后，历届领导都是上面派下来的，下来后唯一下力气干的只有一件事——年年争取评上贫困地区。但上面也不都是傻瓜，你一个地方年年“贫困”，至少说明你那个地方的领导无能嘛。所以，从林木回去的没一个弄到合适的位置，最好的一个当了文化局长，还是因为此人下来之前当过地委某副书记的秘书。最后弄得谁也不愿到林木，上面也无法儿，这才开始在本地挑选区里的领导。老金和王二顺就是那个时候给选上的。

那几十万的饥荒，也是在老金和二顺上台之前就落下的，据说都是拿去活动“贫困地区”了。原指望扶贫款下来后冲抵一部分，剩下的来年再想办法。谁知扶贫款说停就停了，寅吃卯粮的恶果不分青红皂白地落到无辜的继任者头上。这还不算，乡政府和教师的工资每月都是由县财政直接拨到银行，现在的银行不管你家里能不能揭开锅。乡政府半年多没开工资了，教师的工资也拖欠了两三个月，前任乡长就为这急火攻心落了个脑血栓住进医院半身不遂了。

“工资都开不出。拿什么修路？早知这样我还不如教书了，当老师再不济好歹一年还能拿几个月工资。”二顺抱头蹲在地上说。

老金也叹息：

“是啊，半年多不开工资，人心都散了。民以食为天，再怎么着饭总得吃啊。”

这些事，张力闻所未闻。过去在部队倒是听说过一些企业效益不好开不出工资，但堂堂乡政府没钱发工资还是第一次听说。看来修路的事得暂时放一放，老金说的对，吃饭都成问题还让人怎么工作？当务之急是把大伙，尤其是教师的工资办下来再说。

这样想着，张力说：“好吧，我明天就回去找找县委和政府，先把大伙的工资办一办。”

四

事情很不凑巧，张力第二天回到县城，刚好黄书记和县长到地区开会去了。而且一开就要开三天。

政府办告诉张力，有事可以找林副县长，林是常务副县长，县长不在由他主持工作。张力想想三天他可等不了，林副县长分管财政，找他正好，于是就敲开了林副县长的办公室。

张力在大院里上了两个多月的班，县里的头头脑脑基本都认识。林副县长是个胖老头，过去见面常哈哈地打招呼，也算是熟人了。因此张力没绕什么弯子，坐下就把林木的情况说了，要求县里尽快解决林木乡政府和教师的工资。还开玩笑说，这个月再开不出工资，乡政府的干部职工就只好组织起来外出逃荒要饭了。

谁知林副县长一改往日笑哈哈的样子，很严肃、很认真地说：

“小张啊，林木的情况你不说我也知道。困难哪里都有，没有困难还要我们这些共产党员干什么？实话告诉你吧，开不出工资的全县不只林木一家——慢说我一个副县长，就是书记县长在家也不会给你钱。这个口子不能开啊，全县几十个乡镇，如果都冲我要钱，县委政府也要外出逃荒要饭了。”

一席话说得张力脸上发烧。是啊，上任第三天就跑来要钱，也许太过分了。怎么着，乡也算一级政府，毕竟不是部队，怎么能伸手跟上级要钱发工资呢？这样想着，张力懵头懵脑的不知怎样离开的大院。

回到家，老婆已经做好饭了。张力看看表奇怪地问：“今天怎么这么早就下班了？”

老婆抿嘴一笑：“人家是专门回来替你做饭的。”

果然一桌都是张力平时喜欢的饭菜。张力更奇怪了：“你怎么知道我今天回来？”

老婆得意地说：“我长了千里眼、顺风耳——你可要当心，要是在下面乱来，休想逃过我的眼睛。”

张力摇了摇头，老婆总是对他不放心，在部队如此，又哭又闹，最后转了业还是如此。真拿她没办法。

张力抓了几粒花生米扔在嘴里，嚼着嚼着突然笑了。老婆警惕地问："你笑什么？"

张力说："我想起来了，你怎么知道我今天回来。"

张力在城边骑马时，马店旁边刚好有一家农行的信用社。信用社的一个小姑娘出门见张力牵着一匹高头大马，惊奇地停下了脚步。张力见小姑娘有些面熟，就笑着点了点头。这样想着，张力开口道：

"我说，你们银行怎么那么霸道？上面拨下来的工资你们都敢半道劫下，还让不让人过了？"

老婆盛着饭说："杀人抵命，借债还钱。怎么霸道啦？我们也要吃饭。贷款利率减去存款利息等于银行利润，如果只贷不还，银行就会亏损，就会倒闭。我们也要过日子，懂不懂？"

张力摇着头道："我没听说中国有哪家银行倒闭过，林木倒是半年没发工资了。"

老婆停下手："你是回来要钱的？"

张力点了点头："是啊，总不能又要马儿跑又要马儿不吃草吧？"

老婆问："要下啦？"

张力摇头："钱没要下，倒是被人训了一鼻子。"

接着就把林副县长的话说了一遍。老婆一听林的名字"哎哟"一声，手里的碗差点摔到地上："你怎么能找他？他跟老爷子是冤家，找他哪还有个好？"

张力的岳父"文革"前和"文革"后断断续续在这个县当了十来年的县长副县长，这个情况张力是知道的。但这十来年中，岳父跟县里的什么人有过节，张力就不得而知了。张力跟老婆恋爱时，岳父已离休搬到了地区。

老婆盛好饭，一脸怒气地坐下：

"县委派你到林木任职，老家伙就第一个跳出来反对，说实话当初我是不愿让你到乡下受那个苦的。一个破乡长咱还不稀罕呢。但既然他姓林的反对，咱就偏要当给他看看。"

张力笑了："所以你才让我去争取？"

老婆使劲点着头："对。咱不但要当乡长，还要当县长。让老家伙干瞪眼吧。"

张力用筷子敲着碗边："是啊，你心里倒是舒坦了，可叫我作了难。"

老婆倒满不在乎："不就是为了一点工资嘛？这事不难。"

老婆在银行，一个月杂七杂八加起来收入近千元，抵得上一个大校师长。张力那点工资她当然不在乎。问题是林木有几个收入抵得上大校师长的老婆？

老婆知道他想岔了，笑着说："我不是说你。"

张力眼睛一亮："你是说你能解决林木的工资？"

"你大概忘了你老婆是干什么的了吧？"

老婆是农行的信贷科长，前段还有传闻说可能要升副行长。怎么就没想到从她这里想想办法呢？

老婆见张力停下碗筷，就说："你不赶快吃饭，发什么愣？"

张力扒了两口饭，仍不放心："你真能办下林木的工资？"

老婆说："把你的心放回肚里去吧，不就是几个月的工资吗？小事一桩。"

张力扔下碗筷："哎呀，老婆，你可救了我一命了。"

老婆拿筷头指着他："还找不找小了？"

张力笑着大叫冤枉："人说有贼心，无贼胆。我可是连贼心都没有啊。"

老婆对张力一直不放心是有原因的。两人结婚多年一直没有孩子，一次老婆到部队探亲，顺便到军区总医院作了检查。一查才发现，由于生理方面的原因，老婆一辈子都不可能生育了。有没有孩子张力倒不是太在乎，当时也就没放在心上。回到团里，一天参谋长到招待所找张力吹牛，张力就把这事说了。参谋长一听急了，说你是独苗，这不是绝后吗？接着就给张力出主意，让张力找个小。偷偷地生一个。当时张力以为老婆没在房里，也就开玩笑说，行啊，那就找个小吧。谁知参谋长笑着前脚刚走，老婆黑着脸提着箱子就从里屋出来了，倒把张力吓了一跳，一宿没睡好歹才把老婆的脸色哄转过来。跟男人不同，能不能生孩子，对女人来说事关重大，似乎有了孩子才有家的感觉，这个家才能稳定下来。最后张力只好说，不行咱就抱一个吧。但老婆不干，说我谁也不要只要你。张力哭笑不得，说，那不结了，我那么大个人还能丢了不成？老婆说，那可没准，现在的女孩子还就喜欢结过婚的男人。张力无可奈何地说，那你说怎么办吧？转业。转业跟我回家。老婆的回答十分干脆。

五

老婆一个电话打到农行林木储蓄所，储蓄所按乡里开来的工资表，当天就把半年的工资拨给了乡政府。老金在电话里激动得声音都变了，连连交代张力：

"回家一次不容易，你多休息几天，多休息几天。"

那意思，似乎张力离家好几年了。张力笑着说：

"休不休息无所谓。我是考虑咱们不能依靠银行老是借债过日子，得想个赚钱的法子。"

老金连声说："对对对，这事我和二顺不是没想过，但我们一个教书人出身，能有什么法子？没被人卖了就不错了。乡里的事你别管了，你就安心在家替林木找一条活路吧。”

“活路”当然不能在家找。张力马不停蹄地找了交通局、养路段和县计委。人家告诉他，修路没问题，只要有钱，高速公路都能修，多少工程队正发愁找不到活干呢。计委的回答也很干脆，扶贫款中是有一部分筑路资金，县和地区都有，但必须配套。所谓配套就是说，如果地区拿出一百万，县里给三十万，乡里至少要出二十万。而且要等工程启动以后，县和地区的配套资金才能逐步到位。人家怕他听不懂又给他解释说，这就好比钓鱼，乡里的二十万是鱼饵，抛出二十万的鱼饵，才能引来三十万的小鱼，有了小鱼，大鱼才肯露面。一句话，舍不得孩子套不到狼。张力傻眼了，心想我他妈要有二十万还来找你干什么？接下来人家又给他出主意，乡里那部分可以采用集资的办法解决，许多乡镇就是那么干的。按大小不同车辆确定集资份额，卡车两百，拖拉机一百，马车五十，自行车十块。一个乡集下来不会低于十万。如果不够还可以贷一部分款，等将来修好路，再用收取过路费的办法偿还。张力嘴上没说，心里却想这不成了本末倒置了吗？修路本来是想让老百姓尽快过上富裕日子，现在路还没修就要让人家出钱，将来修好了还要收取什么过路费，修路到底是为了老百姓还是为了钱？不是本末倒置是什么？当然如果是放在富裕地区，集资也未尝不可，问题是林木连吃饭都困难，你让它拿什么来集资？再说，林木十年不通车了，哪里来的卡车拖拉机？

回到家，家里也是冷冷清清的。张力精疲力竭地在沙发上坐下，才见茶几上有个条，是老婆留下的——力：我到地区开紧急会议。一时没法跟你联系，等我电话……

张力煮了碗面条，吃了刚躺下，电话就响了。是老婆打的。

老婆在电话里叫他尽快跟岳父联系，说岳父和一帮离休老干部组织了一个“老干扶贫会”，专门帮助老、少、边、穷贫困地区。老少边穷林木就占了两样，既是革命老区，又是贫困地区。让张力尽快跟他们联系。

张力放下电话，笑着摇了摇头。这帮老革命他太了解了，在军区保卫部时，他跟老干部打交道都打怕了。人虽退下来了，但雄心不减当年，今天到这个哨卡，明天到那个阵地，指手画脚不说了，安全保卫就让人头疼。都是宝贵财富，有个三差两错，谁也担待不起。“老干扶贫会”，他们在位的时候都没把地方弄好，退下来倒把地方“扶”起来了？

张力重新倒在床上，考虑是先回林木还是等书记县长回来找找他们。电话又响了，是岳父打来的。老婆家里那边，岳父是最疼张力的。疼的原因，一是张力比较出息，三十二岁就副团了；再就是当年岳父在林木打游击时，就认识张力的父亲，说起来张力的父亲还救过岳父一命。当初张力跟老婆恋爱时，南面正打得热火朝天，岳母生怕女儿年纪轻轻就守寡，极力反对这桩婚事。最后还是岳父出来拍了桌子：守寡怎么啦？一人守寡是为了千万家的团聚！谁都不愿守寡，迟早要亡党亡国！

岳父在电话里先问了问林木的情况，张力尽己所知地作了回答。最后岳父感慨万千地说：

“林木，青山绿水。好地方啊。”

接着岳父又问，森林砍光了，楠竹呢？这方圆百里内，林木的竹子赫赫有名，当年打游击一到春天青黄不接，全靠那满山遍野的竹笋养活了游击队。张力告诉岳父竹子很多，森林砍光后就光长竹子了。连公路上都长满了竹子。

岳父一听高兴了，连说：

“好好，有竹子就有办法！你赶快来一趟，越快越好，今天就来！”

到地区有两百多里地，现在就去坐车，天黑前还能赶到。不过为了把稳一些，张力想还是先给老金打个电话。二顺说过，“林业三定”倒把事情越弄越复杂了，一座山国家、集体、个人三方面都管，弄不好就给你定个“破坏森林”罪。电话接通后，张力直截了当地问起竹子。老金一听竹子，连说：

“有有有，如今的林木也就只剩下竹子了。竹子不比树，一年一茬，韭菜似的，割了就长。前些年也有人来收购，但路断以后车子进不来，也就只好当柴烧了。”

这下张力放心了，搁下电话直奔公共车站。

六

到了地区，天已经擦黑了。

岳父家只有小姨妹一人在家。一见面小姨妹就开玩笑说：“你们可真是一对恩爱夫妻哪，我姐中午才到，下午你就追来了。”

说着就到厨房替张力弄吃的，边弄边又说：“你来迟了一步，姐晚上还有个会，让我专门在家等你。”

张力在客厅里问：“爸妈呢？”

小姨妹说：“老爷子现在是大忙人了。过去一天光打门球，自从成立了那个什么‘老干扶贫会’，成天比人家在位的还忙。我说姐夫，你们那里是不是有个姓田的女副书记？”

张力喝了口水说：“有啊，你们认识？”

小姨妹笑笑：“是我高中的同学。前段还来过家里，让我帮忙调到地区农科所。”

小姨妹在地委办当秘书，上上下下有不少熟人。张力转业时，小姨妹拍着胸脯保证，张力可以自选地区的任何一个单位。但老婆不干，老婆在农行正干得顺手，如果到地区又要另起炉灶。张力想想这些年老婆也不易，也就算了。

这时听小姨妹提到小田，就说：“你可不能挖我的墙脚，这人我还派用场呢。”

小姨妹从厨房伸出头来，笑嘻嘻地问：

“是不是中了美人计啦？小田当年可是我们一中的校花——爱江山，更爱美人——我是没意见，不过你可得当心我姐。”

小姨妹整整小张力十岁，是张力看着长大的，平时就跟他闹惯了。这时见她又说又唱，不由笑了：“胡说八道。”

小姨妹将一大碗面条放在张力面前说：

“放心吧，我不会坏了你的好事。我也帮不了她的忙了——我不在地委办了。”

张力吃了一惊：“你又换单位啦？”

据张力所知，小姨妹大学毕业后至少换了四五个单位了。

小姨妹在张力对面坐下，双手拄着下巴：“我辞职了。”

张力又是一惊：“你、你辞职啦？为什么？”

小姨妹舒舒服服地将身子放进沙发：

“不为什么。我只是想，辛辛苦苦替党干了那么多年，也该替自己干一干了。”

张力笑得差点将面条喷到小姨妹的脸上：

“老天，你才毕业几天，就‘辛辛苦苦那么多年’啦？”

小姨妹一本正经地：

“这话要看怎么说了，女人的青春能有几天？总不能像老爷子那样，献了青春献终身，献了终身献儿孙吧。如今这社会我算看透了，什么都可以没有，但不能没有钱——你今天是坐公共车来的吧？还是一乡之长呢。可有的村长，皇冠都换了好几辆啦。为什么？因为人家有钱，你乡长怎么啦，没钱照样得挤公共车。”

小姨妹一番愤世嫉俗的理论，把张力逗乐了，不由顺着道：

“这么说，你现在发财啦？”

“发财不至于。不过我随便做一笔买卖能抵上你几年的工资，信不信？”

张力笑着道：“我信我信。请问老板在哪里发财？都做些什么买卖啊？”

小姨妹也笑了：“除了军火和毒品——只要法律允许的，我什么都做。”

张力调侃道：“可我好像记得，一位著名的美国商人说过——任何一个商人在他赚足第一个一百万之前，他所做的生意没有几桩是合法的。这话怎么解释？”

小姨妹故作吃惊地看着他：

“看来我低估你了。我得告诉我姐，得提防着你——别哪天被你卖了还帮着你数钱。”

吃过面条，张力问小姨妹，岳父那个“扶贫会”最近都忙乎些什么。

小姨妹说：“还不是做买卖。老家伙们不甘心，说是为党干了一辈子，现在也得替自己干一干了。”

张力恍然道：“你那套理论原来是从这儿来的呀。”

小姨妹笑道：“是又怎么样？不过他们也不完全是为了自己——我是说不完全

唯利是图——主要是替贫困地区提供信息服务，帮他们倒腾一些当地卖不出去的农副产品。当然也不白干。”

张力有些吃惊：“都七老八十了，还能干什么？”

小姨妹“哼”了一声：“你可别小看了这帮老爷子。人说虎倒威在，他们人是退下来了，但他们的接班人还在台上。比方说我跟他们做同一桩买卖，人家看在他们的面子上，宁愿少赚一点也情愿跟他们而不是跟我做。这样既不得罪他们，又给了在位者一个面子，何乐而不为呢？”

张力却不以为然：“换了我我倒情愿多赚一点，据我所知，生意场上是没什么情面可讲的。”

小姨妹十分惊喜：“真的？你真那么想？”

张力理直气壮：“我为什么不能那么想？”

小姨妹高兴地拍着手道：“太好了，现在我就跟你做一笔生意。”

张力警惕了：“什么生意？”

小姨妹笑了：“放心，我不会抢老爷子的生意，也不会让你为难——他跟你说的是竹子对吗？那好，咱们不说竹子。我跟你做公孙树，就是银杏，又叫白果。”

张力想了想：“我记得，林木我老家那里倒是有不少的白果。”

小姨妹摇着头道：“不，我不要白果。我要白果的树叶。”

张力甚为不解：“你要白果树叶干吗？”

“这个你别管。我可以给你五十块一斤。”

张力大吃一惊：“五十块一斤？”

“这个价不低了。老爷子他们那个‘扶贫会’顶多给你三十。”

张力知道弄错了，摇了摇头：“不是。我是说五十块一斤树叶，你疯了吗？”

小姨妹笑了：“我倒没疯，是日本人疯了——是他们要的。你说一句话，干不干？”

张力一拍沙发：“干！怎么不干？眼下正是白果落叶的季节，遍地都是树叶。扫拢就是钱。五十块一斤，比印钞票还快。怎么不干？”

小姨妹比他还干脆，起身回自己房里拿来一份合同，当场就要张力签字。但临到签字，张力又有些犹豫，拿不准那些白果树还在不在。就说：

“我还是先打个电话吧。十多年没回家，我不知道白果树还在不在。”

小姨妹指着一边的电话：“打吧，现在就打。”

张力笑着拿起电话：“干吗那么着急？”

小姨妹也笑了：“你以为我留在家里，真是等着替你做饭哪？我是担心老爷子想起林木的白果，抢了我的生意！”

张力摇头：“看来你真是六亲不认了。”

“当然，商场如战场嘛。”

电话是二顺接的，张力问起大栗树的白果，二顺说：

“有有有，那片白果‘三定’时划给了集体。因为属经济林，所以一直没动。”

接着又问是不是谁要白果。张力留了个心眼，反问：

“二顺，谁是林木的武装部长，我怎么没见过？”

二顺告诉他，林木因为实在养不起那么多专职干部，武装部长一职一直由他兼着。张力连说好好，接着又问，林木还有没有基干民兵？二顺告诉他，有，编制是一个营，但因为林木人少，所以只编了一个连。“行行，一个连足够了。你听好了，二顺，此事事关重大——具体情况回头我再给你解释。你马上带一个排赶到大栗树白果园，将果园里的树叶收集起来——能收多少收多少。然后留一个班看守果园，一片叶子也不许让人弄走！对外你就说，白果树叶属战略物资——造氢弹原子弹之类用的，是政治任务。收集起来的树叶，后天你亲自送进城来，在马店等我。对，隔壁是信用社的那家马店。明白了吗？”

放下电话，小姨妹上下打量着张力：

“行啊，你还沿用军队那套管理方法，跟你做生意看来靠得住。签字吧。”

签完字，张力看了一眼合同上的付款方式一栏。小姨妹说：

“放心吧，现款现货。咱们是私营公司，就有这点灵活性。不像老爷子他们买空卖空，要等货卖出去才会付你钱。”

七

小姨子果然没说错，岳父那个“扶贫会”只能起一个中介作用，他们既不要竹子，又拿不出收购竹子的钱来，只是帮人推销。这下就帮不上他张力了，没钱不能修路，竹子运不出来，这是一方面；另一方面，他不付钱，张力就没法收购农民手中的竹子。不过，岳父听说张力想修公路倒是十分热心，一口答应在地区替林木想想办法。毕竟，那里是革命老区哪。

岳父第二天就带着张力跑了行署计委和行署公路局。人家告诉他们，地区可以给一部分钱，但资金必须配套，县和乡里也要拿出一部分钱来。岳父再三强调，林木是革命老区，从土地革命一直到解放战争林木死了成千上万的人。人家告诉他，这就没办法了，政策是中央定的，谁也无权更改。

回到家里倒是老婆说，要不再从农行贷一点？舍不下孩子套不到狼。乡里不过是小头，别舍不得小头到头来丢了大头。张力摇了摇头说，再等等看吧，不到万不得已，千万别走此下策。其实张力是在打小姨妹的主意。小姨妹说过，除了毒品和军火她什么都做，那么竹子她肯定也会要。而且她是私营公司，现款现货，这样就有许多余地了。卖白果叶的钱，如果她能再预付一部分收购竹子的定金，就可以把路先修起来。

老婆听了他的计划笑了：

“想不到你做生意倒蛮精的，不如也退职开公司算了。”

正说着，小姨子回来了：“谁要开公司谁要开公司？”

张力笑道：“除了你，咱家谁还有能耐开公司？”

小姨妹警惕地看着他：“这话听起来怎么像要害我似的？”

等张力说出自己的打算，小姨妹说：“看看看看，果然没安好心。”

张力说：“你倒是说一声，干还是不干？”

小姨妹叹了口气：“乡长大人发了话，小的哪里还敢不干？就算是支援革命老区吧。不过丑话说在前面——我也是贷款，部分预付款的利息应由乡里承担。”

张力痛快地答应了。因为他早就盘算好了，预付款利息，将来同样可以用竹子来充抵，不像银行得付现金。

当晚，张力和小姨妹搭老婆的顺车返回县里。

本来老婆的意思是想让张力在地区再待一个晚上，找一找在地委开会的黄书记。但接受上次找林的教训，张力想想还是等黄书记回去再说。上次直接找他都是那个态度，如果越过在家主持工作的他，跑到地区找书记县长，林将来不定还会给他什么难堪。

第二天上午十点，张力和小姨妹来到了马店。二顺已经在马店等着他们了。看着二顺一头的露水，张力吃了一惊：

“怎么这么早就到了？”

二顺压低声音：“政治任务嘛。好久没听说这个词了，大伙都很激动，一宿没睡，半夜就出发了。”

张力在心里责怪自己不该胡说什么“政治任务”，害得大伙一宿没睡。但这时也顾不了那么多了，忙问：“弄来了吗？”

二顺说：“弄来弄来了，那么大的事谁敢马虎？”

说着就把张力带进了马店。马店里，七八条大汉手持弯刀守护着十几条鼓鼓囊囊的麻袋。张力连说辛苦了，辛苦了。说着将二顺拉到一边，将一张五十元的票子塞在他手里说：

“快带大伙出去吃点东西。看你们一身的露水，当心着凉。”

二顺等人离开后，小姨妹开始开包验货。张力提心吊胆地看着小姨妹将麻袋一一解开，抓出白果叶子跟彩色照片的样品仔细对照。

半晌张力才小心翼翼地问：“还行吧？”

小姨妹点了点头：“还行。不过含水量高了点。”

张力一颗心放回肚里：“晒一晒就行了，晒一晒就行了，你合同上也没说含水量嘛。”

小姨妹摇头："看来我又犯了一个错误——商规第一条，任何情况下千万别跟自己的亲人做生意。"

张力得意地说："现在你想后悔也来不及喽。"

这时二顺等人回来了，大伙七手八脚将麻袋过了秤，一共八百斤。二顺把张力拉到一边低声问：

"怎么没见部队上的人?"

张力看了看四周，同样低声道：

"我现在就去结账。你们在马店等我，我们一块回去，路上再向你解释。"

回到家，小姨妹从皮包里拿出四沓一百元面额的人民币，交给张力。张力顺手装进作训服的两个口袋。小姨妹说："数都不数，你就那么放心?"

张力一笑："这才是刚刚开始。如果连这点信任都没有，将来还打不打交道了?"

小姨妹道："倒也是。不过你好像还欠我一样东西。"

张力不解地问："货你不是验收了，还欠你什么?"

小姨妹摇头："你收下了那么大一笔巨款，难道连张收条都不给我?"

张力这才明白过来："哦哦，下次一块给你行吗?我又没带着收据。"

小姨妹见他忙着收拾东西，又说：

"这些钱，你打算怎么处理?"

张力头也不抬："全部用来修路，包括预付收购竹子的那两万元定金。"

小姨妹知道他理解错了，就说："不，我指的是你个人。"

张力抬起头来，奇怪地问："个人。什么意思?"

"这笔收入里有你的劳动，按规矩你可以提取百分之十五到二十。"

张力笑了："开什么玩笑，我领了国家的工资，国家对我的劳动已经付给了报酬，凭什么我还要提百分之十五?"

小姨妹不屑地说："你是不是当兵当傻啦?你一个小乡长算什么，人家县长专员提成的多了。我还以为你把那些人支在马店，是打算弄一部分提成——等等，既然你要全部归公，你最好现在就给我打一个条。"

"为什么?"

小姨妹一跺脚："为了将来你能说清楚，傻瓜!"

回到马店，二顺等人已经将马备好了。张力顺手牵了匹马说，走吧。便上了返回林木的公路。

县城到林木的公路是五十年代修筑的，属林区公路。因为是林区公路，跟一般的县乡公路不同。县乡公路一般一条路连着好几个乡镇，但因为到林木的公路属林区公路，尽量走直线。因此，尽管沿线左右还有其他乡镇，但这条路却只通林木，换句话说，修复这条三十多公里的公路。所有工程只能由林木一家单独承担。

一路上张力和二顺都在计算所需动用的土方和修复毁坏的桥梁涵洞的工程量。土方可以用以工代征的办法解决,但桥梁和涵洞却必须雇佣工程队才能修复,这就涉及资金的问题了。

二顺问张力:“搞到资金了?”

张力拍了拍作训服的口袋:“整整六万。不过不是上面给的,是我们自己挣的。”

接着就把白果叶和竹子的事说了。二顺听得目瞪口呆:

“两天的工夫你就嫌了六万?”

张力说:“我也不敢相信,简直就是摇钱树,所以才叫你派民兵把白果园看起来。村民一旦知道每一片树叶都是钱,果园非叫人踩平了不可。”

二顺已出了一头的冷汗:

“对对对,这些年林木都穷疯了,为了那些树叶,闹出人命都保不定。可是,光这六万也不够哇。”

按刚才的估算,光涵洞和桥梁少了十五万根本拿不下来。张力勒住马缰:“我估摸,白果叶起码还可以弄上千把斤,也就是五万左右。余下那点是不是让工程队先欠着?反正路一通,竹子一卖就可以付给他们。你说呢?”

二顺点点头:“也只能这样了。”

八

这时秋收已经结束了,正是农闲季节。开过全乡动员大会后,各村各户就纷纷上路了。

本来有人提出是不是搞一个开工典礼,但张力坚决反对。那玩意儿华而不实不说,还劳民伤财,要吃饭要送礼。听说参加剪彩的还要给红包。一剪刀下去就是几百块。受得了吗?

林木缺的就是资金哪。

果然,开工才十多天资金问题就捉襟见肘了。

本来张力指望第二批卖出的白果叶能堵上缺口,但小姨妹那里传来的消息却让人啼笑皆非。日本人不知从哪里搞来一副方子,据称可以治疗癌症。在这副方子中,最重要的一味药是白果叶,所以日本人不惜重金尽管购。但在后来的试验中却发现,真正起作用的不是白果叶子,杀死小白鼠体内癌细胞的完全是另外一种物质(当然是严加保密的)。于是白果叶的身价,一夜之间一落千丈。原本身价百倍的贵夫人,最后竟成了一钱不值的灰姑娘。还算万幸的是,小姨妹从林木搞去的那批因为出手快,好歹保住了本钱。哪怕再晚一天,我就惨了。小姨妹在电话里称。

显然，白果叶和小姨妹都靠不住了。公路修通竹子拉出去交货之前，小姨妹那里是一分钱也拿不到了。小姨妹还没富到李嘉诚或陈嘉庚那种程度，她的钱必须用来流通，还不能像那些亿万富翁那样随便拿来做善事。但到手的六万块钱连买钢筋水泥都不够，工程实在难以为继。当初为了省钱，请的都是一些农民工程队，工时费人家答应先欠着。但买材料的钱，因为都是资金薄弱的小工程队，人家也无能为力。工程还不能停下，谁都知道停了再开工损失更大。万般无奈，张力只好跟老金商量，动员乡里的干部集资。等公路修通，竹子卖出去后，连本带利一起归还。张力还带头将两万多块的转业费和积蓄交给了财务室。在他的带动下，刚刚补发了半年工资的乡干部也纷纷拥到了财务室，半天工夫就集了一万多块。

这天，张力正跟工程队一起检查验收一个刚修复的涵洞，县委黄书记突然带人来到了工地。

已经入冬了，细雨夹着雪花纷纷扬扬。

站在涵洞里的张力浑身都是泥浆。黄书记一连喊了好几声，张力才钻出了涵洞。

见是黄书记站在洞口，张力愣了一下才说："你怎么也来了，书记？"

黄书记看着张力冻得通红的双腿，半晌才摇了摇头："你这个同志啊，让我怎么说你才好呢？"

见张力还在一个劲地憨笑，黄书记火了："还不快把脚洗了跟我走！"

黄书记是从老金那里知道张力上任这一段时间的所作所为的。老金瞒着张力专门到县城找黄书记，要求退居二线，让张力书记乡长一肩挑。当老金告诉黄书记，为了修路，张力把两万多块的转业费都拿了出来，黄书记沉默了。

上了车，黄书记紧绷着脸问："修路那么大的事，事前为什么不告诉我一声？"

为了缓和气氛，张力嘿嘿笑着说："找了，但你到地区开会去了。"

黄书记说："开会？开会我还能开一个多月？"

张力有些委屈地说：

"我找过县里和地区有关部门，人家说，乡里没有配套资金，上面也没有办法……"

回到县里，黄书记让办公室马上把在家的领导、计委、财政、交通等有关部门的负责人请来开了一个紧急会议。当大家听到林木一声不吭就修开了公路，一个个都面露惊讶之色。黄书记敲了敲桌子：

"要说官僚，我算头一个。过去的事就不说了，现在你们说说看，按照上面那个资金配套办法，林木这条路，地县两家该给多少钱？"

计委和财政的人低声盘算了一会，又互相交换了一阵意见。说：

"大约三十万。其中，地区二十万，县里十万。"

黄书记侧过脑袋看了一眼张力，张力使劲点了点头。三十万，足够了。黄书记再次敲了敲桌子，提高声音：

“县里的十万，今天就给我拨到林木的账上。”

财政局的刚想开口，黄书记厉声道：

“别给我强调客观——要是我今天要十万买轿车，你给不给？给。肯定给！别说十万，三十万你也会给。为什么？因为我是县委书记嘛，是你的顶头上司。为什么上面的领导要钱那么容易，哪怕是为了买装点门面的高级轿车！下面的同志要钱干点实事却那么难？请你们回去好好地想一想，我就不多说了，给你们留点面子。但林木的十万，今天之内必须给我拨下去！至于地区那二十万——”黄书记指着计委和交通局：“你们散会就赶到地区去，两天之内一定要给我办下来！还有没有什么不同意见？”

书记自始至终没一点好脸色，别人哪里还敢有意见？

黄书记见没人说话，站起身来：

“没有就散会！”

地县两级的配套资金一个礼拜后全部到位了。

由于一下子有了三十万元的流动资金，工程进度大大加快了。一个月后工程全部竣工通车，埋没了十来年的楠竹源源不断地运出了林木……

因为“林业三定”后，集体和农户都分到了山林，所以卖出的竹子既有集体的，也有个人的。集体和个人都得到了好处，眼看就要过年了，真是皆大欢喜。这时乡人代会也召开了，书记老金原本担心代表们不认识张力，还对几个乡党委委员作了分工，要他们分头做代表的工作，力争将张力选上去。为此还专门去了一趟县委组织部，把张力的档案抄了一笔记本，打印成册准备散发给大家。谁知才推举候选人，张力就闹了一个满票。代表们说，我们不认得张力马力，可我们认识人民币。林木的乡亲林木的村公所林木的自然村，多少年没见过钱啦？

张力顺利当选乡长。一个月后县委下文，同意老金辞去书记职务（人大主席一职保留），由张力兼任乡党委书记。

张力正式上任后召开的第一个会议就是研究粮食生产。

因为免掉了定购粮，林木这些年粮食也还勉强够吃。但因为上面改革了农资分配方法。化肥、农药、薄膜一律跟定购粮挂钩，交多少粮给多少农资。林木一颗粮不交，自然就没有林木的份儿。没有化肥只好拼地力，其结果必然是土地越来越瘦，产量越来越低，地方越来越穷这样一种恶性循环。

张力问供销社主任，除了“定购肥”一条路子，难道就没有别的渠道了吗？

供销社主任答：“有，议价肥。比‘定购肥’贵出将近一倍，你买得起吗？”

张力看了一眼主管农业的副书记小田，小田点了点头。张力一拍桌子：

“贵也得买！谁让咱们不上粮呢。”

接着又问小田：“按最低标准，林木一季需要多少化肥？”

小田说:“如果全部施用尿素,需要一千吨。”

张力问:“一千吨需要多少资金?”

供销社主任答:“如果全部都是议价,整整两百万。”

老天,这又是一个天文数字。本来修路还剩下一部分钱,张力打算先垫出来购买化肥,但跟两百万相比,那点钱连买醋都不够。倒是小田指着供销社问:

“我记得农行每年不是有一部分农资贷款吗?”

因为多年不上粮,粮管所也撤了,业务由供销社代管。供销社主任这时说:

“是有一部分贷款。可农民不交粮,买了农资,谁来偿还贷款?”

小田一笑:“我印象中,那部分贷款哪一年你们都没落下。要不,你们拿什么盖的大楼?”

供销社主任显然没把年轻的女副书记放在眼里:

“盖大楼怎么啦?那也是为了发展经济,繁荣市场!”

小田针锋相对:“繁荣市场是没错。可中央一再三令五申农业资金必须专款专用,你怎么解释?再说,没有农业这个基础,你那个经济能繁荣得了吗?”

小田这么一说,供销社主任有些心虚了,不再说话。那栋大楼本来就是前些年“一窝哄”的产物,因为地方太穷,农民吃饭都成问题,大楼盖也是白盖,反倒欠了一屁股的债。供销社只好以贷还贷,这些年的贷款都拿来还债了。

虽然小田和供销社主任都没把话挑明,但张力还是听出了其中的一些弦外之音。他知道这些陈谷子烂芝麻的事,一时半刻是很难分出黑白的。就说:

“我看咱们还是先说生产吧,眼看就要开春了,大伙说说,化肥的事到底怎么办?”

这时一直没有开口的副乡长王二顺说:

“要不向上面汇报一下?县里每年都掌握着一部分平价机动化肥。”

也许是从小失去父母的缘故,多年来,张力凡事都习惯于依靠自己解决。上次因为工资不得已找了一次上面,结果碰了一鼻子灰,从此更不爱找上边了。于是说:“再等等看吧,不是万不得已最好别找上面。”

接下来交代二顺、小田和供销社主任,先到县上摸摸今年化肥的价格和分配情况。会就散了。

九

第二天二顺和供销社主任就进城弄化肥去了,小田没去。

小田没去是因为要跟张力研究科学种田的事。张力虽然是农民出身,但中学一毕业就当了兵,种田的事几乎一窍不通。听小田说,如果全乡都能采用科技措施，粮食产量至少可以增加两成，到三百多万斤。折换成钱，保守一点的数字也有两百来万。仅此一项，全乡人均就可以增收二百来元。张力高兴地说：

“行，就按你说的办。我就不信钱多了还能咬人。”

但小田却一跺脚说，不是，问题不在这里。张力不由一惊，以为又是牵扯到钱。如今离开了钱真是寸步难行，可他手里偏偏缺的就是钱，一提钱就由不得让人发怵。

小田也知道他的心思，笑着说：“钱还不是主要的，关键是人的意识。林木多少年来种懒庄稼种惯了，嫌麻烦，农民都不愿搞科学种田。”

张力这才放下心来：“这个简单，到时候乡里的干部统统下去。谁不采用科技措施，就不让谁种。”

小田说：“这才是问题的一个方面，还有另一方面……”

张力一听还有“另一方面”，不由瞪大了眼睛：

“老天，你到底有多少个‘方面’？一块说了吧。不就是种田吗？怎么越弄越复杂了？”

小田这才把藏在心里的话全部说了出来。

从地理和区划上看，林木所在的县属北方。但因为刚好处在南北分界线上，这里的植物和作物跟南方没什么区别。比如说大春作物，北方主要是小麦，南方却是水稻。林木的大春作物也是水稻。小田的科技措施也是针对水稻而言。首先是节令，林木毕竟是北方，冬天比南方来得要早些。进入八月底，气温就开始下降了，对水稻成熟危害极大。所谓科技措施就是人为地提早节令，采用薄膜育秧，提前播种，从而避开低温冷害。其次是水稻条栽，条栽的好处是通风透气，增强光合作用，从而提高产量。国外五十年代就采用了。但国外是机器大生产，条栽不是问题（不想条栽都不行）；我们国家的农业，大部分地区基本还处于人工作业的原始阶段，要把水稻栽得横竖看上去都是一条线，问题就不那么简单了，尤其是林木这种既落后又封闭的地方。小田大学毕业时，坚决要求分回林木，就是一心想把在学校里学到的十八般武艺贡献给自己的故乡。但当时的领导一门心思都放在争取“贫困地区”上，粮食上去了还如何争取“贫困地区”？所以，小田的种种建议一概被拒之门外。到后来干脆连农科站也撤了，给小田安了个副书记，算是一种安慰。小田一腔热血慢慢也就冷了，不愿再在林木待下去，四处托人想换个专业对口的单位。

张力戒了多年的烟，修路时又抽上了。这时点上一支说：

“你是说没有技术力量？”

见小田点了点头，张力深深地吸了口烟：

“由你牵头，办个集训班怎么样？”

小田高兴地拍着手道：“太好了。可是……”

张力知道她的意思，办班必然又要牵扯到经费。就说：

“如果投资一万元，可以增加两百万的收益，这样的建议只有傻瓜才不会采纳。就给你一万，怎么样？”

小田一把抓住张力，语无伦次地说：

“谢谢谢谢，太好了！足够了！”

恰好这时门房带着张力的小姨妹来到了门口，小姨妹一进门就大声道：

“哟，那么亲热啊，大白天在办公室还拉着手。”

小田当时脸就吓白了。见小田吓白了脸，小姨妹笑了：

“我是无所谓——当我的面上床都无所谓，你们可要当心我姐！”

见她这么说，小田才缓了过来，嗔怪地说：

“你怎么那么大的人，还一点正经没有？”

小姨妹睁大眼睛：

“我还不正经？我不正经早把我姐夫拉下水了——近水楼台先得月嘛。是不是，姐夫？”

张力笑着摇了摇头：“你来干什么？”

小姨妹把漂亮的坤包往桌上一掼：“给你们送钱来了，不欢迎吗？”

小姨妹退职开公司的事，张力跟小田说过。小田这时也一笑说：

“是不是又替日本鬼子收购什么来了？当心像白果叶似的又让人给骗了。”

小姨妹说：“还真让你蒙对了。人一有了钱，命就成了第一位的了。日本人为了保命人种的东西都不吃了，要吃野生的，还美曰其名——绿色食品。”

这一说，张力想起来了：“你是来收竹笋？”

小姨妹说：“我还以为你忘了呢。”

小田撇撇嘴：“我说，你怎么专替日本人办事？”

小姨妹手一摊说：“我有什么办法？谁叫人家财大气粗呢？老爷子也骂我，说我快赶上当年的汉奸了。我说我也想爱国，我也不想当汉奸，问题是你八路有钱买我的货吗？”

张力也笑了：“你这汉奸倒是挺卖力的，竹笋还没出土呢。”

小姨子说：“这我知道。问题是竹笋出了土，还能轮到我吗？老爷子的‘扶贫会’早就盯上了。鲜笋国际国内市场都是抢手货，我是来签合同的。”

张力心里不由一动：“如果我不卖呢？”

小姨妹一惊：“不卖？你留着当柴烧哇？”

张力摇头：“不，我是说我不卖钱，我拿来串换东西。”

小姨妹松了一口气：“行啊，你想串换什么？除了氢弹原子弹，别的我都可以帮你弄来。”

张力说：“我不要原子弹。我要化肥，平价化肥。”

小姨妹想都没想就说：“你说个数吧。只要数量不是太大，我尽量替你想办法。”

张力指着小田：“价格和具体数量、品种小田跟你谈，我是外行。”

十

谷雨节令前，林木的秧就全部栽下去了，比往年整整提前了二十天。而且全部实现了双行条栽，横直看去都是一条线，比阅兵式上的步兵方阵还要整齐。这时，县上其他乡镇还没开“秧门”呢。

县委黄书记听到这个消息，把全县的乡镇长都拉到林木开了个现场会。

林木因为不通公路，十多年没开过现场会了。乡镇长们起初也没当回事，一个出了名的“贫困乡”能有多大动静？一溜三菱桑塔纳开到地里，一个个才傻了眼。我的天，这跟农科所的试验田有什么区别？

黄书记事前没有通知林木。张力和小田是听说大队人马到了田里才搭了一辆手扶拖拉机冒雨赶来的。看他俩一身的泥水，黄书记将一边打伞的秘书拨开说：“今天这个会，我们只看不说。”

说完看一眼乡镇长们和那一溜三菱桑塔纳：

“看看你们坐的车，再看看人家种的地！”

看完一个村庄，准备到另一个村庄时，见张力又要上拖拉机，黄书记抓住他和小田说：“行了，上我的车吧。给他们留点面子。”

接着又叫秘书把农业局长换过来坐一个车。

车子上路后，黄书记才开口问：

“说说看，你们用什么办法一次就落实了条栽？据我所知，别的乡镇花了好几年才推广下去。”

张力嘿嘿笑着道：“这主要是小田的功劳。”

小田一听这话急了：

“不不，是张书记的主意。用办班的方法，每个小村都培训了一个技术员，算是班长和骨干。再就是，栽插期间，乡村干部全部下到田间地头分片包干。完不成任务，谁也不许回家。张书记说，这叫加强一线力量。部队打仗都那么干。”

黄书记回头看看张力，笑了：“行啊，你把部队那套也搬到地方上了。”

说完又看了一眼同车的农业局长老马：“你看林木今年能增产多少粮食？”

老马答：“如果下一步化肥能跟上，三百万斤不成问题。”

黄书记又问老马：“机动肥你那还有多少？”

老马说：“不多了，还有两千来吨。”

黄书记道：“给林木五百吨。够了吗，张力？”

张力高兴地道:“太好啦,我们刚好还有五百吨的缺口。这下可解决大问题了,黄书记。”

黄书记回过头去将脑袋放回到靠背上:“这问题那问题,我看关键还是干部的问题。”

接下来就不再说话,带着一个县的乡镇长们看林木的稻田。

林木的水稻条栽,其实并没有事前估计的那么困难。这里也有两方面的原因。其一,公路修通后农民多多少少都得到了一些实惠,觉得这个乡长还行,没让他人吃亏,农民认的就是这个;其二,栽秧主要是妇女们的事,一个娘们捣蛋也捣不到哪里去。老屋有个叫田妹的婆娘倒是闹了一回,声称她家里没劳力,别人怎么栽她不管,她家没劳力条栽打死她也栽不下来。刚好那天张力和二顺检查来到老屋。二顺一听笑了,说:

“别人整治不了她,让我来。看我怎样收拾她。”张力起初还有些担心,怕激化矛盾。但听二顺把情况一说就笑了。原来这婆娘的男人在县里工作,前几年上面下来一个文件,凡二胎四十岁以下的妇女通通都要结扎。这婆娘到城里住了一星期,扯回一张证明交到乡里,声称已经结扎了。那张证明,明眼人一看就是假的,但当时碍于各方面的情面,二顺也不好追究。这次借条栽,趁机可以整治她一下。

到了田妹家,张力耐心地询问,为什么不愿条栽。二顺却一个劲地盯着人家的肚皮。起初田妹还有一句没一句地告诉张力,男人在城里上班,家里没劳力。张力说,没劳力可以请人嘛。你男人在外工作不是还有一份工资。田妹啐了一口说:

“他那点工资还不够一壶醋钱。”

但田妹后来发现二顺的眼睛一直没离开她的肚子,就有些坐不住了。到了这时,二顺才开口说:

“我怎么看着你的肚子有些不对劲哇。”

田妹一听就急了:“怎么不对劲啦?我早就扎了,你可别瞎说。”

二顺一副十分老到的样子:“扎漏的多了。计划生育工作我干了十几年,什么样的事没见过?我看你最好搭我们的车到乡里检查一下,免得大了再做引产身子亏空不起。”

田妹头上开始淌汗了:“大兄弟,正忙着栽秧呢。检查就不去了吧?你说那个条栽不就是拿绳子划着栽,我栽还不行吗?”

听完二顺的介绍,十个乡镇长都笑了。笑完说:

“还是林木有办法,计划生育科学种田一道手就弄了。下回我们也学学你们的经验,带几个医生下去,谁不科学种田就检查谁的肚子,看谁还敢调皮。”

农村工作有“三难”:一是提留;二是计划生育;三是科技推广。其中最难的还是计划生育,乡镇干部一说起来就头痛。林木的计划生育按习惯分工本应该由副书记来抓,但小田一个没结婚的大姑娘,如何缠得过那些婆娘?所以一直由二顺兼着。二顺教了十多年的书，有一手对付调皮捣蛋的绝活，照搬到计划生育上百试不爽。这些年，林木各方面的工作都落在别人后面，唯有计划生育年年扛匾。

现场会结束，乡镇长们纷纷跨上各自的车离开了林木。但黄书记却留了下来。

在部队的十八年中，张力有一半的时间是在边防团。边防团独立性很大，况且他只是一个部门首长，上面来人还有政委和团长。因此，张力不大善于跟上级打交道。见黄书记单独留下来，心里不免有些发毛。说，把老金叫来一起谈吧，黄书记。但黄书记却摆摆手说：

“不用不用，我们随便谈谈。”

接下来，黄书记说：“我看这一季稻子下来，林木解决温饱不成问题。说说看，下一步你还有什么打算？”

见黄书记直截了当，张力也就直说了：

“林木要富，我看得走自己的路子发展林业。林业中见效比较快的是经济林，比如油茶水果等等。”

往下就不知道说啥了。黄书记往本子上记着记着没了声音，抬起头来道：

“你说细点。”

这时，张力想起了刚才收到了一封电报。电报是原来团里的参谋长——就是劝张力找个“小”的那位发来的。这位老兄是云南丽江人，年初调回丽江军分区任副参谋长。在团里的时候，每次探家都要从老家带回一口袋板栗，说是叫什么瑞士板栗，是当年一位传教士带进来的品种。要说这板栗还真是不错，个大皮薄味甜，跟国产的就是不一样。当时还有人不大相信，说过去只听说瑞士手表不错，没听过瑞士还有那么好的板栗。后来报上登了一篇丽江大面积种植瑞士板栗的报道，大伙才信了，原来参谋长没有瞎说。林木也出板栗，但跟瑞士板栗一比，瑞士板栗可以做林木板栗的爹。在团里，张力跟参谋长关系一直不错，听说参谋长调回了丽江，就去了一封信，问能不能替林木搞一批瑞士板栗苗。到底是老战友，很快就回信告诉张力没问题。这封电报就是通知张力，板栗树苗已经启运了，分区还专门派了两辆军车，也算是用行动支援革命老区吧。

听了张力的汇报，黄书记连说，行行，板栗在市场上是抢手货，去年就卖到了十块钱一斤。而且板栗属干果，运输也方便。

得到黄书记的肯定，张力越发兴奋了：

“林木有不少荒地，‘林业三定’时，各家各户都分到了不少。我想，今年至少每个农户种上一亩，力争两年内人均一亩经济林。2000 年实现小康就有保证了。”

黄书记点头：“可以，我再跟林业局交代一下。他们那里对植树造林有不少优惠政策，看能不能帮你们搞一部分资金。林木物产丰富，下一步还可以考虑搞一点深加工，变初级产品为高级产品。”

张力说：“我们已经开始着手了，准备跟地区一家公司联营，由他们投资，上一家卫生筷加工厂。这种一次性筷子销量大,投资小,见效快。有了这个厂子,农户手里的竹子直接就可以换钱,不用再往外拉了。”

黄书记再次点着头说:

“对,我们这里跟沿海不同,乡镇企业只能因地制宜地上一些短线产品。贪大求洋的买卖一旦出了漏子,几年都缓不过劲来,过去这方面我们有很多教训。你们的路子是对的,发挥自己的优势,在林业上多动脑筋。俗话说,靠山吃山,靠海吃海嘛。”

说到这里黄书记放下本子,突然问:“你到林木半年多了吧?”

张力愣了一下才说:“再过五天就十个月了。”

黄书记略有吃惊地看了张力一眼,接着便笑了:

“想不到你还一天天记着。是不是有点度日如年?”

张力也不好意思地笑了:“哪能呢,我只是想尽量不虚度每一天罢了。”

黄书记点点头:“我能理解。给你交个底,我也要走了。”

张力吃了一惊,接着又理解地说:“到地区还是省里?”

黄书记合上本子:“可能是省里。你要有思想准备,准备让你到县里工作,把政府方面的工作抓起来。”

这几乎是一种惯例了,省委书记易人,由省长接任;地委书记调走,由专员接任;县委书记升迁,则由县长改任书记。莫非还真让老婆说中了,真的熬成了县长?当然,县长不可能,大院里还有五个现成的副县长呢。但听黄书记的意思,副县长是肯定的了。张力这才明白了黄书记单独留下来的目的。

十一

几乎是一夜之间,秧苗就全部返青了,举目看去,原野呈现出一片迷人的翠绿。

上上下下都知道了,张力就要离开林木,到县里当副县长了。现今的中国就这么回事,甭说一个小小的副县长,就是谁当国家主席,人代会还没开,全国人民就知道了。张力也有些踌躇满志,看来地方也就那么回事,无非是老百姓的穿衣吃饭,办好了,成绩也就出来了。其实并不比部队难弄,部队的事就没个准了,除非是打仗,可哪里天天有仗打呢?

尽管这样,张力还是不敢有任何松懈,按部队的话说就是还得站好最后一班岗。

竹筷加工厂已经投产了。说是说厂,其实就是一条生产线。楠竹在这边锯成筒,进入料斗,那边筷子就出来了。小姨妹说,这条线最早是从日本引进的,后来国内一家兵工厂改民品生产,就把人家的专利买下了。

小田听了当时就笑了："你可真是快成汉奸了，一条筷子生产线也要从日本引进？你就不能换个地方比如说美国之类的……"

小姨妹打断小田，一本正经地说："看看看看，外行了不是？美国人会用筷子吗？我也想说美国，可说了人家会信吗？"

由于运距带来的价格上的优势，筷子投入市场后，立刻就供不应求。小姨妹建议再上一条生产线。二顺却有些担心，怕再上一条线造成产品积压。小姨妹却说："我问你，全区有多少家饭馆，下不来一万吧？往少里算，一家一天十双，就是十万双，刚好是一条线一天的产量。你见过哪家饭馆一天只有十个人吃饭，我的副乡长？"

二顺仍不放心：

"这么便宜的买卖，万一大家一窝蜂上，满街都是筷子怎么办？"

小姨妹说："那还不简单？全区只有你们林木才产竹子，你把公路一卡，看他到哪里去找原料。"

大家这才无话可说，于是决定再上一条线。再上一条线，厂房不是问题，用的是原先农科站堆放种子和化肥的库房；但两条线一齐开工，就没有放成品的地方了。张力想起了供销社那栋大楼。那栋大楼三层以上一直空着，如果能租下来，库房问题就解决了。

张力正想去找供销社，供销社主任老何却找上门来了。老何来告诉张力，供销社也打算办一个竹筷加工厂。光卖一点咸盐酱油，供销社非饿死不可。过去不通电，煤油还算大宗，勉强可以维持。现在有了电，几十号人眼看就要饿死了。意思很明确，张力对供销社的现状负有不可推卸的责任，电是你搞通的嘛。一下子把张力夹在中间。二顺当时就火了，刚想教训老何几句，却被张力用眼神制止了。这时小姨妹说，可以嘛，你们也可以搞嘛。多个竞争对手，才有利于质量的提高。小姨妹趁机还把租房的事提了出来。供销社那两层楼闲着也是闲着，租出去一月还可以赚几百块，跟白捡似的。老何想都没想就同意了。

老何前脚才走，小姨妹就笑了："看来又白捡了一条线。"

见众人不明就里，小姨妹这才又说：

"乡镇企业免税三年，不说质量，价格他就竞争不过我们。不信你们看，将来他那筷子还得卖给我们。不是白捡了一条线是什么？"

张力却心情沉重：

"尽出馊主意。供销社这些年本来就是负债经营，这一来不是把他们给坑了嘛？"

二顺朝地上啐了一口：

"活该！好容易你把电说通了，倒还成了他妈的罪过了。你听听老何那话，像是他妈的人话吗？"

事已至此,说也是白说了,你现在去劝老何,不定他还以为你是害他。只好听其自然了。

又过了两天,老婆突然在深夜里打来一个电话,告诉张力,黄书记已经到省里上任了,省委农业政策研究办公室副主任。原先是说到省委组织部任副部长的,不知哪里出了点纰漏,给贬到“农研办”,提倒不如不提了。“农研办”是什么单位?老婆年初就当上副行长了,银行属条条上的单位,上面的情况清楚,本县的事情反倒不如上面。张力是黄书记推荐的,现在黄书记那里出了纰漏,老婆就有点坐不住了,要张力赶紧回来打听打听,该走动的地方抓紧走动,煮熟的鸭子可千万别让飞了。又是抓紧,这种事你叫我如何抓紧?抓紧向党要官?张力什么也没说就放下了电话。手上一大堆事还等着他呢。一千多亩瑞士板栗种下去后,地县林木部门都很高兴,两家配套下来一百多万林业发展资金,准备在林木大干一场。两家都派了人住在乡上帮助林木搞规划,规划完了就上项目。这事不比别的,错过季节就只能等来年了。这种时候能丢掉工作,为自己的事去走动吗?

看来地方上的事也不简单。张力重新躺到床上时叹了口气。

张力哪里知道不简单的事情其实还在后面。

第二天一大早,张力就被人敲醒了。开门一看是副书记小田,两只眼睛红通通的,才开口眼泪就下来了,倒把张力吓了一跳。忙问:

“出了什么事?谁欺负你啦?”

小田的喉咙似乎被什么堵住了,哽噎了半天才“哇”地哭出声来:

“他们全都走了,张书记——”

小田哭成了泪人,但张力却仍不知就里,只好一个劲地问:

“谁走了,嗯?到底是谁走了?”

张力知道小田还没谈对象,就算是对象走了也不至于哭成这样嘛。

小田一只手无力地指着窗外:“快,你快去劝劝他们,让他们别走。”

张力往窗外看了一眼,马上就明白了事情的严重性。原来是地县林业部门的人要走了,扛着背包行李三脚架水平仪,纷纷上了停在大院里的卡车。张力的脑袋也不由嗡的一声。就在这时,地区林业局的李工走了进来。李工尽量避开张力和小田的目光:“对不起,我们只是一般的技术人员……上面命令我们今天必须返回原单位……”

张力不忍地看着李工花白的脑袋,鼻子发酸地握住李工的手说:“我知道,我知道,谢谢你们,谢谢你们为林木所做的一切!”

这边林业部门的刚走,那边小姨妹又从地区打来一个电话,劈头就说:

“怎么样?知道做官不易了吧?”

张力知道小姨妹是指林业部门走人的事,就说:“这跟做官不做官有什么关系?”

小姨妹说："你是真不明白，还是跟我装糊涂？你这叫站错线跟错了人懂不懂？黄书记如果还留在县里，或者像原先安排那样做了省委组织部的副部长，那么林木将一切照旧，你个人也将前程无量。然而遗憾的是黄给人暗算了，进了无职无权的'农研办'。这样一来事情就有些微妙了，你和林木也就只好自认倒霉了。"

张力坦然地一笑：

"没那么阴暗吧，我自认为是替党工作，光明磊落，并不像你所说的那样是某某某的人。我跟黄书记不过是一面之交，他家的门朝哪边开至今我还不知道。"

小姨妹冷笑道："问题就在这里了。你是光明磊落，可你没法阻止别人的阴暗。你是黄派到林木的，这点没错吧？修路，黄助过你一臂之力，这也没错吧？再就是在那次两栽现场会上……"

张力忍不住打断小姨妹的话："你说够了没有？如果你不是我老婆的亲妹妹，我真怀疑，你是不是什么人派来的间谍。"

但小姨妹仍旧不依不饶："好吧，就说眼前这档子事。那一百多万林业发展资金是谁的钱？是国家的。既然是国家的不用掏谁的腰包给谁不是给？你的邻居张渠是谁的点你知道吗？是省委书记的。张渠乡的工作上去了谁脸上有光？脸上有光者一高兴，谁会因此而得到重赏？"

到了这时，张力不得不承认小姨妹的话入木三分了：

"好吧，你打算就此引申出一个什么样的结论？"

小姨妹停了一会才缓缓地道：

"你真聪明，到底是南京政治学院的高才生。遗憾的是，这个结论不是给你的——现在你应该明白我为什么辞职了吧？"

张力捏着话筒的手心开始出汗了。小姨妹的话近于刻薄了：

"在仕途上你我都不是唯一的选择，尤其是当今这种歌舞升平的太平盛世。充其量是人为刀俎，我为鱼肉，就看你愿不愿意任人宰割罢了。"

张力笑了："你的意思是，我们还可以选择自己，对吗？"

小姨妹说："是的，我们可以选择自己。凭你我的实力再加上我姐姐的那个位子，三年之内成为千万富翁不是什么问题。下一个世纪是什么人的世纪？是富翁的世纪！这一点，我想你不会有什么怀疑吧？"

但张力却掷地有声地："不，我不敢苟同——在我没有退党之前。我服役那个团有五百多人为了新中国倒下了——这还不算为了保卫她而倒下的那些烈士。如果我同意你的高见，我担心他们会不会从坟地里站起来。"

小姨妹叹了一口气："好吧，我们换一种说法。这些先烈难道不是为了改变自身抑或更多人的现状而慷慨赴死的吗？"

张力笑了："这就对了，是更多、是全部而不是个别或一部分。"

小姨妹也笑了，道："你这个党员的话，怎么听起来跟贵党中央不大一致嘛。"

张力道："你别钻空子！作为一种无奈的权宜之计，让一部分人先富起来，这本身没错。但任何真理往前一步都可能成为谬误，这你应该懂得。"

这下轮到小姨妹无奈了："好吧，我不想跟你辩论，我的专业也不是政治。我只想告诉你，如果哪一天你真到了山穷水尽的地步，敝公司的大门永远向你敞开。"

真会有那一天吗？放下电话张力问自己。

十二

供销社生产的一次性卫生筷子果然遇到了麻烦。由于不属乡镇企业，不能享受免税，失去了价格上的优势，产品大量积压，资金无法周转，最后连购买原料（竹子）的钱都拿不出来，只好停产。而乡里的两条线，日夜开工仍供不应求。农户一手交来竹子，另一只手就可以拿到现钱。供销社那条线是贷款买的，商业贷款跟农资贷款完全是两回事，光利息就让人受不了。老何急火攻心，停产当天就住进了医院。

张力听到消息，马上赶到卫生院去看老何。老何抓住张力的手就哭了，求张力无论如何拉供销社一把。在场的供销社另一位负责人小蒋也声称，眼下只有乡里的加工厂才能救供销社了。双方于是商定，由乡里的加工厂负责提供原料和销路，利润二八分成。

谁知张力回来跟小姨妹一说，小姨妹却暴跳如雷，坚持要求三七开，否则一切免谈。

张力只好跟小姨妹说好话："三七开，跟上税有什么区别？"

小姨妹说："至少原料和销路有了保证。"

张力道："那不是白忙活了吗？"

小姨妹冷笑着说："敝公司不是慈善机构，我们也不能白忙活一场。"

临走，小姨妹扔下一句话：

"我现在才发现，你这人太善良了。人善被人欺，马善被人骑。别说做官，你连做生意都不行！"

小姨妹怒气冲冲地走后，小田走了进来。张力觉得眼窝有些发烫，连忙点了一支香烟。但仍然被敏感的小田发现了：

"她干吗发那么大的火，谁招惹她啦？"

张力将脸转向一边看着窗外："不能怪她，她没错。有事吗？"

本来小田是来告诉张力一件怪事的。接县委电话通知，后天召开全县三级干部会，通知上有二顺和小田的名字，却唯独没有书记兼乡长的张力。但刚才小姨妹那番话，小田在走道里都听到了，此刻她还能说什么呢？

透过张力宽阔的肩膀，小田看到两行清泪从张力映在窗户玻璃上的面颊上缓缓而下……

男儿有泪不轻弹，只是未到伤心处。小田默念着，情不自禁地将脸轻轻埋进了张力宽阔的后背。张力没动，一声苦笑：

“在我所有的罪状中，就差这一条了。你不会眼看着我犯错误吧？”

小田一惊，连忙抬起头来：“你都知道了？”

张力转过身来，脸上已看不到泪痕：“是的，从今天开始我被停职了。”

小田大惊失色：“为什么？”

张力一根根扳着手指：“贪污、受贿，贩卖假药危害人民身体健康，并从中收取贿赂。”

其实还有一条男女关系，但张力怕影响小田的情绪没说。因为女方就是小田。材料上说，有人大白天看到他跟小田在办公室手拉着手，这还是白天，还是办公室呢。换在夜里，二十多岁的未婚女人和三十多岁的单身男人，干柴烈火，孤男寡女那还有个好？小姨妹告诉张力，这是老套路了，不是什么新鲜东西。一个经济问题一个作风问题，现在整人无非就是这两条。经济问题我可以帮你澄清，收条还在我那里，我还有小日本的合同——操他妈，就算是贩卖假药，那也是危害日本人的健康，小日本当年杀了我们那么多人，药死他几个也是活该。骂我是汉奸，不定他娘的谁是汉奸。至于作风问题嘛，你自己去摆平吧。天知道你跟小田睡过没有？小姨妹嬉皮笑脸地，你老实告诉我，你跟小田上没上过床？放心好了，我不会告诉我姐。现如今只有傻瓜才会在一棵树上吊死——我就有不下十个情人。

心情本来十分沉重的张力一下子乐了：“老天，你就不怕得病？”

小姨妹说：“情人不一定都要上床嘛。有的夫妻睡了一辈子形同路人，但有的人，在一块说说话，顶多拉拉手，却心心相印。古今中外这样的例子多了。”

张力笑着说：“那你干吗还要怀疑我跟小田？”

小姨妹也笑了：“我怀疑你了吗？怀疑我还会帮你？我姐知道了还不杀了我！我只不过想，小田这人跟她的名字一样，怪招人疼的。我要是个男的，绝不会放掉这块肥肉。其实，睡也就睡了，谁也不会损失什么。都九十年代了，谁还把贞操当回事呀？要我是你啊，既然人家那么说了，反正跳进黄河也洗不清了，干脆就把她睡了，省得冤枉。”

见小姨妹说话如此随便，张力火了：“人家还是姑娘，你给我住嘴！”

小姨妹舌头一伸：“看看看看，心疼了不是？难怪小田一见我就张书记长张书记短的，原来早就‘心心相印’啦。”

也许是因为太忙，过去并没有多少感觉，现在小姨妹一说，张力还真的发现小田跟自己确实有那么一点“心心相印”，许多事总是不谋而合。当然这里指的主要是工作，跟情感无关。这点把握张力还是有的。但别人会怎么看呢？农业生产，张

力基本上是一窍不通，离开小田可以说是寸步难行。这样就难免给人造成一种形影不离，出入成双的感觉。现在看来是自己大意了。

小田进来后，一下子将头靠在自己的背上，张力像遭了雷击似的内心受到强烈的震撼。有那么一瞬间，张力抑制不住地真想一把将她揽进自己的怀里，然后，将满腹的委屈一点一滴地向这位善解人意的女孩细细道来。但转念一想，这不是成心毁人家么？人家还是个未出嫁的姑娘，尽管张力十分清楚，小田不会拒绝。但如果真那么干，跟落井下石有什么区别？虽然眼下在井里的是自己，但真那么干了，等于是授人以柄，将来一查，不是把小田给坑了么？自己眼看是不行了，小田再趴下，林木将来怎么办？这样一想，张力在自己眼中高大了许多，当务之急是把小田保护下来，只要小田还在，林木就有办法。因此，他才决定先把"男女关系"隐瞒下来，只说经济问题。

谁知平时看上去温柔软弱的小田，一听"经济问题"就炸了："什么什么？说你贪污？你把所有的积蓄都拿去修路了，还说你贪污？真是欲加之罪何患无辞啊。为什么不说当年你在前线还杀过人呢？我倒要看看他们如何收场！"

张力心想，幸亏没说"男女关系"，否则，说不定小田真敢当众扑进他怀里。

果然当小田问上面打算把张力怎么样时，张力摇了摇头说，不知道。让我停职检查，听候处理。小田一声冷笑："行啊，你的检查林木替你做了！"

说完，扔下张力转身出了办公室。

十三

小田的话当时张力并没有放在心上，以为不过是一句路见不平的话，说说也就算了。万万没想到小田还真那么干了。这姑娘连夜把林木近一年来的变化以及其中张力所起的决定性作用，诉诸文字，并用半天的时间争取到了包括几乎所有村一级干部在内的近千人签名，复印了几百份，在县委和政府联合召开的三级干部会议上当众散发了。

结果可想而知，小田也被停职了。罪名比张力还大——滥用被宪法明令禁止的"四大自由"。

"传单事件"发生后，县里有些着急了，一连打来好几个电话，要张力立刻返回县里，县委要重新安排他的工作。但老金、二顺和同样被免职的小田都不同意他回去。老金收拾好行装准备到地委告状，地委不行他就上省委，省委不行上中央，告不下这个状他就不回来了。张力想拦都拦不住。二顺告诉张力，老金当了二十年的右派，省委和中央他都有不少右派朋友。这些关系过去他从来不用，哪怕是为了他自己。看来老头这次是真的愤怒了，你拦不住他，拦他是白拦。

老金走后，县里又来了几次电话，语气一次比一次严厉。张力想想这样抗着不是一回事，就想第二天一大早悄悄离开林木。

当晚，张力独自边收拾东西边想，看这事闹的，自己倒成地下党了，走都不敢公开，叫什么事啊。正想着小田来了。小田一看就明白了。一巴掌打掉他手里的背囊，人就扑到了他怀里，泣不成声："别走，求你了——别扔下林木的乡亲——别扔下我——"

张力轻轻地抚摸着小田的头发，嗓子也不由得发干："听我说.你是一个好姑娘——世上最好最好的姑娘。但我们不可能会有什么结果，因为我爱我的妻子，非常非常地爱。我不能，任何越轨的举动都是对她和对你的亵渎。我和妻子认识的时候，前方正在打仗，我随时都有阵亡的可能。但她却义无反顾地嫁给了我，那时我就暗暗地起誓——今生今世无论发生什么事，我都不会离开她……"

小田抬起头来喃喃地："我知道，我知道，阿方都告诉我了。我也从未有过这种奢望，我只是把你当作一个靠山，一个亲人，一个大哥哥——因为我也是孤儿。"

张力内心不由一震，难怪从来不见小田回家，原来跟自己一样也是个孤儿。同时又在心里责备自己，怪自己平时大意，对同志关心太少了。想想自己的童年，再想想刚入伍那些年首长和同志们是怎样对待自己的？刚入伍时，因为搞不清自己生日的确切时间，指导员替他做主说，干脆就定在八月一号吧。你现在是军人了，中国人民解放军的诞辰就是你的生日。从此每年的"八一"，除了传统的会餐，司务长那里都会替他备下块额外的生日蛋糕。

见张力半晌不说话，小田站起身来："我不仅仅是为了我自己，我的身后是两万多林木的父老乡亲。"

说完，手指着窗外："不信你看一看窗外！"

窗外是林立的电筒和火把，远方的坝子和山腰上还有绵延不断的火光向乡里涌来。

张力的内心受到强烈的震撼，眼眶不由湿润了。喃喃自语道："这又是何必呢？这又何必呢？"

小田一字一句地说："为了早一天摆脱贫困，早一天富裕起来。"

张力轻轻地摇着头道："我个人是微不足道的。"

小田一听，高兴了："真的，你真那么想？"

张力却迷惑不解："你这话是什么意思？"

小田道："留下来，别管他谁的命令。因为，林木的乡亲需要你。"

这边正说着，电话又响了。是县委组织部打来的，口气十分严厉。

电话中称，如果两天之内张力再不返回县里，他就必须考虑自己的党籍了。那边话还没说完，小田一把夺过话筒："你们听好了，谁要敢动张书记的党籍，我就敢组织两万林木人上街游行。不是说我'四大自由'吗？我就一二三四地自由一回给你们看看!”

说完就扔掉了话筒。那边还在一个劲地:“喂喂,你是谁?”

张力拾起话筒:“请转告县委,从今天开始我正式向县委提出辞职——不,是退职。我以一个老百姓的身份留在林木总该可以了吧?”

那边惊得半天说不出话来,张力却轻松地放下话筒,会心地和小田相视一笑,肩并肩向门外林立的火把走去……

十四

第二天一早,老婆从县城打来一个电话,话语中不无醋意地说:

“想不到你还有这么一个红颜知己,为了你,那女孩什么都不顾了,真是让人羡慕啊。”

张力一听就急了,前院正在起火,后院如果再冒狼烟,这日子就真的没法过了:“如果连你都不信任我,我也就没话可说了。”

女人就爱听这个,老婆扑哧一声笑了:

“放心吧,我要信这个还会给你打电话? 不过小田可惜了,她这样不但帮不了你,还授人以柄,连自己也陷了进去。他们替你罗织的那些罪名,其实不难搞清。关键只是一个时间问题。”

张力说:“这我也知道,他们需要的就是时间。”

老婆说:“对,时间一过即使搞清了问题,你也完了——因为人选已经定下了。”

张力叹了一口气:“我自己事小,关键是林木给耽搁了。那一百多万林业发展资金,如果能像预期那样今年启动,几年后就可以见到效益。这一来不知要拖到猴年马月了。”

老婆冷笑道:“这可由不得他们。钱在我的管辖之内,我也可以找到一百种理由把时间拖过去。我不是县管干部,我可不怕他们。小妹已经把你以及日商和她签订的合同、你给她的付款收据一并交给了地县两级纪检部门。听说县纪委许书记还拍了桌子——他们停你的职,纪委到现在都不知道。”

张力不由从心底生出一股暖意,党还在。就像当年的白区党员终于跟党取得了联系:“究竟是哪里出了问题?”

老婆道:“一切要从姓林的那里说起。县长过去改任书记后,林以为县长一职非他莫属了,他是常务嘛。他今年五十八了,这是最后一次机会,值得一拼。谁知,上面反馈回来的信息却是由你来接替常务副县长,并代理县长一职。这样一来他只好孤注一掷了。”

张力这才明白过来:

“于是殚心竭虑地替我网罗了那么多的罪名？”

老婆说：“简单说来是这样。但他把问题设想得太简单了。”

见老婆说话如此轻松，张力火了：“可他还得逞了！”

老婆道：“那只是一时。”

张力抑制不住地说：“可这一时，林木的乡亲却至少得多受一年的苦！你认为这个代价还小了吗？”

老婆说：“你要有耐心，孰是孰非很快就会见分晓的。俗话说得好，笑在最后的人笑得最好看。当然，目前你也不能硬抗，让你回来你就回来吧。趁机你也可以休息几天，不是我说你，这一年来你瘦多了。”

张力现在还不想跟老婆提退职的事，老婆刚才关于银行资金的一番话引起了他的注意。于是说：“如果我以乡政府的名义，向农行申请一笔林业贷款，你那儿能批吗？”

老婆笑着道：“这要看你那一笔具体指多少了。”

张力想了想：“一百万怎么样？”

老婆认真地说：“这就要看你能不能找到合适的担保了。”

张力问：“小妹的动产和不动产加起来，不会低于两百万吧？”

老婆答：“岂止是两百万，五百万都不止！这个死丫头，天知道她从哪里弄来那么多钱。老太太上个月替她收拾房间，见了几个存单差点没吓出病来。”

张力说：“行了，我就请她替我担保。”说完就要放电话。老婆在那边问：“喂喂，你几时回来？”

张力说：“过两天吧，过两天我再告诉你。”说完就放下了电话。

地区林业局的李工临走前，将尚未完成的规划偷偷留给了张力。这几天张力叫小田什么也别干，抓紧把规划搞完。死了张屠户，照吃无毛猪。一定要在雨季到来之前把树种下去。

晚上，小姨妹从地区打来一个电话，说张力的事情已经惊动到地委了。分区也十分关心，分区的政委是地委委员，听说十分生气，向地委方面询问，这个同志在部队表现一向不错，我就不信转业才一年就变坏了？如果你们不用，我们准备收回让他到哪个武装部去干政委，反正武装部很快要收回来了。

最后小姨妹说，地委和分区已经派出了联合调查组，让他耐心等待。

张力一笑说：“晚了，我已经正式提出退职了。”

小姨妹一惊：“真的？我姐知道吗？”

“暂时还不知道，我怕她受不了那个刺激。”

小姨妹问：“下一步你打算怎么办？”

张力答：“跟你联手，这下如你愿了吧？”

小姨妹说：“太好了，明天你就到地区来。”

张力说："不，我哪儿也不去。林木有几万亩荒山，这才是一笔大买卖。"

"想当农场主？"

"怎么，你不愿意？"

"你让我想想，林业上的投资收效太慢了。"

"我劝你还是脚踏实地地干一番实业吧，东边倒来西边卖始终是一种短期行为。你所仰慕的好些富翁，据我所知没一个是靠倒腾发财的。"

电话里静了半天，小姨妹像是终于下定了决心："说的也是，人类只要生存一天就离不开森林和木材，就像离不开空气和水。这样吧，过几天我下来一趟，咱们好好合计合计。"

谁知过了三天，老婆竟跟小姨妹一起下来了。

一见面小姨妹就指着老婆的后脑勺，轻声道："我可什么也没说。"

说完就跑去找小田去了。

老婆是第一次到林木，什么都觉得新鲜。尤其是不远处那条清悠悠的小河，非要张力带她出去走走，还说城里可再也见不到这样清的河水了。

两人出来的时候，老婆东张西望地："那个叫小田的女孩呢，怎么没见到她？"

张力笑笑："你会见到的。"

但老婆要看小河的愿望却没能实现，刚出乡政府，她就被农行林木储蓄所的人给发现了，不由分说就被人家拉走了。尽管她一路挣扎着大喊："我是来看我老公，不是来看你们的！"

但人家根本不管那么多，你一个行长下来，下面说什么也得意思意思。

见老婆可怜巴巴被人绑架的样子，张力耸了耸肩说："别怪我见死不救，你们是条条上的单位，我可管不了。"

储蓄所的人一路笑着道："放心吧张书记，吃完饭我们就放行长回来，不会误了你们的好事。"

但没等吃饭，老婆的电话就从储蓄所打来了。开口就说："喂，告诉你一个好消息——你的任职命令地委今天正式下达了。怎么样？我说过嘛，笑到最后的人才笑得最好看。"

张力有些糊涂了，半晌才对着话筒："到底是怎么回事？你怎么会知道？"

老婆不无得意地说："尽管我们是条条上的单位，但谁来干县长对我们还是举足轻重的。毕竟，我们还得在你们的地盘上过日子嘛。"

张力问："那小田呢？她怎么办？"

老婆不满了："我就知道你最关心的还是她。你当了县长，她的事那还不容易？"

见张力不说话，老婆又说："据我所知，小田那个人的上书还是起了一定的作用。这个女孩真是让人可敬可佩。"

张力打断了老婆:“别说了!”

老婆委屈地说:“怎么,夸她也不行?你也太霸道了。”

张力知道老婆误会了,忙说:

“我不是指她。小妹说过我们不是唯一的选择,但我们至少还可以选择自己——退职申请我已经寄出去了——就算给我一个省长我也不干了。”

老婆笑了——是那种满怀信心胜券在握的笑:“恐怕这次你做不了主了。”

张力问:“什么意思?”

老婆说:“省‘农研办’黄副主任在地县领导的陪同下正在前往林木的途中,我想应该到了。”

大院里果然传来了汽车喇叭声,张力扭头一看,一溜日本三菱开进了大院……

(选自《昆仑》1997年第3期)

段 平

笔名阿平。1959年出生,云南墨江人。1977年赴景洪插队。1978年应征入伍。1981年退伍后历任图书馆员,《版纳》杂志编辑、秘书,副编审。1984年开始发表作品。1995年加入中国作家协会。著有长篇小说《国防军》,中篇小说《林木乡长》《呵,喀斯特》《第二战场》《国防军》《民族支队》《昨天,今天,明天》,长篇纪实文学《最后的“官子”》《急公好义》,长篇报告文学《梅花香自苦寒来》等。短篇小说《中尉李党的一天》获1991年全国少数民族文学优秀小说奖,《灰骡,黑妹》获云南省首届文学艺术创作三等奖,《故地重游》获云南省首届军事文学奖。

乡村行动

阙迪伟

一

这天上午，叶光荣身边横了柄锄头圪蹴在田埂上抽烟。烟抽得厉害，干水沟里已丢了十多个烟屁股。他细眯着眼，做出没事的样子，目光却蚂蟥样盯着路口，心里十分的紧张不安。有人过来时，他忙站起来去锄甘蔗地里的草，招呼就搭理几句，不招呼便不招惹人家。待人过去，又将锄头横下在田埂上圪蹴了。天阴沉沉，刮过的风已有些凉。叶光荣觉着时间过得太慢了，难熬得很。

快中午时，细种才出现在路口，报丧样急急忙忙朝这边走来。

叶光荣也急，想迎上去，但他还是克制住没挪屁股，细心地观察细种身后，尤其是路口是不是藏了人盯梢。观察了一番，这才松过一口气来。

快到跟前时，细种破锣样喊了他一声：支书！

叶光荣别过脸故意不睬。待细种跑到眼前，才瞪了眼斥道，号什么号？冒冒失失的，统个柳镇都是熊家的眼乌珠，你想坏事呵！

细种噎了下，一时怔着。

叶光荣也急，忙递过一支烟去说：好了好了，快说说探得怎样？

细种喘着气说：支书说得没错，是两个女的，二十上下年纪。

顿住，摸出打火机点烟。叶光荣盯着他瞧。

是外路口音。细种喷了口烟说。

你跟两个女的搭话了？叶光荣问。

找她们搭话？我不憨！细种不满起来，说，我是听见她们说话了，叽里咕噜的，卷着舌头听不懂。

你怎么听见她们说话的？

她们上茅坑，在茅坑里叽里咕噜卷舌头。

叶光荣放心了。细种家和熊老三家一墙之隔。熊老三当年建房时将厕所贴着细种伙房，细种不肯，可终是弄不过熊家，最后狗样伏下不叫了，还给自己下台阶说村长家茅坑贴白瓷砖比他家伙房还卫生干净。

你婊子儿，没偷看人家屁股吧。叶光荣故意开玩笑缓一缓严肃的气氛。

我是党员哩，觉悟高着。细种说，支书吩咐，我不敢马虎，一上午就在熊老三门口转来转去转了十多趟。

叶光荣说：你怎么能这样？转多了，引起他疑心怎么得了！

细种说：他还疑心个卵，卵懵了，一门心思都在花花事上。

叶光荣说，还是小心好。顿一下又问，那个满面胡外路佬呢？

细种笑了，说支书疑心病太重，满面胡是做木折椅生意的。

叶光荣说：可我总觉着奇怪，两个女的一到，这个满面胡后脚就跟到柳镇了，还贼溜溜老在熊老三门口转干么？

我跟满面胡搭过话。他向我打听木折椅价格，我就带他去了光彩的皇家家具厂。

做过生意？

做过，说要订两千木折椅，欢喜得光彩给我一包云烟，还说生意正式做成，再给我一百元介绍费，嘻嘻。

叶光荣这才放心下来，说你再探，探得情况，随时向我汇报。先走吧，免得给人疑心。

细种没有马上走，说，支书，宅基地的事，你可要帮忙哟。

叶光荣说：后门塘那片地批给你怎么样？镇里我帮你说，县土地局你自己跑。

细种说：村长要是抬杠顶着呢？

叶光荣说：熊老三这回顶不了了。

细种不明白，想了想，才懂了，忙谢了转身要走，叶光荣叫住他说：要保密！

细种不高兴：我是党员哩，嘴巴紧着。

叶光荣说：你叫水根大旺天黑到我家来，从后门走，小心让人瞧见。你也来。

知道。细种说着又叫起来：支书你锄谁家的甘蔗地呀！

叶光荣一看。自己也觉得好笑起来。原是想在自家甘蔗地接头，做个锄草样子不致使人生疑的，现在倒好，白帮人家锄草了。

二

细种走后，叶光荣将锄头丢在甘蔗地里，决定到镇里找表弟吴三才。

吴三才前年调到柳镇当镇长。来之前，叶光荣跑到县城吴三才家去看望。吴三才好好款待了他，又了解了一番镇里情况，然后说我到镇里当镇长，表哥你我生疏人样，别认亲戚，也别走动，有个事儿我帮你说话撑腰就更有力量。叶光荣说当个卵官连亲戚都不认啦。吴三才说,表哥你以后慢慢会懂的。叶光荣在村里活得不自在,原是想诉诉苦,借助表弟之力舒舒窝囊气的,听他如此说,就窝了一肚火告辞回家。

叶光荣觉得受欺侮活得窝囊,是因为村里事让熊家四兄弟霸着。他过去不大关心村里事,开拖拉机整天灰头老鼠样,钱却挣了,日子比村里人好。窝囊事出在承包村里的橘园上,村里管了几年没出产,说要包给个人。没人敢包,他包了,全家吃住在橘园里。开头年喝西北风,第二年有了出产,第三第四年钱就流水般淌来。村人说,贼娘的叶光荣,狗钻麦地抢了大堆尿,发了!叶光荣说,明年我把橘园还村里。村人说:过四年承包才满,你肯还?叶光荣说,再不还,落雪天打出汗,要抢哩。果真就还了。

接着承包的是熊家四兄弟,开头年喝西北风,第二年橘子结满枝头,却没人敢抢。但这年橘子卖不动,烂了沤肥还嫌臭。熊家四兄弟灰心丧气。

你像孔明呢叶光荣,怎么就算到两年?熊老三说。

今年四乡八村的橘树都该出产了,肯定卖不动。叶光荣说。

那去年呢,是你前年没下肥,是不?熊老三问。

我花钱出力下肥,来年让人去抢?叶光荣笑道。

叶光荣马上又说:村里也就你兄弟有威信,承包了没人敢抢。我就不行,抢了去,弄不好人还给打个半死。

熊老三乐了,说:你这个车老板,是柳镇的人精哩。

叶光荣忙说:还人精哩,没用。人鸡刨食样找口饭吃,只想夹了尾巴做人,哪像你熊哥做人做个名,威信高哩。

叶光荣不承包橘园就买了中巴,这时候已开了一年多,据说日进斗金。上街村人眼红,可他开他的中巴,跟村里的烂事撒尿隔田埂,眼红也没用。

熊老三听说,更乐了,说叶光荣你这话实在。各佛庙各菩萨,各人各活法,你说我当村长行不?

叶光荣惊了下,但想想似不可能,然而他还是巴结地一笑道:熊哥威信高哩。村长算个卵?熊哥当镇长也有能力。

熊老三就手舞脚蹈起来:你这话中听!光荣光荣,下趟乘车再不掏钱,我不是人!

叶光荣忙说:熊哥你这不是看不起我么,掏不掏钱的,快别这样说了。你熊哥乘我的车,我就有安全感,连车匪路霸也没有了。

熊老三哈哈大笑起来。

叶光荣低估了熊老三,自从张小俊当上柳镇书记后,熊家四兄弟一忽拉就霸了上街村。

叶光荣肚里恨恨的。吴三才上任后跟他也不走动,他就更心灰意懒了。谁知去年村支书老孙病故后，吴三才突然半夜特务样登门看望他。

吴三才开门见山说：表哥，你出山当上街村支书怎么样？

叶光荣听了就跳起来，你帮我说话撑腰，就是争这卵支书当？

吴三才叹息一声说：富庙穷方丈，上街村要烂到根哩。

烂到根就烂到根吧，叶光荣说。这时候，上街村的村长是熊老三，熊老大是村委兼会计，熊老二也是村委。村里办了轧钢厂和轴承厂，法人代表都是熊老三。村办厂有点名堂时，熊老大熊老四也办起轧钢厂轴承厂。村办厂就连年亏损，熊老大熊老四的私人厂却兴旺发达。明摆着的事，村里没人敢放熊家一个屁。

吴三才说，烂到根表哥你看得下去？

叶光荣说，上街村人说要扳倒四熊，除非党中央开口。

吴三才说，这话过头了。抓到证据，我就不信扳不倒他。陈希同官大不大？照样扳倒。

叶光荣说，谁敢到村办厂查查账？熊家兄弟胡作非为，谁敢放个屁？谁放屁先给他弄死也不定！我当个卵支书，还不让熊老三撂着当闲官！

吴三才说就叫你当闲官，学着乖样，暗地留点心眼，抓到证据就不手软。

叶光荣说，接着表弟就可以对付张书记？

吴三才不吭声了片刻。张小俊县里有人，后靠很硬，镇里的事他说了算，把一些苦事烂头事都推给吴三才。吴三才知道火拼不过，就干脆苦练内功，学着任劳任怨样。

吴三才说，表哥我跟你说过，你我生疏人样，到关键时候好说话。现在支书空着，自己人就要顶上，再想法子弄掉四熊，然后对付姓张的就好办了。

叶光荣说到时候表弟掌大权，跟张小俊一样，也在镇里说了算？

吴三才严肃起来，张小俊是把柳镇搞乱，我是想把柳镇搞好，经济上去。

叶光荣说表弟真这样想？

吴三才说，叫你当村支书，就是想你我兄弟暗地里结帮，先弄掉张小俊手脚，再撵走他，镇里村里就有希望，经济就能上去。

叶光荣说，这么说，我当。

吴三才就去对张小俊说：上头老强调健全基层支部，现在老孙一死，上街村的支部怎么办？张小俊说：顶个人吧。吴三才说：顶谁呢？张小俊一时回答不了。吴三才就说：叶光荣怎么样？张小俊说：考虑考虑再说。说过就去找熊家兄弟商量。熊老大说：叶光荣是人精。熊老三说：人精又怎么样，怕他？要他圆就圆扁就扁，他在我面前不敢卖老。张小俊说：就叶光荣吧。上街村几个党员缺牙戳杖的，总不能你们四兄弟都当村干部，要遮遮人眼。上街村选支书时，叶光荣就满票通过了。

叶光荣村支书当得精，一副乖样，糊弄得熊家兄弟和张小俊都对他印象不错。暗地里他却日夜瞪着眼……

现在，扳倒熊家兄弟的机会终于来了，叶光荣既激动又紧张不安。

叶光荣到镇政府时，见书记张小俊操着大哥大一路说着向桑塔纳走去。叶光荣有准备，忙笑着迎上去说：张书记你这就要出发呵，有个事，我专门跑来向你汇报哩。

张小俊没理他，待通完话关了机才问：有事？

向书记汇报一下计划生育情况。

这事你向吴镇长汇报去。

张书记你是知道的，村里任何事，我都习惯先向你汇报，然后才是向吴镇长汇报。谁叫我叶光荣是你张书记提拔的呀。

张小俊就笑了，说这事就向吴镇长汇报吧，我烦不了这多。

叶光荣就说好好，忙递过一支中华烟去，自己抽出一支，便整包丢进驾驶室里对司机说，小吴你也来一支，这一趟送书记去哪里呵？小吴说县里开会，抽出一支要将烟递回。叶光荣说，留着和书记路上抽着解闷。小吴就把烟放在张小俊位置上，笑说叶支书反正是好佬。叶光荣就说一两包烟抽不穷，前些年开车挣了些。顿了顿又笑道，张书记，我刚才看你拿着大哥大通话，就想起有个人像你。张小俊说，谁像我？叶光荣说吴荪甫。张小俊说哪个吴荪甫？小吴接嘴说：就是电视《子夜》里那个大老板吧。张小俊这才想起来，乐了。小吴说，可电视上人家不拿大哥大哩。叶光荣说，我是说相貌像，做派像，看去就是一副贵人福相。张小俊乐道，是他像我还是我像他？叶光荣说他像你。张小俊更乐了，说叶光荣你这一比我想想还真有点像呢。又问小吴，你说像不像？小吴说像极了。张小俊就哈哈大笑起来。

乐过一阵，叶光荣说张书记你忙，祝你一路顺风，我现在去向吴镇长汇报好么？

张小俊说去吧去吧。说过钻进桑塔纳，又忽然想起探出头道：光荣，有件事跟你说说。

叶光荣忙上前一步说：书记有什么指示？

张小俊说：熊老四这婊子儿，说想入党哩，你看他符不符合？

叶光荣一惊，马上笑道：老四是企业家能人哩，现在就是要吸收这样的人入党。

张小俊笑道，你当支书，上街村的党建工作我就放心了。

桑塔纳走后，叶光荣马上去了吴三才办公室。吴三才正在看报，抬头说表哥，看你刚才把姓张的毛摸得顺溜，他那德性，痒酥酥统身舒服哩。

叶光荣笑道：我叫他明天就眼泪满肚吞。

吴三才怔了下，忙离座到门口看了看，回头时脸就有了惊喜，问：弄到证据了？

叶光荣不急，说给我一支烟，我的烟都拍姓张的马屁了。

趁叶光荣点烟时，吴三才不放心，去将门关了，又探出窗外看了看，这才在对面坐下。

叶光荣说：昨天下午熊家兄弟弄回两个外路妇女，一直关在熊老三家。我估计是两种情况，一种是像先前一样，弄回来玩玩。四兄弟这方面瘾头很重，这几年更没顾忌。另一种情况是玩过再卖。熊老大有前科，以前当过人贩。

吴三才说太好了，想了想又问：表哥你有把握就是这烂事？

叶光荣说，我亲眼看见他们兄弟将两个妇女弄下车的。当时两妇女不肯下，熊老二掴了两巴掌，硬拖进熊老三家。又叫细种探过，错不了。不拐卖妇女，胡搞逃不了，可能还是强迫的。

吴三才又想了一会儿，说表哥这分析有道理。

叶光荣说，我想法是，就照我们过去的思路去做，当场抓他活证。抓住，突击审那两个妇女，这样就会审出强迫或者贩卖妇女案来。然后送他们到姓张的那里，姓张的还能保得住他们？再以此为突破口，审村办厂的账，弄掉他们没问题。

吴三才说我想想我想想。想过一会儿，说很好，只是表哥有绝对把握抓活证据？

叶光荣说，熊家兄弟屁股一撅，我就知道放什么屁。弄回两个女的，能有好事？

吴三才说，可张小俊县里开会去了。

叶光荣说他不在机会更好，抓到活证据，电话连夜追他回来，就说镇里出人命了。

有人敢抓熊家兄弟么？你调得了人？

抓熊老三，有的是人，村里保证一呼百应。

看准了，百分之百把握才能抓。私闯民宅抓人，又是抓熊，不慎重后果不堪设想。

这个自然。

吴三才有些激动，说表哥什么时候动手？

叶光荣说，机不可失，就今天下半夜。表弟你坐在镇里指挥。具体情况，电话再联系。吴三才说，电话里不宜多说，弄个暗语吧。抓到活证，表哥在电话里说句暗语。我立即把张小俊催回来。

叶光荣想了想，说暗语就用“粉碎‘四人帮’，上街村有希望”。

吴三才击掌喝一声好，说这比喻形象。事实上，四熊就是柳镇的“四人帮”。

又密谋了许久，叶光荣才告辞。

三

熊老三上了三楼，从铁栏栅窗户看进去，两个女的一个躺在床上，一个坐在马桶上。两个女人刚弄到时，上茅坑都在一楼。熊老三想这样不行，人跟着累死不说，万一有个闪失给跑了，事情就麻烦了，于是就叫人把马桶拎上三楼。吃喝拉撒都在三楼，柳镇铁桶一般，还愁她们跑到天上去！这时，床上那女人看见窗户边有人，跳起来将窗帘哗地拉上。

熊老三笑了下，也不恼。心想那女人屁股也真白，冻猪油样，难怪老四说到手的肉吃不上口他妈的真难熬呵。熊老三当时就火了，说老四你随便吃什么野肉都行，敢吃这两块肉我就把你阉了当太监。老四说，老三我嘴巴骚骚都不行？熊老三说嘴巴骚你就骚吧。虎了脸再不理睬老四，也不允许他单独上三楼来。

熊老三对兄弟仨这次的做派很不满，尤其是老四。弄到这两个女人时，竟然在大白天进镇，让柳镇不少人都知道。

怎么不夜里进镇？避避生人眼都不懂。太招摇了！熊老三瞪起眼，很凶。

那边弄上车是后半夜，开到天都大亮了，我们到哪里藏一个白天？熊老大不满说。

一夜没睡，人都困死了，还管什么生人眼！熊老二咕哝。

到自家地头了，怕个卵！熊老四也瞪起眼说。

熊老三就给气得无话可说，叫兄弟几个将两个女人弄上楼，一边叮嘱注意镇里反应。

现在，熊老三站在外面等了会儿，接着敲了敲门，说声吃饭了，这才掏出钥匙开门。

两个女人正襟危坐，脸上满是愁云，一边偷偷觑他脸色。熊老三老婆把饭菜端上摆好，就退了出去。

熊老三笑道：吃吧吃吧，到了这里就安下心来。

两女人都不吭声，也没看饭菜。

熊老三笑道，闷得慌，弄几本书翻翻？看片子也行，搬个彩电录像机上来，喜欢看什么片就说，都能弄到。

两女人还是不吭声。

那就吃吧。熊老三笑了笑说，然后退出来反手关上门。

天黑的时候，熊老四领一帮人到街上去碰那个满面胡外路佬。从上街村转到下街村，角角落落都看过了，也没见踪影。

熊老四就有些泄气，说婊子儿钻老鼠洞了不成！

一帮人都以为是寻满面胡事的，就很卖力，说，老板放心，钻老鼠洞也要挖他出来，叫他吃几个老拳。

熊老四说别乱来啊，凭空叫人家吃老拳干么？盘问清楚就是。

后来就听说那个满面胡住在镇招待所。一帮人便拥着熊老四赶了去，承包招待所的老牛忙点头哈腰迎上，说熊哥，欢迎光临欢迎光临。掏出烟一圈撒了去。不待熊老四开口，就有人抢先将事情说了。老牛回忆后说是有个满面胡外路佬，但没住夜，开了房睡个下午觉天黑前就走了。熊老四要看登记簿。老牛说不过夜就没登记。熊老四不高兴，说不登记你晓得他是什么卵人？万一是杀人犯逃到柳镇呢？老牛慌了，想了想说那满面胡是做木折椅生意的，细种还带他去过光彩厂里。

一帮人就去了光彩的皇家家具厂。光彩慌神了，说熊哥我没抢你生意吧，熊哥做的是轴承大生意，光彩我做的木头小生意……熊老四说光彩你啰唆什么，我只问满面胡是不是跟你做过木折椅生意。光彩知错就改样忙着点头，说细种带来的，谈过，没最后做成。一边就一圈撒过烟去。熊老四说他是哪里人？光彩想不起，忙找出满面胡给的名片。

熊老四接过看了，心想老三也真是一个葫芦三个影，满面胡是萧山人，两个女人是福建的，搭不到边哩，自己吓自己干嘛！就把名片丢还给光彩。光彩说熊哥有什么吩咐？熊老四说，皇家家具厂这厂名气派太大了，要改改。光彩说熊哥说改什么合适？熊老四说，就改成棺材家具店吧。光彩一怔，笑得像哭。熊老四为自己的幽默哈哈大笑，说玩笑玩笑，领了一帮人出来。

出来之后，熊老四就再无兴致去找细种盘问。人家在门口多转几圈，多探几眼，就疑神疑鬼非要将人家一个个盘问清楚干么？老三也太胆小了，而且越来越胆小，柳镇这地盘，还怕哪个反了天去！这样想时，他就看见街上走过猫干的女儿秀凤。

于是，熊老四决定不按老三吩咐，对一帮人说：没事了，都散去吧。

四

天完全黑下时，大旺向支书叶光荣家走去。

去趟支书家也没什么，可细种说支书吩咐一要天黑后再去，二要走后门，别让人看见。大旺问支书叫他什么事，细种说不晓得，大旺就不安起来，弄不懂支书葫芦里卖什么药。但大旺还是决定去一下，他想肯定关系到自己什么事呢。

大旺对支书没好印象。本是蛮精明的人，可怎么一当上村支书就变成熊家的傀儡了呢。熊家兄弟放个屁，村里没人公开敢说这屁是臭的，可你叶光荣是村支书呀，你怎么也不说呢？要你当支书吃卵啊。好在人还算平和，跟谁都客气。有事找他，帮上忙的他都帮；帮不上的他也明说。大旺没事要找他帮忙，心里也看不起他那傀儡相，就很少跟叶光荣套近乎。

细种说得没错，支书家后门虚掩着。大旺贼样地看了看四周，这才推门进去。

叶光荣正在抽烟，屋里烟雾像灰燎样。见了大旺，叶光荣忙跳起来迎上，格外热情地拉了他的手，说大旺你来了，你坐你坐。大旺应酬着，坐下后发现满地是鸡屎样的烟屁股，再看支书脸孔心神不定的样子，就明白事情可能跟自己无关，心里不由放松了些。大旺笑了笑，现在他是有些好奇，心想支书鬼头鬼脑的搞什么名堂？

叶光荣没有马上说事，有一搭没一搭闲聊些家常话，接着又问大旺有什么小康计划。

大旺忍不住，说支书找我来就为这事？

叶光荣这才严肃起来，压低声音说了正事。

大旺像雷打了样，惊呆了，半晌才不相信地问：支书你说夜里去抓熊家兄弟？叫我也去抓？

叶光荣没想到大旺会是这副神色和口气，吃惊不小，忙说：别人我还不叫呢，叫你大旺，是考虑到你大旺跟熊家有仇，可靠。

大旺脸孔煞红了，很尴尬，就低下头去猛抽烟。事情已过去几个年头，如今镇里很少有人揭这短，大旺也慢慢平静下来。扳人家不动，再恨又有什么用？大旺原先跟熊老四算是朋友。俗话说朋友妻莫欺，那个青天白日大旺回家时看见熊老四趴在他老婆身上操练。大旺猝不及防，当时惊呆了，而后血就涌上来，操起扁担就要劈下去。熊老四却趴着不动，说大旺你就把我劈死在你老婆肚皮上？大旺说我劈断你狗腿！熊老四说你劈断我一只狗腿我就劈断你两只狗腿，大旺你相信不相信？大旺怔了，就劈不下去。熊老四穿上裤子大模大样走后，断了一条狗腿的是大旺老婆，大旺弄不过熊老四只好拿老婆出气。这之后，大旺希望熊老四突然生起恶病死掉，要么挨雷打暴死街头。但恶有恶报是假的，熊老四活得越来越有滋味。

叶光荣说大旺，报仇的时候到了，你千万莫错过机会。

大旺动心了，可想了想，熊家势力大呢，抓他熊老三一次乱搞女人就能扳倒熊家？大旺不相信。再想想，你支书熊家傀儡样，怎么忽地就变脸要跟熊家作对呢？莫非是勾我大旺进圈套？这么想，大旺就惊出虚汗来。

于是大旺说，支书你跟熊家有仇？

叶光荣说有仇也说不上，为的是上街村日后好些，经济有个发展；村里人安居乐业，活得透气些，安安心心奔小康。

大旺觉得好笑，心想如今还有这样好的村干部？就站起来说：路中央石头自会有人搬，我大旺不空烦。

叶光荣脸就青了去，只好起身送他。

细种到村后的破庙去找水根时，水根正在喝酒，桌上就一碗炒黄豆。

细种说，如今的黄酒都假，颜色吊的。烧肉用一点去去腥气，喝就不行。

水根说管它卵，贪它便宜哩。

细种说水根，你婊子儿是眼下镇里最穷的，你承认不承认？

水根不应他,闷头喝酒。

细种说,你婊子儿承认不承认是自己嘴巴骚害的?

水根仍不应他,将炒黄豆嚼得咯嘣响。

细种就在水根对面坐下来,丢一支烟过去,说我过去就提醒过你,叫你少说熊老大奸了谁谁谁谁,谁谁谁谁的孩子像熊老四,印版刻下来样,你何苦就要这样嘴巴骚呢!

水根抬起头问:不是事实?

细种说,事实。人人都明白,可人人都不说,就你到处说。结果怎么样,你婊子儿让熊家兄弟捆了,嘴巴用鞋底打歪了,吃亏的是你,弄个皮肉痛。

水根笑笑,抓几颗黄豆丢进嘴巴。

细种说,可你婊子儿不接受教训,又到处说熊老三卖地,钱塞到自己口袋里,搞村办厂是损公肥私,亏了村里,肥了熊家兄弟私人。

水根接话说,结果是熊老三恨得要死,借筑村路把我那幢三层楼规划进去。我不肯,他就拳打脚踢,一炮轰掉我的楼,还说是一拳打出威风,一脚踢出正气,一炮轰出一条社会主义村道。害得我老婆带了女儿回娘家几年不归,穷得我窝在这破庙里吃炒黄豆,是不是?

细种笑了,说你婊子儿都明白,可就是管不住嘴巴。

我这嘴巴娘生的就是这样。除非熊家兄弟不做,做了我就管不住,要骚。

又弄不过人家。镇里给调解了,批了点地,荒着长草,哪年月盖得楼?你吃亏到根哩。

谁想到他们害人要害到根啊。总要有人说,都不说,上街村眼下变得不是共产党领导,是他娘的熊党管了,是不是?

你婊子儿又嘴巴骚了。

我嘴巴骚?你婊子儿还是党员哩,上街村都熊党管了,你还嘴巴闷着吃屎啊!

细种脸就有些挂不住,说好了好了,故意探探你的。现在说说正事。

水根挖苦说,你婊子儿还有正事啊。

细种严肃起来,说过去扳不到人家是人家风头好,鸡卵碰石头犯不着。眼下人家风头跌,是时候了。就压低声音说了抓熊的事。

水根听了,说他娘的总算逮住尾巴了。站起来将一瓶黄酒咕噜咕噜灌进喉咙,拉了细种就走。

叶光荣脸青青的送大旺出来时,恰巧被细种和水根撞上。两人说大旺你这就走了?进去进去,一块说事去。大旺说要说你们说吧,我可要回家。水根说,你婊子儿老婆拐一只脚跷几跷几的,还怕哪个替你睡她!拖了就往屋里走。

都坐下后,叶光荣就又说了遍抓熊老三的事。

水根很兴奋，说，娘个×，机会难得，抓！

细种说，大旺你说说。

水根说还说个屁。抓！我是怎么也看不下去哩。抓了熊家兄弟，上街村再解放。

叶光荣就看大旺。大旺说，我看这事动不得哩。就说卵脱精光给抓到了，又怎么？书记，派出所所长跟他兄弟样，扳他不动呢。这年月，熊老三嫖个把女人，跟我们农民吐口痰样，犯不了法。动了手，收不下场，弄来弄去到头拔不了他一根毛，回过头反把你煺猪，你不给他弄死！

这一说，就将兴致浓浓的水根和细种给说清醒起来。

大旺又说，水根你不就给煺猪了？

细种说，水根是嘴巴骚，没抓到证据。

大旺说还证据呢，上头有人管，抓一把，都是证据。没人管，又护着他，跟他穿一条裤子，证据捏你手里也没卵用。

叶光荣说，话不是这样说。这回弄不好是强迫要么是贩卖妇女案，能判刑的。

大旺说，弄不好？瞎猜猜不行。万一不是呢？几个人跟你去抓，还不陪着你给弄死啊！

叶光荣给噎住了，心里干急。

水根说，也是道理，情况总要弄明。打蛇不死蛇报冤。

细种说，支书你说呢？也是事实，村长有权有势，弄两个女人，吐口痰样，扳他不倒。

大旺站起来说，我先走，你们陪支书再说说。

水根和细种也站起来，说贼娘个×，日后再碰机会吧。

叶光荣急了，说等等，我敢肯定熊老三弄回两个女人，是玩过后再卖。机不可失哪！顿一顿就说，其实，抓熊家兄弟是上头意思。

三人都怔了，瞪大眼睛。

叶光荣说，县里指示的，绝密，说要清查熊老三兄弟，只传达到镇里吴镇长一人。张书记有牵连，今天给叫到县里检查。吴镇长又透给我，说叫准备熊老三材料。刚巧熊老三弄回两个女人，叫你们来，就是帮忙抓他的活证据，一是协助县里做好清查熊老三工作，二呢，也让你们当场出出气。

水根听说，马上兴奋起来，说，狗娘的熊老三，你也有今日！我还以为你要在上街村登皇登到老呢！

细种说，支书你怎么不早说？害得我上午去探，提心吊胆了半日。

大旺说，是县里指示，我大旺也参加抓熊，报仇雪恨！

叶光荣缓过口气说：县里指示是绝密的，就我们四个人知道，再不可外传。

都说知道。

接着就心齐了，开始密谋抓熊计划步骤。到九点多时，初步方案形成：各自分头发动可靠群众，半夜零时到支书家集合，不出意外不再变更。分四拨人马行动，由叶光荣和细种负责抓熊老三活证；水根和大旺领人分头看守熊老大熊老四家，切断他们兄弟间联系。唯看守熊老二家缺个领头人。细种说，要么我跟支书分开。水根说不行，熊老三是重头，分开怕力量不够。叶光荣想了想说，就叫狗卵吧，我去说。大旺说狗卵是地痞，怕坏事。叶光荣说狗卵是地痞，可他有个特点是讲义气，你跟他说他就认为你看得起他，再给一两百块钱，他这人就是铁杆，替你卖命打头阵。大旺说叫一个地痞参加革命行动，总不是滋味。叶光荣叹息道，也是没法子，为了上街村，暂时利用吧。三人这才没话说。

散去之前，四人发了誓，像电影里一样齐声说：为振兴上街村。

待三人走后，叶光荣跟吴三才通电话说了情况，最后说：为了上街村，没法子我只有豁出去，造谣假传了县里指示，要坐牢杀头，再说。

吴三才倒没说什么，半晌却问：你是不是绝对有把握？

这是第二次问了。叶光荣一怔，说：我再亲自去探探，马上去。

细种从叶光荣家出来，街上人已不多。

白天时，细种还有点害怕，可支书相信他叫他打探情况，他又不敢违了支书的意。再说，熊老三也太霸了，茅坑贴着他家伙房，猪尿泡打人脸还要忍下去，够窝囊的；还有，好歹他细种还是个党员呢，可宅基地的事熊老三顶着不批，眼中就根本没他细种。细种真希望熊老三倒台。现在细种不怕了，县里动手弄你熊老三了，你还能霸几天！

此刻，细种准备去发动群众。

细种一路走，开始想想还觉得扬眉吐气，之后突然想怔了，统身蓦地麻起鸡皮疙瘩。

五

半夜零点行动。

零点之前，村人就陆陆续续聚到支书叶光荣家，总共四十之多，都脸呈兴奋与紧张不安，问：是上头要抓熊家兄弟？至此，叶光荣已不好否认，一边给每个到来的村民发一包烟，一面点头承认，心里却有些懊悔不该说这弥天大谎。可事已到此，也不好埋怨水根大旺他们扩散“县里指示”，要不，就不可能来这么多人。叶光荣想，一人做事一人担吧，好歹是为了上街村。不过心里毕竟虚，尤其是想到后果，叶光荣有点后怕。但冷静下来，想起一个多钟头前刚探过女人还在熊家，心里又踏实下来。

零点时，查点了人头，只有细种没到。问了下，在场也没有细种动员来的村民，叶光荣心里就有些惊，怕这关键时候出了漏子，忙派狗卵到细种家看看。狗卵去了一刻，细种就跟了一起来了。细种解释说，他娘的泻肚哩，不知吃了什么卵东西龙喷水样，五六次了止也止不住。村民们笑起来，说是跟老婆睡觉蹬了棉被受凉吧。细种说，也有道理，真蹬过棉被。村民们就又笑。叶光荣说好了好了，看细种神态，果然软塌塌样，就问，你都没通知发动过人吧？细种说，还通知发动呢，出支书门时，就清水泻了。叶光荣只好说，来了就跟着吧。细种说，那自然，我坚决听从支书安排。

于是，叶光荣开始作简短的抓熊总动员，重点说了"县里指示"。叶光荣说，县里是下了死决心的，为了执行县里指示，上街村遵照镇里要求，今天夜里提前行动，抓熊老三的活证据，以配合县里清查熊老三，只有抓住熊老三的活证据，以此为突破口，才能清查村里账目。云云。

说话时，村民们就再一次情绪高涨起来，一个个蠢蠢欲动摩拳擦掌。叶光荣很高兴，他想起了粉碎"四人帮"时人们的高涨情绪。那时候他还小，但印象很深。受此感染，叶光荣也激动起来，眼眶有点发潮。

抓熊总动员用了两三分钟，接着叶光荣就开始部署行动。他提醒说，这次抓熊的重点，是抓熊老三强迫跟两女人胡搞的证据，要恰到火候，把他们卵脱精光的在床上逮住。又说，也有一种可能是，熊老大熊老四在搞两女人也不定。不管哪个搞，抓他们个卵脱精光，就是成功，就是熊老三的罪恶证据。接着他又说。所以迟不行，早也不行，这才选择零点出发。至于熊老大熊老二熊老四，在家，今夜暂时不抓，只要将他们堵在家里，切断联系，不让他们联合起来叫人来救熊老三就行。

狗卵听了有些不满，他一身皂色练功衣装，像夜行大侠。他说，干么就只抓熊老三？干脆一窝端，都端了，来个清爽！

村民们也说，就是，一窝端都端了，看他们熊家兄弟还神气不神气！

叶光荣说大家静一静。都静下后，他说，这里有个法律问题。活证据不在他们家，抓他们就是私闯民宅抓人，要犯法的。把他们堵在家里就行。这一点，不能胡来，要严格掌握。只要抓住活证据，有了突破口，清算他们是迟早的事。

狗卵还是不满，咕咕哝哝的，但也没有再说。

于是，叶光荣清了清嗓门说，现在我宣布，由我担任这次抓熊行动的总指挥，行动分四路进行，其中一路，也就是抓熊老三，是这次行动的重点，由我亲自带队。其他三路协助配合一路的行动，具体任务我刚才已经说过，这里就不再重复。可有一点必须强调，这三路不好随便进去抓人。

接着，叶光荣说党员要挑重担，宣布细种为副总指挥，负责四路的联络工作。

狗卵说，细种跟老婆搞过，又搞出泻肚，软塌塌的，叫他当副总指挥他不累？

细种忙说，我就免了，免了。让不泻肚、思想觉悟又好的人来当副总指挥吧。

村民们笑了起来。叶光荣就明白狗卵不满，马上补充说，我刚才话还没说完哩，现在继续宣布：狗卵担任二路总指挥，负责看守熊老大的家；水根大旺分别担任三路四路总指挥，负责看守熊老二和熊老四家。

狗卵这才高兴起来，得意扬扬。但他还是慎重地提出了要求，说支书，我会武功，一路人马抓熊老三该是我领队去才合适，我保证把一个个都卵脱精光的捆来见你！

狗卵对一路有兴趣，其他三路狗样伏在人家屋边监视，撒尿都不好惊动人家，还不把人憋出毛病？一路刺激，闯进去，一个个田鸡样剥得卵脱精光的，一拎一串；听说两个外路女人还仙女样呢。

叶光荣说：分工就不再变了。狗卵你担子不轻，二路靠你领导独当一面，重任在肩啊。

狗卵听了肚里受用，虽是有点儿遗憾，但也就不再坚持了。

叶光荣就把村民分成四路，这才当了大家的面给镇里拨电话。村民们肃静下来，顿时有了种庄严神圣的使命感。拨通电话后，叶光荣说，吴镇长，都准备好了，现在请你指示。电话那头咕哝了一句，站在旁边的村民还没听清，叶光荣已撂下了，极其严肃地问，各路总指挥都明白任务了么？水根大旺和狗卵都说，明白了。叶光荣又问，大家都明白了么？村民们答：明白了。叶光荣这才宣布说，出发！

依次出了支书家，四路人马朝四路方向散去。

六

夜色中，狗卵走在头里，身后跟了八个村民直奔熊老大家。狗卵觉得很威风。

狗卵已难得有这种威风感觉了。狗卵会几下拳脚，平时号称对付八九个人没事，就怕枪，说枪算个卵，有本事不用枪，拳对拳脚对脚试试？牛得很。所以镇里一些纠纷，就有人请狗卵助威，百五六重身坯往那儿一站，有时候比村干镇干还管用。老孙当上街村支书时，就叫狗卵当村治保主任。开始还行，后来痞子脾气就出来了，也不管对错，想帮谁就帮谁，一条道走到黑。老孙也不管。熊老三当村长时，就叫熊老大顶了狗卵的位置。狗卵不服，想干得好好的干吗撤了他？就去找熊老三论理，说熊老三你敢撤我真他妈的放屁！熊老三不跟狗卵论理，没吵几下，一忽儿拥上五六个人就把他捺了个狗吃屎。熊老大说，老三，狗卵说你放屁，我看就放个屁叫他吃吃。说过，叫众人扳起狗卵头，屁股对着他嘴巴轰地放了个大屁。还问：这屁香不？狗卵从此就威风不起来，再没有请他出头露面。

夜里十点光景时，村支书叶光荣贼样地钻进了狗卵的家。那时候狗卵正在练武，无人喝彩，院子里挂了只萤火虫样的电灯泡。叶光荣是不大上狗卵家的，尤其是夜里，所以狗卵就有点儿吃惊，说支书有事？叶光荣没说，光笑笑，一边递过烟去。狗卵说，莫不是支书想请我去助助威吧？叶光荣避开不答，却说狗卵你学的是少林拳吧。狗卵就高兴起来，说就是就是，是天下少林第一拳。叶光荣说好，好。狗卵有些急。又问，支书莫不是想请我去助助威吧？叶光荣笑道，是想请你露一露少林拳，就是不晓得你肯不肯出头露面？狗卵已很长日子没受人如此尊重了，马上激动起来，说支书吩咐，狗卵我这条命就交出了，支书你快说，帮你去教训谁？叶光荣说，怕你狗卵不敢呢。狗卵拍胸脯说：我狗卵不敢？我狗卵豁出去谁也不尿。叶光荣说那好，掏出两百钞票塞到他手里。狗卵说，支书你不是小看我狗卵么，哪敢要你支书佣金的？叶光荣说，你吃这碗饭的规矩，我还懂一点。你要不收，我就不敢请你了。狗卵感动了，说支书这么说，我就收下了，快说说帮支书教训谁？叶光荣说，熊老三兄弟。狗卵就惊了，心里发怵。叶光荣说，县里说要抓的，我当个卵支书没吃豹子胆。你要怕，我请别人去。狗卵胆就壮了，说我怕个卵！

现在狗卵率人马很快就来到熊老大屋前。屋里还亮着灯。狗卵站下撒下泡尿，然后很威风地下达了第一道命令：去一个人，把他妈的电话线给剪了！

白天时，熊老大突然想起许多日子没摸麻将了，就上了瘾头，一个个电话敲过去，约了家具厂的光彩，饼干厂的猫干，餐馆的老七，叫他们各带两千赌本晚上到他家摸几圈乐乐。光彩猫干和老七不敢说忙，天一黑就都来了。熊老大很高兴，说摸个通宵，肚饥我给大家准备了狗肉。果然见厨房里挂了条狗腿。

于是，四个人就围着桌子坐了，稀里哗啦开始洗牌。

熊老大笑道，都君子点，将钱放在桌面上。说着率先做了。光彩猫干老七就都作豪爽样，笑着将钱拍出来让熊老大验明。熊老大说好样的，打赌人就讲究个硬，输就输赢就赢，不就是几张纸么。都笑道，熊哥一贯是硬的，柳镇的女人哪个不怕熊哥！熊老大就笑，说我如今是修心了，一个老婆都对付不了，硬不了啰。光彩说熊哥谦虚。猫干说熊哥太谦虚了。老七说，柳镇都在传，说熊哥兄弟几个弄回两个外路女人，年轻轻指甲掐掐就掐出水，可是真的？熊老大虎下脸来，问谁说的？老七知道失言，脸就阴去，忙说镇里都这样说。熊老大却没有发火，说，也是没办法。就顿住，没再说下去。大家都想听，却又不敢再问。默了一下，老七忙说，出牌，出牌，就又都笑，将话扯到别处去。

过了一会儿，熊老大问，老七，村里欠你餐馆多少？

老七忙笑道，五千三。

熊老大问，轧钢厂呢？

也有五六千吧。老七说，熊哥你手头漏一漏，先还一点行么？餐馆都要开不下去关门了！

熊老大说，你哭穷。关门还能拿出二千摸着玩？这么吧，今天就赢你，赢你多少抵多少，我也不要，为村里做贡献还债算了。

老七就笑得像哭。光彩猫干都说，熊哥跟你开玩笑，难道还真会拿你我杀血！熊老大哈哈大笑。

就继续摸。开始几个钟头还不见输赢，后来熊老大撒尿时跟光彩老七通了，说要将猫干煺猪。再坐下时，猫干就跌风头，手抖个不停，眼也绿了去。熊老大觉得好笑，说，你这烂手，今天肯定摸过×。

狗卵趴着窗瞧进去。看见四人在赌，桌上堆了几大堆钞票。狗卵瞧呆了，眼睛瞪得大大的，像狗卵子。

一村民轻声问，狗卵你看见什么？

狗卵跳下地，低声斥道，狗卵狗卵的，我如今是二路总指挥！

村民低下头笑，而后问，总指挥你看见什么？

狗卵说，赌呢，他妈的，钞票堆得山样。

村民说，妈的熊老大，还是治保主任哩，平时抓人家赌，假清水！

狗卵说，他这是腐败。想了想，眼就出火了，说进去抓赌，怎么样？

村民说，支书交代过不能进，进就是私闯民宅，犯法。

狗卵说，犯个卵法，他治保主任赌博就不该抓？

村民提醒说，抓是该抓，可今儿支书说是抓熊老三。

狗卵说，熊老三熊老大一样，都该抓。没瞧他聚赌么？聚赌就是犯法，是活证据。该抓。再说，反正县里要查他兄弟几个了，迟抓不如早抓，我们也好立功。村民说，可支书说……狗卵发火了，说，我是二路总指挥，这里就听我的。支书不了解这里情况，了解了，也一定会支持我的决定。

村民们想想也有道理，就无话可说。狗卵便吩咐他们散开各自找些棍棒来。不一会儿，村民们又聚拢，人人手里拿了一根棍棒，紧张不安地等狗卵发话。狗卵没去找棍棒，此时从腰里抽出三节棍，说大家不要怕，天塌下来有我狗卵撑，都听我指挥！

说过，率众人气昂昂地直奔熊老大门前，不管三七二十一，蹬起一脚，就蹬开了门。狗卵说，都跟我来！率先威风凛凛闯了进去。

就惊动了聚赌的人。熊老大站起来喝道，哪个？

喝过，走出房迎面就撞上了狗卵横着三节棍，一副怒目金刚样。熊老大一怔，马上就火了，说，狗卵你要干么？

狗卵毫不畏色，说，抓赌！

熊老大大怒，喝道，狗卵你反了天了！

狗卵说，今天我狗卵总指挥就是要反你熊老大的天！

说过手起三节棍落，一下就敲在熊老大胳膊上。熊老大哎哟一声，抱着胳膊圪蹴下来，疼得脸死灰过去。

光彩猫干老七拥到了房门口，都大惊，眼睁睁地瞧着狗卵和武装的村民，一时作声不得，像雷打了样。

狗卵扬了扬三节棍喝道，都放老实点！要不，有你们苦头辣吃！

三人就惶惶地不敢动弹，暗忖狗卵这婊子儿明火抢劫不得了了！

这时，熊老大站起来，看见狗卵已进房正大把大把地往口袋里塞钞票。熊老大疯了，说反了你狗卵，你他妈抢啊，小心你狗卵明儿吃子弹！

狗卵火了，返身转回一把将熊老大胳膊拧到背后，说捆了！

就有村民找来麻绳，利索地将熊老大五花大绑起来。

狗卵喝道，老实告诉你熊老大，县里马上要清查你兄弟几个，村里提前抓你，你服不服？

熊老大说，狗卵你造谣！你狗卵跑不了的！

狗卵轻蔑地一笑。笑的当儿，忽然感觉到大肠蠕动。狗卵就想起来了，走过去一把抓住熊老大的头发，扳起头，然后将屁股对着他嘴巴，一个痛痛快快的响屁就轰地冲出屁眼。

狗卵说，这屁香不？

说过哈哈大笑，觉着报仇雪恨后的痛快。接着，就闻到了狗肉香气。找去，便在厨房找到了一锅烧得稀烂的狗肉。狗卵说，都吃了去。一伙人就将狗肉端上来，围了桌子抢吃开来，一边说着荤笑话。

正吃着时，门口闯进一村民。狗卵说慌慌张张的什么卵事？那村民将他拉到一边嘀嘀咕咕说了。狗卵脸就有些惊，也有些喜，让人捉摸不定。再回来时，狗卵就对猫干说，你家里有事，放你跟他先走吧。猫干惊疑，不明白家里发生了什么事，也没问，忙一步蹿出门去。

七

看着三路人马在黑夜里散去，叶光荣倒是怔了下，觉着心头别别直跳，更加紧张不安起来。村民催促说，走呀支书。他这才回过神来，带领一路人马上路。

现在，叶光荣忽然想起事先该去算个卦。虽然他不相信迷信，可要是抽个上上签，心里就可能安稳些，不会这样紧张不安了。他记得电影上毛泽东离开西柏坡时抽了个上上签。他跟柳镇人看法一样：怎么毛主席也相信迷信啊。可学校的老师说，说你没看懂电影。他也相信自己没看懂电影。现在，叶光荣觉得似乎有点似懂非懂了。

天很黑,夜深人静。传入耳朵的,只有他们杂乱的脚步声。叶光荣看出,一伙人也跟自己一样,都很紧张不安。说到底,他们是去抓在柳镇咳嗽一下就震地皮的熊老三,非同寻常啊!不管怎么说,成功或失败,就看这一回了。如果成功,还只是第一步,下一步要让张书记同意处理熊家兄弟清算村里账目,真不知道还有多难哩。但第一步能成功就好,饭要一口一口吃,路要一步一步走,不要妄想上街村一下子就能奔小康。只要第一步成功,上街村就有希望,上街村人就能不受熊家兄弟欺侮安安心心奔小康。可要是失败呢,事情就不可想象,他叶光荣在熊家兄弟和张书记面前的假面壳也摘下了,他们会说,你叶光荣原来是鬼啊。跟着他叶光荣就罪重了,捏造县里指示,私闯村干部住宅抓人,煽动不明真相群众闹事等等,随便哪条他都没好果子吃。他叶光荣想开了,倒是没什么,可今夜跟他叶光荣走的四十多个村民,日后还不让熊老三弄死,想到这里,叶光荣觉得过意不去,这些人都受他捏造的"县里指示"欺骗哩。他们不该让熊老三整,一人做事一人担,他叶光荣把什么都承担过来,弄个坐牢家破财空,他也没怨言。

可叶光荣是有把握的,他相信能成功。跟吴三才通过电话后,他马上去了熊老三家亲自探情况。熊老三正独自坐在院里抽烟,见了他有些惊讶,说光荣你有事?叶光荣笑笑,说跟村长说说老四入党的事,你看我多被动呀,工作没做好,张书记跟我提起,我才想起老四早该入党哩。熊老三笑了,说不关你事,不关你事,老四没向你提,能说你支书工作没做好?叶光荣说,我没发现,有责任哩。熊老三说,老四是不尊重你,你不要往心里去。婊子儿脾气倔,我叫他送个申请来。叶光荣说我哪会往心里去。说着时,他便留意到三楼东间亮着灯,时不时有一两句卷着舌头的女人说话声……

想起把握性,叶光荣就镇定多了。他极力将这镇定表现出来,做个样子,使大家不至于太紧张。

一伙人走着时,细种突然捂着肚子圪蹴下来,嘴里哼哼唷唷的。叶光荣说怎么啦,又要泻?细种说狗娘的,肚皮不争气。叶光荣就蹙起眉头,招呼大家站下等。村民提醒说,狗卵他们几路都抢天火样去了,支书落后,万一行动不统一给熊老三跑了,我们不瞎抓!叶光荣猛醒,对细种说,你拉完屎就赶来。细种嗯了声,忙急匆匆朝田畈钻去。

狗娘的细种,莫不是临阵当逃兵吧。一村民说。

叶光荣一惊,想了想,好像不大可能。就不接腔。

这婊子儿,鬼样子,莫不是不敢得罪熊老三呢?又一村民说。

不要瞎猜,这番他还是挑头的。叶光荣说。

叶光荣相信细种不会当逃兵,再说就算他当逃兵吧,也无关紧要,这番抓熊老三有绝对把握,不在乎一两个逃兵。但想是这样想,肚里不免起了疑心,虚虚惊惊的。叶光荣就叫了一个村民回头去看看细种,叮嘱碰到抓紧一块赶来。一边领了一伙人继续赶路。

到了熊老三家门口时，一伙人都站了紧张地看叶光荣。里面没有灯光，也没有动静，一片死寂。有人轻声说，狗娘的熊老三，说不定正搂着女人乐呢。把门捅开进去？

马上有人反对说：捅进去还不惊动他！

叶光荣说，我先翻墙进去，开了门，大家再进。一定要将他们卵脱精光抓住。

说罢一跳，攀着了墙头，再蹭一蹭，身子就上去了。

熊老三睡得正浓时，枕边的手机把他吵醒了。他有些不耐烦，抓过手机就是一声斥：有屁事就说！

手机有五秒钟没有声音，熊老三正要骂娘，手机却响了，说：有人马上就来抓你。

熊老三一旺，说你说什么狗屁话？

手机就没了声响。再问，那头搿了机。

熊老三感到好笑：半夜三更的，谁敢吃了豹子胆来抓我！正要关手机继续睡。可猛一想，马上又觉到这电话非同一般。他想会是谁来这电话呢，声音还蛮熟哩。但他想不起来。

熊老三一点也不惊慌，点了支烟。在柳镇这地皮，熊老三从来就不知道什么叫惊慌，没人敢找他麻烦的，抽过一口烟后，他才想起该给兄弟家打个电话，问问镇里到底出没出事，顺便把这鬼样的电话说说。真是笑话，柳镇还有人敢来抓他！肯定是哪个鬼明的不敢，半夜敲个电话吓唬吓唬他，让他睡不安生。他得查查，查到就叫那鬼也睡不安生，一罚三，熬三夜写检查。他先拨老大家电话。不通。再拨老四家，还是不通。熊老三这才有些慌了，心想难道真的出事了！接着他就拨老二家。老二家没人接。熊老三急了，猛一激灵，这才想起怕是两个女人那头来人了吧，这一急，他就跳起来，老婆说，你干什么？他说，你起来，快想法子把两个女人藏了！老婆怔了，说藏了干嘛！你还怕人来抢？他烦得跟老婆啰唆，说叫你藏你就藏，快快想法子。老婆就没主意，老憨样慢慢穿衣。熊老三火了，一把将被掀了，说你还糯米吃进去样，那边都来抢人了！老婆这才急了，说你快叫兄弟几个来呀。熊老三说：电话都不通，没人接，叫魂呵。老婆苦着脸，说就这个家，藏两个大活人，怎么藏得了？你也想想法子呀。

熊老三想不出，急得团团转。

老婆说，要么你出去叫人？

熊老三说，叫人来不及。鬼电话这么紧，说明那边人可能已进村，要么……

老婆说，要么藏细种家去。

熊老三一想，也有道理。就叫老婆快去搬两把梯子。自己急忙跑上楼去。开了门，两女人惊醒，缩在被窝里吓得都快要哭了。熊老三喝道，怕什么？我又没想强奸你们的意思！快穿衣，换个地方！两女人拥着被不敢动。熊老三火起，一把扯了被。两女人惊叫一声，这才慌慌地穿衣。须臾穿好，熊老三押了她们下楼，见老婆已在墙头搭好梯子。他就逼着她们翻过墙去，自己也最后翻了过去，细种家黑灯瞎火的，都睡沉了。熊老三过去敲开房门，吓得细种老婆筛糠样站都站不直。细种不在家，熊老三却是没想到，怔了怔，忽然就悟到了。但他来不及多想，慌乱中交代细种老婆说，这两个女人交给你了，丢了我剥你的皮！细种老婆就尿了裤，鸡啄米样点头。熊老三找来麻绳将两女人捆了，又塞了嘴巴，这才出来翻上墙头，抽了梯子。老婆候在墙下接了。熊老三迅速下来，顺手搬了梯。

至此，熊老三才松一口气，黑暗中摸出一支烟点了圪蹴下来，想：那边会是哪些人来呢？

八

大旺率人马在熊老四家附近伏了下来，密切监视着动静。

熊老四家毫无动静，黑灯瞎火，一片死静。

监视了一会，就有村民想起来，说好像见过熊老四夜里跟秀凤在一起，一前一后往轴承厂走去的。

大旺一怔，什么时候？

那村民想了想说，好像是九点，也许是十点光景。

大旺默了下，说，反正电话线剪了，要么这里留三人，其余人跟我到轴承厂看看。

村民说，也有道理，轴承厂也有电话，给联系上去救熊老三，支书要怪罪我们。

大旺就留下三人，交代过几句，领了人马急急忙忙向轴承厂奔去。天很黑，没有星星，眉毛月在云中破绽。街上有狗吠。如今狗肉金贵，狗养了都给偷去宰了吃，柳镇养狗的就不多。所以几条狗吠也没影响行动。人马拐过街，正要进弄，前头忽地闪过一条人影，鬼样。

大旺眼尖，马上警觉地喝道，哪个？

那人就停下，然后迎上来嘻嘻地笑。大家才看清是细种。

大旺说，你不跟牢支书？

细种说，跟了。妈的一出门，肚皮就不争气要泻。支书叫我干脆到三处看看，联络联络。

大旺说有没有情况？细种说刚出发有什么情况？没有。又问你们不守住熊老四家，瞎跑跑的去哪儿呀，大旺就将情况说了。细种说，也是道理。说过就往熊老三家方向走去。

大旺迟疑了下，想，细种这婊子儿莫不会豆腐刀两面光吧？又想起他这番也算是挑头的，软塌塌的也像是泻肚泻垮了样，便觉得自己也太多疑，可笑。

大旺就说，快走！领了人马向轴承厂奔去。

秀凤很烦。晚饭后，她先是跟几个同命运的落榜同学逛街，后来心血来潮，一个人钻进录像厅看一部香港言情片。看了一半，她又出来了。片子里俊男靓女生活在大都市里卿卿我我的，而她却窝在这小镇里，对比对比，她烦着呢！

卖票的老头问，猫干囡，怎么不看完就出来呢？

秀凤懒得应他，拿起桌上的片壳看内容梗概。

老头纠缠说，毕业了，准备做什么工作呵猫干囡？

秀凤白他一眼，继续看片壳上的内容梗概。

老头说，其实，猫干囡你心气不要高，做做你爹的饼干行当，我看就很好。

秀凤听了就来气，将片壳有些重地摔在桌上说，饼干饼干，我听到饼干两字就烦！

说过，觉得委屈，噔噔噔走了。走着又烦，没个去处。小镇就田螺壳样大，死窝在小镇像爹一样做做饼干，她这辈子还不灰死了！只要到城里，比做饼干再累的行当她秀凤也做。这些天，她正跟爹吵着要在城里开间化妆品小店，爹说你到城里，家里四层楼谁住？爹这饼干厂谁接班？秀凤说我不管，我就要到城里，讨饭也到城里讨。

秀凤在街上东游西荡烦着时，碰见了熊老四，远远迎上嘻嘻地朝她笑。

秀凤没打算理他。虽然熊老四长得不俗，像香港片里的一个少爷，也算是镇上有脸有面的人，可秀凤听说他口碑不怎么好。然而熊老四没放过她。

秀凤，听说你没考上大学？熊老四拦住她嘻嘻地笑。

考上考不上关你屁事。秀凤绷着脸说。

哟，发脾气哩。熊老四笑道，其实，大学不大学的，也没关系，像你秀凤，要人貌有人貌，要肚才有肚才，还愁将来没出息！

老板这话还算中听，不像我爹，把人看扁。秀凤这才笑了。

你爹怎么说？熊老四问。

我爹叫我做饼干，守着四层楼招女婿。

你一个高中生做饼干？猫干也真是饼干脑子，除了饼干没有别样。

秀凤笑了起来，咯咯咯咯。她觉得熊老四说话还挺风趣。

熊老四说，像你这样的人才，家境好，又是独生囡，窝在镇上做饼干老板娘是糟蹋哩。

秀凤说，那你说我该做哪样？

到城里开间电脑店，最不济也开间化妆品店，才跟你这人般配。

可我都死窝在柳镇，没门路钻呢。

不急不急，门路是靠机缘碰的。熊老四顿一下又说，请你到茶室吃冷饮，给不给面子？

天都这么凉了，还吃冷饮？

凉归凉，主要是吃个意思。城里人都这样，落雪天都吃。

秀凤犹豫了一下，说去就去。

两人就进了清凉冷饮沙龙。熊老四打个响指，要了两碗冰镇莲子汤两份蛋糕。沙龙里就他们两人，清静得有些情致。喝了半杯冰镇莲子汤，肚里就冰凉。秀凤说，城里人冬天也这么把肚皮灌得冰冰的？熊老四哈哈大笑。

说了一阵闲话，熊老四说，我在城里有个轴承经销点，正缺个人。你要是愿意，工资六百，先去，我就不用再找人了。

秀凤的眼睛亮了起来。

熊老四笑道，先在城里混混熟，再发展开电脑店什么的，一步步来。

秀凤很惊喜，碍着熊老四才没有兴奋得跳起来。她说，我去。

熊老四笑道：知道什么叫轴承么？

秀凤摇摇头。

熊老四说，过晌带你到我厂里看看去，先熟悉熟悉，要不你到城里经销点，还真会一下子摸不着头脑。

十一点多，两人从清凉冷饮沙龙出来，去了轴承厂。厂里还有工人做夜班。熊老四带秀凤到车间转了圈，然后领她到办公室看样品。

大旺领人赶到轴承厂时，恰巧有工人做夜班散出来。大旺问见没见过熊老四。工人也都是镇里人，见他们火气浓浓的，就问找熊老四干嘛。大旺不想说，工人说你不说我们也不说。大旺心里急，可还是不想说。磨着时，一个村民憋不住就说了。几个工人听说抓熊老四，又是县里指示，就兴奋了，都说见过熊老四，还见他带了秀凤参观过车间呢。大旺说他们如今在哪儿？工人说，狗娘的，八成是带到办公室里嫖去了。大旺就更急了，低吼一声，都跟我来！

几个工人跟了一伙人冲进厂去，一路咋咋呼呼的。大旺几次警告也无济于事。于是便惊动了没下班的工人，都拥出车间，问明了，就全体一窝蜂跟了来。事已到此，大旺也没办法劝止，只好由他们。

快到厂部办公室时，就有工人叫起来：灯亮了！

果然见刚才墨黑的厂部办公室窗口亮了灯。

大旺就明白人多杂乱可能惊动了熊老四，心里恼火得很，说，别让跑了熊老四！

一伙人就奔跑过去。大旺和几个工人跑在头里，到办公室时，门却关着。大旺死敲也没人开门。几个工人火起，几脚头踹破门，都拥了进去，却见秀凤慌慌张张在穿衣，羞愧得无地自容样。

大旺恶狠狠地问，熊老四这狗娘养的呢？

秀凤说刚、刚跳……跳窗、窗出、出去……哗地就哭出声来。

大旺说，是你愿意的，还是熊老四逼你的？

秀凤哭道，他骗、骗我到、这里，门一关，就、就就就不放我出去……

大旺就想起老婆，血涌上来，吼道，跑不远的，都给我去搜！

一伙人便又都拥出去，四散开来搜去。一时厂区里人声嘈杂，东一声，西一声，此起彼伏很热闹。

不一会，就有几个临时自告奋勇充当头目的工人和村民神情沮丧地回来，报告说厂区里找了个遍，就缺没挖老鼠洞了，都没能找到熊老四。

大旺狠狠地，说，他真能钻到老鼠洞去？再搜！

又分散开去。

过了些时辰，就听见有人兴奋喊，在这里，在这里！

闻声，都拥了过去。却见是一口小池塘。几支手电筒光柱聚在一起，就见水面上熊老四惊恐铁青的脸，水淋淋的，头上顶了蓬乱草。

滚上来！快！众人厉声喝。

熊老四没动，惊恐地瞧着围了小池塘一圈的人。

滚上来！快！众人又厉声喝。

熊老四站起来，吓得像俘虏样自觉地举起双手，一步一步蹭上岸边。

大旺一把揪了他头发，伸手抓了只胳膊，猛一拎，就将熊老四拎到岸上。又扫过一脚，熊老四跌了个狗吃屎。大旺恶狠狠地说，你他妈的也有今日！

马上有人将熊老四又抓起，命令他站好了。熊老四水淋淋站着，很乖，冻得牙齿像发电报样打战，脸煞青。

骂声就四起，说，这熊卵，今天威风哪里去了？说，婊子儿刚弄过血旺旺的，立马又逃到冷水里浸，这一热一冷，命不长，真是活该！说，这贼儿平日太作恶了，该！……

说着说着，想起平日受熊老四的欺侮，就都气愤起来。不知哪个喊声打，一时大家都懵了，对着熊老四拳打脚踢起来。熊老四杀猪样嚎叫。愈是嚎叫，大家就愈气愤，说你嚎个鬼啊。下手也便更狠。

正打着时，就见猫干挤进人堆。大家住了手。猫干疯了样，一把抓起熊老四，一推膛将他打进池塘。跟着猫干也扑进池塘，抓住熊老四像对付死狗样拼命往水中捺。

岸上的人都看呆了，愣着不知如何是好。大旺叫声不好，第一个跳进池塘。大家这才清醒过来，一个个扑通扑通跟了跳下去……

九

不一会儿，熊老三就听见院子外面有脚步声，很杂乱。熊老三有些慌，夹烟的手指抖得厉害。他骂了声自己，说你熊老三还没见过场面啊。跟着，他就看见一个人影攀上墙头，接着跳了进来。他没有声张，见那人站稳后又去开了院门。门外拥进了一帮人。这时，他才拉了下庭柱上的开关，院子葡萄架下的路灯就亮了。

熊老三吃了一惊。

叶光荣吃了一惊。

村民们也吃了一惊。

足足有几分钟僵着。之后，熊老三先开口说，是你呵支书！

叶光荣半晌才从吃惊中缓过神来，笨拙拙地答道，是我。

村民们面面相觑，怵得不敢喘口气儿。

熊老三吃了一惊后，马上就镇定下来，一点儿也不怕了。那边不来抢人，他怕什么？难道会塌天不成！事实上，就是那边来抢人，只要有准备，他熊老三敢作敢为，塌天也敢撑。现在，他只是惊讶叶光荣干吗半夜领一伙人闯到他家。他开始还不相信，可现实摆在面前，和刚才那个鬼电话一联系，他才想难道真是抓他？抓他的就是这个在他面前狗样摇尾巴的村支书？看来是真的。他娘的真看不出，知人知面难知心，身边还睡了个林彪哩。

熊老三恨不得咬叶光荣一块肉，但他却笑道，支书半夜不陪老婆睡觉，领一帮人跑到我家干吗？

叶光荣回答不了。情况出乎意料，本想是抓他个卵脱精光，弄他个强迫、贩卖妇女罪再赶他下台的，可人家早有准备，半夜里衣衫整齐地在等他，他一番苦心策划也就泡汤了。叶光荣差点噎过气去，脑子里是一盆糨糊。现在，他想不起是怎么回事，想不起是哪个环节出了漏洞，让熊老三早早有了准备。他想，这是天意，天意不灭他熊老三，不让上街村人喘口气。叶光荣心里长叹了气，觉着无奈和沮丧。

熊老三走了过来，又道，支书半夜不陪老婆睡觉，领一帮人跑到我家干嘛？

这一次口气咄咄逼人。说过目光刺向叶光荣，半晌，又刺向八九个村民。

村民们怵了，个个瘟鸡样垂下头不敢看他。

叶光荣觉得再不能软蛋了，他要软蛋，村民们就失去主心骨，这一番苦心策划真要泡汤，岂止泡汤。接下去一个个都要有吃苦头辣哩。好在两个外路女人还在，当场胡搞抓不住，可强迫妇女奸宿逃不了，只要两女人开口，就真相大白。

于是，叶光荣说，你把两个女人交出来！

熊老三又吃惊了，说，女人？什么女人？

叶光荣说，熊老三你还装？就是你们兄弟昨天抓的两个外路女人。

熊老三很气，想你叶光荣也管得太宽了，两个女人关你屁事！就叫两女人站你面前，你又能怎样？现在，他真有点懊悔不该将两个女人藏到细种家，自己灭自己威风。他想了想，心里一笑，说我们兄弟没抓过什么外路女人呀。

你谎哪个？

没谎。

搜搜怎样？

有派出所搜查证么？没有，可是违法的，支书你明白不明白？

叶光荣噎住了。

那就搜吧，算你不违法。熊老三一笑，补充说，我这人宽宏大量，不计较。

叶光荣又噎了下，听出他是将人藏了。可就这么个大院，两个多钟头前他还亲耳听见女人说话的，能藏到哪里去？藏不了的。叶光荣就对村民们挥了下手。

村民们不敢动。叶光荣气愤了，说，有我呢，他吃不了人，都不要怕，跟我来！

村民们这才胆壮起来，跟了叶光荣身后。

熊老三很放得开，就在前头引路，五层楼一间间领着给看过去。碰到锁门的，就掏钥匙打开，说不要漏掉，都仔细搜了。说得村民们像被当场拿赃的贼，心里惶惶不安的，信心大挫。都看过后，熊老三又叫大院角角落落不要漏了，都搜一搜。村民们就瘟了样不敢吭一声，都偷偷地觑叶光荣，心里开始怨恨起他来。

都搜过了，没有吧？熊老三讽讥地一笑，问。

叶光荣无言以对，有些怔。

至此，熊老三有了种猫耍老鼠的愉悦。他笑道，支书你干吗要这两个女人？是那边行贿给了你不少钱吧？

叶光荣懵了，不解地问，哪边？

熊老三哈哈大笑起来，说，还装糊涂还装糊涂！突然顿住，说我把两女人叫到你跟前，你敢把她们抢出这大院门么？妈的二十多万呢，你还？

叶光荣恍然大悟，对自己的判断错误懊悔不迭。

这时，熊老三的手机响了起来。熊老三说有屁放来。听着时，脸色就大变，说老二你把水根送来！通过话，熊老三凶了，说，好你个叶光荣，你搞政变啊！

水根那路人马出师不利。

熊老二家亮着灯，一帮朋友正在喝酒划拳，破嗓子嚷嚷，里把路外都能听见。

水根叫一伙人在屋前屋后伏下来。一伙人神色就有些忌怵。水根说怕什么，狗娘的日子长不了，县里马上就要抓他兄弟啦。一伙人才胆壮了些，战战兢兢伏了。于是水根就潜过去剪电话线。就是在这当儿，熊老二家两条牛犊样大的狼狗叫了，蹿出来，跳着要咬墙头上的水根。水根吓得不敢下来。

就惊动了熊老二，领了一帮人拥出来，喝：什么人！

一伙人知道不敌，一个起头，其余人都跳起来拔脚就跑，四下散去，似惊弓之鸟。水根站在墙头恨恨的，干着急。

熊老二呼哨一声，两条狼狗便丢下水根去追逃跑人。

结果是水根和一个被狼狗咬翻的村民被抓。村民吓坏了，不待动手，就一缘二故全坦白了，还拿出叶光荣发的烟一个个敬过去，说不关我事不关我事，支书说县里要抓，又逼着，我也是没办法呀。熊老二气得脸铁青，说县里谁敢动我们兄弟？几个头儿都亲戚样走动哩，放你娘的大麦屁！

又审问水根。水根很硬，说熊老二你日子长不了，轰我房屋你还记得？你一倒台，我就剥你皮！

熊老二给他两巴掌，说我倒台你婊子儿早死了，明儿先轰了你那破庙！

十

细种在田畈里蹲了一会儿，看看没人，这才一笑拉上裤子。支书是个没脑人，村民也是些没脑人，好骗。

走出田畈，细种没犹豫，直头直脑钻进一条小弄。小弄里有间录像室，通宵放，售票桌上搿部公用电话。

从录像室出来，细种这才透过一口气来。抬头，小弄的天墨黑黑的，云遮处有片饼干大的白斑，是月亮。细种想一开始自己怎么会那样懵里懵懂，跟猪脑子样笨。支书脑子里想想，没证据就能肯定人家是强迫妇女奸宿然后再贩卖？强迫妇女奸宿是有可能，可熊家兄弟不比过去，钱多得没处放，还会去做贩卖妇女这杀头行当？再就是，县里反正要查他兄弟了，干吗屎急样先抓不等县里查了再说？疑点多哩。这支书，莫不是没权肚里窝火，编谎扯大旗想抓个证据赶熊老三下台吧。可熊老三好扳？就是把他在床上胡搞卵脱精光抓了，也奈何不了他。喔唷唷，是龙虎斗哩，掺和进去，弄输了还不得让熊老三给弄死？懵里懵懂，好险哪！现在好了，不掺和，两边讨好，都不得罪。

现在细种回家去。好好睡觉吧，管它呢。他刚转到街上，迎面碰见一个人。天黑，他没注意那人，那人却嗯了声跟他招呼。细瞧，才认出是那个满面胡外路佬。

你还没走啊。细种边走边说。

生意没办完。满面胡站住，递过一支烟。

半夜了，还没睡？细种接过烟搭讪。

陪朋友喝酒。他说。

细种没闻到酒气。

刚才几拨人急忙忙的，干吗去？他问。

外路人，饭吃三碗，闲事莫管，回旅馆睡觉去。细种教导说。不再理他，径自走了。

回到家，摸进房间拉亮电灯，细种看见屋里捆着两个女人，嘴巴都塞了擦手布；老婆坐着，一脸惊惶。再细看，就认出是熊家兄弟弄回的外路女人。

细种惊呆了，半天说不出话来。老婆结结巴巴告诉他是村长弄过来的，交代要看好。细种就懂了，觉着宽心了些。想了想，伸手去拔女人嘴里擦手布。

老婆慌了，说别动，不看好，村长说要剥我的皮！

细种说你懂个屁，伸手扯去女人嘴里布团。

两女人早就泪汪汪了，说大哥放我们走吧，我们一生一世记住大哥大嫂的大恩！

细种说，不忙，先说说你们是哪里人，他们干吗抓你们？

年长点的女人说，我们是福建松溪人，她是我妹子。熊老四说我男人接了他厂里轴承没付钱，就把我们绑架来了……

说着说着又眼泪汪汪的。细种说，这般说我可不敢放你们，放了你们，我一家给剥皮不说，还要给剁碎喂老母猪。就又将擦手布塞回去。

细种心里说，好险！

十一

电话突然响了。

一直守着的吴三才跳过去抓起电话，传来的却不是叶光荣声音：你是老吴？

吴三才就怔了，说，你是哪位？

那头说，我是张小俊。你听不出来？

吴三才吃一惊，暗自庆幸没先开口，他想当然地以为是叶光荣向他说那句“粉碎‘四人帮’，上街村有希望”的暗语呢。吴三才忙笑道，啊，是张书记啊，县里开会可好？

张小俊说，跟你说个事老吴，狗娘的叶光荣是个戴面具的鬼呢，真看不出！

吴三才脑袋轰地一响，问，你你你、你说他是什么？

张小俊说，婊子儿刚才发神经，带人去抓熊老三兄弟，蛮严重的。我跟派出所老沈刚通过话，你去催催，叫他带干警快些去。你也去。

吴三才脸就青了去，心脏似停止了跳动，怔着不知说怎么好。

张小俊问，老吴你干吗不说话？

吴三才猛醒过来，说张书记你在哪里？

张小俊说，在车上，估计再过二十分钟左右就能赶回。

吴三才说，好、好吧，我就去……有点感冒，可能要迟一点赶到……

撂了电话，吴三才发现手心都是汗。他需要点时间冷静考虑考虑。

派出所所长老沈看了表说，现在是凌晨一点四十，整个行动只用了半小时。

熊老三纠正说，是粉碎政变。

老沈所长一怔，然后戏谑地一笑，纠正说，是粉碎一起乡村未遂政变。

熊老三认真严肃地点了点头。

半小时里，老沈所长指挥干警将所有参加抓人的村民都抓了，集中到熊老三家。又叫人把熊老四熊老大送到镇医院抢救。

熊老三气昏了，给每个参加者两个耳光，一个个打过去，打得自己手掌都痛了，他声称要剥他们的皮。村民们见总指挥都给抓了，就知道大事不好，惶惶如丧家之犬。大旺狗卵水根和猫干当然罪不容赦，都铐了。狗卵叫屈，揭发说还有细种呢。老沈所长就要派人去抓细种。熊老三说，细种就不抓了。一帮人，尤其是叶光荣听了，这才体味出细种泻肚有名堂。可事已至此，吃后悔药也没用，只好在心里恨。唯有水根是硬汉，说熊老三你弄我不死我就要跟你斗到底，上街村是不会让你熊党胡作非为的。熊老三说嘴还死硬呢，才说罢，熊老二上去就是一顿拳打脚踢。水根没哼哨一声，弄得熊老二没兴致。老沈所长说算了算了，他也就住了手，罪魁祸首当然是叶光荣，铐了单独关。

趁张书记和吴镇长没到，老沈所长叫干警先将村民一个个单独审去。审着时，吴三才来了，见院子里俘虏样圪蹴着一片村民，脸就青了，一声不响。

熊老三说，吴镇长，你说叶光荣婊子儿没后台老板，敢这么大胆？

老沈所长马上附和，就是，还蛮有组织哩。

说过都看吴三才。吴三才脸就又白了去，支吾几句，岔开话问，张书记还没来？

说着时，院外响起喇叭声。熊老三说来了，几个人忙迎了出去。张小俊一脸严肃，进来见那么多人头圪蹴在地上，就问都是抓来的？熊老三说是，没想到村里还有这么多婊子儿听叶光荣花腔。张小俊蹙了蹙眉头，说先进去说说情况吧。

进去汇报过情况，熊老三就发难了，说张书记，据几个婊子儿交代，都说这次吴镇长是后台老板，还造谣说县里指示要查我，说你张书记给叫到县里停职检查呢。

说罢盯着吴三才。张小俊就问，有这事？

吴三才此时已镇定了些。说，没这事，村民瞎说。

熊老三说，瞎说不瞎说，敢不敢马上面质？

吴三才有些心虚。张小俊说，好了好了，别听村民瞎说，吴镇长觉悟就这么低，唯恐天下不乱？不会的。说着站起来道，看看叶光荣去。

叶光荣铐着，一帮人进去时，见他倒还是挺平静，没事样朝他们一笑。张小俊说怎么铐着？干警就懂了，马上给下了手铐。张小俊递过烟，叶光荣也不客气，接了。

不待张小俊开口，熊老三就说，吴镇长，现在你跟叶光荣两个面质，自己咬去。

吴三才极力做出没事样看叶光荣。

叶光荣早想好了，不牵累任何人，责任都自己担过来。特别是表弟，不比他当农民，混到这位置已不容易，叫他也摊上捏造假传县里指示私闯民宅抓人，又打伤人的罪名，就够他受的；再说，保住表弟，也是为了上街村。狗娘的熊老三还真能在上街村登皇登到老？共产党就真的不管了？他就不信！所以他问，面质什么？

熊老三说，吴镇长是你后台老板呀。

叶光荣说，没有的事，我不胡乱咬人。

熊老三说，你不是临出发抓我还当村民的面，向吴镇长请示么？

叶光荣说，跟假传县里指示一样，是装样。

吴三才彻底松过一口气。他掏出烟撒了一圈。

熊老三不罢休，说你独个儿担得动这担？千斤重呢。

张小俊说，弄明白了，就不要再问，要相信吴镇长。

熊老三恨恨的，说叶光荣你是鬼啊，戴面具哩，我待你不错，算我瞎了眼呢！

叶光荣说，你待村民怎样？村里给你兄弟四人弄得怎样？烂到根哩。迟早要反你！

熊老三说，还嘴硬，这回要给你苦头辣吃！

叶光荣说，不怕。我发动村民解救被你兄弟绑架的人质，没错。绑架人质是违法的，人人都有责任救人质。错是错在我欺骗群众假传县里指示，不欺骗就没人敢跟我救人质。张书记吴镇长你们说对不对？

熊老三说，张书记别听他，婊子儿开始就根本不知道人质，还以为我们兄弟抓回来玩的！

都出去，我单独跟光荣谈谈。张小俊说。待大家出去，他才说道，抓人质也是没办法，几十万呢，不抓要得回来？叶光荣说，他活该。张小俊说，话也不能这么说。就说你是救人质吧，救了人质去，上街村办厂，还有熊家兄弟的厂就要瘫。瘫了对柳镇有什么好处？我也不是不知道熊家兄弟霸，不得人心，可上街村离了他们，柳镇离了他们，还真不行呢，你相信不相信？上税大户哩，你也只能睁一只眼闭一只眼。要不，镇里下个月就开不出工资，都喝汤去，柳镇也不要发展了。

可熊家兄弟胡作非为，柳镇就能发展？叶光荣说。

这问题我也回答不了。反正目前还得靠他们几个厂。你还是想想吧。说罢，张小俊出来。

熊老三走上前问，婊子儿认罪么？

张小俊说，放人吧。

放人？

放人。统村都是仇人，你什么滋味？你没看今天这么多人……

我不怕！他娘的一个个都剥皮抽筋了，我才消气！

我是为你想。张小俊凶了，放人！

熊老三也凶了，说，张书记这次别怪我不听话，不剥皮抽筋几个，下次就轮到抽我筋剥我皮，我他妈……

熊老三突然顿住朝门看去。他看见院门被撞开，水样地涌进荷枪实弹的公安。愣怔中回过神来，遂认出为首的是那个满面胡外路佬。

十二

本报讯 昨天凌晨，县公安局干警与福建警方联手侦破了一起绑架人质案，两名福建籍妇女人质获救。

据悉，本县柳镇上街村村长熊某兄弟四人，将价值二十六万假冒福建某轴承厂商标的轴承产品运给福建省松溪县的胡某。因假冒案被查处，胡某无法付钱。熊某兄弟于10月2日驱车到福建将胡某妻子和小姨欺骗、绑架回柳镇。

案发后，福建警方与本县警方取得联系，成立专案组侦查此案，两方干警联手迅速侦破了此案。目前，此案正在进一步审理中。

代村长细种放下县报，神情木然。这是一个多月前的报纸，细种保存着，常拿出来看看，看过就想想那个月黑夜。同样的内容地区报也登过。当时在柳镇无异丢了个炸弹。熊家兄弟抓了。叶光荣呢，张书记说叶的所作所为不管怎么说，算是犯事了，可以通过正常渠道嘛。支书也就免了。吴镇长没异议，私下对叶光荣说假冒县里指示太大胆，我没法开口力争啊。上街村党员七老八十，就细种年轻。镇里想调中街村下街村的人过来。嫌摊子烂，竟没人要来。就天降大任于细种。

现在，细种心里很乱，放下报纸踱出村部。村长易主，村子依旧。放眼望三分之一，村部外面的世界阳光灿烂。上街村人倒是生气了不少，细种明白是抓了熊家兄弟的缘故。细种也感到孤立，村里人跟他生疏了。他明白原因。老婆说有权不用过期作废，叫他赶紧把宅基地批了。他没办。原因也在于此。再说，留下个烂摊子，账要查，村办厂不能停工，等等等等，事情竟多得烂芝麻样。关键还是能力，主持村政才一个多月，穷于应付，他累垮了。他得有人辅助。

站了一会儿，代村长细种就见叶光荣挑着粪桶吱扭吱扭过来。一个多月里，细种差不多三天两头跟他撞见，想招呼，他都别过冷脸没理。细种觉得矮他一截，没趣得很。但再没趣，细种想也得自己先开口。这上街村，没叶光荣辅助，弄不好要败在他细种手里。

光荣。细种站在村部门口矜持地喊了声。

叶光荣瞪他一眼，挑着粪桶头也不回地过去。

细种一怔，口气就有些软，光荣，想跟你说说村里事哩。

叶光荣停下了，但没有回头。

细种一喜，忙紧几步跑上前去。

（原载《上海文学》1997 年第 1 期）

阙迪伟

笔名曲河。1950 年出生，浙江丽水人。1968 年在本县插队。当过工人、编辑，现任《丽水文学》主编，丽水市作协主席。1982 年开始发表作品。2002 年加入中国作家协会。发表中篇小说《莽莽丛林》等三十多部，短篇小说近三十篇，电影剧本一部。中篇小说《一曲未了》等三部连获浙江省三届优秀小说奖，中篇小说《绑架》获《广州文艺》朝花文学优秀小说奖。

年 月 日

阎连科

千古旱天那一年，岁月被烤成灰烬，用手一捻，日子便火炭一样粘在手上烧心。一串串的太阳，不见尽止地悬在头顶。先爷从早到晚，一天间都能闻到自己头发黄灿灿的焦糊气息。有时把手伸向天空，转眼间还能闻到指甲烧焦后的黑色臭味。操，这天。他总是这样骂着，从空无一人的村落里出来，踏着无垠的寂寞，眯眼斜射太阳一阵，说瞎子，走啦。盲狗便聆听着他年迈苍茫的脚步声，跟在他的身后，影子样出了村落。

先爷走上梁子，脚下把日光踢得吱吱嚓嚓。从东山脉斜刺过来的光芒，一竿竿竹子样打戳在他的脸上、手上、脚尖上。他感到脸上有被耳光掴打后的热疼，眼角和迎着光芒这边脸上的沟皱里，窝下的红疼就像藏匿了无数串烧红的珠子。

先爷去尿尿。

盲狗被先爷领着去尿尿。

半个月了，先爷和狗每天睡醒过来，第一桩事就是到八里半外的一面坡地上去尿尿。那面朝阳的坡地上，有先爷种的一棵玉蜀黍。就一棵，孤零零在这荒年旱天，绿得噼噼啪啪掉色儿。仅就这一棵，灰烬似的日子就潮腻腻有些水气了。尿是肥料。尿里有水。玉蜀黍所短缺的，都在他和盲狗蓄了一夜的尿中。想到那棵玉蜀黍有可能在昨夜噌噌吱吱，又长了二指高低，原来的四片叶子，已经变成了五片叶子，先爷的心里，就毛茸茸地蠕动起来，酥软轻快的感觉温暖汪洋了一脯胸膛，脸上的笑意也红粉粉地荡漾下一层。玉蜀黍一长仅就一片叶子，先爷想，槐叶、榆叶、椿叶，为啥儿都是一长两片呢？

你说瞎子，先爷回过头去，问盲狗说，树和庄稼为啥儿叶子长数不一样？他把目光搭在狗的头上，并不等盲狗作答，就又转回头来，琢磨着独自去了。把头抬起来，手棚在额门上，先爷顺着日色朝正西瞭望，看见远处山梁上光秃秃的土地呈出紫金，仿佛还有浓烈烈一层红的烟尘铺在土地上。先爷知道，那是歇息了一夜的地气，日光照晒久了，不得不生冒出来。再近一些，网网岔岔裂开的土地的缝隙，使每一块土地都如烧红后摔碎在山脉上的锅片。

村人们早就计划逃了，小麦被旱死在田地里，崇山峻岭都变得荒荒野野，一世界干枯的颜色，把庄稼人日月中的企盼逼得干瘪起来。苦熬至种秋时候，忽然间天上有了雨云，村街上便有了敲锣的声音，唤着说，种秋了——种秋了——老天让我们种秋了——老人们唤，孩娃们唤，男人唤，女人唤，叫声戏腔一样悦人心脾，河流般汇在村街上，从东流到西，又从西流到东，然后就由村头流到山梁上。

——种秋了。

——种秋了。

——老天要下雨让我们种秋了。

这老老少少、黏黏稠稠的唤声把整个山脉都冲荡得动起来。本已落枝的麻雀冷不丁儿被惊得在天空东飞西撞，羽毛如雪花一样飘下来。鸡和猪都各自愣在家门口，脸上厚了一层僵呆呆的白。拴在牛棚柱上的牛，突然要挣脱缰绳去，牛鼻挣裂了，青黑色的血流了一牛槽。所有的猫和狗，都爬到房顶上惊惊恐恐地望着村人们。

浓云密布了整三天。

三天间，刘家涧村、吴家河村、前梁村、后梁村、拴马桩村，全部耙耧人都把存好的玉蜀黍种子拿出来，赶在雨前把秋庄稼点种在了土地里。

三日之后，乌云散了。烈日一如既往火旺火辣地烧在山梁上。

半月之后，有村人锁了屋门、院门，挑着行李逃荒避旱去了。

随之逃难的人群在三朝两日，便如蚂蚁搬家般大起来，群群股股，日夜从村后的梁路朝外面的世界拥出去，脚步声杂杂沓沓，无头无尾地传到村落里，砰砰啪啪敲打在各家的门窗上。

先爷是随着最后一批村人出逃的。农历六月十九，他走在几十个村人的中间。村人们说往哪儿去？他说往东吧。村人们说，东是哪儿？他说正东是徐州，走个三五十天就到了，那儿人日子过得好。人们就往正东走。日光红辣辣地照在梁路上，脚下的烟尘升起落下时扑通扑通响。然走至八里半时，先爷不走了。先爷最后去他家田里尿一泡，回来就对村人们说，你们走吧，一直正东。

——你哩？

——我家地里冒出了一棵玉蜀黍苗。

——那能挡住你不饿死吗？先爷。

——我七十二了，走不够三天也该累死了。横竖都是死，我想死在村落里。

村人们就走了。由近至远的一团黑色，在烈日下如慢慢消失的一股烟尘。先爷站在自家的田头上，等目光望空了，落落寞寞地沉寂便哐咚一声砸在了他心上。

那一刻，他浑身颤抖一下，灵醒到一个村落、一道山脉仅剩下他一个七十二岁的老人了。他心里猛然间漫天漫地地空旷起来，死寂和荒凉像突然降下的深秋样根植了他全身。

这一天，当日越东山、由金黄转为红灿时，先爷和狗与往日无二地到了八里半的田头。他老远就看见这块一亩三分地的中央，那棵已经赛了筷子高的玉蜀黍苗儿，在红褐褐的日光下青绿绿如一股喷出的水。闻到了吗？他扭头问盲狗，说多香呵，十里八里都能闻到这水津津鲜嫩嫩的苗棵气。盲狗朝他扬了一下头，蹭着他的腿，不言不语朝那棵苗儿跑过去。

前面是一条深沟，沟中蓄满的燥热，这当儿总是涌上来烫着先爷的脸。先爷把他仅穿的一件白布衫脱下来，揉成一团，在脸上抹一把。他闻到三尺五尺厚的一层臭汗味。多好的肥料呵，先爷想，等这棵玉蜀黍再长半月，就把这布衫洗了去，把洗衣水从村里端过来，让玉蜀黍过年一样吃一顿。先爷把布衫珍贵地夹到了腋下。那棵玉蜀黍走到他的眼前了，一拃高，四片叶，没有分出一片他想象的叶芽儿。在玉蜀黍苗顶看了看，把上面的几星尘灰轻拂掉，先爷心里的失落凉浸浸地淫了上半身。

狗在先爷腿上蹭几下，绕着玉蜀黍苗转了一个圈，又绕着转了一个圈。先爷说瞎子，你远点儿转。那狗就站着不动了，哼出青皮条儿似的几声叫，抬起头来盯着先爷，仿佛有急不可耐的事情要去做。

先爷知道，它憋不住那泡尿水了。到地边的一棵枯槐树上取下挂着的锄(先爷用完的农具都挂在那棵槐树上)，回来在玉蜀黍苗西边(昨天是在东边)嚓的一声刨了一个窝，说尿吧你。不等盲狗撒完尿，猛然，先爷七十二岁的老眼被啥儿扎住了。眼角扯扯拉拉疼，继而心里噼里啪啦响起来，他看见玉蜀黍苗最下的两片叶子上，有了点点滴滴的小斑点，圆圆如叶子上结了小麦壳。这是旱斑吗？我早上来尿尿，傍黑来浇水，怎么会旱呢？在弯腰直身的那一刻，狗的银黄色尿声敲在了先爷的脑壳上，明白了，那焦枯的斑点，不是因为旱，而是因为肥料太足了，狗尿比人尿肥得多，热得多。瞎子，我日你祖宗你还尿呀你。先爷飞起一脚，把狗踢到五尺之外，像一袋谷子样落在板死的土地上。我让你尿，先爷叫道，你存心把玉蜀黍苗烧死是不是？

狗茫然地立在那儿，枯井似的眼坑里冷丁儿潮潮润润。

先爷说，活该。然后恶了一眼狗，蹲下拉着嫩柔的玉蜀黍叶，看了看那青玉一样透亮的叶上的枯斑点，慌慌用手把锄坑中未及渗下的狗尿的白沫掬出一捧来，又把尿泥挖出几把丢在旁边，拿起锄，盖了那尿坑，用锄底板在虚土上蹾了蹾，对狗说，走吧，回家挑水来浇吧，不立马浇水淡淡这肥料，两天不到苗儿就被你给烧死了。

狗便沿着来路往梁上走，先爷跟在它身后，热乎乎的脚步声，像枯焦的几枚树叶打着旋儿飘落在烈日中。

然而，玉蜀黍苗的灾难就如先爷和狗的脚步声，跟着走去又跟着走来了。在它长到第六片叶子时，先爷去打水，到井边，有一股小旋风把他的草帽吹掉了。草帽在村街上骨碌碌朝前翻滚，先爷连忙去追。

那筛子似的一团风先慢后快，总有一丈的距离保持着，先爷一直追出村口。有几次都摸到草帽边了，那小旋风却又迈腿急跑几步把先爷拉下来。先爷七十二了。先爷的腿脚大不如从前了。先爷想我不要你这顶草帽好不好，全村除了我，再没有另外一个人，我开了谁家门还找不到一个草帽呢。先爷停下脚步，抬眼望去。山梁上孤零零一间草房子，庙一样竖在路边上，旋风一撞到那墙下，就陷着不走了。

先爷从从容容地到那墙下，朝减弱了的旋风踢几脚，弓身捡起那草帽，双手用力把草帽撕成一片一片，摔在地上，拿脚奋力跺着吼：

——我让你跑。

——我让你跟着旋风跑。

——有能耐你还跑呀你。

草帽便七零八落了。麦秸纯白的气息散开来，多少日子都是燥闷焦枯的山梁上，开始有了一些别的味道。先爷最后把扯不烂的帽圈揉成一团，丢在地上，踩上一只脚，在那帽圈上碾了碾，问说不跑了吧？你一辈子再也跑不了了，太阳旱天欺负我，你他奶奶的也想欺负我。这样说着时，先爷舒缓地喘着气，把目光投到八里半外的坡地去，看着看着他的脚在帽圈上不再动了，嘴里的自语也忽然麻绳一样断下了。

八里半外坡地那边是漫山遍野火红的尘灰色，仿佛一堵半透明又摇摇晃晃的墙。先爷愣了愣，一下灵醒到那边的坡地上刮的不是小旋风，而是一场大风。他直立在烈日下的墙角前，心里轰然一声巨响，仿佛身后的墙倒塌下来，砸在了他的前胸后背上。

他开始急步地朝八里半外坡地走过去。

远处摇晃的墙一样半透明的尘灰色，这会儿愈加浓稠着，起落荡动，又似乎是在那儿卷流的洪水的头，一浪起，一浪落，把山脉淹得一片洪荒汪洋。

先爷想，完了，怕真的要完了。

先爷想，刚才那股小旋风吹着我的草帽，把我引到山上来，就是要对我说前面坡地起了大风啦。先爷说，我对不住你哟小旋风，我不该朝你身上踢三脚。还有我的草帽，先爷想，它是好意才跟着旋风滚走哩，我凭啥就把它撕了呢？我老了，真的是老了。先爷说老得糊涂了，不分好歹了。先爷边想边说，自责声如扯不断的藤样从他嘴里一股一团地吐出来。当他感到心里平和下来时，远处黄浊的大风息止了，一直嗡嗡在耳里打仗一样的砰啪声，也偃旗息鼓了。突然降在耳旁的寂静，使他的耳根有一丝丝隐隐的疼。日光也恢复了它的活力，又强又硬，使田地里发出清晰炽白的咔嚓声,宛若豆荚在烈日下爆裂。先爷的脚步淡下来,喘气声开始均匀舒缓,像女人做鞋拉线一个样。坡地到了,先爷站在田头,却惊得站下了,呼吸血淋淋地被眼前的酷景一刀斩断了。

那棵玉蜀黍苗儿被风吹断了。苗茬断手指样颤抖着,生硬的日光中流动着丝线一样细微稠密的绿色哀伤。

先爷和狗搬到八里半坡地来住了。

先爷没有犹豫,就像一个看瓜的老人在瓜熟时必须住到瓜地一样,在那棵玉蜀黍的苗茬旁,埋下了四根椽子做桩柱,在四柱的腰上,拴平两扇门板,再在柱子顶上,苫了四领草席,就把家搬到坡地了。他在棚柱上钉满了钉子,把锅、勺、刷都挂在那些钉上,把碗装进一个旧的面袋,挂在锅的下面,再在地边崖下挖一个小灶,剩下的就是等着玉蜀黍茬儿重新发芽了。

忽然换了床铺,入夜后先爷用尽力气也睡不实落。天空中流动月白色的焦热,他把唯一穿的裤衩儿脱了,赤条条地坐在铺上抽烟。烟明暗之间,他无意中望见了腿中的那样东西,如灯笼一样挑挂着,觉得丑极,就又穿上了裤衩。心里却想,我是彻底老了,它对我再也没有用了。有它还不如那棵玉蜀黍苗儿呢。玉蜀黍苗儿的每一片叶子都让我受活,如和自己年轻时羡爱的女人在村头或者井边立着说话一样,湿润润的轻松静默悄息间就浸满了一个身。磕烟锅时,火点砸在田地的夜色上,把身边的盲狗震醒了。

先爷说,你睡醒了?

又说,你是瞎子,睡得香。我是明眼人,倒睡不着哩。

狗爬挪着过去舔了他的手。他把手摸在狗的头上,一把一把梳理它的毛。梳理着他就看见从瞎狗的两眼井洞里流出了两滴清清明明的泪。先爷擦了那泪说,老不死的太阳呵,你黑心断肠,把狗眼都给晒瞎了。想到狗眼被晒瞎那件事情时,先爷心里被什么牵拽了一下,忙把狗揽在怀里,一把一把去狗的眼上抹。狗的眼泪竟如两股泉样湿尽了他的手。那事谁也料不到,先爷想,无论哪年旱天,都是在村头搭上一架祭台,摆上三盘供品,两个水缸。在水缸里盛满水,缸面上画上水龙王。然后,把一只狗捆在两缸之间,让狗头仰着天,渴了给它喝,饿了给它吃,不饥不渴时就让它对着太阳狂烈地叫。往年往月,多则七天,少则三日,太阳就被狗吠咬退了,便就刮风下雨或者阴天了。可是今年,把这只从外村逃来的野狗捆上祭台,让它叫了半个月,太阳依旧炽烈,准时地出,准时地落。在第十六天的正午时,先爷路过那祭台,发现两缸水被日晒狗饮,干了一个缸,另一个也见了烧焦的底,再看这只黑狗,毛都卷焦在一起,嗓子里再也叫不出声音了。

先爷放了狗,说你走吧,再也不会下雨了。

从祭台上下来的狗,往前走了几步,忽然直往墙上撞,掉回头来走,又往树上撞,先爷过去拉着它的耳朵一看,心里咚的一个惊吓,才知道狗的一双眼珠被太阳晒化了，只留下两眼枯井在它的额下面。

先爷收留了这只狗。

先爷想，幸亏收留了瞎狗，要不独自在这耙耧山脉和谁说话哟。天已经凉爽下来了，一天的燥热开始消退。棚架上空的星月也开始收回它们的光，如拉渔网样，有青白色滴滴答答水淋淋的响。先爷知道，这声音不是水声，也不是树声、草声，间或虫鸣的声，这是空旷无物的夜，在极度寂静中挤出来的沉寂的响动。他一把一把在狗的头上梳理着它的毛，沿着它的脊路，抚摸到尾部，重又把手拿到它的头上梳。狗已经不再落泪了。他梳着它的毛，它舔着他的另一只手，这一夜，他俩被一种相依为命的温馨浸泡着，淹没着，沟通着。

他说瞎子哟，我们两个成家过日子，你答应不答应？有个伴儿活着该多有滋味呵。

它在他手心重重舔了舔。

他说我活不了几年了，你能伴我到死就算我有个善终了。

它从他的手指一下舔到他的手腕上，长得仿佛有十里二十里。

他说，瞎子，你说咱那棵玉蜀黍还会发芽吧？狗没有再舔他的手。狗朝他点了一下头。他说是今夜生芽儿，还是明后天生芽儿？我瞌睡了，你别点头，我看不见了，你嗓子有声你就说话呀。你说是今夜生芽还是过了今夜生？先爷倒在棚架上，闭着双眼，黯淡了的棚影湿了水的薄纱般盖在他脸上。他不再在狗的脊背上抚摸了。他的手停在狗的脑壳上，安安然然睡着了。

先爷醒来已是日上三竿。他感到眼皮上有火辣辣针扎的疼，坐起来揉了眼，望着滚圆的一轮金黄依旧悬着时，心里骂了句日你祖宗八辈，有一天看我不掘了你太阳家的坟。之后他就看见了盲狗卧在地中央玉蜀黍的苗茬边。心里疑了一下，问发芽了？狗朝他微微点了一个头，他便从棚上爬下来，到那儿果然看见一节嫩萝卜似的苗茬边，又长出了青红如水的一个小芽儿，刚生的皂角树芽一模样，半指长，嫩得似乎一摸就要掉下来，在太阳光下润泽如玉。

他想找一片树叶盖在那芽上，就到崖下的沟边绕了一大圈，空手走回来，又在小灶旁站了站，拿起锄去槐树上勾下一根长杈子，回来把树枝轻轻放在芽苗上，爬上棚架，取了自己的布衫，往那树枝一搭，把那芽苗遮盖在了一片阴凉里。

他说，再也不敢有个长短了。

他说，瞎子，吃饭吧，吃啥哩？

又说，一大早有啥吃，烧玉蜀黍糁儿汤喝吧，晌午饭烧一顿好吃的。

新的玉蜀黍苗长到两片叶儿时，先爷回村里找粮食。他家里的粮食颗粒没有了。他想偌大一个村，各家的粮缸里漏下一把麦，罐里留下一撮面，也就够他和盲狗度过这场旱荒了。可是，回到村落时，他才忽然发现各家的门户都锁着，蛛网从村街的这边扯到那边。他先回到自己家，清清明明知道，粮缸已用炊帚扫过了，可还是趴在缸上看看，把手伸进面罐摸了摸。抽出手后，他把指头放在嘴里嘬了嘬，面香的纯白气味即刻在他嘴里化开来，哩哩啦啦流遍全身。他深深地吸口气，吞咽了那气味，出来在村街上立下来。斜照的日光，一层均匀的金液样在村落中流动，死静中间，能听到房檐上滴落下来的日光的声响。先爷想，一个山脉的人都逃走了，贼不被晒死也被饿死了，我日你们奶奶，你们锁门是为了防我先爷吗？越是防我，我越要撬门翻墙，先爷说谁家能不留一些粮食呢？不留粮食荒旱过去回来吃啥？不留粮食锁门干啥？先爷在一家门口站住了。这是同姓本族一个侄儿的家。先爷又朝前边一家走过去，到了一家老寡妇的门口。老寡妇年轻时，每年冬天都给先爷做一双千层底装羊毛的靴。现在老寡妇死了，她儿子住着这个老宅院。想到这个宅院给他带来的温馨，总如岁月一样久远地留住在他空荡荡的心房里，先爷朝那大门上注目好一阵，又默默地朝前走过去。他的脚步寂寞而又响亮，早年绿水深林间的伐木声样，回荡在村落中，一家一家落锁的大门，便枯船一般从他脚下划过去。

他终于把村落走了一个遍。太阳已是中天。午饭又该烧了。瞎子在这就好了，他嘟嘟囔囔说，它说让我翻谁家的墙，我就翻谁家的墙。

先爷对着山梁上叫——瞎子——瞎子——你说我到谁家找粮食好？

回答先爷的沉寂浩瀚无边。

先爷泄气了，就地坐下吸了一袋烟，又空手往八里半的坡地走。回到那儿，盲狗老远就摇着尾巴，顺着声音跑过来，用头在他的裤管上蹭着。先爷不理它。先爷到槐树上取下锄，到棚架下取了一只碗，从地头开始一锄一锄刨起来。第三锄之后，先爷刨出了两颗当初点种的玉蜀黍粒，黄灿灿完整无缺，被太阳晒得灼热烫手。先爷依着当初点种的距离，每一锄都刨出一粒、两粒种子。约有半条山梁长的工夫，空碗里就盛满了玉蜀黍种。

吃了一顿炒玉蜀黍粒。

就水吃炒玉蜀黍粒的时候，先爷和盲狗坐到棚架落下的阴凉里，冷丁儿哑然失笑了。各家地里都给我存的有粮食，先爷说，我到地里刨一天，够我们两个吃三天。然到别家地里去刨时，却没那么容易了。他不知道人家点种时到底多远才落锄种一窝。还有许多家，当时为了赶在雨前把种子播下去，半大的男娃、女娃都掌锄刨窝了，他们锄高锄低，用力大小，点种的间距，七零八落，远不如先爷播种那样均匀有规律。要往年，各家播种是决然不让孩娃掌锄的。这大旱，把啥儿都给弄乱了。

先爷再也不能刨一天由他和盲狗吃上三天了。先爷出力流汗刨一天，顺手时可以吃两天，不顺手仅仅可以吃一天。玉蜀黍苗儿一天一天长高，静夜里它生长的声音细微而稚嫩，就如睡熟的婴娃儿的呼吸。那时候，先爷和狗坐在玉蜀黍的苗棵边，歇着刨了一天的身子，听着玉蜀黍的呼吸，感到浑身的骨关节酥热而又舒畅。月亮出来了，女人脸样一盘儿，挂在空旷的头顶，星星明丽在月亮周围，过年节时新衣服上的扣子般,缀结在宽大无比的一块纯蓝的绸布上。这当儿,先爷就要问盲狗,他说瞎子,你年轻时和几个母狗好?

狗就很茫然地和他对着脸。

他说你说实话瞎子,这儿没有别的人,只有咱俩,夜深人静的。

狗依旧茫然地和他对着脸。

不说就算了,先爷叹了一口气,几分沮丧地点着烟,对着天空说,年轻多好啊,身上有气力,夜里有女人。女人要是再聪慧,从田地回去她给你端上水,脸上有汗了她给你递蒲扇,下雪天给你暖被窝。夜里和她不安分,一早起床要下地,她还会说累了一夜,你多睡一会儿吧。那样的日子,先爷狠狠吸了一口烟,十里长堤一样吐出来,把手抚在狗背上,说,那样的日子和神仙的日子有啥儿两样呢。

先爷问,你有过那样的日子吗?瞎子。

盲狗沉默着。

先爷说你说瞎子,男人是不是为了那样的日子才来到世界上?先爷不再让盲狗答,他问完了自己说,我说是。又说不过老了就不是了,老了就是为了一棵树,一棵草,一堆孙男孙女才活着。活着终归比死了好。先爷说到这儿时,吸了一口烟,借着火光他看见玉蜀黍生长的声音青嫩嫩线一样朝着他的耳边走。把目光往玉蜀黍苗边凑过去,看见过膝深的苗顶忽然蓬散了,又有一叶新的芽儿从那淡紫浅黄中挣出来,圆圆一卷如同一根细柳笛。已经有九片叶子分分明明弓样弯在苗棵上。先爷从地上站起来,拿锄在苗下刨了一个窝,他和盲狗都往窝里撒了尿,在窝里浇了三碗水,盖上土,三锄五落,又在玉蜀黍棵下围了一个小土堆。生怕突然又有一场大风,把苗棵再从根部吹断,先爷连夜回了村,找来四领苇席,在玉蜀黍周围四尺远处,桩下四根棍子,把那四领苇席院墙般围在棍上。扎那苇席时候,先爷说瞎子,回村找些绳来,啥绳子都行。盲狗便深脚浅迹地沿着梁路摸索着走了,至月移星稀时分,它衔着先爷在那场风中撕烂的草帽回来。先爷便用那草帽带儿把苇席捆死在桩上。带子不够,又用了他自己的黑裤带。忙完这一切活计,东方已经泛白。

苇席圈儿在晨昏之中,如殷实农家门前围的一个小菜园。园中那棵孤独的玉蜀黍,旗杆样立在中间,过着一种富贵的生活,渴水饿肥,正午时还有草席在圆顶搭着给它遮阳,于是它欢欢乐乐疯长,五朝七日之后,竟把头探到外边来了。

问题是太阳总是一串一串,井水终要干枯了。先爷每天回村挑一担水,每桶水都要系十余次空桶,搅上来才能倒大半桶带沙的浑水。有一种恐慌开始从井下升上来,冷冰冰浸满了先爷全身。终于有一天,他把空桶系下去,几丈长的辘轳绳子全都用尽,才搅上来一碗水。要在井旁再等许久,另一碗才能从井底渗出来。

泉枯了,像树叶落了一样。

先爷想了一个法儿,天黑前把一床褥子系进井里,让它吸一夜井水,第二第早上把褥子从井底拉上,竟能拧出半桶水来。然后把褥子再系进井底,提着水回到坡地。洗锅水、洗脸水，次数不多的洗衣水，全都用来浇玉蜀黍，这样水倒也没有显出十分的短缺。从褥子上一股一股往桶里拧水时，水气凉凉地飘散在烈日间。先爷和日光打仗样抢吸着那水气，嘴里说，我七十二了，啥事儿没经过？井枯了你能难倒我？只要你地下有水，我就能把水抠出来。太阳你有能耐你把这地下的水晒干呀。

先爷总是胜利者。

一天，先爷在他侄儿家田里从早刨到晚，才刨出来半碗玉蜀黍粒。来日又换了一家地，却连半碗也没有刨出来。有三天时间，先爷和狗把一天间的三餐改成了两餐，把黏稠的糁儿汤饭改成了稀水糁儿汤。他感到事情严重了，他弄不明白，当初各家都兢兢业业把种子种在了田地里，种子没发芽，本该一粒一粒都还埋在褐土下。看到瞎子的肋骨从它的毛间挣跳出来时，先爷心里嗖的一声冷噤了。他掂了掂自己的脸皮，能把皮子从脸上扯起半尺高，脸皮好像一张包袱布样兜着一架骷髅头。他感到身上没有力气了。把水褥子从井下搅上来要无休无止地歇几歇儿。先爷想，我不能这样饿死呀。

先爷说，瞎子，我们不能不跳人家院墙了。

先爷说，算借吧，落一场雨，来年有收成我就还人家。

先爷提了一个布袋，摇摇晃晃回村了。狗跟在他身后，走路连一点声息都没有。他把大拇脚趾勾起来，用脚趾尖和脚跟挨着地，让脚心桥起来，躲着地面红火火的烫。盲狗则每走几步，都要把前蹄抬起用舌头舔一舔，八里半路他们似乎走了有一年，到村口的一个牛圈下，先爷闪到墙阴下，脱掉鞋子不停地用手搓着脚。

狗在墙阴下耷拉着舌头喘了几口气，在一家墙角跷腿滴了几滴尿。

先爷说，那就先借他家的存粮吧。他从布袋里取出一柄斧，把大门上的锁给砸开来。推门走进去，径直到上房屋门口，又砸开上房的锁。一脚踏进屋里，先爷猛地看到正屋桌上的灰尘厚厚一层，蛛网七连八扯。在那尘上网下，立着一尊牌位，一个老汉富态的画像。像上穿长袍马褂，一双刀亮亮的眼，穿破尘土，目光噼噼啪啪投在了先爷身上。

先爷怔住了。

这是老堡长的家。老堡长死了才三年，目光还活生生锐辣辣的呢。瞎子，你也真是瞎子呵，先爷想，你怎么能把尿撒在堡长家门口呢？先爷把斧子靠在门框上，跪下给堡长磕了三个头，深躬三拜，说堡长哟，耙耧山脉方圆数百里，遭千年不遇的旱荒了，男女老少都逃难去了，一个村、一个世界只剩下我和瞎子了。我们留下来守村落。我们已经三天没有正经吃过一顿饱饭了，今儿先到你家借些储存，明年还时决不缺斤短两。又说，堡长哟，你忙你的吧，我知道这旱荒年月各家粮食都藏在哪儿。话毕，先爷从地上起来，拍拍膝上的土，提着粮袋到东间里屋去，潦潦草草看了罐，看了缸。不消说，缸罐都清清白白的空。然先爷不懈气，他仿佛知道谁家的存粮都不会盛在鲜明的缸罐里。该去床下找。借着从窗子里透过的阳光，他把东屋的床下看得格外仔细。这年月逃难走了，谁把粮食摆着留给盗贼呢？是我也要把粮食埋到床下去。可堡长家的床下除了生白碱的青瓷尿盆，委实干净得没有一丝虚土的痕迹。先爷又挪动了空缸空罐，找了找桌子下边，翻了柜里柜外，砰啪之声在三间屋里不绝于耳，直折腾进去许多时间，身上、脸上的蛛网、尘土满天满地，也没有找出一粒粮食。

先爷从里屋出来拍着手上的灰说，堡长呀堡长，你活着时候，我没有做过任何对不住你的事，尽管我生日比你大半月，可我一辈子见你都叫哥，你家没有余粮你就说话呀，你让我在这白白翻腾半天，好像我的力气用不完似的，好像离开你家就借不到粮食似的。

堡长自然不语。

堡长不言语，先爷就几分睥睨地斜了他一眼，说也真是，白让我给你磕头三拜。之后，先爷拍了拍卧在门口的盲狗的脸。

走，先爷说，就不信月亮一落就不见星星了。

依原样关了堡长家的门，把坏锁挂在门扣儿上。先爷一家一家进，一连撬砸了十几把锁，进了七户人家，粮缸粮罐，柜里柜外，床下桌下，家家都找得细如发丝，终还是没有找到一粒粮。从第七家出来时，先爷拿了一杆称饲料的秤，一杆马鞭子（这是一家大车户，先爷帮他家赶过车），到村街惘然地立下来，把秤丢在路边，把鞭子扔在地上，说我要秤干啥？能找到粮食时，我可以用秤称一称，来年也好如数还人家，可粮食在哪呀？说我要鞭子干啥，虽然鞭能如枪护身子（先爷曾一鞭抽死过一只狼），可一个山野的动物都逃了，连个兔子都没有，这鞭不是一根废鞭嘛。各家大门的板缝都被晒得比先前宽许多，先爷眯眼朝天上瞅了瞅，看日已中天，又到了午饭时，还没有闻到一丝粮食味，心里慌慌的感觉漫无边际地升上来。他让盲狗坐在村街上，说你在这等着吧，两眼瞎黑，到谁家你也看不到粮食藏在哪儿。然后他就朝另外一条胡同走去了。先爷专挑日子富足的人家才撬锁，可一连又三家，手里的粮袋依然空空瘪瘪。从那条胡同回来时，日光把他的脸照成了青白色，紫亮的斑点在脸上闪闪烁烁，晦气又浓又烈地在满脸的沟壑之间淌动着。他手里提了一个盐罐。盐罐里有半把盐粒。先爷在嘴里含了一颗盐，过来又给狗的嘴里塞了一粒盐。

狗用盲眼盯问他，没有找到一把粮食吗？

先爷不做答，忽然拿起地上的鞭子，站在路的中央，对着太阳噼噼啪啪抽起来。细韧的牛皮鞭，在空中蛇样一屈一直，鞭梢上便炸出青白的一声声霹雳来，把整块的日光，抽打得梨花飘落般，满地都是碎了的光华，满村落都是过年时鞭炮的声响。直到先爷累了，汗水叮叮咚咚落下，才收住了鞭子。

盲狗惘然地立在先爷面前，眼眶润润地湿下来。

先爷说，瞎子，不用怕，以后有我的一碗，就有你的半碗，宁可饿死我，也不会饿死你。

盲狗眼里涌出了泪珠。泪珠嘭的一声掉落下来，在地上砸出了两个豆似的小坑。

走吧，先爷提了盐罐，拿了鞭子和秤，说回坡再刨种子去。

然而，刚走两步，先爷的脚便钉在了地面上。他看见一群要从村外进村的老鼠，每一只都如丰年一样又圆又胖，黑亮亮在村口一堵墙阴下，不安地盯着村落里，盯着先爷和盲狗。霎时，先爷的脑里哗哗啦啦有一扇大门洞开了。

先爷笑了笑。

这是村人逃难后先爷第一次笑出声，乐呵呵的声响如文火炒豆般又沙哑又脆啦。先爷说，饿死天，饿死地，还能饿死我先爷?!

先爷领着盲狗迎着惊呆的老鼠走过去，说瞎子，你知道粮食都藏在哪儿吗？我知道，先爷我知道。

当夜，先爷在山坡地里，就刨了三个老鼠窝，弄出了一升玉蜀黍种子粒。先爷前半夜在棚架上浅浅睡一觉，至下夜时分，月明星稀，地上溶溶一片明亮时，先爷让瞎子在那棵玉蜀黍的围席旁守护着，自己独自到刨不出种子的田地中央坐下来，屏住呼吸，一动不动。这样静过半个时辰，他就听到了老鼠叽叽的叫声，不是欢乐的嬉闹，就是争食的打斗。再把耳朵贴到地面上，摸准老鼠尖叫的方位，在那里插一根棍子做标记，回去扛了锄来，绕着棍子翻三尺远近，一尺深浅，准有一个鼠窝。鼠窝里居然有大半碗玉蜀黍的种子。一粒不落，连鼠屎带种子捧到碗里，先爷就到第二块刨不出种子的地里如法炮制。

很长一段时间，先爷的日子过得忙碌且充实。一早起床，回村去绞拧井里的水褥子，回来吃过饭后，把粮食中的鼠屎拣出来，盛在一个碗里，碗满后就埋在那棵玉蜀黍旁。中饭之后，午觉是一定要睡的，棚架上的日光虽然利锐，却没有地上蒸腾的热气，有时还刮一些温凉的风，觉也睡得踏实，一觉醒来，已经到了日红西山。起床再回村去拧半桶水来，暮黑便如期而至了。吃过夜饭，和狗一道，陪着玉蜀黍在阴怖的沉寂中坐着纳凉，向狗和玉蜀黍提一些他最常思考的问题，如为啥庄稼总是一片一片叶儿长，问得狗和玉蜀黍哑口无言，他就点上一袋烟，长而又长地吸一口，说还是我对你们说了吧，因为它是庄稼，它就得一片一片叶子长；因为人家是树木，人家就得两片两片叶子长。有些夜晚，风习习地吹着，先爷会向狗和玉蜀黍提些更为深奥的问题。他说你们知道吧，老堡长活着时，村里来过一个做学问的人，他说这地球是转的，转一圈就是一天，你们说这做学问的人是不是在放屁？地球是转的为啥我们在床上睡时没有把我们倒下床？为啥缸里的水没有倒出去，井里的水没有流出来，人为啥总是头朝着天走路？先爷说，照那人的话说，地球是吸着我们才睡着了不会掉下床，可你们想，地球吸着我们，我们为什么走路还能抬起脚？这样黑洞一样模糊深刻的问题，先爷谈论时，脸上的神圣便正经八百，手里燃了的旱烟也顾不上再吸了。到最后，疑问全都水落石出摆在了狗和玉蜀黍的面前，先爷便极懊悔地倒在田地里，把脸和天平行着，让月色洗着他的脸，说我太给那读书人面子了，他在村里住了三天，我都没有去问他。我怕当着全村人的面他答不出来脸上挂不住。先爷说，他是靠学问混饭吃，我不能砸了他的饭碗呀。

玉蜀黍棵长得一帆风顺，叶子宽得和巴掌样，一层层从地面直到苇席外。它已经高出苇席两头，夜间生长的嗓音都变得粗大喑哑了。再过些许日子，个头就算长成了。先爷为了进出方便，拆开了一面苇席，他七天前进去和玉蜀黍棵比了个儿，玉蜀黍棵也就到他脖子下，又两天就到了他额门前。今儿，先爷又一比，它的顶竟高过他的发梢了。先爷想，再有半个月，它就该冒顶了，再半月就该吐穗了。三个月之后，就该有一棒玉蜀黍穗儿了。先爷想到在这秃无人烟的山脉上，他种出了一棒穗儿，剥下有一碗粒儿，颗颗都如珍珠般，在旱过雨落不久，村人们自世界外边走回来，可以用这一碗粒儿做种子，一季接一季，这山脉上又可以汪汪洋洋无垠着玉蜀黍的一片绿世界，我死了他们得给我的坟前立一块功德无量碑。

先爷自言自语说，我真的是功德无量呢。这样说着时，他就舒舒坦坦进了梦乡。或这样说完梦话后，他还依然在梦里，人却从棚架上爬下来，到那棵刚锄过的玉蜀黍边，又精精细细地锄一遍。静夜中的锄地声，单调而又嘹亮，像一曲独奏的民间音乐，在山脉上声悠声漫地传出很远很远。锄完地，他没有回去睡，又扛上锄到别的地块屏住呼吸，寻找鼠窝里的玉蜀黍种子了。至来日醒来，他发现原来的空碗里盛满了玉蜀黍粒儿和鼠屎，他会站在碗边愣许久。

棚架柱上挂的那个粮袋子，已经装了半袋玉蜀黍，把他日子中的忧虑挤得无影无踪了。三天前的午时，先爷正睡觉，盲狗忽然把他从棚架上哼哼叽叽扯拉醒，咬着他的布衫儿，把他引到几十步外的一块田地角儿上，到那儿先爷就发现了一个老鼠洞，洞里有满满一捧玉蜀黍粒，回去称了有四两五钱重。原来盲狗可以找到鼠洞了，它在一块田里懵头懵脑兜圈子，鼻子嗅着地，有鼠窝的地方它便欢欢乐乐对着天空叫。

粮袋儿迅速胀起来，先爷再也不用夜半三更潜到地里屏息静气了。他只消把盲狗领到地里，那田里的鼠窝便可以一个不漏地出现在先爷的锄下边（有一半鼠窝没有粮）。无论如何，粮食是有节余了。那个粮袋几天间就满到口上了。然而，先爷在高枕无忧时，忘了他该迅疾地把山脉上的鼠洞都挖掉，他不知道那些老鼠已经不再从点种的种子窝里把玉蜀黍粒儿刨出来，吞在嘴两侧，把它运回到窝里存起来。老鼠们被狗的叫声和先爷的锄声惊醒了，它们和先爷比赛似的消耗着它们的存粮。直到有一天，太阳似乎比先前近了许多倍，一个山脉的土地都成了一块烧红的铁板时，先爷睡不着，想把粮食称一称，取出那杆秤，在荫处校了秤盘是一两，可到日光下一校，秤盘却是一两二。先爷有些惊疑，把秤拿到更毒日光的山坡上，秤盘却又成了一两二钱五。

先爷愕然了。原来日光酷烈时，晒在秤盘上是能晒出斤两的。他跑到山梁上，在梁道上秤盘是一两三钱一，揭去一两盘，日光就是三钱一分重。先爷一连跑了四个山梁子，山梁一个比一个高，最高山梁上的日光是五钱三分重。

从此，先爷就不断去称日光的重量了。早上日出时，日光在棚架周围是二钱，到午时就升到四钱多，落日时分又回到二钱重。

先爷还称过饭碗重多少，水桶有多重。有一次他称盲狗的耳朵时，狗一动秤杆打在他脸上，他在狗的头上狠狠打了一脑壳。

当先爷又一次想起一碗一碗称那一袋粮食的重量时，已经是称过日光的四天后，那一袋玉蜀黍已吃下了好几成，把一碗一碗的重量算计到一块儿，先爷就有些木呆了。剩下的粮食最多够他和瞎子吃半月，这当儿他才想起他和盲狗有好多天没有到田里去寻鼠洞了。

哪料到，为时已晚呢。几天间老鼠们有了召唤似的，都已经把洞里的储粮吃完了。整整一个下午，他领着盲狗找了七块坡地，挖了三十一个鼠洞，人累得筋酥骨断，才刨出八两蜀黍粒。日落时分，从西山过来的血色余晖，火烬样落在山梁上，卷了一天叶子的玉蜀黍叶开始吐下一口长气缓缓展开，先爷端着那半碗夹杂了鼠屎的玉蜀黍粒，灵醒到这山脉上的老鼠已经开始和他与瞎子争夺粮食了。

先爷想，它们都把粮食搬运到哪儿去了呢？

先爷想，你再聪慧，你还能慧过我先爷。

当夜，先爷和狗到更远的田地里去偷听老鼠叫，一整夜换了三块地，耳朵里依然清清白白，没有听到一丝鼠声。东方发亮时，先爷和狗往回走，他问狗说是老鼠们都搬家了吗？搬到了哪里呢？它们搬到哪，哪儿有粮食，我们必须得找到它们哩。日光在狗的枯眼上照得生硬绝情，狗把它的头扭向一边，背着日光走。它没有听到先爷的话。

先爷问，老鼠们会不会躲在哪儿和你我作对呀？

狗的脚步站住了，它扭头捕捉着先爷的脚步声。

回到棚架下，查看了有孩娃手腕粗的玉蜀黍棵，先爷该去村里绞拧井下的水褥了。挑上两个水桶，让狗和他一道去，狗却卧在棚柱下边不动弹。先爷说，走呀你，到村里看看村里的老鼠都住谁家里，住谁家我们去谁家找粮食。狗才和他一道回村了。在村落里，除了在井里绞上来两只喝水淹死的小老鼠，在街巷他们撬了门户的人家，连一只老鼠的影子都没有。先爷挑着少半桶水回到八里半的坡地时，事情却翻天覆地了。他们距坡地还有里余，狗突然惶惶不安起来，不时发出一些半青半紫的吠叫，一条一块，带着瘀血的颜色和腥气。先爷加快了脚步。爬上一面山梁，坡地出现在眼前时，盲狗突然不再哼叫了。它疯了似的朝棚架田地箭过去，有几次前腿踏在崖边差丁点没有掉下去。随着它嘭嘭啪啪的脚步声，硬板地里的日光被它踩裂开，响出一片玻璃瓶被烧碎的白炽炽的炸鸣。跟着它一落一跃的起伏，尖厉狂烈的吠叫也血淋淋地洒在田地间。

先爷顿时呆住了。

先爷立在田头的远处，从狗吠的缝隙中听到了细雨般密密麻麻的老鼠的叫，再把目光投到田中央的棚架下，就看见挂在棚柱上的那一满袋粮食落在棚架下，散开来摊了一地，在板结的地面上滚来滚去。一大片灰黑的老鼠群，三百只，或是五百只，再或上千只，它们在棚架下争夺着那些玉蜀黍粒，从东窜到西，又从西跳到东，玉蜀黍粒在它们脚下翻滚着，在它们嘴边漏落着，淅淅沥沥的碎嚼声和老鼠们欢歌笑语的叽哇声，会在一起如暴雨一样在这面坡地遍洒着。先爷呆住了。肩上的半桶水忽然滑下来，有只桶叮叮当当往沟底滚过去。太阳在棚架下的一层鼠背上，闪烁出青灰色的光，像一堆干柴将燃未燃，浓烟下正有旺火生孕的那一刻。他木然地立着，看见瞎子扑到那儿，头撞到了棚柱上，顿时空中血浆横飞，地面上一片惊怔，狗和老鼠都陷在了死寂的眩晕中。稍后醒转过来，盲狗原地打着转儿狂吠，为自己看不到老鼠在哪儿，急得用爪子去打棚柱子。老鼠们没有发现它的双眼失明了，被它的狂怒吓出了满地青黑墨绿的叫。一片惊慌声，一片叫骂声，寂静了两个来月的山脉突然沸沸腾腾。先爷从老鼠群中跑过去，踩到一只硕大的鼠背上，听到脚下一声尖厉的惨叫，另一只脚的脚面就感到溅落上去的鲜血滚烫如刚泼上去煮开的油。先爷径直跑到苇席边，一个侧身闯进去，不出所料，两只口渴的老鼠正在吃那青绿如水的玉蜀黍棵。听见先爷咚的一声撞进围席内，它们极细小的一个惊怔后，就从苇席缝中逃走了。看玉蜀黍棵还笔直笔直立在日光里，先爷高悬的心啪啦一声落下来。转身来到围席外，看见棚脚下的粮袋里，还蠕动着几只饿急了的黑老鼠，他操起围席上靠的锄，砸在了粮袋上，立刻就有红珠子样的东西飞在了日光下。跟着又是扑扑通通三五锄，鼠毛飞舞，满地血浆，剩余的几十只老鼠，麻乱下一片惊叫，漫无目的地朝四周射过去，一眨眼就不见踪迹了。

盲狗不咬了。

先爷扶着锄立在那儿喘粗气。

太阳下到处是红浆浆的颜色和膻味。

耙耧山脉即刻安静下来了，死静又浓又厚比往日沉重许多倍。他猜想老鼠成千上万都藏在这附近，先爷一离开，就会再次扑过来。他往四周黄金亮亮的山脉上扫望一阵子，坐在锄把上，捡着地上的玉蜀黍粒，说瞎子，以后咋办呢？你能守着这儿吗？盲狗卧在被日光烧焦的土地上吐着细长的舌头，和先爷对了一个脸。先爷说没水了，我、你和玉蜀黍没有一口水喝了。这一天先爷没烧饭。他和盲狗饿了一天，入夜后，他俩守在玉蜀黍棵的围席旁，生怕来两只老鼠，只几口就把那棵玉蜀黍咬倒，守熬至天亮，也没有见到老鼠来。至来日正午时，先爷看玉蜀黍叶儿晒卷了，才把一对空桶挑上肩。

先爷说，瞎子，你守好玉蜀黍。

先爷说，你卧在阴处，把耳朵贴在地上，有一丁点响动就对着响处叫。

先爷说，我挑水去了，你千万留心。

先爷挑着半桶水走回来，一切都安然无恙。只是他从井里把水褥子绞上地面时，褥子上有四只喝水胀死的鼠，每一根毛都竖起来，倒是毛间的虱子还活生生地爬动着。饱饱吃了一顿饭，又要把玉蜀黍粒儿放在两块石头上砸成细碎的糁儿时，先爷开始犯愁了。玉蜀黍粒被一场鼠灾吃得仅剩下小半袋。先爷称了称，还有六斤四两，一天三顿就是吃半饱，他和盲狗也得吃一斤。六天以后怎么办？

太阳又将落山了，西边的山梁被染得血红一片。先爷望着那红中的五颜六色，想断粮的这一天终是来了，想断水的那一天也许就在三朝两日之后。他扭头看看已经开始冒出红白顶儿的玉蜀黍，想算算它还有多少天吐缨，多少天结穗，却忽然想起有许多许多日子，他不记得时日了，不记得眼下是几月初几了。猛然发现，他除了知道白天、黑夜、早上、黄昏、月落、日出等一天间的时间外，其余几月初几都失去了。他感到脑子里一片空白。他说瞎子，立秋过了吧？却又不看狗，自己喃喃说，说不定都已经处暑了，玉蜀黍冒顶是处暑前后的事。

先爷眯缝着眼，在微凹的石面上锤砸玉蜀黍粒，他看见瞎子在地上嗅一会儿，便衔着一只死了两天的老鼠朝沟边走过去。到了离崖头还有几尺远，用头一甩，把那死鼠丢进了沟里。

先爷闻到了淡淡一股热臭的味。

狗又叼着一只死鼠往沟边走去了。

得弄一本万年历，先爷盯着狗，想没有一本万年历就没有几月初几了，没有几月初几就不知道玉蜀黍到底啥时候成熟了。也许距熟秋还有一个月，也许还有四十天，可这么一段千里万里的日子每天吃啥儿？田地里的种子，都已被老鼠们吃得净尽。先爷缓缓抬起头，听见遥远的西边，有了一声叽哇的惨叫，把目光投到最远处，通过两道山峰的中间，看到太阳被另一道山峰吞没了。留下的红灿灿的血渍，从山顶一直流到山底，又漫到先爷的身边来。顷刻，一个世界无声无息了。又将到一天中最为死静的黄昏和傍黑之间的那一刻。要在往年往月，这一刻正是鸡上架、雀归巢的光景，满世界的啁啾会如雨淋一样降下来。可眼下什么都没了，没了牲畜，没了麻雀，连乌鸦也逃旱飞走了。只有死静。先爷看着血色落日愈来愈薄，听着那些红光离他越来越远如一片红绸被慢慢抽去的响动，收拾着石窝里的玉蜀黍生儿，想又一天过去了，明儿天逼在头顶该怎么过呢？

整整三天过去了，玉蜀黍糁儿无论如何节俭，还是锐减了一半。先爷想，老鼠们都去了哪儿呢？它们都吃什么活着呀。

第四夜，他把盲狗叫到那棵玉蜀黍下，说你守着，要听见有了响动就对着正北叫。然后，自己就扛了锄头，上了梁道，朝正北走过去。到村落最远的一块庄稼地里，把锄放在地心上，自己坐在锄把上，直至东方晓白，仍没有听到一丝鼠响。白天他又领着盲狗到那块地里去，狗帮他找了七个鼠窝，刨开后既没有老鼠，也没有一粒粮食。除了米粒似的鼠屎，就是烫手的礓土。寻着当初点种玉蜀黍种子的锄痕，落下几十个锄坑，也没有找到一粒种子。

先爷料断，这山脉上没有一粒粮食了。

瞎子，先爷说，我问你，你说我们会饿死吗？

盲狗用它那井深的枯眼望着天。

先爷说，那棵玉蜀黍也别想长大成人了。

入了第五个夜晚时，傍晚的落日一尽，夜黑就劈劈剥剥到来。漫山遍野都被覆盖在无月无星的墨色里。山野上焦干的枯树，这时候摆脱了一日里酷烈的日光，刚刚得到一些潮润，就忙不迭发出绒丝一样细黑柔弱的感叹。先爷和狗坐在玉蜀黍的秆边，让玉蜀黍叶在他的鼻子上撩拨着，他大口大口地吞下了几股青棵气。粮食的气味，便似从他的肠子里穿行而过的马车样，呼呼隆隆轧过去，待那气味终于行驶到他的小腹时，他猛地一收腹，把肠子闸住了，将那气味堵截下来，存在了肚子里。这么吞到听见朦胧月色落地时，他说瞎子，你也过来吞几口，吞几口你就不饿了。唤了两声，不见盲狗动弹，一扭头看见狗像一摊软泥样瘫在苇席下，伸手去抱拽，忽然吓了一跳。狗肋鲜明地突在皮外，像刀子样割着他的手。先爷去摸自己的肚，他先摸到了一层干裂的垢皮，揭下来扔在地上，再去摸那虚软如水的肚皮时，一下就摸到了背后的底椎。

瞎子，先爷说，你看，月亮出来了，睡吧，睡着就不饿了，梦也能当饭吃。

这时候，狗从地上站起来，趔趄着要往棚架边上去。

别爬棚架了，先爷说，就睡在这地上，把爬架子的力气省下来。

狗就又回来卧在原处不动了。

一弯上弦细月迟迟缓缓从一片云后露出来，山梁上开始有了水色。朦胧中先爷睁了一下眼，望望蓝瓦瓦的夜色祈祷说，老天爷，我快饿死了吗？你快给我一把粮食吧，让我多活一些日子呵，最少让我活过狗，狗死了我也好捡个上好地方埋了它，别让老鼠啥儿把它疯抢了，也不枉它来人世走一遭。狗死了你再让我活过这棵玉蜀黍，我就是为了它才留下的，你总得让我有个收成吧。玉蜀黍熟了你也别让我死，你让我等到一场雨，等到村人逃旱回到山脉来，让我把这穗玉蜀黍交给村人们。这是一个山脉的种子哟。先爷这样祈祷着，一手摸着一片玉蜀黍叶，一手从自己的胸口揭着污垢皮儿往地上扔。又将睡着时，他把双脚轻轻蹬在狗背上，说睡吧瞎子，睡了就把饿忘了。说完这一句，他的上下眼皮哐当一合，踢踢踏踏朝梦乡走去了。

先爷睡得正香时，他蹬着狗背的双脚动了动。随后，狗吠声青色石块样砸在耳朵上。他猛然从地上坐起来，听见山梁上有低微一片的老鼠的叫，还有老鼠群急速跑动的爪子声。狗立在苇席外，正朝着梁道上吠。先爷走出来，拍拍狗的头，让它回到苇席圈里守着玉蜀黍棵。正是天将白亮时，月光清淡透亮，空气中有淡薄潮润的馨香。爬上棚架，蹲在面对山梁的一边，先爷首先闻到空气中有很强一股暗红色的鼠臊味，还有腾空的尘土味。他把双眼眨了眨，只看到梁道上溜着地面，有一层云一般的黑色在急速朝南运行。他从棚架上下来了。他害怕鼠群会突然掉头朝这棵玉蜀黍扑过来。到围席里一看，玉蜀黍棵依然青翠地直挺着，瞎子竖起两只耳朵黑亮亮插在半空里。千万不能叫，先爷摸着狗的耳朵说，不能提醒老鼠们这儿有人烟。它们知道有人烟的地方就有粮食吃。

这时候，山梁上暴雨来临似的声音小下来。先爷拍拍狗的头，自己悄悄朝梁上摸过去。到梁道边上时，他看见不时地有十只、二十只掉队的老鼠尖叫着沿路朝南行，他无论如何也不敢相信，原来板结如铁的梁道路面，这时有了指厚的一层灰，老鼠的爪印一个压一个，一张路面上没有可给插针的空地方。

先爷立在路边惊呆着。

先爷想，它们大搬迁要往哪儿去？

也许这场大旱，要无休无止下去了。先爷说，不旱下去它们会这么搬迁吗？不是说老鼠除了怕没水，有木板、草席就不会饿死吗？现在连老鼠都举家搬迁了，可见这场大旱还要持续多么久远呵。先爷独自思量着，欲转身回去时，他又隐隐约约听到了北边有淅淅沥沥的落雨声。他知道那不是雨，是又有老鼠队伍过来了。身上紧缩一下，站到一个高处，借着亮色朝远处一望，身上的血顿时凝住了。他看见翻过一道梁子朝南涌来的不是鼠，而是一道沿路而泄的洪。青青紫紫的鼠叫在那洪水似的鼠队的最前边，狼嚎一样尖怪地引着道，后边潮样的队伍，一起一伏朝着前边涌，波波浪浪，近了些就由细雨变成了铺天盖地的暴雨声。许多老鼠突然跳起来像鱼群从水面跃起一般，又啪地落在水面似的鼠队里。天色已经开始泛白，青色的空气中愈发臊臭，刺鼻呛人。先爷双手忽然捏满了汗。他知道这队伍只要一转头，他和瞎子、玉蜀黍棵儿就谁也别想再活在这个世界上。它们已经饿疯了。饿疯了的老鼠连人的鼻子、耳朵都敢咬。他想跑回去告诉瞎子，千万别弄出一丝响动来，可是已经来不及了。老鼠的队伍黑漆漆雾团一样哗哗啦啦卷，先爷忙疾闪了一下身，躲在了一棵槐树后（那槐树仅比他的胳膊粗）。鼠队前的几只老鼠，硕大无比，浑身都是灰亮亮的毛，个头像小猫或是黄鼠狼。先爷从来没有见过这么大的鼠。先爷想这就是祖辈上说的鼠王吧。他看见最前的几个鼠王眼睛又绿又亮，闪着蓝莹莹的光。它们像飞马那样一下一下跳，跳一下少说有一尺五寸远，腾起来的尘灰毛毡子样铺在鼠队的背上边。先爷想咳嗽，他用手掐着自己的喉咙没敢咳出来。天色白亮了，凉爽的清晨如期而至，瓦蓝的天空中雪白的云如鳞片般。不消说，太阳犀利的光芒，怕要比往日更加锐利了。不锐利鼠群会这样逃走吗？先爷从树后闪了出来，没有一只老鼠正视他一眼，它们害怕的不再是人，而是天，是太阳，是酷烈的大旱荒。他一动不动地立在路边看着老鼠队伍嘶鸣着跑过去,听着掉下路面的老鼠熟透的软柿子样不断啪啦啪啦响。他弄不明白,这些老鼠要堆起来会比一个山头大,它们是如何集合到一块的?它们有号令似的统一向南迁。南边是哪儿?那儿有粮有水没有日光吗?东方有绚红透金的日光了,先爷忽然发现所有老鼠的眼睛都变成了亮红色,一粒粒在路上如一片滚动的珠。有成千上万只被挤下路来的老鼠朝两边的田里跑,一转眼不知消失到了何处。

太阳出来了,阳光里飞舞着一根根银灰、银黑的鼠毛,如春三月的柳絮杨花。先爷在梁上长长舒了一口气,走下梁来,脚步声在清寂的晨日中,显得苍老而无力,到围席里的玉蜀黍边,他看见瞎子正用盲眼盯着梁道的方向,冷汗一珠一粒挂在耳尖上。

他问,怕了吗?

狗不语,软软地卧在了先爷腿边上。

先爷说,是要有大灾大难了?

狗不语,望了望那棵青枝绿叶的玉蜀黍。

先爷一下怔住了。他看见玉蜀黍叶上有许多白斑点,芝麻一样。这是玉蜀黍久旱无水才可能得的干斑症。可尽管天大旱,这玉蜀黍从来没缺过水呀。先爷在这玉蜀黍周围用土围了一个圈,几乎每天都往那圈里浇水。他蹲着把那圈里的褐土扒开来,一指干土下,湿得一捏有水滴。先爷抓了一把湿土站起来,明白了那干斑症不是因为旱,而是因为这漫山遍野的鼠臊味。

所有的粪肥中,老鼠屎是最热最壮的肥,先爷想,不消说这鼠臊的气息也是一样的壮热了。一夜的鼠臊把一棵玉蜀黍围起来,它能不热得干斑吗?把耳朵贴到一片叶子上,先爷听到了那些斑点急速生长的吱吱声。转身吸吸鼻,又闻到从周围汪洋过来的干黑的鼠臊味,正河流样朝这棵玉蜀黍淌过来。

就是说,这棵玉蜀黍立马要死了。

就是说,这玉蜀黍要活下来得立马下场雨,把满山毒气似的鼠臊味压在山野上,把玉蜀黍棵上的毒气洗下来。

盲狗感到先爷的惊慌了,先爷说,瞎子,你守着,我得回村挑水了。他不管盲狗说啥儿,就挑着水桶回村了。

村里依然安静得不见一丝声息。村街上的老鼠屎密密麻麻一层儿,一成不变的太阳把各家的门缝晒得更宽了。先爷顾不了别的许多事,他径直走到井台上,去绞系在井下的水褥时,手上的分量忽然轻得仿佛什么也没有,往日这时水褥哗哗啦啦朝井下滴水的声音消失了。先爷往井里看了看,这一看,他的脸便成了苍白,双手僵在了辘轳把儿上。

过了许久,先爷才把井绳卷尽在辘轳上。水褥没有了。水褥仅剩下一层千疮百孔的布,那布上有一层死后被水泡胀的老鼠,到井口时扑扑嗒嗒又掉进井里十几只。

水褥被跳进井下的渴鼠吃尽了。

先爷开始往谁家去找褥子或被子。

先爷首先到他找粮食的家户去，每到一家他都只在门口待片刻。村里被老鼠洗劫了。各家的箱子、桌子、柜子、床腿等，凡装过衣物粮食的，大洞小洞都被咬得如吃过籽儿的向日葵的盘。黄白色的木料味，和鼠臊味一道盛满了屋子，漫溢在院落里。

先爷跑了十余门户又空手出来了。

从村胡同中走出来，先爷手里提了三根长竹竿，他把三根竹竿捆接在一起，又去一家后院的茅厕找了一个淘粪用小木碗（所有人家灶房的风箱、案板、木碗、陶碗都被老鼠咬得破裂了），他把木碗捆在竹竿的最头上，三次伸到井下去舀水，舀上来都是死老鼠。借着头顶的日光，先爷往井里望了望，他看见井里没水了，黑乎乎的老鼠如半窖坏烂的红薯堆积在井底。还有几只活鼠在死鼠身上跑动着，往井壁上边爬出几尺高，又啪的一声掉下去，尖细哀伤的叫声顺着井壁升上来。

先爷挑着空桶回到八里半的坡地。

空旷的山脉在四周无边无际地延伸着，周围几里十几里之外，天和山脉的相接处，都如熊熊的火光一样燃烧着。先爷到坡地边上时，盲狗跑来了。先爷说井干了，没水了，被死老鼠们把井给填满了。又问这儿有没有老鼠来？狗朝他摇了一个头。他说你和我都要死在这老鼠手里了，还有玉蜀黍，我们活不了几天了。

狗惘然地立在棚架的阴处望着天。

搁下桶，先爷到围席里看了看，玉蜀黍棵每一片叶上的干斑都已经和指甲壳儿一样大。先爷在那玉蜀黍前沉默着，岁岁年年的不说话，直眼看着第十一片叶上的两个干斑长着长着连在一起了，变成长长一斑如晒干的豆荚时，他老昏的双眼眨了眨，脖子的青筋如突出地面的老树根样翘起来。他从围席里走出来，从棚架上取下马鞭子，瞄准太阳的正中心，砰砰叭叭，转动着身子连抽了十几鞭，从太阳的光芒中抽下许多在地上闪移的阴影，然后脖子的青筋下去了，把鞭子往棚架柱上一挂，挑起水桶，不言不语往梁上走过去。

盲狗盯着先爷走去的方向，惆怅漆黑的目光里，有了许多泪味的凄然，直到先爷的脚步声弱小到彻底消失，它才缓缓回去，守卧在玉蜀黍棵下的日光里。

先爷去找水。

先爷认定鼠群逃来的那个方向一定有水喝，没有水它们如何能从大旱开始一直熬到今天呢！先爷想，之所以它们大迁徙，准是因为没有吃食了，有吃食它们怎么会把村落里凡有粮味、衣味的木器都吃得净光哩？先爷想，大迁徙绝不是因为没有水。太阳的光芒笔直红亮，在山脉上独自走着，那光芒显得粗短强壮，每一束、每一根都能用眼睛数过来。一对空水桶在肩前肩后，发出哀怨干裂的叽咕，像枯焦土地的叹息。先爷听着那惨白的声音和自己脚下寂寥的土色的踢踏，心中的空旷比这世界的旱荒大许多。他一连走了三个村庄，枯井里盛满草棒和麦秸，连半点发霉枯腐的潮味都没有。他决定不再去村庄中找水了，村中有水村人如何会逃哩。他一条深沟一条深沟走，沿着沟底寻找地上有没有一星半点的潮润和湿泥。当他翻过几道山梁，在一条窄细的沟中，看到一块石头的阴面有一棵茅草时，他说，操，天咋地能有绝人之路哩？然后，他坐在那块石头上歇了一口气，把那棵茅草一根一段扒出来，嚼了茅草根中的甜汁，又把碎渣咽进肚里，说这条沟里要没水，我就一头撞死。

他开始往沟里一步一步走过去，喘气声一步一落，如冬天的松壳样掉在他面前。不知道已经走了多远的路，刚才嚼茅草根儿时，太阳还半白半红在靠西的山梁上，可这会儿当他发现脚下干裂的土地被颗粒均匀的白色沙子取代时，太阳却在山那边成血红一片了。

先爷最终找到那一眼崖泉时黄昏已经逼近。他先看到脚下的白沙有了浅红的水色，继而走了半天路的烫脚便有了凉凉的惬意。踩着湿沙往沟里走过去，待感到那沟的狭窄挤得他似乎肩疼时，滴水的声音便音乐一样传过来。先爷抬起了头，有一片绿色哗啦一下，朝他的眼上打过来。先爷立下了。他已经五个月没有见过这么多的绿草了，他似乎已经忘了一片草地是啥模样了。水蓑草、绿茅草，还有草间开着的小白花、小红花和红白相间的啥花。燠热的日光中，忽然夹了这么一股浓稠的青草味，腥鲜甜润，在沟底有声有响地铺散着，先爷的喉咙一下子痒起来。先爷想喝水，突然间袭来的口干不可抗拒地在他老裂的唇上僵住了。他已经看到了前边几步远滴水的崖下有半领席大一个水池子，水池子就掩盖在那一领席大的绿草间，仿佛那些草是从一面镜下绿到镜面上。

可是，就在先爷想丢下水桶，快步跑到水池边畅饮时，先爷立下了。先爷咽了一口扯扯连连的黏液立下不动了。他看到那草丛后边站了一只狼，一只和盲狗一样大小的黄狼。狼的眼睛又绿又亮。黄狼先是惊奇先爷的出现，随后看明白先爷挑的一对水桶时，那双眼变得仇恨而又凶狠了，连前腿都微微地弓起来，似乎准备一下扑上去。

先爷一动不动地钉在那儿，一双眼不眨一下地看着那只狼。他明白这狼没有逃走是因为这泉水。偷偷把眼皮往下压了压，先爷便看见那水草边上还有许多毛，灰的、白的、棕红的。有的是兽毛，有的是鸟毛。先爷一下子灵醒这狼是守在泉边等来喝水的鸟兽时，心里有些寒战了。看它瘦得那个样，也许它在这已经等你有三天五天了。先爷看到了两步远处，一块沙石上有干暗的红血迹，有许多吃剩下的坏枣坏核桃似的老鼠头和别的长长短短的灰骨头，这才闻到了清冽冽的腥鲜气味中，还有一种浊白的腐肉味。先爷握着勾担的双手出了一层汗，双腿轻轻抖一下，那黄狼就朝他面前逼了一步。就在这一刻，黄狼逼近时踢着杂草弄出青多白少的响声时，先爷迅疾地一弯腰，把水桶放在地上，猛然将勾担在半空一横，对准了黄狼的头。

黄狼被先爷的勾担逼得朝后退了半步，圆眼中的绿光仇恨得朝着地上掉草色。

先爷把目光盯在黄狼的双眼上。

黄狼也把目光盯在先爷的双眼上。

他们目光的碰撞，在空寂的峡谷中回响着火辣辣黄亮刺目的毕剥声。滴水的声音，蓝莹莹得如炸裂一样震耳。太阳将要落山了。时间如马队样从他们相持的目光中奔过去。面前崖上的血红开始淡下来，有凉气从那山上往山下漫浸。不知从什么时候开始，先爷的额上有了一层汗，腿上的困乏开始从脚下生出来，由下至上往小腿大腿上扩展着。他知道他不能这样僵持下去了。他走了一天的路，可狼在这卧了一天。他一天没进一口水，可狼却是守着随时都能喝的泉。他用舌头偷偷舔了舔干裂的唇，感到舌头挂在唇皮上像挂在一蓬荆刺上。他想狼呀，守着这一池水你能喝完吗？说喂，你给我一担水，我给你烧一碗玉蜀黍生儿汤。这样说的时候，先爷把手里的柳木勾担抓得愈发紧，勾担头儿对着狼的额门，连垂在勾担两头绳系的钩儿都凝死没有晃一晃。

可是，黄狼眼中的光亮却柔和下来了。它终于眨了一下眼，尽管一眨就又睁开了，先爷还是看清它的青硬的目光有了几分水柔色。

先爷听见太阳下山的声音从山的那面落叶一样飘过来。他把指着狼额的勾担头儿试着放下来，终于就放在了一丛绿草上。

先爷说，我明儿来就给你捎来一碗饭。

黄狼把前屈的腿收了收，忽然掉转头，缓缓慢慢，从水池边上绕过去，有气无力地往沟口走去了。走了几步远，它还又回头看了看，脚步声空寂而又温善，由响至弱地回荡在这条狭长的沟壑中。先爷一直望到黄狼走过几十步外的拐弯处，勾担从手里滑落在地上，他一下便软瘫地蹲下来，擦了一下额门上的汗，打了一个禁不住的寒战，这才知道，连身上唯一的白布裤衩都汗粘在了大腿上。

长长地舒下一口气，先爷蹲在地上再也无力站起来。他就那么蹲着，朝前挪了几步，到水池边上，趴下来咕咚咕咚如渴牛样喝起泉水来。转眼间凉润的水汽便从他的口里灌入，透到了脚板下。他喝了满肚子的水，洗了一把脸，看看崖头的日光虽红却还纸一样厚着时，便提上水桶灌满水，把桶放在池边将裤衩儿脱下了。

先爷在水池边上洗了一个澡。

洗澡的当儿先爷说，黄狼呀黄狼，你今儿让我一担水，我明儿去哪给你弄一碗玉蜀黍生儿饭呢？给你捎几只老鼠吧，我知道你爱吃肉。先爷想，我老了，力气弱了，不能不让你了。要在十年前，哪怕几年前，不要说捎给你几只老鼠吃，能放你从我的勾担下过去就算我大慈大悲了。先爷唠唠叨叨，手嘴不停，把一池清水洗得浑浊后，又在池边尿了一泡尿，崖头一纸厚的日光便薄淡成一抹儿浅红了。

掐了两把青草撒在两桶水面上，先爷开始慢慢往沟口走过去。两桶水把勾担压弯成一把弓，一步一闪，青草在桶里拦着不让水花溅出来。勾担嘶哑沉重的叫声，在沟壑里碰碰撞撞响到沟口去。先爷想，我是真的老了，我该悠着步，黄昏之前爬上梁路就啥都不消去怕了。月光会把我送回到坡地里。把水喷到玉蜀黍棵儿上，那干斑症就不会吱吱啦啦蔓延了。

悠悠的先爷没有想到，一群狼把他堵在了沟口。

那只同瞎子一样大小的黄狼在最前引着路，到沟口看见先爷从沟里出来时，它们突然立下来。只立了片刻，前边引路的狼，回头看了一眼就领着狼群大胆地朝先爷靠过来。

先爷浑身轰然一声炸鸣，知道自己落进了那条狼的圈套。他想我不洗澡该多好。他想我不在池边坐下歇息该多好。他想我放快步子现在走上了山梁让这狼群扑空该多好。他这样想的时候，佯装出一种镇定，不慌不忙把水桶挑到一块平地放下来，从从容容把勾担从水桶环上取下来，旋过身，提着勾担像没有把狼群放在眼里那样迎着狼群走过去。他的脚步不急不忙，勾担上的钩儿在他手前手后一甩一动。狼群迎着他走，他也迎着狼群走。二十几步的距离迅速缩短着，至十几步远近时，他依旧从从容容往前大步地走，仿佛要一口气走至狼群中间去。

狼群被先爷的镇静吓住了，忽然它们的脚步淡下来，站在沟口不动了。

先爷径直地往前走。

最前的两只黄狼往后退了退。这一退先爷心里无着无落的悬空有些实在了。他开始更大步地走起来，快捷而又猛烈，脚步声震得有细碎沙石从崖上掉下来。狼群眼睁睁地注视着他，先爷走到这条沟瓶口似的一段狭窄处，乜了一眼沟两岸的峭壁，先爷不走了。先爷选定了这两步宽的沟口，知道这群黄狼不通过这段沟脖子，无法绕到他身后把他围起来，便站到了沟脖的正中间。

剩下的就是对峙了。

先爷喝了一肚子水，饥饿和口渴都被那泉水压下去，他想我只要立在这沟的脖子里，挺着不要倒下去，也许我就能活着走出这条沟。太阳最后收尽了它的余红。黄昏如期而至，沟中的天色和这群黄狼的身子一模样。静寂在黄昏中发出细微的响动，开始从沟壑的上空降下来。先爷数了数，那些还没有明白先爷为啥儿这么从容的黄狼，统共有九只，三只大的，四只和盲狗一样大小，还有两只似乎是当年的崽。

先爷立在那儿如同栽在那儿的一棵树。

狼群中绿莹莹的一片目光，圆珠子样悬在半空里。死寂像黑的山脉一样压在先爷和狼群的头顶上。先爷不动。先爷也不再弄出一点响声来。狼群似乎明白先爷刚才那么迅捷，就是为了抢占那段沟的脖颈时，有条老狼发出了青红条条的叫。随后，狼群便又朝先爷走过来。

先爷把提在手里的勾担猛一下顿立在了面前。

狼群立下了。

彼此七八步远，借着黄昏前最后的明亮，先爷看见那三只老狼中，有一只走在狼群的正中间，它左边的耳朵缺了一牙儿，腿还有些瘸。先爷开始把目光盯在它身上。你你我我就这么僵持了一会儿，果然是那只老狼又发出了低哑的一条儿叫，狼群又开始朝先爷走过来。余下五六步远近时，先爷把勾担在空中一挥，双手紧持着，对准了狼群的正中间，对准了狼王的头。

狼群又一次立下了。

先爷盯着狼王，余光扫着狼群。在那九只狼中，先爷看到最亮的狼眼不是那三只老狼，也不是那四只半大的狼，而是一会儿走在最前，一会儿走在中间的两只小狼。它们目光透亮，有一层日光下的水色，且那光色中有一层惊恐和慌乱。它们不时地扭头去看那狼王。狼王也不时地发出一些只有它们才懂的青红色的叫。黄昏前最后的亮色消退了，暗黑从头顶盖下来。狼眼在一团黑中闪着碧水池子的光。有一股狼的青臊味从沟口扑过来。这臊味不同鼠臊味，显得清淡却十分的明晰，不像鼠臊味那么浓烈又黏黏的稠。先爷想到了那棵玉蜀黍，想那棵玉蜀黍身上的干斑也许已经把叶子全都布满了，也许已经蔓延到玉蜀黍的棵杆上。先爷想，只要不漫染到杆心上，只要玉蜀黍的顶儿还绿茵茵的就可救。先爷想着的时候，又听到狼王青皮条儿的一声叫，身上哆嗦一下，猛眨一下眼，对自己说，除了狼群，你啥儿也不能再想了，再想你就要死在这群狼口了。幸亏先爷想到别处时，狼群的绿眼没能看出来。狼王的一声叫，狼群又要往前挪动时，先爷把勾担挥了挥，担钩儿撞在崖壁上的声音，冷冰冰地传过去，往前挪了一步的狼群又往后边退了退。

僵持像悬桥样搭在先爷和狼王的目光上，他们每眨一下眼，那僵持就摇摇晃晃弄出一些惊心的响动来。先爷看不见狼身在哪儿，他盯着一片绿珠的狼眼不动弹，只要那些绿珠有一颗移动了，他就把勾担摇出一些声音来，把那绿珠重逼得退回去。时间和沉默的老牛拉车一模样，在僵持中缓缓慢慢，轧着先爷的意志走过去。月亮出来了，圆得如狼们的眼，不是十五就是十六。凉风习习，先爷感到他的后背上有蚯蚓的爬动。他知道，他的后背出汗了。他感到了腿上的酸困麻刺刺地正朝着他上身浸。僵持正比往日的劳累繁重几倍地消耗着他的体力。他极想看到狼群。因为纹丝不动的站立累得卧下来，哪怕它们动动身子，活动活动筋骨也行。可是狼们没有。它们成一个扇形在五六步外盯着先爷，如经过了许多风吹雨淋的石头样。先爷听到了它们眼珠转动的细碎的叽嘎声，看见它们背上的瘦毛在风中摆着有了吱吱的火光。先爷想，我能熬持过它们吗？先爷说，你死也要熬持过它们呵。先爷想，它们每一只都有四条腿，可你只有两条腿，又是过了七十的老人哟。先爷说，我的天呀，这才刚刚入夜你就这样给自己抽筋，你不是平白要把自己送到狼口吗？有一只小狼站立不住了，它没有看狼王一眼就卧了下来。跟着，另一只小狼也卧将下来。狼王对小狼看了看,发出了一条紫红色的叫,那两只小狼同时勾回头,哼出了嫩草叶样的回声,狼群就又复归宁静了。乏累是先从卧的小狼开始的。然而,小狼这一卧,先爷如得了传染样,两腿忽然软起来。他想活动活动腿,可他只用力把腿上的筋往上提了提,使膝盖骨上下动了动,就又挺挺地立住了。你不能让老狼们看见你同小狼一样站立不稳了。先爷想,你只消有一点疲累的样子,它们就会有力有胆地向你逼过来。能够不动地立住你就能活下来,先爷说,晃晃身子你就会永远地死了去。月亮从正东朝西南移过去,云彩在月亮脸上浮着,他闻到了云彩的焦干味,料定明儿天又是晴空日出,在山顶上称日光它最少有五钱或是六钱重,先爷把目光朝头顶瞟了瞟,他看见了月亮前边几十步远处有很浓一片云。他想月亮走到那儿时,云影一定会投到这条沟里一会儿。他如一段树桩样等到了那云影果真投过来。在云影黑绸样从他身上掠过时,他静默悄息地把双腿轮流着弯了弯,转眼就感到腿和上身的气脉接通了,一股活力从身上输到了腿膝上。他把微歪的身子正了正,勾担的钩儿弄出了湿纸撕裂般的响声来。也就这一刻,云影又朝狼群移过去,他看见那一片绿光如巨大的萤火虫样朝他挪动了。于是他吼了一声,把勾担朝两边的崖壁上狠命地打了几下。沙石落下的声音,如水流一样在他脚边响动着,待那声音一住,云影滑出沟脖到了沟口,他便看见有五只狼离他更近了,仅还有四步或是五步远。庆幸他在云影中把筋骨松了松,使他能弄出那些有力的响动,把狼群的进逼喝止住,使他僵持中的弓步站立能继续到后半夜。

他想,我七十二了,过的桥都比你们走的路长哩。

他想,只要我不倒在这沟脖,你们就别有胆靠近我。

他想,狼怎么会怕人站着不动的怒视呢?

他想,有半夜了吧,没半夜我的眼皮怎么会涩呢。

先爷说,千万不要瞌睡呵,打个盹你就没命了,瞎子和玉蜀黍棵都还等着你回呢。

那卧着的一对小狼把眼闭上了。先爷看见最亮的两对绿珠子扑闪一下灯笼样灭去了。他把握勾担的右手悄悄沿着勾担往前移了移,挨着左手时,狠命用指甲掐了左手腕,觉得疼痛从手腕麻辣辣传到了眼皮上,瞌睡像被火烧了一样惊着抖一下,从眼皮上掉在了沟壑的月光里,才又把手移回来。又有一只半大的狼把身子卧下了,眼皮立刻奋下来盖住了那绿莹莹的光。狼王用鼻子哼一下,那只狼扑闪扑闪眼,还是把眼皮合上了。

深夜里,时间的响声青翠欲滴。星星在头顶似乎少了几颗,月光显得有了凄苦的凉意。先爷又有几次眨动眼皮了。他偷偷抬起一只脚,在另一只脚上踩了一踩,才觉得眼皮从生硬中软和下来了。看一眼头顶的星月,他知道他终是把半夜熬过了。下半夜已经如遥远的更声一样走了过来,这时候只要不弄出响动,只要能这么直直地挺立着,瞌睡就同样会朝狼群降过去。

瞌睡果真潮湿一样降给了先爷,也降给了狼群。又有三只黄狼卧下了。狼王轻怒的叫声,没有能阻止住狼们的卧下。终于,站着的就仅仅只有狼王了。先爷看着一片狼眼的绿光只剩两只时,他心里有了暗暗一丝惬意,想只要这狼王也卧下就行了。它卧下我就可以偷偷地活动全身的筋骨了。可那狼王不仅没有卧,而且还从狼群中间走到了狼群的最前边。以为它要破釜沉舟,先爷的背上一下子就又汗津津地冷怕了。他把手里的勾担在沟脖的口上沉而有力地晃了晃,料不到那老狼在他的一晃之间,把脚步淡下来,定睛看了看,在先爷面前走了一个半月形,又踏着月色回到了狼群的最中间,然后,咚地一躺,把眼睛闭上了。

所有的灯笼全都熄灭了。

先爷悠长地舒了一口气,两腿一软,就要倒在地上时,心里哐咚响一下,又把身子站直了。就在这一刻,他发现狼王的两眼扑闪了一个窥探,又悄悄闭上了。先爷没有睡,他想狼王是在等着你睡呢。先爷从身边摸着拔下一根长的藤草,解下自己的红布裤腰带,又把勾担的两个钩儿解下来,然后把这四样接成一根长绳子。这样做的当儿,先爷故意弄出许多响动来,他看见在那响动声中,有四只狼睁眼看了他,又都把眼睛闭上了。

不消说,它们是真的瞌睡了。

白淡的月光下,卧着的九只狼如一片新翻的土地。腥臊味清冽冽地在那凸凹不平的地上散发着。先爷把鞋子脱掉了,光脚踏浮在那腥臊气味上,屏住呼吸蹑足往前走了两步,把那绳子绷紧拴在沟脖两侧的地面上,又后退几步,把绳头儿系在自己的手脖上,最后就拄着勾担,靠着崖壁,也把眼皮吧嗒一声合上了。

先爷睡着了。

先爷睡得香飘万里,时光在他的睡梦里旋风一样刮过去。当他感到手腕惊天动地地被牵了一下时,他的梦便戛然断止了。随着梦的中断,他哗哗啦啦睁开眼睛,操起勾担,砰的一声就对准了狼群的方向。

天竟灰亮了。星月不知什么时候隐退得无踪无迹。沟脖口是一层深水的颜色。先爷眨了一下眼,看见他系在几步前的绳子被狼踢断了。裤带像河水一样拦住了狼们的去路。它们知道是那断绳惊醒了先爷,于是都有几分懊悔地立着,看着先爷恶狠狠的威势,也看着那蛇一样的红裤带。先爷把手里的勾担捏着有丝丝的疼音,将勾担的头儿对准狼群的中心。他数了数,面前还有五只狼,那四只不知去了哪儿。且狼王也不在眼前了。先爷脸上冷硬出一股青色,仍一动不动地盯着面前,可心里的慌跳已经房倒屋塌地轰隆起来了。他知道,那四只狼只消有一只从他身后扑过来,这一夜的熬持就算结束了。他也就彻底死去了。

先爷在用力听着身后的动静。

脚下的冷汗水淋淋的湿了鞋底,他感到双脚像踩在了两汪冷水里。先爷竭力想弄明白狼王领着那三只半大的狼去了哪,他把目光往沟口瞟了瞟,看见有一抹薄金淡银的日光透在沟口上。他想太阳终是出来了，黄狼是不经晒的物，只要今儿的日光依旧火焰焰的，这黄狼就会在日光盛旺之前退走。先爷这样想的时候，他闻到了一股浓烈烈的尿臊味，正想看看是哪只黄狼熬持不住放了尿，却忽然发现头顶崖上有土粒哗啦啦地滚下来。

先爷和狼群同时朝崖上抬了头，他看见狼王领着一只小狼正从头顶往沟口走过来。又往沟的那面瞟过去，看见一对半大的狼和狼王一样正从高处朝着坡下走。先爷一下灵醒了，原来在先爷睡着时，那四只狼分两队朝他身后崖头摸过去，是想寻路下到沟底从他身后抄过来。可惜这条沟太过狭隘了，崖壁陡如墙，它们不得不重又从原路返回来。先爷有了一丝得意，身上的活力如日光一样旺起来。也就这时候，太阳光吱吱叫着射进沟里，狼王在崖头上发出了浑浊的有气无力的叫。面前的五只黄狼，听到叫声，忽然就都抬头打量了一眼先爷和他横在面前的柳木勾担，踢踢踏踏掉转头往沟口走去了。

狼群撤退了。

狼群终于在一夜的熬持之后走了，它们边走边回过头来看先爷。先爷依旧持着勾担，桩在那里，目光灼灼地盯着退回去的狼群。直看到九只狼在沟口会在一起，集体回头朝他凝目一阵，才朝沟外走过去。狼群的脚步声由近至远，终于如飘落尽的秋叶无声无息了。先爷两手一松，勾担就从手里落了下来。这时候，他才感到腿上有虫一样的慢爬，低下头去，才闻到那苍白色的尿味不是来自于狼，而是从自己的腿上流出的。

是他被狼吓尿了。

先爷骂了句老没用的东西，坐将下来，痛痛快快歇了一阵，看日光愈加利锐了，便起身提上勾担，一步一望地摸到沟口，寻下一块高处，四下瞭望一会，确信狼群已经不在，才回来重新拴系勾担，挑上水桶走出来。

先爷出沟后从西上的山梁，生怕狼群折转回来，漫长一道山坡，他只歇了三歇，就爬上了耙耧山的梁道。梁道上依然是红褐褐一片，此起彼伏的山梁，在日光下静止的牛群背样竖着。居然相持退了九只黄狼，暗喜和惬意在先爷脸上灿灿烂烂跳跃。他把一担水搁在平处喘息，看见了那九只黄狼在远处爬上一面坡地，背对日光，朝耙耧山脉的深处荡过去。

先爷说，妈的，还想斗过我。我是谁？我是先爷！别说你们是九只黄狼，就是九只虎豹，还能把我先爷怎样？

先爷对着黄狼消失的方向，狂唤了一嗓子——有种你们别走——和我先爷再熬持一天两天嘛——又放低嗓子说，你们走了，这眼泉水就是我的了，就是我和瞎子和玉蜀黍的了。先爷忽然想起了玉蜀黍，想起了它的干斑症，心里冷噤一下，趴在桶上喝了一肚子水，觉得肚胀了，不饥不渴了，又挑起水桶沿着梁路往耙耧山外走过去。

回到那独棵儿的玉蜀黍地已是午时候，一天一夜的寻水和狼的熬持，使先爷忽然老到了上百岁，胡子枯干稀疏，却在一夜之间伸长了许多。到八里半的坡地时，他觉得他要像一棵无根的树样倒下来，搁下水桶在梁道上歇息着，盲狗就到了他眼前。

他看见它吐出的热舌上满是干裂的口，死了的眼窝里却汪了两潭灰黑的水。狗哭了。它不是一步一步走到先爷面前的。它是听到有虚弱的脚步声，闻到了清凉的水汽，迎着水汽朝梁上一步一趔摇摆过来的，到了距先爷还有三步五步时，猛地往地上一瘫，它就再也不能走动了。

爬过来吧，先爷说瞎子，我一步也走不动了哩。

盲狗爬了两步，像死了一样不动了，只是眼眶里的泪水愈加汪汪洋洋了。

我知道你又渴又饿，先爷说能活着就好。

狗不出声，瞎眼对着太阳看了看。

先爷心里一个冷噤，忙问说是玉蜀黍死过了？盲狗把头低下来，汪满两眶的眼泪便叮当一下落在了梁道上。

他朝玉蜀黍那儿走过去，拄着勾担，一步一趔地踢着脚下滚烫的红尘，下到棚架边上时，心里一声巨响。酷烈的日光里，玉蜀黍的叶儿再也没有半点绿色，连原来青白的叶筋，也成了枯干的黄焦。完了，先爷想玉蜀黍终是死去了，他挑回的一担水来不及救它了。不是你熬持败了那群狼，先爷说，是狼群熬持败了你先爷。它们是知道玉蜀黍死了才掉头撤走的。它们压根儿不是为了吞吃你先爷，它们和你相持一夜就是为了熬死这棵玉蜀黍。一种苍老的哀伤雨淋一样淫满了他全身。他在一念之间，彻底垮下了，浑身泥样要顺着勾担流瘫在田地里。可在这将要倒地时，他往玉蜀黍的顶部看了看，顶部的一圈干叶中，有一滴绿色砰的一下闯撞在了他的目光上。

将勾担一丢，先爷往玉蜀黍棵前走过去。

玉蜀黍的顶心儿还活着，在火旺的日光里，还含着淡淡的绿颜色。翻开一片玉蜀黍叶，看见叶背的许多地方还有绸一样薄的绿，麻麻点点如星星样布在干斑的缝隙里。那弯弓般的一条叶筋儿，也还有一丝水汽在筋里迟迟缓缓地流动着。

先爷快步地朝梁上走过去。

先爷走了几步，又折回身子拿了一个碗，到梁上舀出一碗水，放在盲狗的嘴前说，玉蜀黍还活着，喝完了把碗捎回来。就提着一桶水回到玉蜀黍面前了。他趴在桶上灌了一口水，拉过玉蜀黍顶儿到嘴前，雨淋般朝那一滴绿色喷过去。即刻，黄焦的日光里，就漫生下绿色的水润了。红铁板似的日光上，先爷喷出的水珠落上去，有焦白的吱吱的声音响出来。不等那水珠落在田地上，日光就把那水珠狼吞虎咽了。一连往玉蜀黍顶上喷了七口水，如下了七天七夜的暴雨样把顶儿洗透了，待一点老绿泛出了原来闪烁的嫩色后，先爷把水桶提在玉蜀黍棵儿下，用碗舀水一片一片去洗玉蜀黍叶。他把碗放在要洗的叶子下,使撩起的水落在水碗里,碗接不住的再落到水桶里。滴答声音乐样弹响在一根根粗粗壮壮的光芒上。他从这片叶子洗到那片叶子,洗至第四片叶子时,他看见盲狗衔着碗从梁上回来了。把碗放在棚架下,它过来立在先爷腿边上。先爷说还渴吗? 有泉了,尽管喝。盲狗朝他摇了一下头,用前爪去玉蜀黍叶上摸了摸。

先爷说,叶子都还活着哩,你放宽你的心。

狗在先爷的腿边舒口长气卧下了,脸上的表情柔和而舒展。

就在盲狗的尾巴后,先爷又去舀水时,看见有坏茄子样一团黑东西,近一眼看过去,东西上有干枣一般的红。先爷过去朝那东西上踢一脚,是一只死老鼠。回过身来瞅,发现围席圈里还有几只躺在那儿。再到席外去,竟看见乱乱麻麻死了七八只,每只上都有枣皮似的红和被牙咬的洞。不消说,是瞎子咬死的。先爷把盲狗叫起来,问是不是你? 狗便衔着先爷的手,把那手扯到玉蜀黍的根部上,先爷便看见玉蜀黍的根部有被老鼠咬伤的口,汁水儿从那口中流出来,被日光一晒,呈出一滴蓝黄色的胶团儿。先爷在玉蜀黍的伤口面前坐下了,用手抚了那胶团,又去狗头上摸了摸,说瞎子,真多亏了你,下辈子让我托生成畜生时我就托生成你,让你托生成人时你就托生成我孩娃,我让你平平安安一辈子。话到这儿,盲狗的眼眶又湿了,先爷去它的眼眶上擦了擦,又端了一碗清水放到它嘴前,说喝吧,喝个够,以后我去挑水你就得守着玉蜀黍。

玉蜀黍终于又活生过来了。先爷一连三天都用一桶水去淋洗玉蜀黍。三天之后的早晨,先爷便看见玉蜀黍顶是一片绿色。每一片叶子上,绿色从背面浸到正面,一滴水落在草纸上一样扩大着,干斑症便在那绿色的侵逼中慢慢地缩小。又几日,在梁道远眺,就又能看见一片绿色孤零着在日光中傲傲然然地摆动了。

接下来的境遇,是先爷和盲狗粮食吃完了。连一天只吃半碗糁儿汤的日子也告结束了。第一天没吃丁点儿东西,还挑了两半桶的泉水从四十里外晃回来,第二天再挑起水桶去时,一到梁上,便眼花缭乱,天旋地转得走路绊脚。先爷知道他不能再去挑水了,便从梁上回来,喝下一肚生水。到了第三天时候,先爷倚在棚架的柱上,望着如期而至的日出,看到月牙儿还没有隐去,尖锐的阳光就毕毕剥剥晒在了地上。他把盲狗抱在怀里,又说睡吧瞎子,睡着了梦也可以充饥。却终是不能睡着,至日光在他脸上晒出焦煳的气味,又都喝了半碗生水充饥,终于忍不住想尿。尿了就更感饥饿。反复几次喝水,锅里的水也就还剩一碗有余。

先爷说,不能喝了,那是玉蜀黍的口粮。

太阳逼至头顶,日光有五钱的重量。

先爷说,我操你祖宗,这日光。

日光有五钱半的重量,肥胖胖逼在正顶。

先爷说,还能熬得住吗? 瞎子。

太阳有将近六钱的重量。先爷去摸盲狗的肚子，那儿软得如一堆烂泥。

先爷说，没有我的身上肉多，对不住你了，瞎子。

又摸自己肚皮，却像一张纸样。

先爷说，千万睡上一会儿瞎子，睡醒了就有吃的了。

狗就卧在先爷的腿边，不言不语，身上的每一根毛，都又细又长，枝枝杈杈，毛尖上开了几须毛花。先爷竭力想要睡着，每每闭上眼睛，都听到肚子隆隆的叫声。又一天就这样熬持过去了，当太阳亦步亦趋地滑至西山时，先爷果真睡了，再次睁开眼时，脸上冷丁儿灿烂出一层笑意。他扶着棚柱站将起来，望着西去的落日，估测日光降到了四钱不足的重量后，先爷问着太阳说，你能熬过我吗？我是谁？我是你的先爷哩。

先爷对着落日撒了几滴尿，回过头来对卧着的盲狗说，起来吧，我说过睡醒了就有东西吃，就是会有东西吃。

盲狗从田地上费力地站了起来，挨着地面的毛凌乱又鬈曲，散发着焦燎的气味。

先爷说，你猜我们吃啥儿？

盲狗迎着先爷，厚了一脸惘然。

先爷说，给你说吧，我们吃肉。

狗把头仰了起来，洞眼盯着先爷。

先爷说，真的是吃肉。

说完这句，西山脉的太阳，叽哇一声冷笑，便落山了。转眼间焦热锐减下去，山梁上开始有了青绸细丝般的凉风。先爷去灶旁取来一张铁锨，到田地头上挖坑，仿佛树窝一样，扁扁圆圆，有一尺五寸深浅，把坑壁挖得崖岩一般立陡，然后生起火来，烧滚一口开水，从玉蜀黍袋里撮出一星生儿，在那开水里拌了，盛进碗里，放人那个土坑里边。这时候正值黄昏，山梁上安静得能听到黑夜赶来的脚步声。从沟底漫溢上来的有点潮湿的凉爽惬意，像雾样包围了先爷和狗。他们远远地坐棚下，听着坑那边的动静，让黄昏以后的夜色，墨黑的庄稼地样盖着他们。先爷问，你说老鼠们会往坑里跳吗？

狗把耳朵贴在地上细听。

月光洒在地上，山梁上的土地都成了月光水色。静谧间，盲狗果真听见老鼠踢动月光的声响。先爷悄悄朝土坑摸去，有三只老鼠正在坑里争食，斗打得马嘶剑鸣。猛地用一床被子捂在坑口，三只老鼠便都目瞪口呆起来。

先爷和狗这一夜统共捉了十三只老鼠，借着月光剥皮煮了，吃得香味、臊味四溢。到天亮前睡了一觉，日出三竿时候起床，把那些鼠皮都扔在沟里，便挑起水桶到四十里外的泉池去了。

此后的很长一段日子，先爷和狗过得平静而又安逸，光阴中没有啥儿起落。他们把田地中的几十个鼠坑都挖成瓮罐的形状，口小肚大，壁是悬着，只要老鼠跳将下去，就再也不能跳爬上来。每天夜里，把从田地中找来的十几粒玉蜀黍粒儿捣碎煮了，直煮到金黄的香味开始朝四野漫散，才把糁儿汤放进坑里，放心地在棚架上纳凉睡去，来日准有几只，甚或十几只老鼠在坑里苍白叽叽地哀叫。一天或是两天的口粮有了，隔一日去泉池中挑一担水回，岁月就平静得如一道没波没浪的河流。活生生在围席中的那棵玉蜀黍，也终于在冒顶的半月之后，腰杆上突然鼓胀起来，眼见着就冒出了拇指样一颗穗儿。闲将下来，先爷时常在那穗前和盲狗说话。先爷说，瞎子，你说明天这穗儿会不会长得和面杖一样？盲狗看先爷高兴，就用舌头去先爷腿上舔痒。先爷抚着狗背，说玉蜀黍从结穗到秋熟得一个月零十天，哪能在一夜之间长成呢。有时候，先爷说瞎子，你看这穗儿咋就还和指头一样粗呢？盲狗去看那穗儿，先爷又说你是瞎子你哪能看得见呵，这穗儿早比我的拇指粗了。

有一天，先爷挑水回来，给玉蜀黍浇过水后，又空锄了一片田地，忽然发现穗儿吐了缨子，粉奶的白色，从穗头儿上茸茸出来，像孩娃们的胎毛，他就站在穗前呆了片刻，哑然一笑说，秋快熟了，瞎子，你看见没有？秋快熟了。

不见瞎子回应，扭头找去，看见它在沟边吃昨天剥下的鼠皮，嚼下了一世界热臭和一地飞舞的鼠毛。先爷说不脏呀？瞎子。盲狗不语，朝鼠坑那儿走去。跟着它到鼠坑边上，先爷心里咚地跳出一个惊吓，原来那鼠坑里，只有一只小鼠。这是半个月来，老鼠落进坑里最少的一次。前天五只，昨儿四只，今儿只有一只。当日又在其他梁上挖了几个鼠坑，每个坑里都放了几粒玉蜀黍糁儿，来日一早去那坑里捉鼠，有一半鼠坑都是空的，其余坑里，也仅一只两只。

再也没有过一个坑里跳下几只甚或十几只的那种境况。那半月鼠丰水足的日子过去了。在捉不到鼠吃的日子里，先爷独自到山梁上去，用秤称了日渐增多的日光的重量后，独自立在梁顶，对着锐恶的日光，有了一丝惶恐的感觉。这感觉一经萌生，霎时就成了林木，苍茫得漫山遍野。他捉回一只老鼠，回来剥了煮了，用布包着，轻轻拍了几下狗头，让它守着田地，自己便上路去了。先爷见路就走，遇弯就拐，就那么惘惘地走了一晌，转了五个村落，最后到最高的一道梁上立下，和太阳对视一阵，拿手托着称了太阳的分量，叹了一口气后，坐在一段崖下的阴凉处歇了。那段土崖陡峭似壁，擎不住日晒的土粒，不时地从崖上雨滴样洒下。眼前的田地，干裂的缝隙网在坡面上，往远处瞅去，蜿蜒的山梁如焰光大小不一的无边的火地，灼亮炙人，稍看一会儿，就会觉得眼角的热疼。他在焦热暗黄的崖阴下坐了片刻，从口袋取出布包，打开来，发现原来鲜嫩的一团鼠肉，煮熟时还又红又亮，如半截红的萝卜，可只过了半天，却变成了污黑的颜色，仿佛一把污泥一样。先爷把鼠肉放在鼻下闻了，香味荡然无存，剩下的灰色的臊味中还夹了淡淡的霉白色的臭气。他走了大半天的山路，委实饿得没了一星儿耐性。撕下一条鼠腿正欲吃时，又发现那鼠肉中有几粒白亮亮的东西，米粒一样动来动去。他身上叮当一个哆嗦，想把那鼠肉扔掉,可伸了一下手,就又把手缩回了。

先爷闭上眼,张大嘴,一口把那只鼠的头、身塞进了嘴里,咬下三分有二,用力嚼了几下,猛地咽进肚里,又一口就把老鼠吃完了。

睁开眼睛,先爷看见他面前的焦地上掉了两只亮蛆,片刻之后就干在了土地上。

先爷披着暮黑回到了他的田地。这一夜他坐在玉蜀黍的身边通宵未眠。他望着天空,望着穗缨儿转红的玉蜀黍,至天亮时分,忽然坐了起来,独自踏着早晨蒙亮的青色,往村落走去。

山脉上的世界,显得无边空旷、沉寂起来。盲狗朝山梁那儿追着先爷走了几步,又回来死守在了那棵玉蜀黍下。

它在等着先爷回来。

先爷午时走了回来。他从村里滚回来一个大的酱色水缸。先爷把缸竖在那棵玉蜀黍旁,到梁地捉回一只大的老鼠,用手掐着鼠脖,到棚下把那老鼠用菜刀杀了,鼠血滴在碗里。然后把鼠皮喂了瞎子,自己炖了鼠血,煮了鼠肉,将鼠血一吃,包上鼠肉,挑上水桶上路走了。

先爷要把水缸挑满。

算计了一下,满天满地的三十几个鼠坑,统共还有九只老鼠可吃,他和瞎子伙着一天只吃一只充饥,九天后也就最终粮尽了。所有的田地里没有了几个月前村人们点下的种子;所有的村落里没有了半粒粮食和半棵菜草。正是秋将熟的季节,日光的重量一天一钱地上涨,玉蜀黍这时候最需要养分水分。先爷必须在九天内把水缸挑满,那时候他和瞎子就是坐着饿死,玉蜀黍也可以有水有肥地长成一棒穗儿。先爷独自从尘土厚实的梁路上走过,利锐的光芒一束又一束地打在他的身上,他又闻到了胡子的焦煳气息。他把那只鼠放在桶里,用草帽盖在桶上。汗从额门上流了下来,他用指头一刮,把舌头伸出来在指头上舔舔。觉得有汗流在了膝盖,他就蹲下来把膝上的汗水重又吸进肚里。他尽力不让身上的水白白流落在日光里。好在他每天都是天不亮时挑着水桶北行,到日将平顶,距泉水沟还有五里六里才会大汗淋漓,他只在这五里六里吸喝自己的汗水。至日悬高顶时候,他就到了泉池。喝一肚子水,吃下鼠肉,挑一担水爬上山坡,渴了时他就趴在水桶上猛喝。这当儿的太阳,没有一两的重量,也有八钱九钱。他不时地听到汗水汩汩的流动声。这时候他不恨日光,也不抱怨天旱,只在两腿哆嗦的当儿,不断地问自己说,我就老了吗?我怎么就挑不动一担水了呢?可到底还是双腿哆嗦得不行,只好放下水桶喘歇一阵,趴在桶上喝得肚圆。划算一番,先爷每挑一担水,四十里路要歇二十余次,再或三十几次。每次歇下都要喝水。喝了流汗,流了喝水。每次无论歇多少歇,喝多少水,两桶水回去后就只剩一桶。

大缸里的水已有三分有一的深,可田地里的老鼠五天间被先爷吃了五只。剩下的四只是先爷今后四天的口粮了。玉蜀黍在日光下长得旺绿如墨,缨子在转红以后,似乎停息下来,穗儿虽有了细萝卜样粗长,可那缨子却再也不肯转黑。顶儿也不肯有一丝黄干。顶不黄,缨不黑,玉蜀黍离成熟就还有遥远的路程。黄昏时分,山野里热血浆浆一片,先爷煮在那血浆里,用手摸了茂绿的穗儿,柔软的感觉使他心里有了寒意,什么时候才能秋熟?按眼下的长势,怕是最少还得二十天或者一月。他算了日期,从村人离开村落,至今已有四个月。玉蜀黍一般熟期为四个半月,这棵玉蜀黍熟期的无端延长,使先爷感到额外生出许多雨蒙蒙的忧伤。领着盲狗往每个鼠坑走了一遍,没有见多出一只老鼠。先爷迎着梁上的风口,仰躺在路边,地下红褐火烫的燥热,透过他的后背,在他的体内踢踢踏踏流动。狗就卧在先爷身边,瘦得卧下就再也没有力气站起的模样。有一只老鼠细弱的饿叫,从坑里有气无力地传来,引诱着狗和先爷山崩海啸的食欲。

盲狗扭头面对着鼠叫的方向一动不动。

先爷盯着天空依然沉默得岁岁年年。

后来,先爷翻了一个身,在山脉上弄出了一个惊心的响动,盲狗以为先爷终于要开口说话,忙不迭转过头来,先爷却站起身子走了。先爷回去二话没说,又捏了捏玉蜀黍穗儿的软硬,嘴里浑浊地嘟囔了一句啥儿,居然借着月色挑着水桶朝北行了。

先爷连夜又挑回一担水来。这担水他没有喝一口,满满当当两桶,往缸里倒了桶半,剩半桶往玉蜀黍棵下浇了几碗,另几碗倒进一个盆里,让盲狗渴时有喝,接着煮了一只老鼠,便再次挑上水桶去了。

三日之内,先爷夜晚挑回一担,白日挑回半担,水缸满了。

先爷决定乘着身上还有余力,坑里还有一只老鼠,最后去泉沟挑一担水。这担水可供他和瞎子充饥耐渴许多日子。他不指望有雨水落下,可他指望能熬持到秋熟的日子,能把那穗玉蜀黍棒儿掰下。一棵苗儿,至秋熟掰下时就是金黄一捧。棒穗上一行如有三十五粒,一圈儿最少有二十三行,那就是一捧,有几百近千粒。四个半月过去了,无论如何,秋熟期是一天天踏来,先爷在正午时候,已经能闻到那穗儿里黏黏黄黄的热香。至夜半时分,那香味就纯净得如麻油一样,一阵一阵飘散出来,蚕丝一样落在田里。

先爷月正中天时去挑最后一担水,回来是第二天午后,一路上统共歇了四十一次,路上渴饮了半担。挑着最后半担到田地的梁头,一直坐下歇至暮黑。他以为他再也没有力气把这半担水担到棚下缸边了,就决定去煮吃了那最后一只老鼠。那是九只中最大的一只,一拃长短,鼠眼呈出红色。可他到了那最远的一个鼠坑,却发现罐似的坑里除了有老鼠蹬落的碎土,老鼠不知哪里去了。

先爷怔着,蹲在坑边,又看见了坑里还有盲狗的脚痕,有零乱的鼠毛和枣皮似的血渍。

先爷在那坑边蹲至天黑。

月亮出来时候，先爷笑了一下，像一块薄冰慢慢裂开那样，他终于要开始说话了。站将起来，望着月亮中移动的烟影，说吃了也好，吃了我就可以对你说以后的日子不是你把我当饭，陪着玉蜀黍活着，就是我把你当饭，陪着那棵玉蜀黍活着了。先爷想，我终于可以把这话对你说了瞎子，多少天我就找不到这样说的机会。先爷开始往棚架下走去，双腿虽然酸软，步子却还依旧能一步接一步地迈，且到梁头，他还把那半担水挑了回去。

盲狗就卧在棚下，听见先爷的脚步声，它站了起来，似想朝先爷走去，却默默地往后退了几步，卧在了玉蜀黍的围席口上。月色溶溶，还染有许多炽白的热气。先爷把桶放在缸边，揭开席子看看缸里的满水，脱掉鞋子倒了鞋中的土粒，瞅一阵挂在棚柱上的鞭子，然后咳了一下，轻轻慢慢说，瞎子，你过来。

这是几天间盲狗第一次听先爷叫它。月光中，它微微缩了一下身子，费力地站了起来，怯怯地朝前挪了一步，又对着先爷坐的方向站了下来，背上稀疏的毛里响出了细微的哆嗦，先爷把目光转到远处，说瞎子，你不用害怕，吃了也就吃了，那是你我的最后一嘴口粮，你就是把我那份吃了我也不怪。然后，先爷把头扭了过来，说有一句话我该给你说了瞎子，这山脉上方圆百里，再没有一粒粮食，没有一只老鼠了，三天以后，你我都饿得连说话的力气也没了，那时候你要想活着，你就把我当饭一顿一顿吃掉，守着这棵玉蜀黍，等村人们回来，把他们引来将这棒穗儿掰了；你要感念我养活你这四五个月，想让我活在世上，就让我把你当饭吃了，熬活到秋熟时候，先爷说，瞎子，这事情由你定了，你想活着你今夜就离开这儿，随便躲到哪儿，三日五日后回来，我也就饿死在了这儿。说完这句话后，先爷用手在他脸上抹了一下，自上而下，有两行泪水湿了他的手心。

盲狗一动不动地站着，待先爷把话说完，它缓缓朝先爷走了几步，直到先爷的膝下，慢慢将前腿弯曲下来，后腿依然直着，而它那瘦削的长头，却又高高地抬了起来，用双井似的眼洞，望着先爷不语。

先爷知道，它是朝他跪了。

跪了之后，它又起身，慢缓缓走到灶边，用嘴拱开锅盖，从锅里捞出了一样东西，朝先爷走来。

它把那东西放在了先爷脚下。是一只褪了皮的老鼠，水淋淋的在月光中呈出青紫，一眼便知老鼠身上的瘀血都还在肉里，不像先爷杀时开肠破肚，血都一滴一滴流将出来。先爷拿起那团紫肉看了，盲狗的牙痕在肉上蜂窝一样密集。舒了一口长气，先爷说你没有把这老鼠吃掉？说吃了也就吃了，用不着再给我留。先爷忽然后悔把你死我活的话说得早了，他把鼠肉对着月光照照，说满肚子都是青紫，怕如何也没有刀杀的好吃哩。

盲狗卧在先爷腿边，把头枕在先爷的脚上。

鼠肉先爷来日煮了，给了盲狗一半，说吃吧，能活到哪天说哪天。盲狗不吃，他掰开它的嘴颌，往里塞了一个鼠头，三条鼠腿骨头。剩余的熟肉，先爷拿在手里，站在玉蜀黍穗前细嚼。他知道这两口紫肉吃完就彻底粮尽了，余下的事就是倒在地上直饿到力尽死去。死了也就死了，七十二岁，是山脉上的高寿。天下大旱，炊粮净尽，不仅又活了这半年，还养了这么一棵玉蜀黍，高出他有三头，叶子又宽又长，穗儿已经和萝卜一样。先爷盯着穗上的缨子，只几口就把鼠肉吃了，然后把指头放在嘴里嘬得有声有响。就这个时候，有一样东西雪花一样飘打在了先爷脸上。抬起头来，先爷的指头便水在了嘴里。他看见玉蜀黍顶原来的黄白忽然在一夜之间转成了红黑，顶上谷壳似的小片毛儿开始飞落。就是说，玉蜀黍它要授粉了，要开始结子了，秋熟天就这么来到了。先爷抬头望了一眼天空，刺白的光芒一根根在空中相互撞击得砰砰叭叭。要有风就好了，先爷想这季节是该刮些风的。有风玉蜀黍的授粉就敏快、均匀，子儿就长得壮实、齐整。把手从嘴里抽出来，在裤衩儿上潦潦草草擦了，先爷开始小心地用手去捏玉蜀黍穗儿。隔着厚厚的穗包皮，先爷摸到了熟萝卜似的软穗上，有一层不平整的半弹硌手的东西。一瞬间，先爷的心怦的一下停住不跳了，像门突然关了一样。他的手僵在穗儿上，脸硬在半空中，嘴紧紧地闭起来。片刻之后，当他认定是穗儿结的子儿在软弹着硌手时，如门又突然开了一样，涌在心里的隆隆狂跳，锤样砸在他胸上。他的脸上开始有了兴奋之色，干皱黝黑的皮下，仿佛有一条湍急的河流。在穗包儿上的双手，冷丁儿癣症般奇痒起来。他把手拿回来在嘴前吹了一口气儿，走出围席，取下挂在干槐树上的锄，就在玉蜀黍周围嘭嚓、嘭嚓锄起来。溅落的土粒，像小麦、谷子样细碎、匀称，包含着热烫的秋熟期的金色郁香。从玉蜀黍棵前一锄挤一锄地锄到苇席下面，先爷累得喘气如碎麻绳一样短乱。他把苇席拆了，扔在槐树下面，盲狗不知所措地跟在他的身后。先爷不言不语，锄到围席的桩外，又回头锄到大水缸的外围，直到不小心锄头碰在了缸上，水缸发出了一声清脆、湿润的尖叫才猛地立下，痴愣愣站了片刻，脸上灿烂出一层热笑，说瞎子，秋熟期到了，玉蜀黍结了籽儿。

盲狗用舌头舔了舔嘴唇。

先爷躺倒在地上对天说，我熬到时候了，秋要熟啦。

盲狗又用舌头舔着先爷的手指。

先爷在盲狗痒痒的舌舔下睡了一觉。

醒来后又去细看那玉蜀黍穗儿，先爷脸上的兴奋就没了。他发现玉蜀黍叶上的墨绿不如先前浓重，透了一层薄薄的黄色。这黄色不仅下面的叶有，就是棵顶刚生不久的叶子也有。先爷种了一辈子庄稼，他知道这是玉蜀黍缺少肥料了。这是玉蜀黍结籽的当儿，肥足才能子满。最好是人的粪尿。往年这季节他都在每棵玉蜀黍旁倒上满满一瓢人粪。他的庄稼，小麦、豆子、高粱，从来都是村里最好的。他是耙耧山脉无人可比的庄稼把式。站在玉蜀黍棵前，他的嘴唇已经干裂成这山梁上的旱地，可他没有过去喝水，也没有给狗舀半碗水喝。他不知道该去哪儿弄些人粪，村里的茅厕全都干得生烟，留下的粪便也晒得如柴火一样没有肥力。他和盲狗，已经许多天没有便粪的意思，肠胃吸去了他们吃下的全部鼠肉和骨渣。先爷想起了吃过的鼠皮，到沟下找了一遍，却连一张也没有。他猜想那些鼠皮在他去泉池担水时，都被瞎子吃尽了。从坡下气喘吁吁地爬上来，想问盲狗，可他只在它面前默着站了片刻，就去锅里喝了一碗漂有油花的煮肉水，没有盖锅盖，回身对狗说，渴了饿了去喝，然后就拿着粮袋回村找肥去了。

先爷空着袋儿从村落回来时拄了一根竹棍，每走三步都要停下歇一阵。他彻底没有力气了，把空袋丢在地上，到棚下看盲狗还依旧卧在那儿，锅里的一碗煮水也依着旧样儿，十一点油花仍是十一点。你没喝？他问盲狗说。盲狗微弱地动弹一下，他就过去用勺子舀着又喝了少半碗，十一点油花喝了五点儿，对狗说剩下的全是你的了。然后又回到了玉蜀黍前。这当儿再看玉蜀黍叶，那层浅黄似乎浓起来，绿色仿佛隐在了黄色下。先爷想，你为什么没有早些备下肥料呢？你不是村里的先爷吗？我操你祖宗，咋就想不起玉蜀黍结籽儿时候最需要肥料呢！

先爷这一夜就睡在了玉蜀黍棵儿下，第二天醒来发现有几片玉蜀黍叶上的绿色似乎褪尽了，黄色像纸样布在叶子上。

第二夜先爷仍睡在玉蜀黍棵儿下，第三天醒来，不仅发现又有两片叶子自上而下虚黄起来，还看见穗儿上的红缨也过早地有两丝干枯了。捏捏玉蜀黍穗，软弱如泥，和他身上的骨头一样，硌手的那种隐隐的感觉烟消云散了。

第三夜在玉蜀黍棵下先爷没有睡，他用铁锨挖了一条长槽坑，尺五宽，三尺深，五尺长，刚能躺下一个人，或松松活活躺下一条狗。

是墓坑。

墓坑紧临着玉蜀黍棵，有几须玉蜀黍根就裸在坑壁上。待坑挖成，先爷躺在地上歇了歇，到灶前看看锅里仍还盛着的半碗煮肉汤，六点儿油星依旧贴着锅边停泊着。他想喝，用勺子舀起重又放下了。他说过这半碗油水汤儿是盲狗的，他说三天过去了，你咋就不喝哩？瞎子。

盲狗卧在棚架下。这三天它一动不动地卧在棚架下，清凉的夜色浇在它身上。抬头朝先爷说话的方向注了一盲眼，它没有接话就又把头奄在了前腿上。天已经有了蒙蒙的亮，山梁上的夜色正和白天的亮光转换着。这时候先爷趴在缸上喝了几口水，取出一把剪刀，在缸壁底锥子一样钻起来。

先爷在缸底钻出了一个洞，有水渗出时，又用一把土将那小洞糊上了。做完这一切，似乎再也没有事情可做了，把锄挂在树上，把锨放在墓坑边，把水缸口用席盖严实，把棚架上的被子叠起来，把碗、筷、勺都收拾到棚柱下，最后在玉蜀黍棵前看了看蔓延在叶上的虚黄色，捏了如一兜水儿似的穗儿，转回头，太阳就呼地一下从东山梁的两个岭间涌将出来了，红渍渍一片投在山脉上，宛若山山野野都汪洋下了血。先爷立在玉蜀黍和棚架的中间，望着眼前的山梁们，似乎看到成千上万的红背牛群在朝四面八方走动着。他知道他没有力气了，眼花缭乱了。揉揉眼，把目光往天空瞅了瞅，看见镶了金边的鳞片云，在太阳前跳跳跃跃，如游在一汪红湖中的无数的鱼。今天的日光少说有一两四钱重，先爷这样想着，扭头看了一眼挂在棚架上的秤，然后朝盲狗面前挪了挪，把它抱起来，放到那个墓坑里，让它把坑的四壁蹭一遍，又从坑里抱出来，说瞎子，不是你死就是我死了，谁活着就把死了的埋到这坑里。说到这儿，先爷把手放在狗背上梳理了它的毛，去它的眼角擦了一把泪，从口袋摸出一个铜钱儿，把有字的一面朝着上，拿起狗的右前爪子在那字上摸了摸，说生死由命吧，我把这铜钱往天上一扔，落下来有字的涩面朝上，你就把我埋在这坑里做肥料，有字的涩面朝下，我就把你埋在这坑里做肥料。

狗的两井枯眼盯着先爷手中的铜钱没有动，浑浊的泪水半黑半红地汪汪流出来，滴在先爷新挖的墓土上。

不用哭，先爷说我死了叫我变成畜生我就托生成你，你死了叫你变成人你就托生成我孩娃，我们照旧能相互依着过日子。

狗的眼泪果然不流了，它想试着站起来，努了一下力，前腿一软又卧在了墓土上。

先爷说，你去把锅里的半碗油星汤儿喝了去。

盲狗朝先爷摆了一下头。

先爷说，现在就扔这铜钱吧，趁谁都还有些气力把谁埋进坑里边。

盲狗把盲眼对着先爷锄过的一片平地上。

最后在狗背上梳了三把，先爷从土堆上站起来。太阳正快步地朝这条梁上走。仔细地辨听，能听见这空旷的焰地有旺火腾起的巨大声响，像布匹在梁地那边一起一落扇风。他骂了一句我日你祖先，最后瞟了一下铜钱，扭头对狗说扔了呵，便把那枚铜钱抛上了半空。太阳光密集如林。铜钱碰着那一杆杆日光，发出金属相撞的红亮声响，落下时，旋旋转转翻着个儿，把那光束截断得七零八落。先爷盯着从半空降下的铜钱，像盯着突然看见的硕大的一枚雨滴，眼珠僵呆呆的有些血痛。盲狗从那土堆上站了起来。它听到了铜钱下落时红黄的风声，仿佛一枚熟杏儿掉在了草地上。

先爷朝那枚铜钱走过去。

盲狗跟在先爷的身后。

先爷到一锄土块前，腰没彻底弯下，就又直了起来，深长深长地叹了一口气，车转身平平静静说，瞎子，去把那半碗油汤喝了，喝了你有气力扒土埋我了。

盲狗站着不动。

先爷说，去吧，听话，喝了你就该埋我了。

它依然不动，前腿一曲，却又向先爷跪下来。先爷说，不用跪瞎子，这都是天意，合该我做玉蜀黍的肥料。然后他捡起那枚铜钱，过来亲摸着狗头，说你觉得过意不去，我再抛两次铜钱，这三抛有两次背面朝天我死，两次光面朝天你死。

盲狗从地上站了起来。

先爷又抛了一次铜钱。铜钱就落在盲狗面前，先爷看了一眼，说声用不着再扔了，就软软地坐在了地上。盲狗寻着那落钱的声音，用前爪摸了钱面，又用舌头舔了那钱面，卧下来泪水长流。霎时，它的头下就有了两团泥土。

喝了那半碗油汤去吧，先爷说，喝了你就扒土埋我吧。说完这话，先爷起身去棚架的下面，抽出了一根细竹竿儿，二尺余长，中间的竹隔被戳通了，用嘴一吹，十分流畅。他把那竹竿塞进缸下的小洞，用胶皮垫了小洞周围，使洞边渗不出一丁点水来，然后把细竹竿的头儿一压，正好有一粒细水，嘀嘀嗒嗒，玉粒样晶晶莹莹，一滴接一滴地落在玉蜀黍棵的最根部。立马，那儿的土地就响起了半青半红的吸水声，就湿下了一大片。

先爷用碎土围着玉蜀黍棵儿堆了一道小土圈，预防水滴多了流到远处去。做完这些精细的活儿后，他拍拍手上的土，扭头看看正顶的太阳，取下秤称了日光，是一两五钱重。然后把鞭子取下来，站到空地处，对着太阳连抽了十余马鞭子，使日光如梨花一样零零碎碎在他眼前落下一大片，最后力气用尽了，挂好马鞭，对着太阳嘶着嗓子道——你先爷我照样能把这棵玉蜀黍种熟结籽你能咋样儿我先爷？

日光中响起了沙黄嘶哑的回声，仿佛一面破了的铜锣，从这面坡地到了那面坡地去，愈走愈远，直至消失。先爷等那声音彻底净尽时，扯过一条苇席，朝那槽墓坑中走过去，对卧在墓坑边的盲狗说，埋了我你沿着我给你说的道路朝北走，到那条泉水沟，那里有水，还有满地黄狼吃剩的骨头，在那里你能活到荒旱后，能等到耙耧山人从外面世界逃回来。说可我是活不下来了，今儿死也是死，明儿后儿也是死。太阳正照在先爷的头顶上，头发间的土粒一摇一晃碰得叮当响。说完这番话，他拿手去头上拂了土，便紧贴着有玉蜀黍根须的一面墓壁躺下了，把苇席从头至脚盖在身子上，说扒土吧，瞎子，埋了我你就朝北走。

山脉上静无声息，酷烈的日光中隐隐藏着火焰要突然腾起的活力。茫茫空旷中，岭梁的焦煳味雾样卷动着。山脉、沟壑、村落、路道、干涸的河床，到处都旷日持久地弥漫着金银汤似的黏稠的光亮。

以为秋天无雨，冬天一定有雪，可冬天却迟迟未来。终于来了之后，又是一个干寒的酷冬。大旱一直无休止地持续到下年的麦天。这时节，终于有了云雨，时弥时散，反复半月之久，才算落下雨来。沉昏的天气，如日光样罩了耙耧山脉四十五天。雨水铺天盖地，下得满世界洪水滔滔。苦熬至雨过天晴以后，又到了种秋的季节。山梁上开始有人从世界外边走回来，挑着铺盖、碗筷，手里扯着长了一岁的孩娃。夜晚，踏着月光，那脚步声半青半白，时断时续。到了白天，山梁上便人流滚滚，拉车声，挑担声，说话声，望着山脉上偶有的青草、绿树的红惊白乍的哎哟声，像河流一样在梁道上滚动着。

紧随而来的是种秋。这季节逃难回来的村人们，噼啪一个冷噤，猛地发现各家各户都没有秋种子。整个耙耧山脉方圆几百里都没有秋种子。

忽然间有人想起了先爷。想起一年前先爷为了一棵嫩绿的玉蜀黍苗留在了山脉上。于是，村人都朝八里半外先爷家的田地走过去，就都老远看见那一亩几分地里，有孤零零一架棚子。到那棚架下，就又都看见凡先爷锄过的田里，草盛得和种的一样，厚极的一层绿色里，散发着纯蓝的青棵味和淡黄浅白的腥鲜味。听到了满山秃荒中这草味叮咚流动的声响，如静夜中传来的河水声。在这绿草中，村人们最先看到的是一株去年都已熟枯的玉蜀黍棵，它的顶已经折了，如小树一样的秆子，半歪半斜在两领苇席旁，那布满霉点的玉蜀黍叶子，有的落在草地上，有的仍在长着，如湿过又干的纸样贴在秆上。有一个和洗衣棒槌一样大小的玉蜀黍穗儿，倒挂在玉蜀黍秆上，沉稳地在随风摆动。焦干的黑色的穗缨，被手一碰，就花谢样断落在了草间。村人们把这穗玉蜀黍掰了，迅速剥下穗儿上的干皮，发现这棒硕大的玉蜀黍穗儿，粗如小腿，长如胳膊，共长了三十七行玉蜀黍。而这三十七行中，只有七粒指甲壳般大小、玉粒一般透亮的玉蜀黍籽，其余都是半灰半黄、没有长成就干瘪如瘦豆子样的玉蜀黍子。

这七粒玉蜀黍子，星星点点地布在一片灰色的干瘪里，像黑色的夜空中，仅有的七颗蓝莹莹的星。村人们望着这棒只有七粒玉蜀黍的穗，默默地站在棚架下，目光四处搜寻，便看见那大缸上的苇席被风吹到了沟边的锅灶旁。水缸里没有一滴水，有很厚一层土。水缸下插的一根细竹，已经裂下许多缝。在水缸的东边上，扔有几个碗和勺。碗勺的上边，是挂在棚架柱上的一根鞭子和一杆秤。在水缸的西南五尺远，紧贴玉蜀黍棵的草地上，有一堆草地，凸凸凹凹高出地面来，又有一片草陷下地面去，正显出尺半宽、五尺长，三尺深的一条槽坑样。在那槽坑最头的深草中，卧了一只狗，枯瘦嶙嶙的皮毛上，有许多被虫蛀的洞；头上的两眼井窝，乌黑而又幽深。它的整个身子，都被太阳晒干了，村人们只轻轻一脚，就把它踢到了槽坑外，像踢飞一捆干草。狗被踢了出去，槽坑当啷一下显出了它棺材样的墓坑形，村人心里哗啦一响，便都明白了这是先爷的墓，先爷就埋在这条槽坑里。为了把先爷移到老坟去，村人们把这条墓坑挖开了，第一锨下去就听到青白色的咯咯嘣嘣声，仿佛挖到了盘根错节一样儿。小心翼翼地拔了坑里的草，把虚土翻出来，每个村人眼前嘭的一下，看见先爷的裤衩儿已经无影无迹，成了一层薄土。他整个身子，腐烂得零零碎碎，各个骨节已经脱开。有一股刺鼻的白色气息，烟雾样腾空升起。先爷躺在墓里，有一只胳膊伸在那棵玉蜀黍的正下，其余身子，都挤靠在玉蜀黍这边，浑身的蛀洞，星罗棋布，密密麻麻，比那盲狗身上的蛀洞多出几成。那棵玉蜀黍棵的每一根根须，都如藤条一样，丝丝连连，呈出粉红的颜色，全都从蛀洞中长扎在先爷的胸膛上、大腿上、手腕上和肚子上。有几根粗如筷子的红根,穿过先爷身上的腐肉,扎在了先爷白花花的头骨、肋骨、腿骨和手骨上。有几根红白的毛根,从先爷的眼中扎进去,从先爷的后脑壳中长出来,深深地抓着墓底的硬土层。先爷身上的每一节骨头,每一块腐肉,都被网一样的玉蜀黍根须网串在一起,通连到那棵玉蜀黍秆上去。这也才看见,那棵断顶的玉蜀黍秆下,还有两节秆儿,在过了一冬一夏之后,仍微微泛着水润润的青色,还活在来年的这个季节里。

想了想,就又把先爷原地葬下了。把干草似的狗并着先爷埋在了那条墓槽里。新土的气息,在这面坡地漫下了浅浅一层温暖的腐白。埋至最后,要走时有人在棚架床的枕下,发现一本被雨淋过的万年历。有人在草地上捡到一枚铜钱,铜钱上生满了古味的绿锈。把那绿锈粗粗糙糙抹去,发现铜钱的这边,是有字的涩面,铜钱的那边,也是有字的涩面。没人见过两边都有字样的铜钱,村人们传看了一遍,就又把它扔了。日光明亮,铜钱在半空碰断了一杆又一杆的光芒,发出了当当啷啷一朵朵红色花瓣的声音,落在田地,又滚到沟里去了。

人们把那本万年历拿了回去。

日子就这么一日日走来,到了再不能拖延种秋的时季,耙耧山脉的村人,吃完了带回的讨食,终是寻不到秋天的玉蜀黍种子,三村五邻的人们,又开始结队潮水般朝世界外面涌去逃荒。也仅仅不足半月光阴,数百里的耙耧山脉,便又茫茫地空荡下来,安静得能听到日光相撞、月光落地的清脆响音了。

最终留下的,是这个村落中七户人家的七个男子,他们年轻、强壮、有气力,在七道山梁上搭下了七个棚架子,在七块互不相邻的褐色土地上,顶着无休无止酷锐的日光,种出了七棵嫩绿如油的玉蜀黍苗。

(原载《收获》1997年第1期)

阎连科

1958年出生于河南洛阳嵩县田湖瑶沟。1992年加入中国作家协会。曾任第二炮兵电视艺术中心编剧。2004年退出军界。现为北京市作家协会专业作家。

1980年开始发表文学作品。著有小说集《和平寓言》《乡里故事》《黄金洞》《横活》《朝着天堂走》《欢乐家园》,长篇小说《情感狱》《最后一名女知青》《生死晶黄》《日光流年》《受活》《风雅颂》《丁庄梦》,散文随笔集《回望乡土》《桎梏》及《阎连科文集》(5卷)等。中篇小说《黄金洞》《年月日》分别获第一届和第二届鲁迅文学奖。